令和2年版

食料・農業・農村白書

農林水産省　編

食料・農業・農村白書の刊行に当たって

農林水産大臣

江藤　拓

　我が国の農業・農村は、国民生活に不可欠な食料を供給する機能とともに、その営みを通じて、国土の保全などの役割を果たしている、まさに「国の基」であります。

　現在、我が国の農業・農村は大きな転換期を迎えています。人口減少に伴う国内マーケットの縮小、農業者や農地の減少、TPP・日米貿易協定の発効などに伴うグローバル化の進展、台風など頻発する自然災害や、CSF（豚熱）・ASF（アフリカ豚熱）、さらには、新型コロナウイルス感染症への対応など、新たな課題に直面しています。

　今年3月には、今後10年間の農政の指針となる新たな「食料・農業・農村基本計画」が閣議決定されました。この新たな基本計画には、様々な課題に直面する中で、地域をいかに維持し、次の世代に継承していくのか、という視点から、担い手の育成・確保や農地の集積・集約化を進めるとともに、中山間地域など経営規模の大小といった条件にかかわらず、農業経営全体の底上げを図ることにより、今こそ国内農業の生産基盤の強化と食料自給率の向上を目指すことが不可欠であるという思いを込めました。

　また、国内需要の変化に対応するとともに、新たな輸出目標に向け、私を本部長とする司令塔組織の下で更なる輸出拡大に取り組んでまいります。
　さらには、活力ある農村を実現するため、美しい棚田や田園風景など多様な地域資源を組み合わせた複合経営など関係府省と連携した農村施策を推進してまいります。

　今回の白書では、冒頭の特集において、新たな基本計画を取り上げました。白書を通じて、農業者はもとより多くの国民の皆様に、我が国食料・農業・農村が直面している現状や課題を共通の認識とするとともに、農業・農村が、「国の基」として、いかにかけがえのないものであるかを国民の皆様に理解していただき、国民全体で、農業・農村を次の世代に継承していきたいと考えています。

　現場主義は私の信念であります。新型コロナウイルス感染症の影響により生産現場でも厳しい状況が続いていますが、現場の皆様の声をよく伺いながら、生産基盤をしっかりと守り、強化するよう、国民の皆様方に安全・安心で美味しい農林水産品・食品をお届けすることができるよう、全力で取り組んでまいります。
　皆様の御理解とお力添えを賜りますよう、よろしくお願い申し上げます。

令和2年6月

この文書は、食料・農業・農村基本法（平成11年法律第106号）第14条第1項の規定に基づく令和元年度の食料・農業・農村の動向及び講じた施策並びに同条第2項の規定に基づく令和2年度において講じようとする食料・農業・農村施策について報告を行うものである。

令和元年度
食料・農業・農村の動向

第201回国会（常会）提出

目次

特集

トピックス

第1章

第2章

第3章

第4章

用語の解説

トピックス 2　日米貿易協定の発効と対策等　　80

第1章　食料の安定供給の確保　　87

特集

トピックス

第1章

第2章

第3章

第4章

用語の解説

特集

トピックス

第1章

第2章

第3章

第4章

用語の解説

特集

トピックス

第1章

第2章

第3章

第4章

用語の解説

特集

トピックス

第1章

第2章

第3章

第4章

用語の解説

特集

トピックス

第1章

第2章

第3章

第4章

用語の解説

事例一覧

特集2

特集

トピックス

第1章

第2章

第3章

第4章

用語の解説

コラム一覧

特集

トピックス

第1章

第2章

第3章

第4章

用語の解説

第3章

第4章

特集

トピックス

第1章

第2章

第3章

第4章

用語の解説

○図表の数値は、原則として四捨五入しており、合計とは一致しない場合があります。
○本資料に記載した地図は、必ずしも、我が国の領土を包括的に示すものではありません。

第1部

食料・農業・農村
の動向

は　じ　め　に

　「食料・農業・農村の動向」（以下「本報告書」という。）は、食料・農業・農村基本法に基づき、食料、農業及び農村の動向に関する報告を、毎年、国会に提出しているものです。

　令和2（2020）年3月に、新たな食料・農業・農村基本計画が策定されました。これは、食料・農業・農村基本法に基づき、おおむね5年ごとに見直す、農政の中長期のビジョンとなるものです。このため、本報告書では、冒頭の特集1において、「新たな食料・農業・農村基本計画」と題し、これまでの基本計画の目標と施策を整理するとともに、新たな基本計画のポイントや設定された目標等について記述しています。

　また、令和元（2019）年は、男女共同参画社会基本法の施行から20年の節目の年でした。このため、特集2においては、「輝きを増す女性農業者」と題し、女性農業者の活躍の軌跡を振り返った上で、農業経営や地域農業への参画の状況と課題、今後の取組の方向性について記述しています。

　特集に続くトピックスでは、令和元（2019）年5月のG20新潟農業大臣会合の議題にもなった「SDGs（持続可能な開発目標）」と令和2（2020）年1月に発効した「日米貿易協定」の2つのテーマを取り上げています。

　トピックスに続いては、食料、農業及び農村の動向について、それぞれ「食料の安定供給の確保」、「強い農業の創造」、「地域資源を活かした農村の振興・活性化」として章立てを行い、記述しています。また、これらに続けて、「災害からの復旧・復興と防災・減災、国土強靱化等」の章を設け、令和元（2019）年度に発生した災害の状況と対応、東日本大震災・熊本地震からの復旧・復興、新型コロナウイルスへの対応等について記述しています。

　さらに、巻末においては、本報告書が元号が平成から令和に切り替わった最初の報告書となることから、平成30年間の食料・農業・農村分野での主な動きと指標を掲載しています。

　本報告書の記述分野は多岐にわたりますが、統計データの分析や解説だけでなく、全国各地で展開されている取組事例等を可能な限り紹介し、写真も交えて分かりやすい内容とすることを目指しました。

　本報告書を通じて、我が国の食料・農業・農村に対する国民の関心と理解が一層深まることを期待します。

特集 **1**

新たな食料・農業・農村基本計画

　食料・農業・農村基本計画は、食料・農業・農村基本法に基づき策定する、10年程度先までの、食料・農業・農村に関する各種施策の基本的な方針です。本特集では、平成12（2000）年以降に策定された食料・農業・農村基本計画や、基本計画の中で定められた食料自給率[1]目標等を概観した後、令和2（2020）年3月に閣議決定された新たな基本計画の概要について記述します。

（1）これまでの食料・農業・農村基本計画

（前基本計画までの目標と施策）

　平成11（1999）年7月に、食料・農業・農村に関する施策の基本理念及びその実現を図るために基本となる事項を定めた、食料・農業・農村基本法（以下「基本法」という。）が制定され、以降、基本法が掲げる食料の安定供給の確保、多面的機能の発揮、農業の持続的発展及び農村の振興という4つの基本理念を具体化するための施策が推進されてきました。

　食料・農業・農村基本計画（以下「基本計画」という。）は、基本法に掲げる基本理念に沿った具体的な施策展開のプログラムであり、食料・農業・農村をめぐる情勢の変化等を踏まえ、おおむね5年ごとに変更することとされています。

　最初の基本計画は、平成12（2000）年に策定され、食生活指針の策定、不測時における食料安全保障[2]マニュアルの策定、効率的かつ安定的な農業経営が相当部分を担う農業構造の確立、価格政策から所得政策への転換、中山間地域等直接支払制度の導入等が位置付けられました（図表 特1-1）。次に平成17（2005）年基本計画では、食の安全と消費者の信頼の確保、食事バランスガイドの策定等食育の推進、地産地消[3]の推進、担い手を対象とした水田・畑作経営所得安定対策の導入、農地・水・環境保全向上対策の導入、バイオマス[4]利活用等自然循環機能の維持増進、農林水産物・食品の輸出促進等の施策を展開することとされました。さらに、平成22（2010）年基本計画では、食の安全と消費者の信頼の確保、総合的な食料安全保障の確立、戸別所得補償制度の導入、生産・加工・販売の一体化や輸出促進等による農業・農村の6次産業化[5]等の推進等が位置付けられました。その後、平成27（2015）年基本計画では、国産農産物の消費拡大、「和食」の保護・継承、農地中間管理機構のフル稼働、米政策改革の着実な推進、多面的機能支払制度等の着実な推進、東日本大震災からの復旧・復興、農協改革や農業委員会改革の推進等の施策を展開することとされました。

1～5　用語の解説3（1）を参照

図表 特1-1　これまでの食料・農業・農村基本計画の主な内容

平成11（1999）年7月　食料・農業・農村基本法の成立

- ○ 食料、農業及び農村に関する施策の基本理念及び実現を図るために基本となる事項を規定
- ○ 基本理念として、①食料の安定供給の確保、②多面的機能の発揮、③農業の持続的な発展、④農村の振興の4点を明記
- ○ 食料・農業・農村基本計画では、食料自給率の目標を定めるとともに、食料、農業及び農村に関し、政府が総合的かつ計画的に講ずべき施策等を定めるべきことを規定

※ 太字は主要施策

平成12（2000）年3月　食料・農業・農村基本計画の決定

食料自給率目標（平成22年度）
供給熱量ベース　45%
（参考）金額ベース　74%

- ○ 食生活指針の策定
- ○ 不測時における食料安全保障マニュアルの策定
- ○ 効率的かつ安定的な農業経営が相当部分を担う農業構造の確立
- ○ 価格政策から所得政策への転換
- ○ **中山間地域等直接支払制度の導入**　等

平成17（2005）年3月　食料・農業・農村基本計画の改定

食料自給率目標（平成27年度）
供給熱量ベース　45%
生産額ベース　76%

- ○ 食の安全と消費者の信頼の確保
- ○ 食事バランスガイドの策定等食育の推進、地産地消の推進
- ○ 担い手を対象とした**水田・畑作経営所得安定対策の導入**
- ○ 農地・水・環境保全向上対策の導入
- ○ バイオマス利活用等自然循環機能の維持増進
- ○ 農林水産物・食品の輸出促進　等

平成22（2010）年3月　食料・農業・農村基本計画の改定

食料自給率目標（令和2年度）
供給熱量ベース　50%
生産額ベース　70%

- ○ 食の安全と消費者の信頼の確保
- ○ 総合的な食料安全保障の確立
- ○ **戸別所得補償制度の導入**
- ○ 生産・加工・販売の一体化、輸出促進等による**農業・農村の6次産業化等の推進**
- ○ 農業生産力強化に向けた農業生産基盤整備の抜本見直し　等

平成27（2015）年3月　食料・農業・農村基本計画の改定

食料自給率目標（令和7年度）
供給熱量ベース　45%
生産額ベース　73%

- ○ 国産農産物の消費拡大、「和食」の保護・継承
- ○ **農地中間管理機構のフル稼働**
- ○ 米政策改革の着実な推進
- ○ 多面的機能支払制度等の着実な推進
- ○ 東日本大震災からの復旧・復興
- ○ **農協改革や農業委員会改革の推進**　等

資料：農林水産省作成

　また、基本法第15条において、「食料自給率の目標は、その向上を図ることを旨とし、国内の農業生産及び食料消費に関する指針として定める」こととされており、それぞれの基本計画に総合食料自給率の目標が設定されています。

　平成12（2000）年基本計画では、計画期間内における実現可能性を考慮し、平成22（2010）年度に供給熱量[1]ベースで45%とする目標が定められました。次の平成17（2005）年基本計画では、平成27（2015）年度に供給熱量ベースで45%とすることに加え、比較的低カロリーである野菜、果実等の生産活動をより適切に反映する観点から、前回は参考として示されていた生産額ベースについて、76%とする目標が定められました。さらに平成22（2010）年基本計画では、「我が国が持てる資源をすべて投入した時にはじめて可能となる高い目標」として、令和2（2020）年度に供給熱量ベースで50%、生産額ベースで70%とする目標が定められました。その後の平成27（2015）年基本計画では、平成22（2010）年基本計画における目標の検証を踏まえ、令和7（2025）年度に供給熱量ベースで45%、生産額ベースで73%とする目標が定められました。

1　用語の解説3（1）を参照

（2）新たな食料・農業・農村基本計画

ア　新たな食料・農業・農村基本計画の策定経緯

（議論の経過）

　新たな基本計画の策定に当たっては、まずは現場の取組や課題を幅広く把握し、具体的な議論につなげていくため、平成31（2019）年3月から令和元（2019）年6月にかけて計8回、食料・農業・農村政策審議会企画部会（部会長：大橋 弘 東京大学公共政策大学院教授）において農業者等からのヒアリングが行われました。家族経営、法人経営、集落営農等の経営形態や、中山間地域や平野部等の地域、年齢、性別等が様々な農業者、食品関連事業者、農村振興に取り組まれている方々から、担い手、農地、経営継承、行政手続、食育、農村振興等について、現場の状況や課題等が示されました（図表 特1-2）。

　食料・農業・農村をめぐる新たな動きや農業者等からのヒアリング等も踏まえ、令和元（2019）年9月6日に、新たな基本計画の検討が農林水産大臣から食料・農業・農村政策審議会会長（髙野克己東京農業大学学長）に諮問されました。以降、同審議会企画部会において、計13回にわたり審議が行われ、審議の前半では、これまでの施策の検証や食料自給率目標の検証が行われ、後半では、食料自給率等の目標設定の考え方や食料自給力[1]の取扱い、施策の具体的な方向性等について集中的に議論が進められました（図表 特1-3）。その後、新たな基本計画は、令和2（2020）年3月25日に開催された同審議会で審議会会長から農林水産大臣に答申され、同年3月31日に閣議決定されました。

　企画部会での審議に際しては、全国10か所で地方意見交換会や現地調査が実施され、地域の農業者、消費者、実需者、地方公共団体等の有識者が参加し、基本計画の見直しに関する意見交換が行われました。また、令和元（2019）年9月から令和2（2020）年2月までの間、農林水産省のWebサイト等で国民の皆様から意見や要望等を募集し、多くの意見が寄せられました。

1　用語の解説3（1）を参照

図表 特1-2 企画部会における農業者等からのヒアリング実績

平成31年（令和元年）
- 3月18日（第1回）：「水田農業」をテーマに、山形県、埼玉県、千葉県、新潟県の生産者よりヒアリング
- 3月28日（第2回）：「畜産・酪農」をテーマに、北海道（酪農）、岩手県（養豚）、富山県（酪農）、鹿児島県（肉用牛）の生産者よりヒアリング
- 4月12日（第3回）：「果樹・茶」をテーマに、岩手県（りんご）、山梨県（ぶどう）、静岡県（茶）、愛媛県（柑橘）の生産者よりヒアリング
- 4月25日（第4回）：「野菜」をテーマに、静岡県（キャベツ）、岐阜県（トマト）、大阪府（たまねぎ）、徳島県（かんしょ）の生産者よりヒアリング
- 5月21日（第5回）：「食品産業」をテーマに、東京都（輸出）、三重県（給食）、兵庫県（醤油）、宮崎県（流通）の事業者よりヒアリング
- 5月29日（第6回）：「農村振興」をテーマに、長野県（6次化）、高知県（養鶏・宿泊）、新潟県（棚田保全）、栃木県（農泊）、島根県（ジビエ）の事業者よりヒアリング
- 6月12日（第7回）：「産地・地域づくり」をテーマに、北海道、長野県、広島県、山口県で産地づくりや震災からの復興等に取り組む生産者等よりヒアリング
- 6月20日（第8回）：「経営継承」をテーマに、栃木県、富山県、長崎県、佐賀県で経営を継承した方と継承させた方よりヒアリング
- 6月27日：8回のヒアリングを基に、審議会委員同士で意見交換

企画部会の様子（第4回）

農業者等ヒアリング協力者の方々と
審議会委員の集合写真（第8回）

資料：農林水産省作成

図表 特1-3 食料・農業・農村政策審議会及び企画部会における食料・農業・農村基本計画の審議経過

令和元（2019）年
（7月8日（本審議会）：食料・農業・農村政策審議会会長の互選　等）
9月　6日（第1回本審議会、第1回企画部会合同会議）：諮問、食料・農業・農村をめぐる情勢及び農業者等からのヒアリングにおける主な意見　等

－以降、平成27年基本計画の検証とこれを踏まえた施策の方向（案）について議論－

- 9月19日（第2回企画部会）：食料の安定供給の確保に関する施策
- 10月　9日（第3回企画部会）：農業の持続的な発展に関する施策
- 10月30日（第4回企画部会）：農村の振興、東日本大震災からの復旧・復興、団体の再編整備に関する施策
- 11月12日（第5回企画部会）：食料自給率・食料自給力
- 11月15日～12月2日：地方意見交換会・現地調査
（北海道ブロック、東北ブロック、関東ブロック、北陸ブロック、東海ブロック、近畿ブロック、中国ブロック、四国ブロック、九州ブロック、沖縄ブロック　計10か所で開催）
- 11月26日（第6回企画部会）：農地の見通しと確保、農業構造の展望、農業経営等の展望、農業のデジタル・トランスフォーメーション（DX）に関する施策
- 12月　9日（第7回企画部会）：これまでの議論で出された意見や課題の整理
地方意見交換会・現地調査の報告
- 12月23日（第8回企画部会）：新たな基本計画の検討に向けた課題の整理

－以降、新たな基本計画に盛り込む施策等について議論－

令和2（2020）年
- 1月29日（第9回企画部会）：基本的考え方と論点、構造展望等、経営対策・農村施策
- 2月13日（第10回企画部会）：品目ごとの生産のあり方、食料政策等、食料自給率・自給力指標、経営展望
- 2月21日（第11回企画部会）：基本計画骨子（案）
- 3月10日（第12回企画部会）：基本計画（原案）、各種展望等（案）
- 3月19日（第13回企画部会）：基本計画（案）
- 3月25日（第2回本審議会）：基本計画　答申
- 3月31日：基本計画　閣議決定

現地調査の様子
（中国ブロック）

地方意見交換会の様子
（東北ブロック）

資料：農林水産省作成

イ　新たな食料・農業・農村基本計画
（食料・農業・農村をめぐる情勢と新たな基本計画）

　新たな基本計画は、これまでの施策の評価及び食料・農業・農村をめぐる情勢の変化と課題を踏まえて策定されました（図表 特1-4、図表 特1-5）。また、今回の基本計画では、その内容を分かりやすく伝えるため、「我が国の食と活力ある農業・農村を次の世代につなぐために」という副題がつけられました。

　前基本計画の策定以降、米や野菜の需要に応じた生産の進展に伴い生産農業所得[1]は増加し、農林水産物・食品の輸出額は7年連続で過去最高を更新し、49歳以下の新規就農者[2]数は約2万人のペースを維持するなどの成果が現れてきています。

　一方で、農地面積や農業就業者数は、少子高齢化・人口減少が本格化する中で減少し続けるなど、生産現場は依然として厳しい状況に直面しており、今後、経営資源や農業技術が継承されず、生産基盤が一層脆弱化することが危惧されます。また、地域コミュニティの維持が困難になることへの懸念や国際化の進展による関税削減等に対する生産現場での不安と懸念、頻発する自然災害やCSF[3]（豚熱[4]）等の家畜疾病の発生、地球温暖化の進行等による影響への懸念も増しています。

　また、近年はライフスタイルの変化や海外マーケットの拡大に伴う国内外における新たな需要の取り込みが期待されるほか、スマート農業やデジタル技術の急速な発展とその現場実装、「田園回帰」の流れを受けた都市部の人材による地域活性化への貢献、SDGs（持続可能な開発目標）[5]への関心の高まり等といった新たな潮流も生じています。

　こうした中で農業の成長産業化を進める「産業政策」と農業・農村の有する多面的機能の維持・発揮を進める「地域政策」を引き続き車の両輪として推進し、将来にわたって国民生活に不可欠な食料を安定的に供給し、食料自給率の向上と食料安全保障の確立を図ることが新たな基本計画の課題とされました。

　施策の推進に当たっては、（1）消費者や実需者のニーズに即した施策の推進、（2）食料安全保障の確立と農業・農村の重要性についての国民的合意の形成、（3）農業の持続性確保に向けた人材の育成・確保と生産基盤の強化に向けた施策の展開、（4）スマート農業の加速化と農業のデジタルトランスフォーメーションの推進、（5）地域政策の総合化と多面的機能の維持・発揮、（6）災害や家畜疾病等、気候変動といった農業の持続性を脅かすリスクへの対応強化、（7）農業・農村の所得の増大に向けた施策の推進、（8）SDGsを契機とした持続可能な取組の後押しという視点に立って、施策を展開することとされました。

1　用語の解説1を参照
2　用語の解説2（5）を参照
3、5　　用語の解説3（2）を参照
4　用語の解説3（1）を参照

図表 特1-4　新たな食料・農業・農村基本計画

食料・農業・農村基本計画（令和2年3月）
〜我が国の食と活力ある農業・農村を次の世代につなぐために〜

食料・農業・農村をめぐる情勢

農政改革の着実な進展

農林水産物・食品輸出額
4,497億円（2012年）　→　9,121億円（2019）

生産農業所得
2.8兆円（2014）　→　3.5兆円（2018）

若者の新規就農
18,800人/年（09〜13平均）　→　21,400人/年（14〜18平均）

国内外の環境変化

①国内市場の縮小と海外市場の拡大
・人口減少、消費者ニーズの多様化

②TPP11、日米貿易協定等の新たな国際環境

③頻発する大規模自然災害、新たな感染症

④CSF（豚熱）の発生・ASF（アフリカ豚熱）への対応

生産基盤の脆弱化

農業就業者数や農地面積の大幅な減少

基本的な方針

「産業政策」と「地域政策」を車の両輪として推進し、
将来にわたって国民生活に不可欠な食料を安定的に供給し、
食料自給率の向上と食料安全保障を確立

施策推進の基本的な視点

✓消費者や実需者のニーズに即した施策

✓食料安全保障の確立と農業・農村の重要性についての国民的合意の形成

✓農業の持続性確保に向けた人材の育成・確保と生産基盤の強化に向けた施策の展開

✓スマート農業の加速化と農業のデジタルトランスフォーメーションの推進

✓地域政策の総合化と多面的機能の維持・発揮

✓災害や家畜疾病等、気候変動といった農業の持続性を脅かすリスクへの対応強化

✓農業・農村の所得の増大に向けた施策の推進

✓SDGsを契機とした持続可能な取組を後押しする施策

食料自給率目標等

【供給熱量ベース】37%（2018実績）→ 45%（2030目標）（食料安全保障の状況を評価）
【生産額ベース】66%（2018実績）→ 75%（2030目標）（経済活動の状況を評価）

【飼料自給率】25%（2018実績）→ 34%（2030目標）

【食料国産率】飼料自給率を反映せず、国内生産の状況を評価するため新たに設定
＜供給熱量ベース＞46%（2018実績）→ 53%（2030目標）
＜生産額ベース＞69%（2018実績）→ 79%（2030目標）

食料自給力指標（食料の潜在生産能力）

農地面積に加え、労働力も考慮した指標を提示。また、新たに2030年の見通しも提示

資料：農林水産省作成

図表 特1-5　新たな基本計画における主なポイント

○ 農業の成長産業化に向けた農政改革を引き続き推進

○ 令和12（2030）年までに農林水産物・食品の輸出額を5兆円とする目標を設定

○ 中小・家族経営等多様な経営体の生産基盤の強化を通じた農業経営の底上げ

○ 関係者と連携し、農村を含む地域の振興に関する施策を総動員した「地域政策の総合化」

○ 食と農に関する新たな国民運動の展開を通じた国民的合意の形成

資料：農林水産省作成

ウ　食料自給率の目標
（食料自給率と食料国産率）

　総合食料自給率の目標については、食料安全保障の状況を評価する観点からは供給熱量ベースの食料自給率が、農業の経済活動の状況を評価する観点からは生産額ベースの食料自給率が実態を測るのに適しており、供給熱量ベースと生産額ベースの目標がそれぞれ設定されました。

　これまでの総合食料自給率の目標設定に当たっては、併せて設定される飼料自給率の目標を反映することにより、輸入飼料による畜産物の生産分を除いています。この方法は、

飼料の多くを輸入に依存している「国内生産」を厳密に捉えることから、総合食料自給率の目標が食料安全保障を図る上で基礎的な目標であることに変わりはありません。一方、飼料自給率が向上しても、国内畜産業の生産基盤が脆弱化すれば、総合食料自給率は向上しません。また、農業の持続的発展を図っていく上で、国内生産を維持・拡大していくことが必要であり、そのためには国民に対して国産農産物の消費を促すことも必要です。このため、国内の畜産業の努力を適切に反映する観点から、国内生産に着目した目標として「食料国産率[1]」の目標が飼料自給率の目標と併せて設定され、双方の向上を図りながら、総合食料自給率の向上を図ることとされました（図表 特1-6）。

　総合食料自給率は、国内生産だけではなく、食料消費の在り方等によって左右されるものであることから、生産面では、国内外の需要の変化に対応した生産・供給、国内農業の生産基盤の強化により国内生産の維持・増大を図り、消費面では、消費者と食と農とのつながりの深化、食品産業との連携に取り組む必要があります。これらに官民総力を挙げて取り組んだ結果、生産面・消費面の諸課題が解決された場合に実現可能な水準として、令和12（2030）年度における品目ごとの食料消費の見通し及び生産努力目標が設定され、これらを前提として、総合食料自給率の目標は、供給熱量ベースで45％、生産額ベースで75％と設定されました（図表 特1-7、図表 特1-8）。

図表 特1-6　総合食料自給率と食料国産率

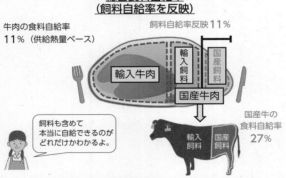

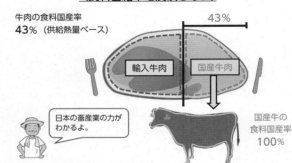

・国産飼料のみで生産可能な部分を厳密に評価できる。
・国産飼料の生産努力が反映される。

➤ 我が国の食料安全保障の状況を評価

・需要に応じて増頭・増産を図る畜産農家の努力が反映される。
・日ごろ、国産畜産物を購入する消費者の実感と合う。

➤ 飼料が国産か輸入かにかかわらず、畜産業の活動を反映し、国内生産の状況を評価

⇨ 「食料国産率」と「飼料自給率」の双方の向上を図りながら、「飼料自給率を反映した食料自給率」の向上を図る。

資料：農林水産省作成

1　用語の解説3（1）を参照

図表 特1-7　主要品目の食料消費の見通し及び生産努力目標

(単位：万t)

	食料消費の見通し (国内消費仕向量)		生産努力目標	
	平成30年度 (2018)	令和12年度 (2030)	平成30年度 (2018)	令和12年度 (2030)
米（米粉用米・飼料用米を除く）	799	714	775	723
米粉用米	2.8	13	2.8	13
飼料用米	43	70	43	70
小麦	651	579	76	108
大麦・はだか麦	198	196	17	23
大豆	356	336	21	34
そば	14	13	2.9	4.0
かんしょ	84	85	80	86
ばれいしょ	336	330	226	239
なたね	257	264	0.3	0.4
野菜	1,461	1,431	1,131	1,302
果実	743	707	283	308
砂糖	(231)	(206)	(75)	(80)
てん菜	−	−	361 (61)	368 (62)
さとうきび	−	−	120 (13)	153 (18)
茶	8.6	7.9	8.6	9.9
生乳	1,243	1,302	728	780
牛肉	93	94	33	40
豚肉	185	179	90	92
鶏肉	251	262	160	170
鶏卵	274	261	263	264
飼料作物	435	519	350	519

資料：農林水産省作成
注：1）砂糖及びてん菜・さとうきびの（ ）内の数値は精糖換算した値
　　2）飼料作物は可消化養分総量（TDN）である。
　　3）各品目の生産努力目標は輸出目標を踏まえたものである。

図表 特1-8　食料自給率等の目標

(単位：%)

	平成30（2018）年度 (実績)	令和12（2030）年度 (目標)
供給熱量ベースの総合食料自給率	37	45
生産額ベースの総合食料自給率	66	75
飼料自給率	25	34
供給熱量ベースの食料国産率	46	53
生産額ベースの食料国産率	69	79

資料：農林水産省作成
注：令和12（2030）年度における生産額ベースの総合食料自給率及び食料国産率については、各品目の現状の単価を基準に、TPPの影響等を見込んでいる。

（食料自給力）

　現代の食生活は、海外からの輸入食料の供給も含めて成り立っており、輸入食料の大幅な減少といった不測の事態が発生した場合は、国内において最大限の食料供給を確保する必要があります。この場合、我が国の農林水産業が有する食料の潜在生産能力（食料自給力）をフル活用することにより、生命と健康の維持に必要な食料の生産を高めることが可能であることから、平素から我が国の農林水産業が有する食料の潜在生産能力を把握し、その維持・向上を図ることが重要です。

（食料自給力指標）

　我が国が有する農地等の農業資源、農業者、農業技術といった潜在生産能力をフル活用することにより得られる食料の供給熱量を示したものが、食料自給力指標です。前基本計画においては、農地を最大限活用するものとしていましたが、新たな基本計画では、農業労働力や省力化の農業技術も考慮するよう指標が改良されました。さらに、将来（令和12（2030）年度）に向けた農地や農業労働力の確保、単収の向上が、それぞれ1人・1日当たりの供給可能熱量の増加にどのように寄与するかについても、定量的に評価できるように、令和12（2030）年度の食料自給力指標の見通しが提示されました。

　食料自給力指標は、農地等を最大限活用することを前提として、米・小麦中心の作付け及びいも類中心の作付けの2パターンについて、栄養バランスを一定程度考慮した上で、熱量効率が最大化された場合の国内農林水産業生産による1人・1日当たり供給可能熱量と、各パターンに必要な労働時間に対する現有労働力の延べ労働時間の充足率（労働充足率）を反映した供給可能熱量を示しています（図表 特1-9）。

図表 特1-9　労働充足率を反映した供給可能熱量の考え方

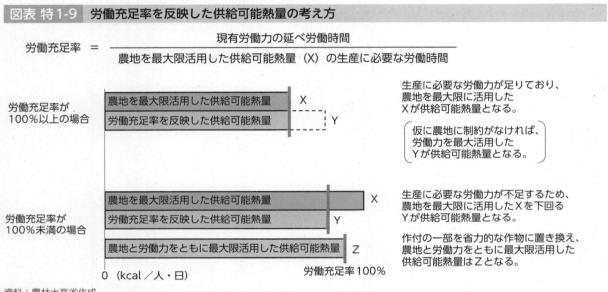

資料：農林水産省作成
注：現有労働力の延べ労働時間とは、臨時雇用によるものも含め、現実に農作業に投入された延べ労働時間の推計値

　平成30（2018）年度の食料自給力指標では、米・小麦中心の作付けの供給可能熱量が推定エネルギー必要量を下回り、いも類中心の作付けの供給可能熱量はこれを上回っています。いも類中心の作付けでは、その作付けに必要な労働力が不足していますが、労働力の状況を反映した供給可能熱量も推定エネルギー必要量を上回る結果となっています（図表 特1-10）。

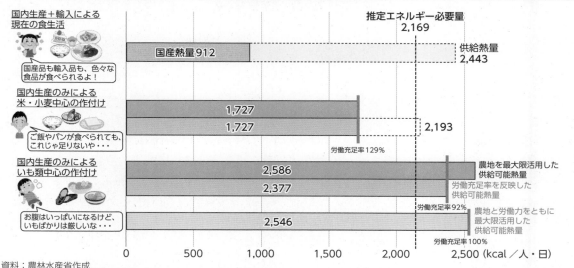

図表 特1-10 平成30（2018）年度における食料自給力指標

資料：農林水産省作成
注：1）推定エネルギー必要量とは、1人・1日当たりの「そのときの体重を保つ（増加も減少もしない）ために適当なエネルギー」の推定値をいう。
　　2）再生利用可能な荒廃農地（平成30（2018）年：9.2万ha）の活用を含む。

　令和12（2030）年度における食料自給力指標の見通しは、新たな基本計画に基づき、農地や労働力の確保、単収の向上等を図ることにより、すう勢で推移した場合から、供給可能熱量が押し上げられることを示しています（図表 特1-11）。

　こうした食料自給力指標と農地・単収・労働力等の関係を踏まえ、今後、農地や労働力の確保、単収の向上、技術革新にしっかりと取り組んでいくことが重要です。

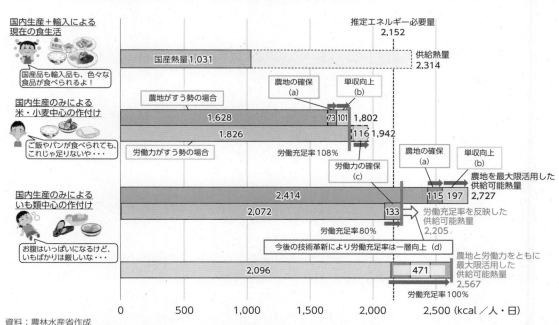

図表 特1-11 令和12（2030）年度における食料自給力指標の見通し

資料：農林水産省作成
注：1）「農地がすう勢の場合」とは、農地の転用及び荒廃農地の発生がこれまでと同水準で継続し、かつ、荒廃農地の発生防止・解消に係る施策を講じないと仮定し、農地面積が392万haとなった場合の試算。なお、農地面積以外の要素については、平成30（2018）年度の据え置きとしている。
　　2）「農地の確保（a）」とは、施策効果により農地面積が414万haとなった場合の試算
　　3）「単収向上（b）」とは、各品目の生産努力目標が達成された場合に想定される、単収や畜産物1頭羽当たりの生産能力、林水産物の生産量を見込んだ試算
　　4）「労働力がすう勢の場合」とは、農業就業者（基幹的農業従事者、雇用者（常雇い）及び役員等（年間150日以上農業に従事））数のこれまでの傾向が継続した場合（131万人）の変化率を現有労働力の延べ労働時間に乗じて試算
　　5）「労働力の確保（c）」とは、青年層の新規就農を促進した場合（140万人）の農業就業者数の変化率を現有労働力の延べ労働時間に乗じて試算
　　6）水産物及び林産物については、関連データ不在により、労働充足率を100%としている。

エ　新たな食料・農業・農村基本計画における講ずべき施策

　新たな基本計画では、食料・農業・農村をめぐる情勢等を踏まえ、講ずべき施策を記述しています。

（食料の安定供給の確保）

　消費者や実需者ニーズの多様化・高度化への対応を進めつつ、関係者の連携・協働による新たな価値の創出を推進します。また、グローバルマーケットの戦略的な開拓として、政府一体となった輸出促進や日本食・食文化の海外普及や食産業等の海外展開等の取組を推進し、農林水産物・食品の輸出額を令和12（2030）年までに5兆円とすることを目指します。

　食料の安定供給の前提である食品の安全確保と食品に対する消費者の信頼確保、食生活・食習慣の変化等を踏まえた食育や消費者と生産者の関係強化を進めます。また、食料供給に係るリスクを見据えた総合的な食料安全保障を確立します。

（農業の持続的な発展）

　効率的かつ安定的な農業経営（主たる従事者が他産業従事者と同等の年間労働時間で地域の他産業従事者と遜色ない水準の生涯所得を確保し得る農業経営）が農業生産の相当部分を担う農業構造を確立する観点から、経営感覚を持った人材が活躍できるよう、経営規模や家族・法人等経営形態の別にかかわらず、担い手の育成・確保を進めるとともに、担い手への農地の集積・集約化[1]、農業生産基盤の整備の効果的な実施、需要構造等の変化に対応した生産供給体制の構築とそのための生産基盤の強化、スマート農業の普及・定着等による生産・流通現場の技術革新、気候変動への対応等の環境対策等を総合的に推進します。また、中小・家族経営等多様な経営体による地域の下支えを図るとともに、生産現場における人手不足等の問題に対応するため、ドローン等を使った作業代行やシェアリング等新たな農業支援サービスの定着を促進します。

（農村の振興）

　農村を維持し、次の世代に継承していくため、農村の振興に当たっては、（1）生産基盤の強化による収益力の向上等を図り農業を活性化することや、農村の多様な地域資源と他分野との組合せによって新たな価値を創出し所得と雇用機会を確保すること、（2）中山間地域をはじめとした農村に人が住み続けるための条件を整備すること、（3）農村への国民の関心を高め、農村を広域的に支える新たな動きや活力を生み出していくこと、といった「三つの柱」に沿って、農林水産省が中心となって、関係府省、都道府県・市町村、民間事業者等と連携し、現場ニーズの把握や課題解決を地域に寄り添って総合的に推進します。

（東日本大震災からの復旧・復興と大規模自然災害への対応）

　農地等の整備の完了を目指し、地震・津波被災地域の復旧・復興を着実に進めるとともに、原子力災害からの復旧・復興として、食品の安全を確保する取組や、農業者の経営再開の支援、国内外の風評被害の払拭に向けた取組等を引き続き推進します。

　大規模自然災害への備えとして、過去の災害の教訓を活かし、事前防災を徹底する必要があります。このため、災害に備える農業経営の取組の全国展開や異常気象等のリスクを軽減する技術の確立・普及、農業・農村の強靱化に向けた防災・減災対策、初動対応をはじめとした災害対応体制の強化、不測時における食料安定供給のための備えの強化に取り組みます。また、被災した農業者の早急な営農再開の支援も進めます。

1　用語の解説3（1）を参照

（団体）

　農業協同組合系統組織が農村地域の産業や生活のインフラを支える役割等を引き続き果たしながら、各事業の健全性を高め、経営の持続性を確保するため、引き続き、自己改革の取組を促進します。

　農業委員会系統組織、農業共済団体、土地改良区についても、その機能や役割を効果的かつ効率的に発揮できるようにします。

（食と農に関する国民運動の展開等を通じた国民的合意の形成）

　食料・農業・農村に関する施策を講ずる上で、基本となるのは国民の理解と支持であり、国内農業の重要性や持続性の確保についての認識を国民各層が共有した上で、農村を維持し、次世代に継承していくことを国民共通の課題として捉え、具体的な行動に移すための機会を創出していく必要があります。このため、我が国の食料の安定供給に関するリスクが顕在化している等の実態を分かりやすい形で発信します。

　農林漁業体験等の食育や地産地消等について、消費者、食品関連事業者、農業協同組合をはじめとする生産者団体を含め官民が協働して幅広く進め、農産物・食品の生産に込められた思いや創意工夫等についての理解を深めつつ、食と農とのつながりの深化に着目した新たな国民運動を展開します。

（新型コロナウイルス感染症をはじめとする新たな感染症への対応）

　新型コロナウイルス感染症とそれに伴う経済環境の悪化を速やかに解消し、生産基盤・経営の安定を図るため、内需・外需の喚起、農業労働力の確保、国産原料への切替え等の中食・外食・加工業者対策等を機動的に講じます。

　また、消費者に分かりやすく情報を提供するとともに、新たな感染症等による食料供給へのリスクについて調査・分析を行い、中長期的な課題や取り組むべき方向性を明らかにします。

（3）食料・農業・農村基本計画と併せて策定された展望等

　新たな基本計画と併せて、農地の見通しと確保、農業構造の展望、農業経営の展望等が策定されており、それらの内容をここでは紹介します。

ア　農地の見通しと確保
（農地面積の見通し）

　令和12（2030）年における農地面積の見込みは、これまでのすう勢が今後も継続した場合、令和元（2019）年の農地面積439.7万haから、農地転用により16万ha、荒廃農地[1]の発生により32万ha減少し、392万haとなると推計されます。これに、荒廃農地の発生防止や解消の施策効果を織り込んだ結果、令和12（2030）年時点で確保される農地面積は、414万haと見通されます（図表 特1-12）。

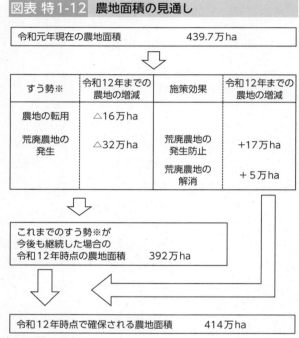

図表 特1-12　農地面積の見通し

令和元年現在の農地面積		439.7万ha	

すう勢※	令和12年までの農地の増減	施策効果	令和12年までの農地の増減
農地の転用	△16万ha		
荒廃農地の発生	△32万ha	荒廃農地の発生防止	＋17万ha
		荒廃農地の解消	＋5万ha

これまでのすう勢※が今後も継続した場合の令和12年時点の農地面積	392万ha

令和12年時点で確保される農地面積	414万ha

資料：農林水産省作成
注：すう勢は、農地の転用及び荒廃農地の発生が同水準で継続し、かつ、荒廃農地の発生防止・解消に係る施策を講じないと仮定した場合の見込み

イ　農業構造の展望
（望ましい農業構造の姿）

　担い手の育成・確保、担い手への農地集積・集約化等を総合的に推進していく上での将来のビジョンとして、担い手の姿を示すとともに、望ましい農業構造の姿を明らかにしています。

　多様な経営体が我が国の農業を支えている現状を踏まえ、中山間地域等における地理的条件や、生産品目の特性等地域の実情に応じ、家族・法人の別等経営形態にかかわらず、経営改善を目指す農業経営体[2]を担い手として育成します。

　担い手に利用されていない農地を利用している中小規模の経営体等についても、持続的に農業生産を行い、担い手とともに地域社会を支えている実態を踏まえて、営農の継続が図られるよう配慮し、また、担い手やその他の経営体を支える農作業支援者の役割にも留意する必要があります。

　さらに、他産業との人材獲得競争も激化することが予想される中、世代間バランスの取れた農業構造の確立に向け、農業労働力の見通しについても併せて提示しています。

　担い手の姿としては、効率的かつ安定的な農業経営（主たる従事者が他産業従事者と同

1　用語の解説3（1）を参照
2　用語の解説1、2（1）を参照

等の年間労働時間で地域における他産業従事者と遜色ない水準の生涯所得を確保し得る経営）になっている経営体及びそれを目指している経営体の両者を併せて、「担い手」としており、ここでいう、効率的かつ安定的な農業経営を目指している経営体とは、（1）「認定農業者[1]」、（2）将来認定農業者となると見込まれる「認定新規就農者」、（3）将来法人化して認定農業者となることが見込まれる「集落営農」としています。

　望ましい農業構造の姿としては、農地中間管理機構の発足（平成26（2014）年）以降、担い手への農地の集積率が約6割まで上昇している中、基本法第21条を踏まえ、全農地面積の8割が担い手によって利用される農業構造の確立を目指すこととしています。

　その際、中山間地域等の地理的条件や、生産品目の特性等地域の実情に応じて進めていくとともに、担い手に利用されていない農地を利用している中小規模の経営体等についても、担い手とともに地域を支えている実態を踏まえて、営農の継続が図られるよう配慮していきます。また、担い手やその他の経営体を支える農作業支援者の役割にも留意が必要です（図表 特1-13）。

図表 特1-13　地域を支える農業経営体

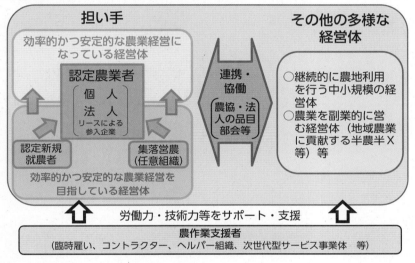

資料：農林水産省作成

　農業就業者（基幹的農業従事者[2]、雇用者（常雇い[3]）及び役員等（年間150日以上農業に従事））について、近年のすう勢を基に試算を行い、これまでの傾向が続いた場合、農業就業者数は、令和12（2030）年に131万人、そのうち49歳以下は28万人と見通されますが、持続可能な農業構造が実現するよう、農業の内外からの青年層の新規就農を促進し、減少が続く基幹的農業従事者（49歳以下）の数を維持するとともに、雇用者（常雇い・49歳以下）が平成22（2010）年から平成27（2015）年までの1/2程度の増加ペースで増加すること等を前提とすれば、農業就業者数は、令和12（2030）年に140万人、そのうち49歳以下が37万人となります。

ウ　農業経営の展望
（農業経営モデル等の提示）

　新たな基本計画における「農業経営の展望」は、担い手や労働力の確保が益々困難にな

1　用語の解説3（1）を参照
2、3　用語の解説1、2（4）を参照

ると予想される中、家族経営を含む多様な担い手が地域の農業を維持・発展できるよう、他産業並みの所得を目指し、新技術等を導入した省力的かつ生産性の高い経営モデルを、主な営農類型・地域について例示しているものです。具体的には、水田作、畑作等営農類型別に、（1）意欲的なモデル、（2）現状を踏まえた標準的なモデル、（3）スマート農機の共同利用や作業の外部委託等を導入したモデル、（4）複合経営モデルの計37モデルを提示しています（図表 特1-14）。

あわせて、半農半Ｘ等新たなライフスタイルを実現する取組や規模が小さくても安定的な経営を行いながら、農地の維持、地域の活性化等に寄与する取組を事例として取り上げています。

都道府県・市町村が作成している農業経営基盤強化促進法に基づく基本方針・基本構想における農業経営の基本的指標等を作成・見直しする際に、各地域の実態に応じて参考となるように提示しています。また、小規模農家も含めた多様な農業経営の取組事例を参考として提示しています。

各地域で、これらのモデルや事例を参考として、小規模農家、担い手の育成や所得増大に向けた取組の進展が期待されます。

図表 特1-14　農業経営モデルの例示

営農類型	露地野菜（生食・農地維持型）	対象地域	関東以西

モデルのポイント

高齢化する家族経営において、農機の共同利用や一部作業の外部委託により、省力化・生産性の向上を図る家族経営

技術・取組の概要

➢乗用型全自動移植機の共同利用により、経営コスト上昇を回避するとともに、移植作業時間を約50％削減
➢外部委託によるドローンを活用したセンシング、農薬散布等によって、中間管理の負担を軽減し、当該作業時間を約25％削減
➢高齢化による労働力不足を一部作業の外部委託や機械化により効率化するとともにアシストスーツの活用により収穫物の運搬などの重労働の作業負担を軽減
➢過疎化・高齢化により地域内から労働力を調達することが困難となっている状況下において、農作業の人材派遣に対応している人材派遣会社を活用

経営発展の姿

【経営形態】 家族経営（2名（うち主たる従事者1名）、臨時雇用1名）

【経営規模・作付体系】	
経営耕地	1.7ha
キャベツ	1.2ha
すいか	0.5ha

【試算結果】	
粗収益	1,247万円
経営費	653万円
農業所得	595万円
主たる従事者の所得（／人）	419万円
主たる従事者の労働時間（／人）	1,514hr

（参考）比較を行った経営モデル

【経営形態】 家族経営（2名、臨時雇用1名）

【経営規模・作付体系】	
経営耕地	1.7ha
露地野菜	1.7ha

耕起、移植	栽培管理	営農管理	収穫	運搬
●乗用型全自動移植機	●ドローンによる センシング・農薬散布等	●営農管理システム		●アシストスーツ

●：2019年までに市販化

資料：農林水産省作成
　注：試算に基づくものであり、必ずしも実態を表すものではない。

特集2

輝きを増す
女性農業者

特集2 輝きを増す女性農業者

　女性農業者は農業や地域の振興に重要な役割を果たしています。しかしながら、従来、家族経営においては、女性の農作業、家事、育児等の負担が大きい一方で、収益の分配等については働きに応じた適正な評価がなされてこなかったことから、農山漁村における女性の評価と農業経営や地域社会への女性の参画を促す様々な取組が行われてきました。

　平成11（1999）年には、男女共同参画社会の形成に向け、基本的枠組みを定め、社会のあらゆる分野における取組を総合的に推進することを目的とした男女共同参画社会基本法が施行されました。この男女共同参画社会基本法が制定されるまでには、社会の各分野において男女が均等に参画する機会が確保されるための様々な取組が行われてきていたことから、本法の制定は、このような取組の一つの到達点であるとともに、21世紀に向けた新しい男女共同参画社会の構築の出発点であるとも言われています。

　令和元（2019）年は、男女共同参画社会基本法の施行から20年の節目の年となりました。今後、農業就業人口[1]の一層の減少が見込まれる中、農業・農村の持続的な発展のためには、女性が働きやすく、暮らしやすい農業・農村としていくことで、幅広く多様な人材を確保・育成できるようにしていくことが必要です（図表 特2-1）。

　本特集では、第二次世界大戦後からの農業・農村における女性農業者の活躍に向けた施策をまとめるとともに、この20年間の女性農業者の状況を振り返り、今後の女性の更なる活躍を推進していくための課題と方策を提示します。

（1）女性農業者の活躍の軌跡　～「生活改善」から「活躍」の時代へ～

　女性農業者は、第二次世界大戦後、昭和23（1948）年から開始された生活改善普及事業[2]により過重労働から徐々に解放され、やがて自らの意思で経営に参画するようになっていきました。本節では、第二次世界大戦後から令和の現在までの女性農業者の役割、女性農業者を対象とした施策の推移を振り返ります。

1　用語の解説2（4）を参照
2　生活改善普及事業とは、連合国軍総司令部（GHQ）の指示で実施された農村の民主化を目指した運動。生活をより良くすることと、考える農民を育成するという目的で進められた。

図表 特2-1 女性に関する施策と主要指標の動き

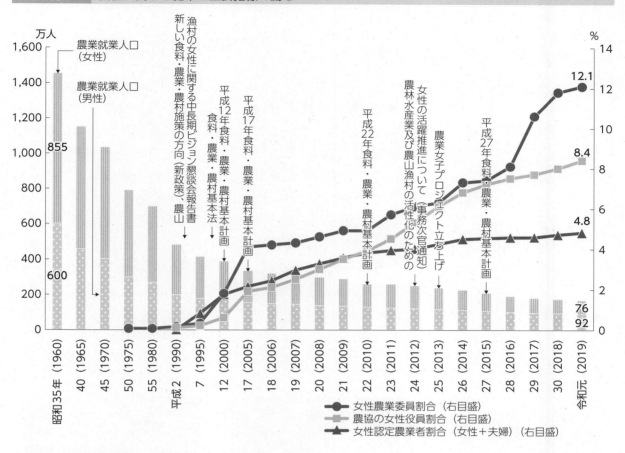

女性農業委員割合（右目盛）
農協の女性役員割合（右目盛）
女性認定農業者割合（女性＋夫婦）（右目盛）

〈主な女性に関する施策〉

	内閣府	農林水産省
平成4年（1992）		新しい食料・農業・農村施策の方向（新政策）、農山漁村の女性に関する中長期ビジョン懇談会報告書
11（1999）	男女共同参画社会基本法	食料・農業・農村基本法
12（2000）	男女共同参画基本計画	平成12年食料・農業・農村基本計画
17（2005）	第2次男女共同参画基本計画	平成17年食料・農業・農村基本計画
22（2010）	第3次男女共同参画基本計画	平成22年食料・農業・農村基本計画
24（2012）		農林水産業及び農山漁村の活性化のための女性の活躍推進について（事務次官通知）
25（2013）		農業女子プロジェクト立ち上げ
27（2015）	第4次男女共同参画基本計画	平成27年食料・農業・農村基本計画

資料：農林水産省「農林業センサス」、「農業構造動態調査」、「農業経営改善計画の営農類型別認定状況」、「農業委員への女性の参画状況」、「総合農協統計表」を基に作成
注：1）農業委員：各年10月1日時点
　　2）農協役員：各事業年度末
　　　令和元（2019）年度数値は、全国農業協同組合中央会調べ

（農村の生活改善から女性の農業経営への参画へ）

　農村女性は、農作業だけでなく、家事、育児、介護により過重労働であったと考えられます。第二次世界大戦後の昭和23（1948）年から、実践的な生活技術の普及により、「農家婦人の地位向上」と「農村社会の民主化」を促進し、農業生産と農家生活の調和のとれた改善を図る生活改善普及事業が実施されました。都道府県ごとに採用された生活改良普及員によって、農村女性は、かまど・台所改善による家事労働の効率化や、近代的な衛生学や栄養学を踏まえた家庭経営を学び、これまでのやり方を変えていくようになりました。また、効率的に農家を指導できるよう、生活改良普及員が意欲のある地域を重点的に

指導し、女性農業者で構成される生活改善実行グループを作り、グループ同士でも横のつながりを持つようになりました。

　昭和30（1955）年から昭和48（1973）年の高度経済成長期には、年平均10％以上の経済成長を遂げ、男性の農外就労機会が拡大しました。「とうちゃん」は農外就労し、「じいちゃん、ばあちゃん、かあちゃん」が農業を営む、いわゆる「三ちゃん農業」という形態が多く見られるようになり、女性は農業生産において、より中心的な役割を果たすようになるとともに、家事、育児、介護も負担していました。この頃の農業を支えたのは農家に嫁いだ女性たちでしたが、家庭や農村における地位は低く、経営での発言・決定権は十分ではありませんでした。このため、生活改善普及事業では農繁期の共同炊事、共同保育や、農薬散布用作業着の作製等健康維持のための支援も行われました。

　昭和45（1970）年頃からは、稲作機械の導入と省力化が進みました。女性が作業をしなくても、農外就労する男性が休日に機械による稲作作業をすることが可能となり、農作業労働が軽減されていきました。これを機に、女性は生活改善実行グループを核に、特産品づくりや農産物直売所の運営等の起業活動に取り組み、注目を集めるようになりました。女性ならではの発想や知恵を活かした起業活動が生まれたことで、女性の資産形成に一定の役割を果たし、また、女性が自らの意思によって経営等に参画するようになっていきました。

かまどの改善
（昭和23（1948）年）　　　商品化された加工品の販売
（平成4（1992）年）　　　女性経営者セミナー研修会
（平成8（1996）年）

資料：一般社団法人全国農業改良普及協会「写真でたどる農業と普及事業の50年」

（男女共同参画社会基本法の施行と農業分野における女性施策）

　農林水産業・農山漁村の発展に向け、女性が農林水産業の重要な担い手として、より一層能力を発揮していくことを促進するため、農林水産省は昭和63（1988）年に、毎年3月10日を「農山漁村婦人の日」（後に「農山漁村女性の日」に改称）と定めました。この時期は、農作業が比較的少なく女性が共に学び合う条件が整っていること、女性の3つの能力（知恵、技、経験）をトータル（10）に発揮してほしいという願いが込められています。

　また、政府全体でもあらゆる分野で男女が共同して参画する社会の形成を目指し、平成3（1991）年に「西暦2000年に向けての新国内行動計画」が定められました。そして、新国内行動計画に示された政府の方針が、農山漁村で暮らす女性にとって身近なもの、実効あるものとなるよう、具体化することが必要となり、平成4（1992）年に、農林水産省で初めての女性行動計画である「2001年にむけて　新しい農山漁村の女性」（農山漁村の女性に関する中長期ビジョン懇談会報告書）（以下「中長期ビジョン」という。）が策

定されました。中長期ビジョンでは、方針策定の場への女性の参画促進、家族経営協定[1]の締結、能力の向上と多様な能力開発に向けた環境整備のための女性の起業支援等が明記されました。

このうち、家族経営協定については、家族経営体[2]における世帯員相互間のルールづくりの意義を有するものであり、その締結を推進することが労働時間、報酬、休日、職業訓練機会、老後の保障等の就業条件を明確にする手段として有効であると考えられました。このため、平成7（1995）年に、農林水産省は家族経営協定の普及推進に係る通知を発出し、国、地方公共団体や農業委員会、農業協同組合（以下「農協」という。）等の関係機関が連携して、全国で家族経営協定の締結を推進してきました。

平成11（1999）年には、男女共同参画社会の形成のための基本的枠組みを定め、社会全体で、性別に関わりなく、個性と能力を十分に発揮することができる社会の実現を目的とした男女共同参画社会基本法が施行されました。

また、農政においても、平成11（1999）年に施行された食料・農業・農村基本法において、男女共同参画の規定が盛り込まれました。これにより、女性の農業経営における役割を適正に評価し、女性自らの意思によって農業経営等に参画する機会を確保するための環境整備を目指していくこととなりました。

農林水産省では、これらの法律に基づき、男女共同参画の普及・啓発、家族経営協定締結の促進、起業活動・6次産業化[3]の支援、認定農業者[4]になるための研修、次世代リーダーの育成等の幅広い施策を講じてきました（図表 特2-2）。これに加えて、各都道府県でも女性農業者向けの起業活動の支援や、経営管理技術を習得するための研修等が行われてきました。

また、これらの女性農業者向けの施策に加え、強い農業・担い手づくり総合支援交付金や農山漁村振興交付金等の幅広い農業者を対象にした事業等においても女性の活躍推進に向けた措置が設けられてきました（図表 特2-3）。

---

1 用語の解説3（1）を参照
2 用語の解説1、2（1）を参照
3、4 用語の解説3（1）を参照

図表 特2-2　男女共同参画社会基本法施行以降の女性農業者向けの施策

男女共同参画の普及・啓発	家族経営協定締結推進	起業活動・6次産業化支援	女性の経営力向上や認定農業者になるための研修	次世代リーダー育成	女性が働きやすい環境整備
・平成12－14年度 農村女性・高齢者支援普及活動事業（男女共同参画に向けた普及活動マニュアルの策定） ・平成12－16年度 農業・農村男女共同参画推進事業（地域段階における女性の社会参画の指標・目標の策定や普及啓発等）	・平成12－16年度 農山漁村生活開発推進事業（家族経営協定の締結促進） ・平成17－21年度 農業・農村男女共同参画チャレンジ総合推進事業（家族経営協定の締結促進） ・平成23－25年度 男女共同参画加速化事業（家族経営協定の締結促進）	・平成12－16年度 農山漁村生活開発推進事業（農業関連起業活動推進のための支援施設運営や起業活動交流会の開催） ・平成14年度 女性起業eービジネス化支援事業（研修や消費者との交流会実施） ・平成22－23年度 女性・高齢者等活動支援事業（農村女性グループによる起業活動への助成） ・平成24年度 6次産業化推進整備事業（女性起業家枠の設定）	・平成12年度 女性農業者の能力向上のための経営管理研修等 ・平成15年度 農業経営基盤強化促進法改正、認定農業者の共同申請開始 ・平成17－21年度 農業・農村男女共同参画チャレンジ総合推進事業（女性認定農業者の拡大に向けた普及啓発活動） ・平成18年度 担い手総合緊急支援事業 ・平成19－21年度 担い手アクションサポート事業（認定農業者を志向する女性への研修や情報提供、認定農業者の共同申請に向けた普及活動）	・平成26－29年度 女性農業次世代リーダー育成塾（地域のリーダーとなり得る女性農業経営者の育成） ・平成30年度ー 女性農業コミュニティリーダー塾（地域の農業界を牽引するリーダーとなり得る女性農業経営者の育成のための研修）	・平成27－29年度 農業の未来をつくる女性活躍経営体100選（女性の活躍推進に取り組む農業法人等の認定・普及） ・平成30年度ー令和元年度 ロールモデルとなる女性活躍経営体を全国へ展開（セミナー、ポータルサイトの開設等）

資料：農林水産省作成

図表 特2-3　女性の活躍推進に向けた事業（令和元（2019）年度）

事業名	女性の活躍推進に向けた取組内容
人・農地問題解決加速化支援事業	人・農地プランの作成に必要な取組事項の検討と当該プランの決定のために設置する、関係機関と地域の農業者等による検討会のメンバーの概ね3割以上は女性農業者で構成することを要件化
強い農業・担い手づくり総合支援交付金	女性が主体の取組の場合に配分ポイントの加算や農産物加工に必要な施設整備の要件を緩和
6次産業化の推進	女性による取組事例の情報提供等を通じて、女性による6次産業化等の取組を促進
持続的生産強化対策事業のうち農作業安全総合対策推進事業	女性等が安全に活躍できる環境づくりに向けて、農業者ごとの状況に応じた安全情報等を積極的に発信し効果的に農業者の安全意識を向上させる取組について支援
農山漁村振興交付金	農山漁村が持つ豊かな自然や「食」を活用した地域の活動計画づくりや実践活動（地元食材を活用した新商品の開発・販売等）、地域文化の伝承等の能力発揮、地域住民の活動促進に必要となる施設及び付帯施設整備（地域住民活動支援促進施設）を支援
中山間地域等直接支払交付金	中山間地域等の農業生産活動を継続できるよう、新たな人材の確保や集落間で連携した活動体制づくりを後押ししつつ、とりわけ条件の厳しい超急傾斜地の農用地の保全・活用に関する活動を支援

資料：農林水産省作成
注：このほか、図表特2-2に記載のとおり次世代リーダー育成、女性が働きやすい環境整備を実施

事例　グループで個人で進む女性の起業（栃木県、千葉県）

（1）グループ経営起業：企業組合らんどまあむ（栃木県）

栃木県下野市の企業組合らんどまあむ（代表　大越歌子さん）は、平成23（2011）年、道の駅しもつけの開設に合わせ、地域産品を提供することを目的に、農村生活研究グループメンバーを中心に設立されました。現在、管理栄養士や調理師、介護ヘルパー等の構成員10人（うち女性9人）で地域特産品の加工・販売、配食サービスを行っています。

市から委託され高齢者への配食サービスを実施していますが、配食だけでなく、安否確認や悩み相談も行うなど、女性ならではの心配りが活かされています。

同組合は全員が多彩な能力を発揮しつつ、「やりがい」と「生きがい」を持って活動を行うことで、加工品のブランド化、地産地消、食の改善等を推進し、地域コミュニティの維持・再生にも貢献し、県内の女性起業のモデル事例となっています。

代表 大越歌子さん（前列右から2人目）と企業組合らんどまあむの皆さん

このような取組が評価され、令和元（2019）年度農林水産祭で日本農林漁業振興会会長賞「女性の活躍」を受賞しました。

（2）個人経営起業：株式会社バラの学校（千葉県）

千葉県館山市の中井結未衣さんは、会社員からフラワーデザイナーを経て、プリザーブドフラワーの先駆者として東京都表参道でプリザーブドフラワーの教室や販売の経営をしていました。

平成23（2011）年の東日本大震災の被災地支援でお花を持って被災地に行ったところ、「お花を待っていた！」と喜んでもらえて、花には大きな力があると実感し、就農を決意しました。花の栽培に適した移住先を探して、平成24（2012）年に千葉県館山市に移住、「株式会社バラの学校」を立ち上げました。現在は、3aのバラ農園で、300株250品種の食用バラの栽培、加工、販売を行い、都内で教室も開催しています。

中井結未衣さん（中央の方）

中井さんは、「農業の衰退に歯止めをかけるとともに、農福連携を実現すべく、ノンカフェインのローズティーを開発し、国内特許を取得できました。また、社会福祉法人への栽培委託や輸出の取組もスタートしています」と意欲を述べています。

（新しい発想で女性農業者の活躍を推進する「農業女子プロジェクト」）

上記のような施策により、女性農業者の地位向上や農業経営等への参画の推進に取り組む一方で、農林水産省では、平成25（2013）年度に「農業女子プロジェクト」を立ち上げました。これは、女性農業者の知恵と企業の技術を結び付け、新たな商品やサービスの開発等を進める取組であり、社会全体での女性農業者の存在感を高め、女性農業者自らの

意識の改革・経営力の発展を促すとともに、若い女性の職業の選択肢に「農業」を加えることを目標としています。令和元（2019）年度末時点で、農業女子プロジェクトのメンバー（以下「農業女子メンバー」という。）は808人で、連携企業として自動車メーカーや衣料品メーカー、農業機械メーカー等33社が参画して、これまでに女性の視点を取り入れた軽トラックや農業機械、農作業時の動作を考慮した衣服、インナー等の企画・開発等を行ってきました。

　プロジェクトで開発された商品は、現場でも活用されています。愛知県の女性グループである「おしゃれ農女」では、農業女子プロジェクトで開発されたトラックでマルシェに参加、農産物販売を展開しています。

農作業時、膝・腰・股関節に負担を感じているという農業女子の声に応えるスパッツを、意見交換会や農業女子の着用テストを経て完成
資料：株式会社ワコール

手になじみ、作業しやすく疲れにくい鎌・鍬等を開発
資料：カネコ総業株式会社

UVカットガラスを採用し、フロアの高さを下げるなど乗降しやすい全8色のボディーカラーの軽トラックを開発
資料：ダイハツ工業株式会社

「おしゃれ農女」のみなさん
農業女子プロジェクト成果品である軽トラックでマルシェに出店

　立上げから6年が経過し、活動の幅も広がっています。メンバー自身が関心事項をテーマとする自主的な勉強会を実施する取組が行われています。その一つとして、竹林千尋さん（大分県）や堤由美さん（兵庫県）が中心となって、海と畑の地域資源循環を軸とした農業を確立させ、農業女子メンバーの農園や農産物等の付加価値を高めるプロジェクトが開始されています。

　また、平成28（2016）年11月には、高校・大学等の教育機関と活躍する農業女子メンバーによる「チーム"はぐくみ"」を結成しました。女子生徒・学生を対象に農業についてのワークショップを行ったり、農業女子メンバーの農場で実習したりするなど、未来の農業女子を育む活動を展開しています（図表 特2-4）。これまで3人の女子生徒・学生が卒業後新規就農しました。

図表 特2-4 未来の農業女子育成「チーム"はぐくみ"」

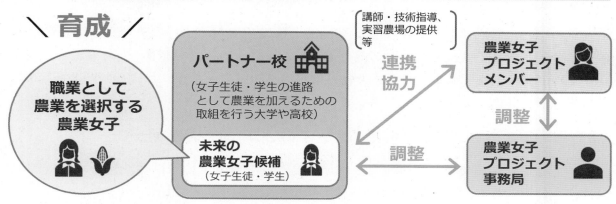

資料：農林水産省作成
注：令和元（2019）年度末時点、パートナー校は、桜美林大学、蒲田女子高等学校、近畿大学、産業能率大学、東京家政大学、東京農業大学、山形大学の7校

　また、活動には地域的な広がりも出てきています。平成26（2014）年には、農業女子プロジェクトへの参加を契機にネットワークや情報交換の重要性を感じた農業女子メンバーが、地元でも女性農業者のネットワークを構築しました。令和元（2019）年度には、農業女子プロジェクトの「地域版グループ」（メンバーの半数以上が農業女子メンバーである農業女子プロジェクト事務局公認のグループ）は7つとなり、それぞれのグループ内で情報交換、マルシェ出店、商品開発等の活動をしています（図表 特2-5）。

　さらに、農業女子メンバーが一人以上関わっている地域におけるグループは、全国で約60となりました。

図表 特2-5 農業女子プロジェクトの活動拡大、発展（地域版グループの展開）

資料：農林水産省作成
注：「農業女子プロジェクト地域版グループ」とは、メンバーの半数以上を農業女子メンバーが占めることを要件とする農業女子プロジェクト事務局公認のグループ

　海外に目を向けた活動を展開する農業女子メンバーもいます。例えば、埼玉県の貫井香織さんは、平成29（2017）年に農業女子プロジェクトと連携して開催した香港でのフェ

アをきっかけに、平成30（2018）年に、新ブランド「Famable」の統一ブランドで自ら生産した農産物を香港でプロモーションする試みを行いました。また、農山漁村女性が主要テーマとして取り上げられた平成30（2018）年3月開催の「国連女性の地位委員会」のサイドイベントでは、山形県の結城こずえさんが自らの体験の発表を行いました。農業女子プロジェクトを通じて知り合った女性農業者ネットワークが、加工や販路開拓等の自身の経営の発展につながったこと等を発表しました。

（2）現場で輝きを増す女性農業者　～この20年間を振り返って～

ここでは、女性農業者の農業経営や地域農業への参画状況について、おおむね20年間の推移を分析します。

（女性の基幹的農業従事者は減少、女性割合も低下）

女性の基幹的農業従事者[1]は、平成11（1999）年から平成31（2019）年までの20年間で108万人から56万人まで減少しています（図表 特2-6）。この要因としては、農業以外の産業において女性が活躍する場が増えたことや、高齢によるリタイアが考えられます。

また、基幹的農業従事者に占める女性の割合を見ても46%から40%へと減少傾向にあります。

図表 特2-6　基幹的農業従事者数の男女割合

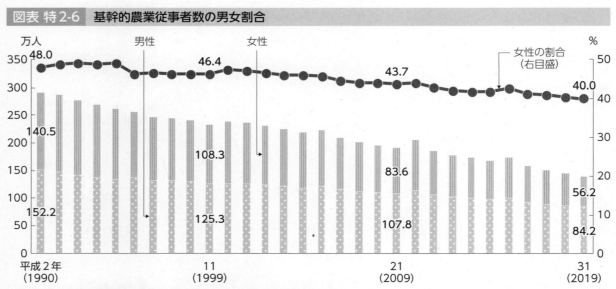

資料：農林水産省「農業構造動態調査」、「農林業センサス」を基に作成
注：1）基幹的農業従事者とは、ふだん仕事として主に自営農業に従事している者をいう。
　　2）各年2月1日時点

その要因を分析するために、平成17（2005）年及び平成22（2010）年の調査時の基幹的農業従事者が、そのまま5年後、10年後の平成27（2015）年も営農を続けていると仮定した数と、平成27（2015）年の実数を年齢階層別に比較しました（図表 特2-7）。これによると、この10年間で、男性においては60歳から69歳までの層で基幹的農業従事者数に大幅な増加が見られます。これは、定年退職等を契機として新たに就農したり、農外勤務を主体としていた男性が農業主体に移行したこと等が影響していたと考えられま

1　用語の解説1、2（4）を参照

す。これに対して、女性では、この10年間で、男性と比べると60歳から69歳までの層での増加は小さくなっています。

　若年層については、平成17（2005）年の値を10歳平行移動した数と平成27（2015）年の実数を比較すると、25歳から59歳までの全ての階層で、60代の層での増加数と比べると小さいものの、男女ともに基幹的農業従事者数は僅かに増加しています。ただし、若年層においても、女性の基幹的農業従事者の増加は男性に比べて低い水準となっています。

図表 特2-7　男女別年齢階層別にみた基幹的農業従事者数

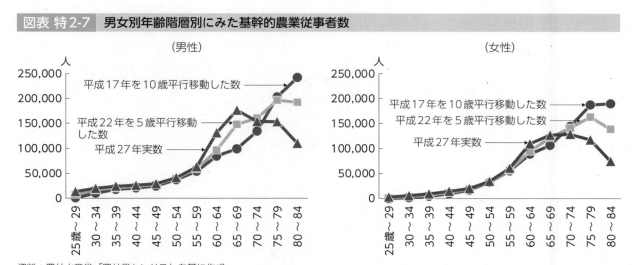

資料：農林水産省「農林業センサス」を基に作成
注：平成17（2005）年、平成22（2010）年については、当該年の各年齢階層の数値をそれぞれ、2階層及び1階層右へ移動させて表記した。

（女性の新規就農者は全体の4分の1、新規雇用就農で女性割合が高い）

　平成30（2018）年における女性の新規就農者[1]数は1万3千人で、そのうち49歳以下は5千人となっています。

　また、新規就農者に占める女性の割合は、調査が開始された平成18（2006）年の30％から平成30（2018）年には24％へと低下しました（**図表 特2-8**）。これは、後述するように、農作業の体力的なきつさや栽培技術の習得等の課題に加え、女性労働力の確保に関する他産業との競合が強まっていること等が背景にあると考えられます。

　新規雇用就農者[2]については、女性が全体の32.6％となっており、雇用就農において女性の割合が高くなっています。この要因としては、一般的に法人等では、育児・介護休暇等の就業条件が整備されていることや未経験の女性でも農業技術を習得しやすいこと等が考えられます。

1、2　用語の解説 2(5) を参照

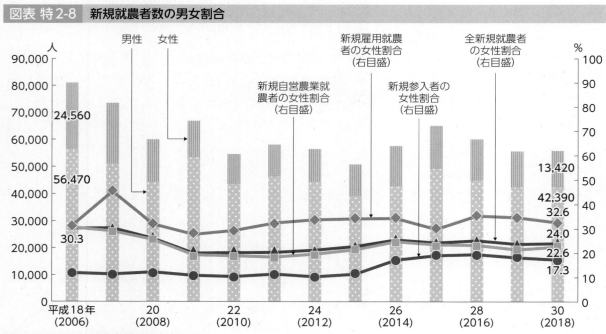

図表 特2-8　新規就農者数の男女割合

資料：農林水産省「新規就農者調査」を基に作成

（男女で異なる新規就農者の就農理由）

　新規就農者の就農理由は、性別によってその傾向が異なっています。

　「新規就農者の就農実態に関する調査結果」[1]によると、男性は就農理由として、「自ら経営の采配を振れるから」、「農業はやり方次第で儲かるから」との回答が上位になっています。一方、女性の場合は、「農業が好きだから」、「家族で一緒に仕事ができるから」という回答が上位を占めています。また、女性は、「子供を育てるには環境が良いから」という理由を選択する割合が男性に比べて高く、家族や子供が重要な要素になっていることがうかがえます（図表 特2-9）。また、男性に比べ女性が「食べ物の品質や安全性に興味があったから」と回答する割合が高いことも特徴的です。

1　一般社団法人全国農業会議所全国新規就農相談センター調べ

図表 特2-9　男女別新規就農の理由

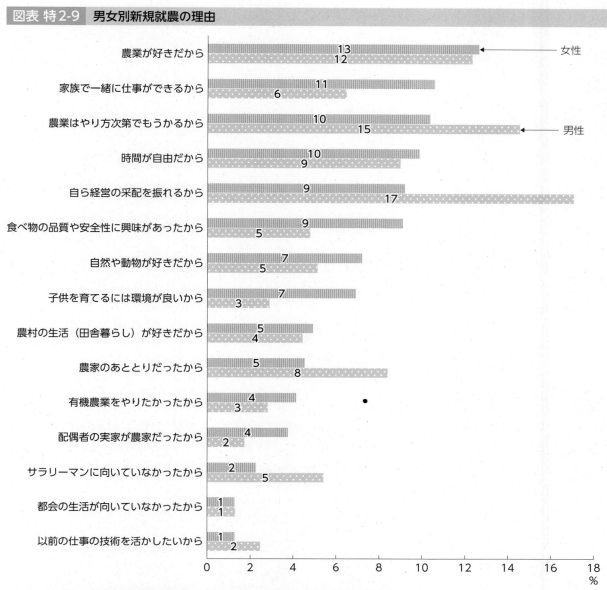

資料：一般社団法人全国農業会議所全国新規就農相談センター「新規就農者の就農実態に関する調査結果」（平成29（2017）年3月）を基に
　　　農林水産省作成
　注：1）就農してからおおむね10年以内の新規就農者を対象に行ったアンケート調査（有効回答者数4,377人）
　　　2）就農理由についての回答の上位3位までの合計を男女別全回答数で除した割合

（女性の認定農業者数は20年間で5倍に増加）

　女性の基幹的農業従事者が減少する一方で、地域農業を支える担い手となる女性農業者は大きく増加してきました。女性の認定農業者数は平成11（1999）年には2千人でしたが、平成31（2019）年3月では1万1千人と5倍に増加しています（図表特2-10）。この要因としては、平成15（2003）年に、認定農業者制度における農業経営改善計画の共同申請が可能となったことにより、夫婦での申請が増加していることが挙げられます。全体の認定農業者数に占める女性の割合も20年間で3倍（1.6%から4.8%）に増加しています。

　しかし、まだその割合は低いことから、今後も引き続き、共同申請を促すなど一層の推進に取り組む必要があります。

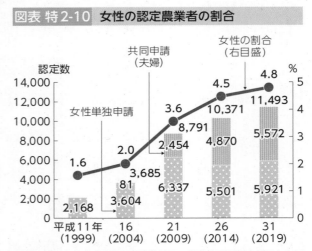

図表 特2-10　女性の認定農業者の割合

資料：農林水産省「農業経営改善計画の営農類型別認定状況」を基に作成
注：各年3月31日時点

（女性農業者の経営への参画は約5割）

　女性がどの程度農業経営に参画しているかを見てみます。女性が経営に関与する販売農家[1]は全体の47%を占めており、そのうち、認定農業者がいる販売農家では61%、家族法人経営（一戸一法人）では62%において女性が経営に関与しています（図表特2-11）。

図表 特2-11　女性が経営に関与する割合（販売農家経営形態別）

（単位：%）

	販売農家 （全体）	認定農業者がいる 販売農家	販売農家 （家族法人経営）
女性が経営に関与 する割合	47	61	62

資料：農林水産省「2015年農林業センサス」を基に作成

（農業法人役員に占める女性割合は約2割）

　公益社団法人日本農業法人協会の調べによると、平成28（2016）年度において農業法人の役員に占める女性の割合は21.8%となっています。この割合は平成24（2012）年度から10ポイント増加しています。

　また、これを他産業と比較すると、医療・福祉、宿泊業・飲食サービス業等には及ばないものの、建設業、製造業、運輸業・郵便業、卸売業・小売業とほぼ同じかそれよりやや高い水準となっています。従業員数や売上高等の事業規模が異なるため一概に比較することは難しいものの、農業法人において経営に参画する女性が増えていることが分かります（図表特2-12）。

1　用語の解説1、2（2）を参照

図表 特2-12 農業法人における女性の役員比率

(単位：%)

	農業	建設業	製造業	運輸業・郵便業	卸売業・小売業	宿泊業・飲食サービス業	医療・福祉
役員に占める女性割合	21.8	20.3	18.7	19.6	21.8	31.9	47.9

資料：公益社団法人日本農業法人協会調べ（平成29（2017）年度）、厚生労働省「雇用均等基本調査」（平成30（2018）年度）を基に農林水産省作成

注：農業については、公益社団法人日本農業法人協会調べ、その他の業種については「雇用均等基本調査」の値

事例 **女性が輝く女性だけの農業法人（大分県）**

大分県国東市の平山亜美さんは、農業分野の新時代は女性が創るとの思いを込めて、平成27（2015）年に、女性だけでウーマンメイク株式会社を立ち上げ、水耕ハウスでのレタス栽培を行っています。消費者としての女性の感性を活かし、ライフスタイルやニーズに合った商品開発を行い、独自ブランドを全国展開しています。

平山さんは、働きたいという意欲ある女性が働けない現状を改善すべきと考え、女性が長く働くことができる職場づくりを進めています。子育て中、子育て後のライフサイクルに応じた勤務時間の設定や、子連れ勤務を可能としていること等により、女性の就職先として人気が高く、役員3人、従業員12人全員が女性です。

平山亜美さん（前列右から2人目）と
ウーマンメイク株式会社の皆さん

レタスの売上げは平成28（2016）年度の4,200万円から平成30（2018）年度には7,200万円まで増加し、安定的に利益が上がっています。このような取組が評価され、国内外からの視察も増加するとともに、平成29（2017）年には「農業の未来をつくる女性活躍経営体100選（WAP100）」[1]に選定されるとともに、平成30（2018）年には第5回「ディスカバー農山漁村の宝」[2]に選定され、特別賞も受賞しました。また、令和元年度農山漁村女性活躍表彰農林水産大臣賞を受賞しました。

[1] 農林水産省では、平成27（2015）年度から29（2017）年度にかけて女性活躍に向けて先進的な取組を実践している農業経営体の情報収集を行い、後に続くモデルとなる102経営体を認定。WAPとはWomen's Active Participation in Agricultural Managementの略称

[2] 農林水産省と内閣官房が、農山漁村の有するポテンシャルを引き出すことにより地域の活性化、所得向上に取り組んでいる優良な事例として選定する取組

（女性の経営への関与と収益の増加には相関関係）

女性は農業の経営面においても重要な役割を担っています。株式会社日本政策金融公庫（以下「公庫」という。）が行ったアンケート調査結果によると、農業経営体の女性の経営への関与と収益の増加には相関関係があることが示されています（図表 特2-13）。

今後も女性の感性を活かした経営の展開を通じて、農業経営の発展、農業・農村の活性化につながることが期待されます。

図表 特2-13　女性の農業経営への関与と収益性の向上

（女性の経営への関与別　経常利益増加率（直近3年間））

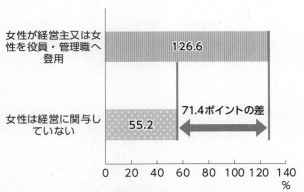

女性が経営主又は女性を役員・管理職へ登用　126.6

女性は経営に関与していない　55.2

71.4ポイントの差

資料：株式会社日本政策金融公庫農林水産事業本部「平成28年上半期農業景況調査」（平成28（2016）年9月公表）を基に農林水産省作成
注：日本政策金融公庫のスーパーL資金又は農業改良資金の融資先のうち、21,389先を対象として実施（回収率28.0%）

（売上規模別　女性が農業経営に関与している割合）

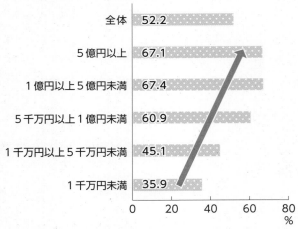

全体	52.2
5億円以上	67.1
1億円以上5億円未満	67.4
5千万円以上1億円未満	60.9
1千万円以上5千万円未満	45.1
1千万円未満	35.9

資料：株式会社日本政策金融公庫農林水産事業本部「令和元年7月農業景況調査」（令和元（2019）年12月）を基に農林水産省作成
注：1）調査対象は、日本政策金融公庫のスーパーL資金又は農業改良資金の融資先のうち、19,215先を対象として実施（回収率28.0%）
　　2）役員や管理職等として女性が1人以上経営に関与している経営体の割合を示す。

コラム　部門別の女性の経営参画と販売金額の関係

　女性の経営への関与と収益の増加には相関関係が見られましたが、これを部門別に見てみます。

　女性の経営参画割合を部門別に見ると、最も高い部門は酪農で63.1%である一方、稲作では40.9%となっており、部門によってばらつきがあることが見受けられます。（図表1）。

　次に部門ごとに販売金額別に女性の経営参画割合を見てみると、稲作、施設野菜、果樹、酪農、肉用牛、養豚のいずれの部門においても、販売金額が増加するにつれて女性の経営参画割合が高くなっています（図表2～7）。稲作では、販売金額が小さい層に多くの農家が分布しており、他方、酪農では販売金額が大きい層に多くの農家が分布しています。

　いずれの部門でも販売金額が大きくなれば女性の経営参画割合も上昇しており、部門別に見ても女性の経営参画割合と販売規模が関係していることがうかがわれます。

図表1
部門別販売金額別女性の経営への参画割合

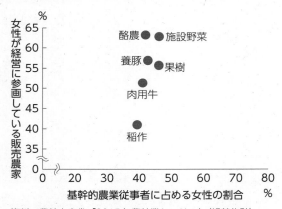

資料：農林水産省「2015年農林業センサス」（組替集計）

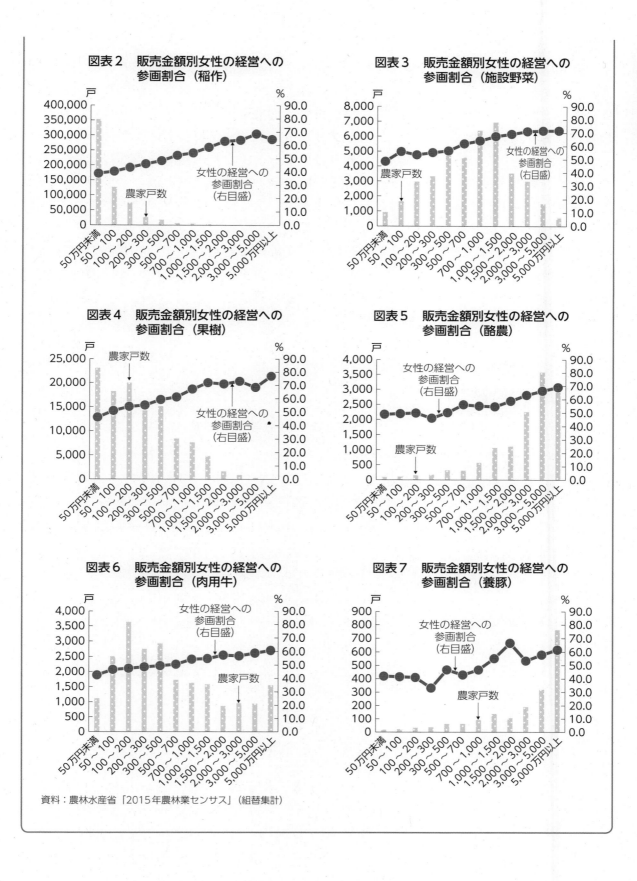

図表2　販売金額別女性の経営への
　　　　参画割合（稲作）

図表3　販売金額別女性の経営への
　　　　参画割合（施設野菜）

図表4　販売金額別女性の経営への
　　　　参画割合（果樹）

図表5　販売金額別女性の経営への
　　　　参画割合（酪農）

図表6　販売金額別女性の経営への
　　　　参画割合（肉用牛）

図表7　販売金額別女性の経営への
　　　　参画割合（養豚）

資料：農林水産省「2015年農林業センサス」（組替集計）

（多様化による経営への効果）

　女性が経営に参画すると収益性が高い傾向は、他産業でも明らかになっています。実際に、女性を含む多様な人材を経営に活用する「ダイバーシティ経営」が企業のパフォーマンス向上につながるとして推進が進んでいます。従来男性が中心であった経営に女性を含む多様な人材を登用することで、経営にメリットがあると言われています。

　マッキンゼー・アンド・カンパニーの調査によると、女性の参画を含む経営陣の多様化によって、顧客との関係の強化、従業員満足度の向上、意思決定の改善、企業イメージの向上がもたらされ、企業としての高いパフォーマンスにつながるとの分析がされています（図表 特2-14）。

　女性が経営に参画して活躍できる企業は、固定観念にとらわれない雰囲気や仕事の実績を正当に評価できるような仕組みを構築し、それにより収益の向上につなげようとしています。農業においても、女性を含む多様な人材が活躍できる土壌をつくり、収益向上やイノベーションにつなげていくことが重要です。

図表 特2-14　多様性を活かした経営の効果

顧客志向強化
・消費に関する意思決定の中心的存在である女性等の消費決定への理解が向上し、顧客ニーズに効果的に対応ができる。

従業員満足度の向上
・従業員の満足度を向上させ、集団の間での対立を低下させて、協調と忠誠を改善する。

意思決定の改善
・異なる経験からくる視点を盛り込むことで、代替案の発見や問題解決方法の採用等を効率的に確信をもって行うことができる。

企業イメージの向上
・社会的責任の重要性が増加している。

資料：マッキンゼー・アンド・カンパニー , "Diversity Matters" 2015 を基に農林水産省作成

コラム 女性の経営参画と農産物の出荷先

　下の図表は、女性が経営に参画する販売農家と参画しない販売農家について、「農協」、「農協以外の集出荷団体」、「卸売市場」、「小売業者」、「食品製造業・外食産業」、「消費者に直接販売」等の出荷先に出荷した農家の割合を示しています。いずれの出荷先を見ても、女性が経営に参画する販売農家の方が、出荷に取り組む割合が高くなっていることが分かります。

　特に、女性が経営に参画する場合には、「消費者への直接販売」に取り組む農家割合が高くなることが見てとれます。農産物を購入する消費者は女性であることが多く、女性農業者は消費者ニーズに敏感であり、消費者に直接販売を志向することが考えられます。消費者への直接販売では、消費者の反応を的確に把握することができ、効果的なブランド戦略の展開にもつながります。

図表　販売農家の出荷先

(単位：％)

	農協	農協以外の集出荷団体	卸売市場	小売業者	食品製造業・外食産業	消費者に直接販売	その他
女性が経営に参画していない	72.7	11.9	8.9	7.8	2.2	16.2	7.0
女性が経営に参画している	74.4	13.4	12.9	8.5	2.9	21.5	7.0
ポイント差	1.7	1.4	4.1	0.7	0.8	5.3	0.0

資料：農林水産省「2015年農林業センサス」を基に作成
注：1）女性が経営に参画する農家とは、農業経営者が女の農家及び農業経営者が男で女の経営方針決定参画者がいる農家を指す。
　　2）当該出荷先への出荷に取り組む販売農家の割合（販売実績のない経営体は除く。）

（グループによる起業から個人による起業へ）

　先に見たとおり、平成４（1992）年の中長期ビジョンでは、女性の起業支援が提言されました。実際に、農村在住の女性が自立的に地域農産物を活用した特産品づくりや、農産物直売所での販売等の起業活動を行ってきました。

　農村における女性による起業数は平成９（1997）年度に4,040件でしたが、平成28（2016）年度には9,497件となり、20年間で２倍以上増加しました（図表 特2-15）。

　また、起業数を経営の種類別に見ると、平成18（2006）年頃までは、グループによる起業が多くなっています。これは生活改善普及事業において組織された生活改善実行グループや農協婦人部等を母体として起業活動が盛んであったためと考えられます。近年、高齢女性のリタイアや女性の組織数の減少等からグループによる起業数は減少していますが、個人による起業は増加傾向にあります。これは、農業にビジネスチャンスを見い出し、グループから独立したり、農外から参入するなどの事例が生まれていることを背景としているものと思われます。また、平成28（2016）年度において、グループ経営では、経営者の平均年齢が60歳以上の経営体が全体の76.3 ％であるのに対し、個人経営では57.8 ％となっており、個人経営では若年層の比率が高いことが分かります。女性の活躍の形も主体も、時代とともに変化し、多様化してきています。

　平成28（2016）年度における起業活動内容を見ると、特産品づくり等の食品加工が最多の70.7％、次いで農産物直売所等の流通・販売に関する取組が69.1％、体験農園、農家民宿等の都市との交流が30.5％となっています。女性が加工や販売等の６次産業化部

門を担当する場合には、女性の目線による細やかな気配りや対応、女性ならではのアイデアが経営面において強みとなっていると考えられます（図表 特2-16）。

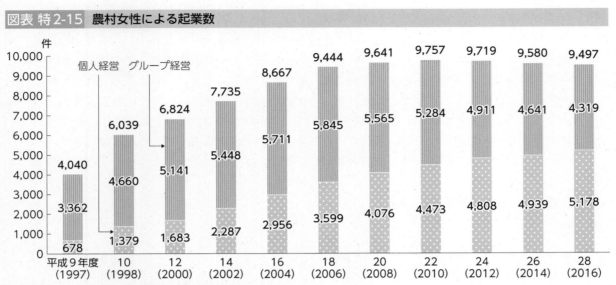

図表 特2-15　農村女性による起業数

資料：農林水産省「農村女性による起業活動実態調査」を基に作成
注：本調査の対象とする「女性起業」とは、次の1）～3）に定める要件を全て満たすもの
1）女性の収入につながる経済活動（無償ボランティアは除く。）であること
2）農村在住の女性が中心となって行う、地域産物を利用した農林漁業関連の経済活動であること
3）女性が主たる経営を担っている経営形態（個別、グループ）であること

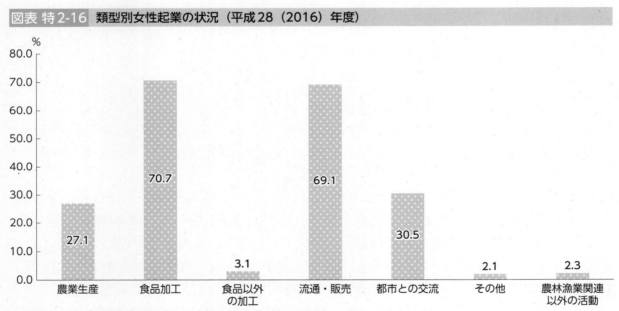

図表 特2-16　類型別女性起業の状況（平成28（2016）年度）

資料：農林水産省「平成28（2016）年度農村女性による起業活動実態調査」を基に作成
注：起業件数全体に占める各類型の実施割合。複数取組を行う経営体が多いため、割合の合計は100％とならない。

（家族経営協定の締結は進展）

　先にも見たとおり、家族経営協定は、家族経営体において、労働時間、報酬、休日等の就業条件を取り決め、農業経営を家族全員にとって魅力的でやりがいのあるものにするとともに、構成員の主体的な経営参画につなげようとするものです。

　家族経営協定の締結は制度開始時から順調に増加しており、平成8（1996）年の5,335戸から平成31（2019）年には10倍以上の5万8,182戸となりました（図表 特2-17）。

増加の要因としては、青年等就農計画及び農業経営改善計画の夫婦共同申請や、農業者年金の加入を契機とした締結が増えていること等が考えられます。

　平成31（2019）年の締結数を都道府県別に見ると、北海道（5,770戸）、熊本県（3,831戸）、栃木県（3,751戸）、長野県（3,025戸）、茨城県（3,002戸）の順で多くなっている一方、約半数の都道府県で締結数が1,000戸以下にとどまっています。新規の締結を増やすため、時代に合った締結推進方法を検討することが課題です。

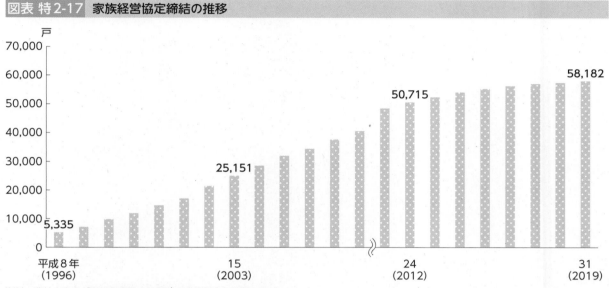

図表 特2-17　家族経営協定締結の推移

資料：農林水産省「家族経営協定に関する実態調査」を基に作成
　注：1）平成13（2001）年までは8月1日時点であり、平成14（2002）年以降は3月31日時点（ただし、平成14（2002）年の一部に8月1日現在の地域がある。）
　　　2）東日本大震災の影響により、平成23（2011）年の宮城県及び福島県の一部自治体の締結農家数については、平成22（2010）年3月31日時点のデータを引用

（農業委員、農協役員に占める女性の割合は増加し、約1割に）

　地域農業の方針策定への参画の指標として、農業委員に占める女性の割合及び農協の役員に占める女性の割合を見ると、前者は平成12（2000）年の1.8%から令和元（2019）年には12.1%へ、後者は同期間に0.6%から8.4%へ増加しました（図表 特2-18）。

　この間、平成15（2003）年には、政府は「社会のあらゆる分野において、2020年までに指導的地位に女性が占める割合が、少なくとも30%程度となるよう期待する」との目標を掲げ、平成27（2015）年に策定された第4次男女共同参画基本計画において、農業委員や農協役員の女性割合についての成果目標が設定されました（図表 特2-19）。

　平成28（2016）年4月に改正された農業委員会等に関する法律及び農業協同組合法では、農業委員や農協役員について、年齢や性別に著しい偏りが生じてはならない旨の規定が設けられ、女性の参画を後押ししています。

　他方、世界経済フォーラム[1]によれば、我が国は、政治、経済における意思決定への参画等で男女格差が大きく、ジェンダー・ギャップ指数[2]は153か国中121位となるなど、諸外国と比べて女性の参画は低い水準にとどまっています。こうしたことも踏まえ、女性活躍の推進を最重要課題の一つとして、農業分野でも成果目標を達成できるよう、一層の

1　世界経済フォーラム「グローバル・ジェンダー・ギャップ報告書」（2019）
2　スイスの非営利財団「世界経済フォーラム」（ダボス会議）が、世界各国の男女間の格差を、経済、教育、健康、政治の4分野の14指標を用いて測定し、毎年公表しているもの。

取組を推進することが必要です。

図表 特2-18　農業委員及び農協役員に占める女性の割合

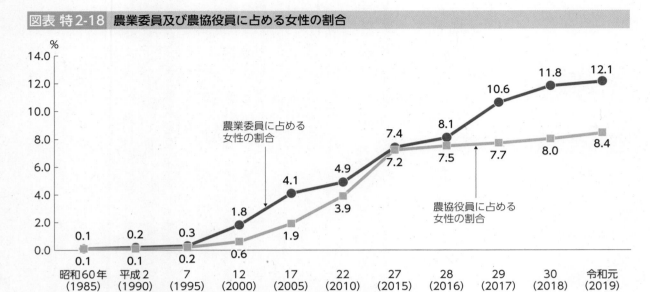

資料：農林水産省「農業委員への女性の参画状況」、「総合農協統計表」を基に作成
注：1）農業委員：各年10月1日時点
　　2）農協役員：各事業年度末
　　　　令和元（2019）年度数値は、全国農業協同組合中央会調べ

図表 特2-19　第4次男女共同参画基本計画における成果目標
（第4分野　地域・農山漁村・環境分野における男女共同参画の推進）

項目		成果目標 （令和2年度） （2020）	策定時 （平成27年度） （2015）	現状 （最新値）
農業委員に占める 女性の割合	女性委員が登用 されていない組織数	0	641/1,708 （37.5%）	273/1,703 （16.0%）
	農業委員に占める 女性の割合	10%（早期）、 更に30%を目指す	7.4%	12.1%
農業協同組合の 役員に占める 女性の割合	女性役員が登用 されていない組織数	0	137/686 （20.0%）	100/607 （16.5%）
	役員に占める 女性の割合	10%（早期）、 更に15%を目指す	7.2%	8.4%
家族経営協定の締結数		70,000件	56,397件	58,182件

資料：内閣府「第4次男女共同参画基本計画（平成27（2015）年12月閣議決定）における成果目標」を基に農林水産省作成
注：1）農業委員
　　　　「農業委員への女性の参画状況」各年10月1日時点、現状は令和元（2019）年度の数値
　　2）農協役員
　　　　「総合農協統計表」各事業年度末、現状は令和元（2019）年度の数値で全国農業協同組合中央会調べ
　　3）家族経営協定の締結数は3月31日時点、現状は平成30（2018）年度の数値

事例　男女共同参画の社会を目指して地域の女性農業者と連携（熊本県）

那須眞理子さんは、昭和49（1974）年、結婚と同時に就農しました。熊本県菊陽町で当初は施設園芸をしていましたが、昭和58（1983）年に肉用牛の繁殖経営に転換、現在では、家族3人で黒毛和種と褐毛和種を合わせて、繁殖牛約70頭、肥育牛約50頭の繁殖肥育一貫経営を確立しています。

地域に残る性別による固定的な役割分担意識が地域の発展を妨げていると感じた那須さんは、これを解消するため、昭和58（1983）年に地域内の女性達と「みずき座」を結成、自ら脚本を書き「男女共同参画」を啓発する演劇を行うなど、地域の仲間づくりや社会への啓発活動を行ってきました。

那須眞理子さん

また、農業に関わる女性の地位向上のため、平成15（2003）年から12年間農業委員を務め、農業委員の意識改革、女性委員の登用拡大に努め、平成23（2011）年には女性としては菊陽町初の農業委員会会長に就任しました。平成27（2015）年には、菊陽町議会議員に当選し、菊陽町男女共同参画推進条例の制定にも尽力されました。

那須さんは、「これからも引き続き、性別の違い等を互いに理解し応援できる男女共同参画社会を推進していきたい」と意欲を述べています。このような取組が評価され、令和元（2019）年度農林水産祭で内閣総理大臣賞「女性の活躍」を受賞しました。

事例　農協における男女共同参画の取組（滋賀県）

滋賀県においては、全ての農協で女性の役員登用を図り、令和元（2019）年度の役員全体に占める女性の割合は15.1％と、第4次男女共同参画基本計画における成果目標15％を全国に先駆けて達成しました。

滋賀県における平成26（2014）年の農協女性役員比率は8.7％でした。平成28（2016）年の農業協同組合法の改正を受け、県内全ての農協に「JA役員体制検討委員会」を設置し、同委員会の「検討指針」に第4次男女共同参画基本計画に基づく「女性登用目標」の実現に向けた対応を図ることを盛り込みました。農協役員への女性の登用により、女性役員が農協と女性組合員の重要なつなぎ役となっています。女性役員が、暮らしや健康、食といった生活に密着した女性組合員の声を理事会に届け理解を促すと同時に、女性組合員にも農協の組織や運営の考え方等をしっかりと伝えることで相互理解が深まり、女性組合員の農協運営への参画意識が育まれました。これは県下で取り組んでいる、組合員が積極的に事業や活動に参加する「アクティブ・メンバーシップ」にもつながっています。

滋賀県の農協では、組織運営の活性化に向け、引き続き女性の役員登用に取り組んでいます。

（農業高校の女子生徒は増加、農業大学校の女性卒業生の就農割合も増加）

　未来の農業を支える人材を育成する教育機関でも女性の割合が増加しています。農業に関する専門技術や知識を習得するための学科が設置されている高等学校（以下「農業高校等」という。）の生徒数が近年減少傾向にある中で、女子の比率が大きく伸びています。令和元（2019）年度の農業高校等の女子比率は48.9％ですが、これは平成11（1999）年度と比べて10.3ポイント増加しています（**図表 特2-20**）。この要因としては、農業高校等においては、栽培技術の学習だけでなく、加工・販売等女子に人気の高い職業に関連する幅広い科目を設定する学校が増えていること、学校内にとどまらずより実践的に地域農業を学ぶ授業や、校内で生産した農産物の6次産業化等に取り組む学校が多くなったこと等が考えられます。

　農業大学校については、令和元（2019）年度の入校者の女子比率は、21.4％となっており、20年間の推移を見ても平成30（2018）年度が25％と高かった以外は、ほぼ同じ水準で推移しています（**図表 特2-21**）。

　また、農業大学校の女性卒業生の就農割合を見ると、男性卒業生の就農割合より低いものの、男女別でのデータがある平成16（2004）年度から11ポイント増加し、平成30（2018）年度には50％となっています（**図表 特2-22**）。引き続き、農業を職業として選択する農業高校や農業大学校の女性の卒業生が増えるよう、農業のやりがいや魅力に接する機会を増やしていくこと等が重要です。

図表 特2-20　学科別高校生の男女比率の増減

（単位：％）

	平成11年度（1999）		令和元年度（2019）	
	男	女	男	女
普通科	48.6	51.4	49.5	50.5
農業に関する学科	61.4	38.6	51.1	48.9
商業に関する学科	33.8	66.2	37.2	62.8

資料：文部科学省「学校基本調査」を基に農林水産省作成
注：各年5月1日時点

図表 特2-21　農業大学校入校者の女性の割合

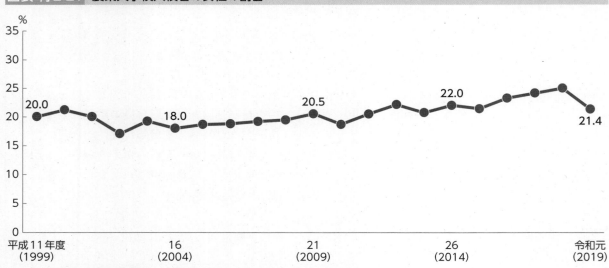

資料：全国農業大学校協議会「農業大学校等入校者の状況」を基に農林水産省作成

図表 特2-22 男女別農業大学校卒業者に占める就農割合

(単位：%)

	平成16年度（2004）		平成30年度（2018）	
	男	女	男	女
農業大学校卒業者に占める就農割合	53	39	55	50

資料：全国農業大学校協議会「農業大学校卒業生の状況」を基に農林水産省作成

　前述のとおり、平成28（2016）年に農業女子プロジェクトにおいて「チーム"はぐくみ"」を結成し、高校・大学校等の教育機関によるプログラムと活躍する農業女子メンバーが連携することで、新規就農につながる取組も進めています。これにより、参画する教育機関から農業大学校への進学や就農する生徒や学生が出てきています。今後は、教育機関間の交流、連携を行い、活動を広げていくこととしています。

　また、農業高校の生徒に幅広い経験を積ませることは将来の職業選択時に農業を選択する可能性を高めると考えられます。実際に、農業高校の女子生徒が海外の畜産を学び、日本の畜産業を発展させていく方法を考え、学んだことを同級生等に広げていくことを目的とした未来の畜産女子育成事業でニュージーランドを訪れて畜産体験を行った農業高校の女子生徒が、ニュージーランドのように日本で酪農の価値を高めたいと考えて就農した事例も出てきています。

事例 **非農家出身の女性が心機一転こんにゃく生産者の経営を継承（群馬県）**

　遠藤春奈さんは、平成17（2005）年に、夫の地元である群馬県沼田市で、廃業寸前のこんにゃく生産者の経営を引き継ぐ形で新規就農しました。夫婦共に非農家出身で、こんにゃくいもの栽培について、何も分からないままで始めたため、最初の10年間は思うように収穫できない畑が発生するなど苦労しましたが、遠藤さんのこんにゃくの消費を拡大していきたいという強い想いが、次第に周辺の生産者にも伝わり、こんにゃくの消費拡大活動への理解や協力を得られるようになりました。

遠藤春奈さん（右から2番目）とスタッフの皆さん

　平成26（2014）年から6次産業化にも取り組み、こんにゃくと地元群馬の農家が生産する果物や野菜を使って共同開発した商品や、丸く一口サイズに加工したあく抜き不要のこんにゃく（ちゅるりん玉）を開発し、The Wonder 500の認定商品*にも選定されました。

　また、農業女子プロジェクトの「チーム"はぐくみ"」パートナー校である蒲田女子高等学校で特別講師を勤め、こんにゃく作り実習及び講座を開催したり、農業大学校からインターンを受入れたりするなど次世代の教育活動にも貢献しています。

*　経済産業省が推進する地方発の「クールジャパン」プロジェクトの一環として、「世界にまだ知られていない、日本が誇るべき優れた地方産品（ものづくり・食・観光体験）」として選定された商品

（3）もっと輝くために〜女性農業者を取り巻く課題と方策〜

　前節では、女性の基幹的農業従事者の数は減少してきているものの、認定農業者数や農業法人の女性役員が増加するとともに、農業委員や農協役員にも女性の登用が一定程度進んでいること、女性が経営に関与している経営体では収益性が高まる傾向が見られること等を記述しました。

　一方で、社会全体あるいは国際的に見ても、女性農業者の働く環境や地域農業への参画状況には依然として課題があり、更なる取組を進めていく必要があります。ここからは、課題と今後の取組の方向性について記述します。

ア　女性が働きやすく、暮らしやすい農業・農村の環境整備
（農村の子育て世代では男性に比べて女性の減少が大きい）

　農村地域の女性人口は近年減少しています。農村地域女性人口は、平成12（2000）年から平成27（2015）年までの間に12％減少し、1,268万人となっています。そのうち子育て世代である25〜44歳の女性人口は、同期間で21.7％減少し246万人となっており、他の世代に比べて、減少が顕著であることが分かります。これは、農村地域では進学や就職を契機に都市部へ人口が流出するためと考えられます。また、同期間での農村地域女性割合には変化がないことから、人口減少は男女ともに同様に起きていることが分かりますが、子育て世代では女性人口割合が1.2ポイント低下しており、子育て世代では男性より女性の減少が大きいことが分かります（図表 特2-23）。

図表 特2-23　農村地域の女性人口の推移

（単位：万人、%）

	平成12年 （2000）	平成27年 （2015）	増減率及び ポイント差 （%）
農村地域女性人口	1,442	1,268	− 12.1
うち25〜44歳	314	246	− 21.7
農村地域女性割合	51.8	51.8	0.0
うち25〜44歳	49.8	48.5	− 1.2

資料：農林水産政策研究所「家族農業経営における女性労働力の現状と動向」
　　　（平成30（2018）年）を基に農林水産省作成

（農村においては、家事や育児は女性の仕事と認識され、男性に比べ負担が大きい）

　農村においては、依然として、家事や育児は女性の仕事であると認識され、男性に比べて負担が重くなっている傾向が残っています。総務省の社会生活基本調査[1]によると、女性農林漁業者の一日の仕事・家事・育児の合計時間は7時間7分で、男性農林漁業者に比べ1時間19分多くなっています。一方、農林漁業以外の有業者の女性と比べても、女性の農林漁業者は家事の負担が49分大きくなっています（図表 特2-24）。

1　総務省「平成28年社会生活基本調査」

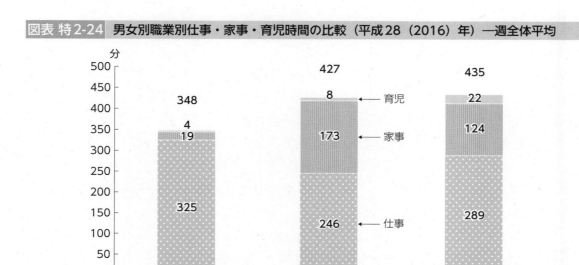

図表 特2-24 男女別職業別仕事・家事・育児時間の比較（平成28（2016）年）―週全体平均

資料：総務省「平成28年社会生活基本調査」（平成29（2017）年9月公表）を基に農林水産省作成

　女性農業者等に対して、女性農業者が農業や地域で活躍するために必要なことを聞いたところ、「家事・育児への家族の協力」、「周囲（家族・地元）の理解」との意見がそれぞれ5割を超えています（図表 特2-25）。

図表 特2-25 女性農業者が農業や地域で活躍するために必要な要素（複数回答）

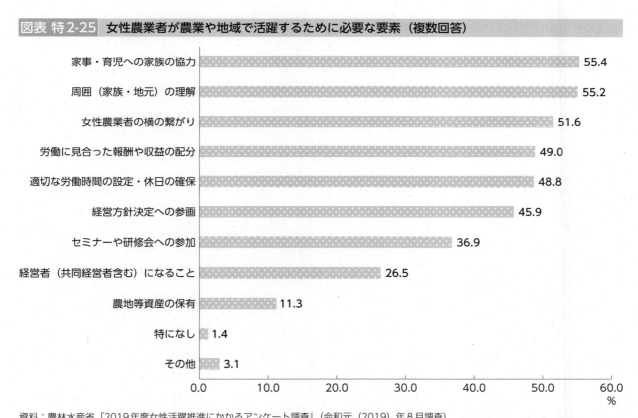

資料：農林水産省「2019年度女性活躍推進にかかるアンケート調査」（令和元（2019）年8月調査）
　注：全国の農業女子プロジェクトメンバー、4Hクラブ、一農ネット会員、農業担い手メルマガ会員、農業委員会（農業委員、農地利用最適化推進委員）、JA女性組織（JA女性会・フレッシュミズ組織等）、全国生活研究グループ及び全国指導農業士連絡協議会を対象に行ったアンケート調査（有効回答者数1,595人）

（農村地域では女性の労働力確保に関する競合が強まり）

　一方で、農村地域と都市的地域[1]の女性を比較すると、15～24歳を除き全ての年齢階層で農村地域の女性の就業者割合が都市的地域より高くなっています（図表 特2-26）。しかしながら、農村地域においては、医療・福祉分野へ就業者割合が増加している一方、飲食・宿泊業を除いて農業を始めとする他産業では就業者割合が低下しており、医療・福祉分野での需要増加により、女性労働力の確保に関する競合が強まっていると考えられます（図表 特2-27）。他産業において女性の活躍推進に向けた取組が進展している中、農業において女性の新規就農者を増やすためには、女性が働きやすい農業をつくるための取組を危機感を持って迅速に進めることが重要です。

図表 特2-26　農村地域と都市的地域の女性の就業者割合

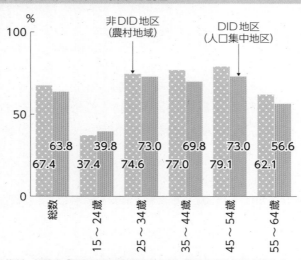

資料：総務省「平成27年国勢調査」を基に農林水産政策研究所作成
注：1）15～64歳の総数
　　2）不詳は除く。
　　3）DIDとはDensely Inhabited Districtの略で人口集中地区のこと

図表 特2-27　農村女性の産業別就業者割合

（単位：%）

		女性の産業別就業者割合				
		農業	製造業	卸売・小売業	飲食店・宿泊業	医療・福祉
DID地区（人口集中地区）	平成17年（2005）	0.6	11.4	23.3	8.1	15.8
	22（2010）	0.5	9.7	20.5	8.6	17.8
	27（2015）	0.5	9.7	19.1	8.1	19.9
	増減（ポイント）17（05）－27（15）	-0.1	-1.7	-4.2	-0.1	4.2
非DID地区（農村地域）	17（2005）	11.8	17.4	18.5	6.3	16.4
	22（2010）	9.2	15.5	17.2	7.5	19.5
	27（2015）	8.5	14.8	16.5	7.4	22.0
	増減（ポイント）17（05）－27（15）	-3.3	-2.6	-2.0	1.1	5.6

資料：総務省「国勢調査」を基に農林水産政策研究所作成
注：平成17（2005）年は平成17年国勢調査における産業分類、22（2010）年及び27（2015）年は平成22年国勢調査における産業分類による。

1　用語の解説2（6）を参照

（女性の新規就農者は農作業のきつさ、栽培技術、子育て等に悩みを抱える傾向）

　女性の新規就農を促進するためには、女性の新規就農者が抱える課題を分析し、その解決に向けて取り組むことが重要です。一般社団法人全国農業会議所全国新規就農相談センターの新規就農者を対象とした調査[1]によると、女性の新規就農者は様々な悩みを抱えています。

　生活面では、最大の悩みが「健康上の不安（労働がきつい）」となっており、続いて「思うように休暇がとれない」、「子供の教育」となっています。一方で、男性は、最も多い悩みが「思うように休暇がとれない」ことであり、「健康上の不安（労働がきつい）」、「集落の人間関係」が続いています（図表 特2-28）。これらのことから、機械化等が進んできたとはいえ、農業には重いものの運搬等肉体的にきつい作業があり、農作業の体力的なきつさが女性農業者にとって大きな負担となっていることが推察できます。

1　一般社団法人全国農業会議所全国新規就農相談センター「新規就農者の就農実態に関する調査結果」

図表 特2-28 男女別新規就農者の悩み（生活面）

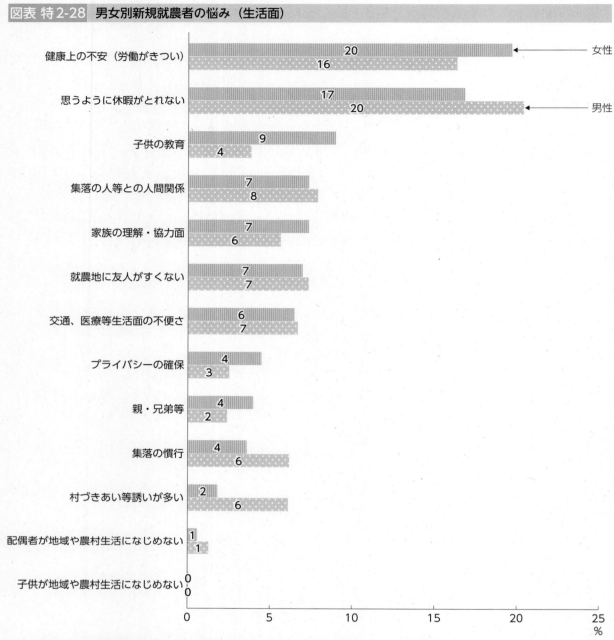

資料：一般社団法人全国農業会議所全国新規就農相談センター「新規就農者の就農実態に関する調査結果」（平成29（2017）年3月公表）を基に農林水産省作成
注：1）就農してからおおむね10年以内の新規就農者を対象に行ったアンケート調査（有効回答者数4,377人）
　　2）生活面で悩んでいることについての回答の上位3位までの合計を男女別全回答数で除した割合

　経営面では、男女ともに「所得が少ない」、「技術の未熟さ」を挙げていますが、女性は続いて「栽培計画・段取りがうまくいかない」と回答した割合が高く、男性に比べ、技術習得や栽培面での悩みを感じている様子がうかがえます（図表 特2-29）。女性農業者に対するきめ細かな技術指導が重要と考えられます。

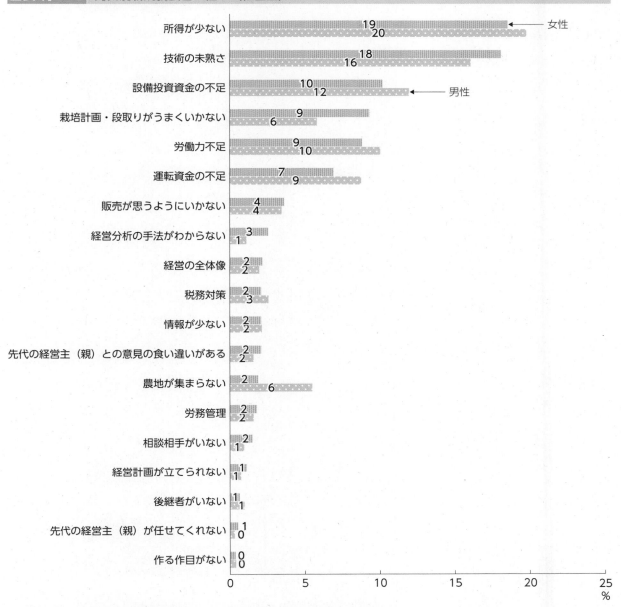

図表 特2-29　男女別新規就農者の悩み（経営面）

所得が少ない　19／20　← 女性

技術の未熟さ　18／16

設備投資資金の不足　10／12　← 男性

栽培計画・段取りがうまくいかない　9／6

労働力不足　9／10

運転資金の不足　7／9

販売が思うようにいかない　4／4

経営分析の手法がわからない　3／1

経営の全体像　2／2

税務対策　2／3

情報が少ない　2／2

先代の経営主（親）との意見の食い違いがある　2／2

農地が集まらない　2／6

労務管理　2／2

相談相手がいない　2／1

経営計画が立てられない　1／1

後継者がいない　1／1

先代の経営主（親）が任せてくれない　1／0

作る作目がない　0／0

（横軸：0　5　10　15　20　25　%）

資料：一般社団法人全国農業会議所全国新規就農相談センター「新規就農者の就農実態に関する調査結果」（平成29（2017）年3月公表）を基に農林水産省作成

注：1）就農してからおおむね10年以内の新規就農者を対象に行ったアンケート調査（有効回答者数4,377人）

　　2）経営面で悩んでいることについての回答の上位3位までの合計を男女別全回答数で除した割合

　また、女性農業者を対象とした調査によると、「自身がリフレッシュする時間がとれない」、「妊娠中に仕事が休めない」、「子供が病気の時に預かってもらえる人や場所がない」といった悩みも抱えています（図表 特2-30）。

　さらに、今後は高齢化の進行とともに、農村における介護の問題も大きくなるものと考えられます。

49

図表 特2-30　農業と出産・育児・子育てとの両立に関する不安や悩み（複数回答）

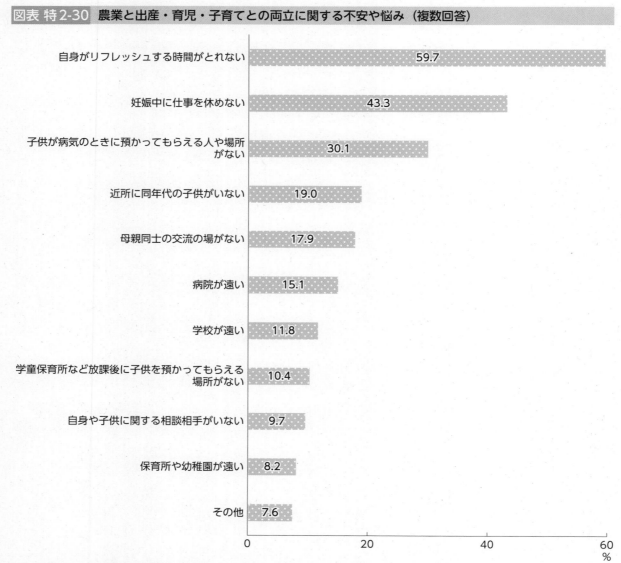

	%
自身がリフレッシュする時間がとれない	59.7
妊娠中に仕事を休めない	43.3
子供が病気のときに預かってもらえる人や場所がない	30.1
近所に同年代の子供がいない	19.0
母親同士の交流の場がない	17.9
病院が遠い	15.1
学校が遠い	11.8
学童保育所など放課後に子供を預かってもらえる場所がない	10.4
自身や子供に関する相談相手がいない	9.7
保育所や幼稚園が遠い	8.2
その他	7.6

資料：農林水産省「2019年度女性活躍推進にかかるアンケート調査」（令和元（2019）年8月調査）
注：全国の農業女子プロジェクトメンバー、4Hクラブ、一農ネット会員、農業担い手メルマガ会員、農業委員会（農業委員、農地利用最適化推進委員）、JA女性組織（JA女性会・フレッシュミズ組織等）、全国生活研究グループ及び全国指導農業士連絡協議会を対象に行ったアンケート調査（有効回答者数993人）

（農村における意識改革を進め、女性農業者が働きやすく、暮らしやすい農業・農村をつくる必要）

　男性・女性が家事、育児、介護等と農業への従事を分担できるような環境を整備することは、女性がより働きやすく、暮らしやすい農業・農村をつくるために不可欠です。そのためには、家事や育児、介護は女性の仕事であるという意識を改革し、女性の活躍に関する周囲の理解を促進する必要があります。仕事や家事、育児、介護等の役割分担、報酬、休日等について家族で話し合い、明確化する取組である家族経営協定の締結は、意識改革の実現のための有力な方法の一つであり、実際に、経営やワーク・ライフ・バランスの改善に役立つと考える農業者は、農林水産省が令和元（2019）年8月に行ったアンケート調査結果によると、回答者の7割を超えています（図表 特2-31）。

　また、女性農業者は共同経営者であるという意識改革を促すため、農業経営改善計画における共同申請を促進していくことも必要です。

　さらに、意識改革は家族だけでなく、地域の住民等、周囲にまで広げることが必要で

す。地域の意識改革を進めるためには、女性農業者の横のつながりを強化し、働きやすく、暮らしやすい農業・農村のモデルケースを広く伝えることにより、変化を促していくことが有効です。

図表 特2-31　家族経営協定の締結が、経営やワーク・ライフ・バランスの改善に役立つと思うか

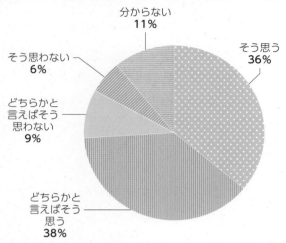

資料：農林水産省「2019年度女性活躍推進にかかるアンケート調査」（令和元（2019）年8月調査）
注：全国の農業女子プロジェクトメンバー、4Hクラブ、一農ネット会員、農業担い手メルマガ会員、農業委員会（農業委員、農地利用最適化推進委員）、JA女性組織（JA女性会・フレッシュミズ組織等）、全国生活研究グループ及び全国指導農業士連絡協議会を対象に行ったアンケート調査（有効回答者数1,568人）

事例　家族経営協定の締結で農作業や子育てを分担（三重県）

三重県伊勢市の南圭輔さん、絵美さんは、平成18（2006）年に夫婦で就農し、いちご生産を行っています。就農から7年が経過し、経営も軌道に乗りつつあった頃、二人目の子供の出産もあり、普及指導員の勧めで家族経営協定を締結しました。

家族経営協定では、月一回の経営作戦会議を持つことや、決定に関しては二人の賛成を必要とすること等、常に二人で話し合いながら経営していくことを明文化しました。また、日々の役割分担についても、作業ごとに担当を明記し、経営主である圭輔さんと絵美さんの作業内容が明確になりました。さらに、子育てについては、圭輔さんも主担当に位置付け、学校行事や子供の習い事、子供の世話等生活面をサポートし、積極的に育児参加をしています。

南さん家族

家族経営協定の締結前は、圭輔さん一人で決断してしまうこともありましたが、家族経営協定を締結したことで、常に二人で相談しながら決定できる環境となりました。育児も二人で協力して行い、子供の生活スタイルに応じて休日を設定するなど、就業環境は家族経営協定の締結前より改善され、家族が楽しく暮らしていける経営を築くことができました。

（子育ての悩みを解消するためには育児を地域でサポートする仕組が必要）

　新規就農者を含め女性農業者の悩みを軽減するには、子育て支援も重要です。農業において農繁期には、収穫作業が早朝から行われたり、夜遅くまで作業が続くなど、仕事を休めない状況になることがあります。また、農村地域では近隣に保育所や学校がないことも多く、育児の大部分を担っている女性農業者は、子供を遠方まで送迎する必要や、時間的に融通が利かないといった問題もあります。さらに、病児保育所やファミリーサポート等の整備が不十分なことから、子供が病気の際に思うように働けないなどの悩みもあります。以前は、祖父母と同居したり、地域で子育てをする中で解決されてきましたが、農村においても核家族化の進行や、新規参入就農や新規雇用就農により農外から就農する例も多くなり、女性農業者の子育てを支援する仕組みづくりが重要となっています。こうした中、育児を地域でサポートするネットワークを構築する動きも見られており、このような取組を推進していくことが必要です。

（農作業のきつさの解消のためには外部支援サービスの活用等が必要）

　農作業の体力的なきつさの解消のためには、作業の一部を外部支援組織へ委託することも有効です。特に自動走行農機等の先端技術を活用した作業代行や、食品関連事業者と連携した収穫作業等、次世代型の農業支援サービスの提供も始まっており、今後、女性農業者のニーズに合わせたサービスの広がりが望まれます。また、スマート農業の導入や、女性が作業しやすい農機具の普及も必要です。例えば、女性向けに開発されたアシストスーツや自動草刈機を農協等新規就農者の受入れを支援する組織が購入し、貸し出して、女性の新規就農者が共同で使えるようにすることも解決策の一つです。

（技術習得のためには農業経営等の研修機会の確保が必要）

　技術の習得が難しいと考える女性農業者に対しては、研修等への参加を促すことが必要です。国や地方公共団体等で農業経営に係る様々な研修を実施しているほか、農業大学校等の教育機関においてリカレント教育を実施する動きも広がっています。また、こうした研修に女性農業者が参加できるよう家族や周囲の人たちが支援することや、女性農業者自身も積極的に情報を入手して参加することが望まれます。一方で、農村の子育て中の女性農業者が頻繁に遠方まで通学することは容易ではありません。このため、自宅で学習できるアプリやe-learningの充実が必要です。

（農業法人の就業環境の整備も重要）

　農業法人で技術を学ぶことも有効です。近年、農業法人においてはフレックス勤務や従業員の子育てと仕事の両立のための託児所開設、介護休暇の取得といった前向きな取組が見られます。一方、休日が少ない、男女別トイレや女性用更衣室が整備されていない、育児休業制度がないなど女性農業者の受入れに課題を抱える法人もあります。今後、女性農業者の就農促進に向けて、働き方改革の推進や男女別トイレ等の施設整備、育児休業制度や介護休暇の導入等、農業法人での就業環境の整備を推進する必要があります。

農協、地域による託児支援（北海道、熊本県、群馬県）

（1）町と農協が連携して児童館機能を集約した託児所を開設（北海道中標津町）

北海道中標津町では酪農新規就農者の増加により、子育て支援ニーズが高まっていました。そこで計根別農協と中標津町、北海道根室振興局、根室農業改良普及センターが連携し、平成29（2017）年から子育て支援の検討を始め、第一段階として、計根別農協事務所内で親子サロン・お試し一時預かりに取り組みました。農業者等からの評判が高かったことから、計根別農協管内の酪農家だけでなく、地域住民も一緒に利用ができる中標津町営の託児所兼児童館施設が平成31（2019）年4月、計根別地区に開設されました。

児童館機能を集約した託児所「計根別農協こども館えみふる」

（2）地域で取り組む育児支援（熊本県 南阿蘇村）

育児支援を軸に農山漁村への定住を促進する動きも始まっています。平成29（2017）年度に農山漁村振興交付金による地域活性化対策地区として採択された熊本県南阿蘇村両併地区ローカルリソース活用協議会では、自然豊かな農村での子育てを希望する若い世帯を対象に、託児サービスを実施しています。多い時は10人ほどの幼児を保育士1人と保護者1人で預かり、田畑や鎮守の森で子供たちを遊ばせています。南阿蘇村には幼稚園がないことから、移住者以外からもニーズがあることが分かったほか、自然の中でのびのびと子育てをしたいという家族の移住につながっています。

田畑で子供たちを遊ばせる様子

（3）農業法人で事業所内託児所を開設（群馬県 昭和村）

群馬県昭和村の株式会社野菜くらぶは、志を同じくする生産者78人が集まって、900haの農地でレタス、トマト、キャベツ等の生産販売を行い、関連会社が漬物、こんにゃく、冷凍野菜、ミールキット等の加工、販売等を行っています。加工場等では人手が必要ですが、募集をしてもなかなか労働力が確保できず困っていたことから、労働力確保のために事業所内託児所を整備しました。託児所を整備したことにより、新規の人員確保が容易になっただけでなく、従来から働いていた女性社員の産休からの早期復帰が可能となりました。事業所内託児所では昼休みに授乳することも可能となり、働く女性に喜ばれているほか、男性社員からも子供の姿が見えることで会社の雰囲気が明るくなったとの声も聞かれています。

託児所の外観と子供たちの活動の様子

イ　地域農業の方針策定への女性の意見の反映

（農業・農村の持続的発展のためには女性の声を反映することが重要）

　世界的に見ても、女性を含め多様な人材が能力を発揮する企業では、パフォーマンス向上につながっていることが明らかになっています。また、社会は女性なくしては成り立ちません。女性が働きたいと思うような農業、女性が暮らしたいと思うような農村をつくっていくことは農業・農村の持続的発展の観点から重要です。そのためには、地域農業の方針策定に女性がより一層参画することにより、農業者としての立場に加え生活者や消費者として多様な視点を持つ女性の声を反映していくことが重要となっています。

（地域農業をリードする女性農業者の育成、人・農地プランの話合いの場への女性の参画等が必要）

　地域農業の方針策定への女性の参画を推進するには、女性自身が学び、スキルを向上させ、地域農業をリードする女性農業者を育成することが必要です。これには、女性農業者の学びの場の充実が望まれます。併せて男性や地域でも意識改革を行うことが必要です。

　また、これまで農村を支えてきた女性農業者は、生活面や経営面で悩みを感じ、集まって様々な工夫をし、解決に取り組んできました。こうした過去の知見や経験を新しい世代に伝えることや、学びの場となるグループを作り、グループ同士のネットワークをつなげることも有効と言えます。

　若手女性農業者が地域の先輩女性農業者と交流を進める動きや、20年前に発足した女性農業者を中心とした団体を若手女性農業者が受け継ぎ、世代交代を図りつつ発展する動きも各地で見られます。このような交流を全国で活発化することが重要です。

　さらに、女性農業者が持つ生活者や消費者視点を活用し、農業者の枠を超えたネットワーク形成が進むことも期待されます。特に先に見たとおり、食の品質や安全性に関心を持つ女性新規就農者も多いことから、消費者とのネットワークの構築、教育機関との連携による食育の実施や、福祉分野との連携による農福連携の展開を行うことも期待されます。このように活動の幅を更に広げていくことで、農業・農村に新しい視点をもたらすとともに、女性農業者の農業・農村での存在感向上にもつながると考えられます。

　また、農業委員及び農協役員に関しては、優良事例やデータ収集を強化することにより女性参画の正の効果を分析して、その結果を情報発信すること等により、女性の登用を一層推進することが重要です。

　さらに、「人・農地プラン」の実質化[1]においては、市町村が設置する検討会への女性の参画が義務付けられています。今後地域における話合いの場へ女性農業者が積極的に参画していくことが望まれます。

　こうした取組を集落営農[2]組織や土地改良区における方針決定等農村地域での様々な意思決定の場にも拡大することが必要です。

　本特集では、過重労働から徐々に解放され、自ら経営に参画したり、ビジネスチャンスを見い出しながら、輝きを増す女性農業者の姿を取り上げました。一方で、明らかになった課題については、更なる取組が必要です。女性が能力を発揮し、活躍できる農業や、女

1　農業者の年齢や後継者の有無を「見える化」した地図を用いて、地域の農業者が話し合い、将来の農地利用を担う経営体の在り方を決めていく取組
2　用語の解説3（1）を参照

性が暮らしやすい農村を実現することは、女性農業者のためだけではなく、農業・農村に新たな視点や活力をもたらし、農業・農村の持続的な発展につながるものです。農林水産省を始めとする行政機関、農業関連機関はもとより、教育・研究機関においても課題解決に向け積極的な取組を行うとともに、農業・農村の現場でも意識や行動を柔軟に見直していくことが重要です。

コラム　農業を始めてみたけれど・・・

男性には分からない女性の悩み。就農に当たり苦労したことを紹介します。

女性が新規就農するに当たり、「女性の方が苦労が多いと思ったことはない」との声が多く、「色んな人が覚えてくれた」、「気さくに声をかけられ、栽培方法を教えてくれた」など温かい励ましや支援を受けられたとの声がある一方で、「女性が独立就農するのは無理」、「女一人で農業をするのはやめておけ」、「農業やりたいなら農家に嫁に行け」などの言葉を周囲の方から投げかけられたといった声もあります。

「農業は結婚すれば旦那が主人となり、代表者となる職業」、「農業の窓口は通帳を含め全て夫の名前で自分は常に表に出られない」、「農業者同士の交流は男性主体で女性は交流がなく、孤独」との声もあり、農業現場は依然として男性中心であることが見受けられます。

また、女性農業者からは、農作業が肉体的にきつく、「体力的に男性に及ばない」、「機械等の修理、力仕事で困った」といった声も聞かれます。一方で、「一人で出来ないことは周りの方々に手伝ってもらったり、業者に頼む」、「作物を軽いものにし、大型の機械や設備を導入しなくても良い栽培法を選んだ」など、工夫をしている声も聞かれます。

さらに、「出産前後でも同じように仕事をしなければならない」、「お腹に子供がいたので高所作業が難しかった」など妊娠・出産にまつわる不安や、ほ場や事務所に男女別のトイレがなく、「トイレは近くの公園やスーパーで借りる」などの苦労もあります。これらは男性にとっては気づきにくいことかもしれませんが、女性にとっては大きな問題で、早急に解決すべき課題です。

これまでも、女性は労働力としてだけでなく、経営のパートナーとして農業を支えてきました。また、マーケットインの発想で能力を発揮している女性農業者も増加しています。農業・農村を持続的に発展させていくためには、女性が働きやすく、暮らしやすい農業・農村をつくる必要があり、そのためには、女性の声を受け止め、女性の声を農業・農村の現場に反映していくことが必要です。

資料：全国農業会議所「女性の視点に立った新規就農の課題や支援施策のあり方調査結果」（平成24（2012）年）

事例　横に縦に深まる女性農業者の交流（兵庫県）

　兵庫県南あわじ市の堤由美さんは、平成20（2008）年に農家の長男と結婚し、南あわじ市に移住したことを契機に、農業を始めました。最初の頃は作業や段取りへの戸惑いや、体力的に大変なことも多かったものの、おいしく高品質な野菜を直接消費者に届けられるような、強気で自立した農家を目指して取り組んできました。

　地域農業には、後継者不足や遊休農地等の課題がある中で、次世代を担う同世代の女性にも農業が楽しく、やりがいもあり、かっこいいことを伝えたいと、SNS等で農業の魅力発信を始めました。

堤 由美さん

　平成30（2018）年には農林水産省の「女性農業コミュニティリーダー塾」に参加したことで刺激を受け、地域の女性農業者と横のつながりを強化するため「AWAJI プラチナ農業女子グループ」を立ち上げ、女性農業者同士の交流会や勉強会開催、マスコミを通じた情報発信等、淡路島の農業をより活性化させるため、精力的に活動を始めています。堤さんは、横のつながりだけでなく、縦のつながりも重要であると考えており、長年農業・農村を支えてきた母世代、祖母世代が所属する生活研究グループ（旧生活改善グループ）とも交流し、これまでの知恵や経験を受け継いでいきたいと考えています。

事例　「しべちゃ町農業女性カレッジ」による幅広い交流を展開（北海道）

　北海道標茶町の千葉澄子さんは、北海道外から標茶町に嫁いで就農した一人です。自分を育ててくれた地域に恩返しがしたい、これからは女性の経営参画が経営の発展には欠かせないとの強い思いから、平成19（2007）年、学習活動組織「ナラの木学級」を標茶町に嫁いだ女性農業者の有志で立ち上げました。地元出身者でも参加できる場、酪農技術を学べる場、女性農業者の交流の場として設けましたが、北海道外出身者のみが参加できる場と誤解している人も多かったことから、10年間の活動を一区切りとして発展的に解散し、平成29（2017）年「しべちゃ町農業女性カレッジ」として活動再開しました。

千葉澄子さん

　このカレッジでは、農協、農業共済組合、標茶町、普及センター等と連携して、年5回程度の酪農に関する学習会や視察研修等を実施しています。生産技術を学ぶだけでなく、女性農業者の交流、相談できる仲間づくりの場として活用され、最近では標茶町外の参加も増えてきています。

　代表の千葉澄子さんは、「これからは、次世代の若手女性リーダー育成や標茶町だけにとらわれず、広い地域での交流、勉強会の開催を目指していきたい。」と考えています。

<table>
<tr><td>事例</td><td>世代交代を成し遂げた田舎のヒロインズ（熊本県）</td></tr>
</table>

　平成6（1994）年に発足した「田舎のヒロインわくわくネットワーク」は女性農業者を中心に都市農村交流や農産物加工品づくり等、農業・農村の魅力や可能性を伸ばす取組を行ってきました。しかし、会員の多くが高齢化して解散の危機に直面する中、初代代表の山崎洋子さんは、疲弊する農村を女性の力で活性化させるため、世代交代を提案。熊本県 南 阿蘇村の大津愛梨さんにバトンを託しました。

　こうして、平成26（2014）年に、「田舎のヒロインわくわくネットワーク」は「NPO法人田舎のヒロインズ」と名称を変え、代表の大津さんに加え40歳以下の現役若手女性農業者を役員として、新たに出発しました。現在は農業後継者不足の解消を目指して、情報発信、農業研修や視察等の受入れ等に取り組んでいます。

代表の大津愛梨さん（左から7人目）と
NPO法人田舎のヒロインズの皆さん

　代表の大津愛梨さんは、「都市には都市の役目があると同時に、今こそ田舎には田舎の役目がある。そこに住む女性たちを中心に、より多くの方と共感し、協働できる組織を目指していきたい。」と述べています。また、再出発した平成26（2014）年から継続的に取り組んできた農業・農村における再生可能なエネルギーの普及啓発・導入促進の活動が評価され、令和2（2020）年2月に開催された「脱炭素チャレンジカップ2020」では環境大臣賞のグランプリを受賞しました。女性農家らによる地球温暖化防止の具体策として今後の広がりが期待されています。令和2（2020）年度以降は教育機関への出前授業や農業現場でSDGsを学ぶプログラムの開発等に取り組んでいく予定です。

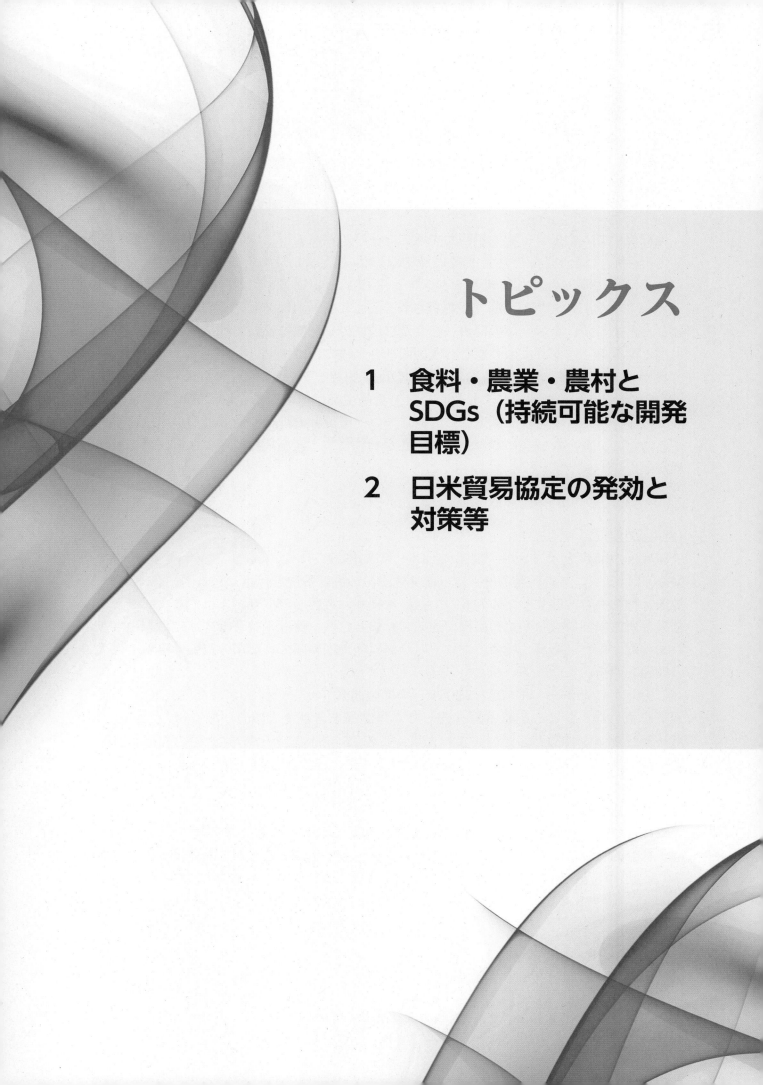

トピックス

1 食料・農業・農村と SDGs（持続可能な開発目標）

2 日米貿易協定の発効と対策等

食料・農業・農村とSDGs（持続可能な開発目標）

　地球規模で人やモノ、資本が移動するグローバル経済の下では、地球規模の課題も連鎖して発生し、経済成長や社会問題に深刻な影響を及ぼします。このような中、平成27（2015）年に開催された国連サミットで、令和12（2030）年までの国際目標である、SDGs（持続可能な開発目標）[1]が採択されました。SDGsは開発途上国の開発に関する課題にとどまらず、世界全体の経済、社会及び環境の三側面を横断的に盛り込んでおり、先進国と開発途上国が共に取り組むべき国際社会全体の目標です。

　我が国は、平成28（2016）年12月に我が国のSDGsの実施のための指針となる「SDGs実施指針」を策定しました。農業・食品産業はその活動を自然資本や環境に立脚しており、SDGsの達成に率先して貢献しつつ、消費者の行動や他分野からの投資を主導することで、新たな成長につながる可能性があります。実施指針に基づき官民で様々な取組が進んでいます。

（1）MDGs（ミレニアム開発目標）からSDGsへ

（SDGsの採択）

　SDGsの前身として、平成12（2000）年に国連ミレニアムサミットで採択されたMDGs[2]（ミレニアム開発目標）は、開発途上国の課題解決を目指し、貧困、ジェンダー、健康、環境等を改善するための8つの目標を掲げ、世界中で取り組まれてきました。その結果、飢餓撲滅を含む多くの目標が達成されましたが、保健や教育等未達成の課題も残されました。また、経済・社会のグローバリズムの進展の陰で、都市の貧困や格差、人権等の問題も明らかになってきました。

　こうしたことから、平成27（2015）年に国連サミットで採択されたSDGsは、「誰一人取り残さない」ことを基本理念として、先進国を含む全ての国が取り組むというユニバーサリティを特徴としています。また、この15年間で、一部の途上国の発展、民間企業や市民社会の役割の拡大等、開発をめぐる国際的な環境が大きく変化していることも踏まえ、あらゆるステークホルダー[3]が役割を果たすグローバル・パートナーシップの重要性が盛り込まれています。

　SDGsでは、世界中の国々が自国や世界の問題に取り組むことで貧困を終わらせ、経済・社会的状況にかかわらず全ての人が尊厳を持って生きることができる世界の実現を目指し、17の目標と169のターゲットが設定されています（図表トピ1-1、図表トピ1-2）。

1　用語の解説3（2）を参照
2　Millennium Development Goals の略
3　企業・行政・NPO等の利害と行動に直接・間接的な利害関係者を有する者を指す。

図表トピ1-1　SDGsとMDGsの比較

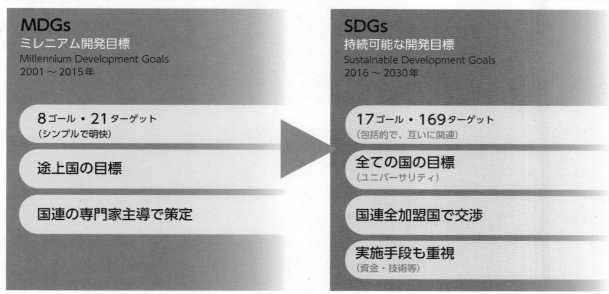

MDGs
ミレニアム開発目標
Millennium Development Goals
2001 ～ 2015年

- 8ゴール・21ターゲット（シンプルで明快）
- 途上国の目標
- 国連の専門家主導で策定

SDGs
持続可能な開発目標
Sustainable Development Goals
2016 ～ 2030年

- 17ゴール・169ターゲット（包括的で、互いに関連）
- 全ての国の目標（ユニバーサリティ）
- 国連全加盟国で交渉
- 実施手段も重視（資金・技術等）

資料：外務省「持続可能な開発のための2030アジェンダと日本の取組」

図表トピ1-2　17の国際目標と主要原則

（1貧困）（2飢餓）（3保健）　SUSTAINABLE DEVELOPMENT GOALS　（4教育）（5ジェンダー）（6水・衛生）

（17実施手段）（16平和）

普遍性	先進国を含め、全ての国が行動
包摂性	人間の安全保障の理念を反映し「誰一人取り残さない」
参画型	全てのステークホルダーが役割を
統合性	経済・社会・環境に統合的に取り組む
透明性	定期的にフォローアップ

（7エネルギー）（8成長・雇用）

（15陸上資源）（14海洋資源）（13気候変動）（12生産・消費）（11都市）（10不平等）（9イノベーション）

資料：外務省「「持続可能な開発」（SDGs）について」（平成31（2019）年1月）を基に農林水産省作成

（2）官民を挙げたSDGs実施の推進

（政府の推進体制の整備と実施指針の決定）

　SDGsが採択された後、政府はその実施に向けた基盤整備に取り組みました。平成28（2016）年5月に内閣総理大臣を本部長とし、全閣僚を構成員とする「SDGs推進本部」を設置し、国内と国際協力の両面から、SDGs実施に向けて取り組む体制を整えました。

　国内における取組については、この本部の下にあらゆる分野のステークホルダーによっ

トピックス

61

て構成される「SDGs推進円卓会議」を設置して議論を行い、同年12月に今後の我が国の取組の指針となる「SDGs実施指針」を決定し、SDGsのゴールとターゲットを、日本として特に注力すべき8つの優先課題に再構築しました。政府は、「あらゆる人々が活躍する社会・ジェンダー平等の実現」、「健康・長寿の達成」、「成長市場の創出、地域活性化、科学技術イノベーション」、「持続可能で強靱な国土と質の高いインフラの整備」、「省・再生可能エネルギー、防災・気候変動対策、循環型社会」、「生物多様性、森林、海洋等の環境の保全」、「平和と安全・安心社会の実現」、「SDGs実施推進の体制と手段」の優先課題ごとに必要な施策を積極的に推進することとなりました。

令和元（2019）年12月には、「SDGs実施指針」の改定が行われ、目標達成に役割を果たす存在として次世代の若者を新たに位置付け、啓発や教育を強化するとともに、環境や社会問題にどれだけ積極的に取り組んでいるかを企業の投資指針とする、「ESG投資[1]」の拡大が盛り込まれました。

国際協力については、国際社会でのSDGs達成を支援するため、国際保健や防災、質の高いインフラ投資の推進、女性の活躍等の広範な分野において一層積極的に取り組むとともに、開発途上国のSDGsへの取組のための国家戦略や計画等の策定の支援を行うこととしています。

コラム ## 農山漁村からはじまるSDGs

持続可能な社会をつくるために世界各国が合意したSDGsの17の目標のうち、「環境」に深く関係する目標は他のゴールの土台となります。「環境」から生み出される様々なものを活かすことで、私たちの社会は成り立っています。「環境」を持続可能なものとしなければ他のゴールの達成は望めません。また、経済的に持続可能な形で「環境」を維持し循環させていくために、様々な「技術」を活用した取組が進行しています。

農林水産省では、それらの「環境」や「技術」の観点から、農山漁村で行われているSDGsの取組を「農林水産業×環境・技術×SDGs」パンフレットとして紹介しています。

また、農山漁村で行われている「環境」も「経済」も良くする取組を始めようとする方々を対象に「環境のための農山漁村×SDGsビジネスモデルヒント集」を新たに作成し紹介しました。

---

1 環境・社会・企業統治に配慮している企業を重視・選別して行う投資のこと

（3）食料・農業・農村分野での取組

　農業・食品産業はその活動を自然資本や環境に立脚しており、SDGsの達成に率先して貢献しつつ、消費者の行動や他分野からの投資を主導することで、新たな成長につながる可能性があります。農業生産活動は、自然界の物資循環を活かしながら行われ、環境と調和した持続可能な農業の展開は重要なテーマです。食料・農業・農村分野においても、経済・社会・環境の諸課題に総合的に取り組み、環境に配慮した生産活動を積極的に推進するとともに、消費者の購買活動がこれを後押しする持続可能な消費を促進する必要があります。このほか、農村を含めた地域においても持続可能な地域づくりを進めていく必要があり、これらの取組を後押しする施策を展開することにより、SDGsの実現に貢献することとしています。また、NPO[1]、民間企業、消費者、地方公共団体、協同組合等もSDGs実施の重要なパートナーであり、それぞれの連携を推進していくことが重要です。

ア　優先課題8分野における農林水産省の取組
　農林水産省では優先課題8分野の達成に向けて施策を推進しており、現場でも様々な動きが生まれています。

（課題1　あらゆる人々が活躍する社会・ジェンダー平等の実現）
　全ての人の人権が尊重され、誰一人取り残さない社会の実現のためには「あらゆる人々が活躍する社会・ジェンダー平等の実現」が不可欠です。農林水産省では、食育や全ての人の食料品アクセス改善に向けた環境整備の推進等に取り組んでいます。

　食育は、知育・徳育・体育の基礎となるものであり、健全な食生活を実現し、あらゆる人々が活躍する社会の礎を支えるものです。農林水産省では、食料の生産から消費に至る各段階を通じて、栄養バランスに優れた「日本型食生活」の普及と食や農林水産業への理解増進に向けた取組を推進しています。具体的には、食育推進全国大会の開催や食育活動表彰を実施するとともに、農林漁業体験や共食機会の提供の支援に取り組んでいます。

　また、食育の中で大切な共食の機会を提供している子供食堂と連携した地域における取組が推進されるよう、Webサイトにおいて関連情報を紹介しています。

　さらに、我が国では、高齢化や単身世帯の増加、地元小売業の廃業等により、高齢者等を中心に食料品の購入や飲食に不便を感じる住民が増えてきており、「食料品アクセス問題」として社会的な課題になっています。このため、先進事例や支援施策の情報を提供するWebサイトを運営し、地方公共団体や民間事業者等による問題解決を支援しています。

1　用語の解説3（2）を参照

令和元（2019）年SDGsの成績

　令和元（2019）年6月ベルテルスマン財団と持続可能な開発ソリューションネットワーク（SDSN）が公開した「持続可能な開発報告書2019」においては、国連加盟国のSDGsの取組状況を分析するとともに、令和12（2030）年に向けた予測が示されています。

　同報告書によると、トップはデンマーク（スコア100点満点中85.2点）で、次いでスウェーデン（同85点）、フィンランド（同82.8点）と、北欧諸国が上位を占めています。しかし、この3か国ですら大きな課題に直面している目標もあるほか、全ての目標を達成している国は1つもなく、目標12（生産・消費）、目標13（気候変動）等については、達成に程遠い状況にあることも示されています。

　日本は78.9点で、前年と同様15位に位置しており、目標4（教育）や目標9（イノベーション）は高い評価となっていますが、目標5（ジェンダー）、目標12（生産・消費）、目標13（気候変動）等は低い評価となっています。

事例 **八百屋の強みを生かした子供食堂（東京都）**

　東京都大田区で八百屋「だんだん」を営む近藤博子さんは、1人暮らしの高齢者や子育てに悩みを持っている人等が多くいることを知り、地域の中で「みんなで集まれる居場所」を作りたいと考えるようになりました。そんな中、八百屋に来店した学校の先生から家庭の事情で十分な食事をとることができない子供の話を聞いたことがきっかけとなり、「温かいご飯と具沢山のお味噌汁をみんなで食べられる場所を地域で作ろう」という思いで、平成24（2012）年に子供食堂の取組を開始しました。

　「だんだん」は、大人も子供もみんなで一緒に食べることにより、つながりが生まれ、思いやりの心や食への感謝の心が育まれるとともに、孤立を防ぐためのセーフティネット、居場所としての機能も併せ持つ場所となっています。

　毎月1回「郷土料理教室」も開催し、食文化の伝承を学ぶきっかけをつくり、子供たちが料理を作る達成感を味わえ、技術を習得できる貴重な場となっています。この取組は、「すべての人に健康と福祉を」等を目指すSDGsの目標にも合致します。

子供食堂のスタッフのみなさんと近藤博子さん（左から2人目）

（課題2　健康・長寿の達成）

　世界の飢餓人口が増加に転じる中、栄養のある食料を全ての人に供給し、「健康・長寿の達成」を実現することが重要です。農林水産省では、世界の栄養改善に関する取組を行っていま

す。栄養改善事業推進プラットフォーム（NJPPP）[1]と連携し、栄養改善に関する情報発信、セミナー・シンポジウムの開催等の支援、国内食品事業者等の栄養改善ビジネスの国際展開に必要な現地の基礎情報の収集の支援を行い、途上国の栄養不良問題の解決に取り組んでいます。また、国民の健康志向や高齢化等の食をめぐる市場変化に対応するため、介護食品の開発やスマートミールの普及等を支援するとともに、食を通じた健康管理を支援するサービスの展開を促進しています。

（課題3　成長市場の創出、地域活性化、科学技術イノベーション）

　世界の人口増加、各国の経済成長に伴い、市場は拡大が続くと見込まれています。科学技術イノベーションを活用しつつ、世界市場の需要を取り込むことが重要です。また、都市だけでなく、農山漁村を含む地域を活性化し、バランスがとれた持続可能な成長を実現する必要があります。「成長市場の創出、地域活性化、科学技術イノベーション」に関して、農林水産省では、以下のような取組を推進しています。

ア）スマート農林水産業の推進

　農林水産業の成長産業化を推進する上では、農業分野以外の技術等も取り入れた産学官連携等によるイノベーションの創出が必要です。ロボット、AI[2]、IoT[3]等の先端技術を活用したスマート農業の全国展開を加速化するため、令和元（2019）年度からスマート農業実証プロジェクトを開始し、全国69地区において、2年間にわたり技術実証を行うとともに、技術の導入による経営への効果を検証することとしています。

自律多機能ロボット

イ）農業の成長産業化

　我が国の農業総産出額[4]は8兆円から9兆円程度で推移しています。農林漁業者が生産した農林水産物は、保管、流通、加工、調理等の様々な過程で価値が付加され、飲食料の最終消費額は80兆円を超えています。

　主食用米の需要が減少傾向にある中、水田活用の直接支払交付金による支援等も活用し、水田のフル活用を図るとともに、水田の汎用化・畑地化のための基盤整備等を推進し、野菜や果樹等の高収益作物への転換を図っています。

　また、担い手への農地の集積・集約化[5]を加速させる観点から、農業者、市町村、農協、

1　日本の技術と知見を活かした民間企業のアイデアをベースに、栄養改善効果が期待できる途上国の国民向け食品供給事業等のビジネスモデル構築を目的とした、官民連携で栄養改善事業を推進する枠組

2、3　用語の解説3（2）を参照

4　用語の解説1を参照

5　用語の解説3（1）を参照

農業委員会、土地改良区等の関係者が徹底した話し合いを行い、「人・農地プラン」の実質化の推進に取り組んでいます。

ウ）農林水産業を担う人材育成

農業者の高齢化によるリタイアが加速する中、農林水産業を担う新規就農者[1]の確保・育成等が重要です。青年の新規就農を促進するため、就農準備段階や経営開始時を支援する資金を交付する農業次世代人材投資事業を実施しています。また、地方公共団体や農協等の関係機関が連携し、新規就農者の就農準備段階から経営開始までを一貫して支援する地域の受入体制の構築を進めています。

さらに、女性にとって魅力ある職業として農林水産業が選ばれるよう、地域を牽引するリーダーとなり得る女性農業者の育成や、全国の女性グループ間ネットワークの構築等に取り組んでいます。

エ）農林水産物・食品の安全性の向上

食品の安全性を向上させるためには、科学的根拠に基づき、生産から消費までの必要な段階で有害化学物質・微生物の汚染の防止や低減を図る措置の策定・普及に取り組むことが重要です。このため、例えば、ノロウイルス[2]等の危害要因の汚染実態等の調査や、加工食品中のアクリルアミド[3]の低減対策の効果を検証するための調査を行っています。

また、食品安全、動物衛生、植物防疫等の分野の行政施策・措置の決定のためには科学的知見を得ることが重要であり、そのための研究等に取り組んでいます。

さらに、生産資材についても最新の科学的な知見に基づき安全と品質を確保し、安定的に供給する取組等を行っています。

オ）農山漁村を含む地域の活性化

農山漁村の所得向上や雇用の増大を図るため、地域の農業者が多様な異業種とも連携しつつ、農産物の加工、直売や観光農園、農家レストランの経営等、新たな付加価値を生み出す6次産業化[4]を推進しています。

農泊をビジネスとして実施できる地域の体制を整備するため、地域資源を活用した魅力ある観光コンテンツの磨き上げ、古民家等を活用した宿泊施設の整備等、ハード・ソフト対策の一体的な支援に取り組んでいます。

また、障害者等の農業分野での活躍を通じ、障害者等の生きがいを創出し、社会参画を実現するとともに、農業経営の発展につながるよう農福連携の取組を推進しています。

農泊

1　用語の解説2（5）を参照
2、3　　第1章第5節（1）を参照
4　用語の解説3（1）を参照

カ）安定的な農業の推進

　米、麦、大豆等の重要な農産物を生産する農業の担い手に対し、経営の安定に資するよう、諸外国との生産条件の格差から生ずる不利を補正するための交付金や農業収入の減少が経営に及ぼす影響を緩和するための交付金等を交付しています。

　また、野菜の生産・出荷の安定と消費者への安定供給を図るため、価格低落時における生産者補給金等の交付等により、野菜価格安定対策を的確かつ円滑に実施しています。

キ）農林水産業・食品産業のイノベーションの推進

　農林水産業の競争力強化に向けて、農林漁業者等のニーズを踏まえ目標を明確にした研究開発の推進や、AI、IoT等の情報技術を活用した流通の効率化の推進等に取り組んでいます。

　また、農林水産業・食品産業に異分野の知識・技術等を導入して、革新的な技術シーズを生み出すとともに、それらの技術シーズをスピード感を持って商品化・事業化に導き、国産農林水産物のバリューチェーン[1]の構築に結び付ける新たな産学官連携研究の推進に取り組んでいます。

ク）途上国のイノベーション・産業化の国際協力

　開発途上国の農業用水の効率的かつ持続可能な利用を促進するため、国際会議等における我が国の知見や技術の情報発信及び開発途上国に適応可能な技術の検討・普及等に取り組んでいます。

　また、気候変動に伴う食料・水資源問題、越境性家畜伝染病の防疫等地球規模の課題に対応するため、国際農林水産業研究を推進しています。

| 事例 | 農業分野と福祉分野の連携を推進する女性農業経営者（愛知県） |

ハイビスカスローゼルと杉山さん

　愛知県津島市の杉山尚美さんは、農業、福祉分野での勤務経験を積む中で、福祉分野における農業の必要性を感じアグリジョブコーチ*1の資格を取得しました。その後、農業分野と福祉分野での連携の可能性を信じ、自身が農業をすることで障害者の方々と一緒に仕事ができると考え、平成25（2013）年、自身の農園「ベジタリ菜」を立ち上げました。

　経営者となった杉山さんが着目したのは、ハイビスカスローゼル*2でした。ハイビスカスローゼルは、栽培が容易な一方で、収穫や調整作業に多くの人手が必要で、障害者の就労機会を創出しながら、経営ができると考えたからです。栽培開始当初は出荷先もない中での挑戦でしたが、現在では、都内の高級ホテルや一流レストランとも取引をするようになりました。また、農業と障害者の橋渡し役として、労働力が不足している農業関係機関に社会福祉法人等を紹介する活動も行っています。

　杉山さんは、農業女子プロジェクトのメンバーであり、また、現在、農業委員として、津島市の地域農業を盛り立てるリーダーとしても活躍しています。

　*1　愛知県では、「農業・福祉双方を理解でき、かつ障害者に対して農業者が期待する就業能力を高めることを支援できる人材」のことをいう。
　*2　正式名称は、ローゼル（Hibiscus sabdariffa）でアオイ科フヨウ属の植物。花や果実（肥大した萼や苞）は、ハイビスカスティーに利用される。

（課題4　持続可能で強靭な国土と質の高いインフラの整備）

　「持続可能で強靭な国土と質の高いインフラの整備」は経済発展だけでなく、人々が生活を行う上での基盤となるものです。このため、農林水産省では、農業の競争力強化や国土強靭化に資する農業生産基盤の整備に取り組んでいます。

　農地や農業用水は、農業生産における基礎的な資源であり、農業者の減少や高齢化等が進行する中で、良好な営農条件を整えた農地や農業用水の確保と有効利用、さらに、次世代への継承を図ることが課題となっています。このため、担い手への農地の集積・集約化や生産コストの削減に向けた農地の大区画化等を推進するとともに、高収益作物への転換等を促進し、産地収益力の向上に向けた水田の汎用化や畑地化、畑地や樹園地の高機能化を推進しています。

　また、近年、自然災害の頻発化、激甚化が問題となっていることから、農業水利施設[1]等の長寿命化や耐震化、耐水対策、非常用電源の設置等のハード対策とともに、ハザードマップの作成等のソフト対策を適切に組み合わせた農村地域の防災・減災対策の推進等に取り組んでいます。

　さらに、国による主食用米の備蓄運営、食糧用麦備蓄対策を実施するとともに、

1　用語の解説3（1）を参照

ASEAN[1]＋3（日中韓）緊急米備蓄（APTERR）の取組を推進しています。

　内閣府は、地方公共団体によるSDGsの取組を促進するため、優れた取組を提案する都市を「SDGs未来都市」として選定しています。

　熊本県熊本市は、令和元（2019）年度の「SDGs未来都市」及び「自治体SDGsモデル事業」に選定されました。

　熊本市は、熊本地震の経験と教訓を活かした防災力の向上事業によりエネルギーの地産地消、EV*バスの導入等による電力エネルギーを核としたライフラインの強靱化を促進しており、非常時には避難所で、電気自動車やEVバスから電力を供給することを可能としています。また、市の環境工場（ごみ焼却施設）では、発電した電力を市の施設で地産地消するほか、余熱を隣接するビニールハウスで利用し、花や野菜の栽培を行っています。

＊Electric Vehicle の略

電気自動車による
電力供給デモンストレーション

市の環境工場
（ごみ焼却施設）

（課題5　省・再生可能エネルギー、防災・気候変動対策、循環型社会）

　世界的に地球温暖化が問題となっている中、極端な気象現象の発生が危惧されています。このような課題に対応するため、省・再生可能エネルギーの推進や循環型社会の構築が求められています。「省・再生可能エネルギー、防災・気候変動対策、循環型社会」に関して、農林水産省では、以下のような取組を推進しています。

ア）徹底した省エネの推進

　栽培作物の加温に多くのエネルギーを消費する施設園芸において、省エネルギーの取組により燃油使用量削減を図ることは温室効果ガス[2]の排出削減につながります。省エネマニュアルを活用した省エネルギー型の生産管理の普及や、ヒートポンプ等の省エネ設備の導入の支援等に取り組んでいます。

1　用語の解説3（2）を参照
2　用語の解説3（1）を参照

イ）再エネ・新エネ等の導入の推進

　農山漁村に豊富に存在する太陽光、水力、バイオマス[1]、風力等の再生可能エネルギーは、永続的な利用が可能であるとともに、発電時や熱利用時に地球温暖化の原因となる温室効果ガスの排出を削減するという優れた特徴を有しています。太陽光を農業生産と発電とで共有する営農型太陽光発電や地域資源を活用したバイオマス発電等農林漁業と調和のとれた再生可能エネルギーの導入を推進しています。

パネル下の落花生栽培

ウ）気候変動対策

　気候変動への影響は既に顕在化しており、今後、その影響が拡大することが予測されています。このため、温室効果ガスの排出削減と吸収による緩和策と、その影響の回避、軽減による適応策を一体的に充実・強化することが重要です。農林水産分野における気候変動影響評価等や、農業分野における温室効果ガス削減等の気候変動緩和技術の開発等に取り組んでいます。

エ）農業における環境保護

　家畜ふん尿等の副産物を肥料として有効利用するための、農家等への理解醸成に必要な調査・実証の支援等に取り組んでいます。

　また、酪農経営における規模拡大等による環境問題に対処するため、ふん尿の還元に必要な飼料作付面積を確保しながら、地球温暖化防止や生物多様性保全等の環境負荷軽減に取り組んでいる酪農家に対し交付金を支援する環境負荷軽減型酪農経営支援事業を実施しています。

オ）食品廃棄物・食品ロスの削減や活用

　我が国の食品ロスの発生量は、平成29（2017）年度において年間612万 t と推計されます。事業系食品ロスの削減に向け、納品期限の緩和等の商慣習の見直し、季節商品の需要に見合った販売等の推進に取り組んでいます。

　また、飲食店及び消費者の双方での食べきりや食べきれずに残した料理の自己責任の範囲での持ち帰りの取組等、食品関連事業者と連携した消費者への働きかけに取り組んでいます。

1　用語の解説3（1）を参照

恵方巻きの需要に見合った販売の推進（富山県）

　季節商品の食品ロスについては、近年、節分後の恵方巻きの廃棄が社会的な話題となったことから、農林水産省では平成31（2019）年1月に食品小売業者に対して、需要に見合った販売を呼びかけました。同年2月の恵方巻きシーズン後の調査では、回答した食品小売業者の約9割から、予約販売の実施、当日のオペレーションやサイズ・メニュー構成の工夫等により、前年よりも廃棄率が改善したとの回答がありました。

　これを踏まえて、令和2（2020）年2月の恵方巻きシーズンに、予約販売等の需要に見合った販売に取り組む食品小売事業者を募集したところ、43事業者から取組を実施する旨の報告があり、これらの事業者に対しては、恵方巻きのロス削減に取り組む小売店であることを消費者にPRするための資材（恵方巻きろすのん）を提供しました。

　例えば、富山県を中心にスーパーマーケットを展開するアルビス株式会社においては、恵方巻きの予約を行った場合に特典（お茶とポイント）を付け、PR資材「恵方巻きろすのん」も活用しながら、予約の呼びかけを行い、製造すべき数量の事前把握に努めました。さらに、販売当日は、時間帯別の売上を確認しながら、製造の増減を調整し、店舗間で商品を融通することで、過不足の発生を防ぎました。

　これらの取組の結果、同社においては、恵方巻きの廃棄ロスを前年に比べて7割減らすことができました。

サービスカウンター

PR資材「恵方巻きろすのん」を活用したポスター

トピックス

事例　「第2回ジャパンSDGsアワード SDGs推進本部長（内閣総理大臣）賞」受賞（神奈川県）

神奈川県相模原市にある株式会社日本フードエコロジーセンターは、関東近郊の170以上の食品事業者において分別管理された食品残さを収集し、分別・破砕・殺菌・発酵処理を行い、養豚用の発酵リキッド飼料を製造しています。製造された飼料は、関東近郊の養豚農家に提供するとともに、そこで生産された豚肉を排出元である食品事業者で販売するという食品リサイクルループを構築しました。

このことが「食品ロスの削減・食品リサイクル」に資する優れた取組として評価され、平成30（2018）年12月に「第2回ジャパンSDGsアワードSDGs推進本部長（内閣総理大臣）賞」を受賞しました。

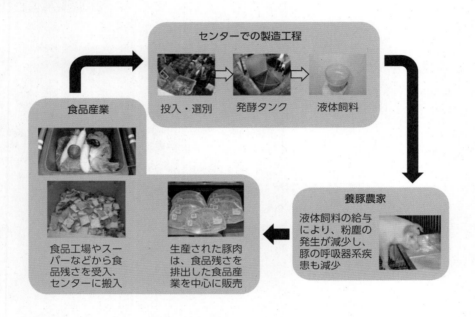

センターでの製造工程

投入・選別　発酵タンク　液体飼料

食品産業

食品工場やスーパーなどから食品残さを受入、センターに搬入

生産された豚肉は、食品残さを排出した食品産業を中心に販売

養豚農家

液体飼料の給与により、粉塵の発生が減少し、豚の呼吸器系疾患も減少

（課題6　生物多様性、森林、海洋等の環境の保全）

生物多様性に配慮しない生産・流通・消費は、生態系サービスの劣化を引き起こし、持続可能性を脅かすおそれがあることから、環境の利用と保全のバランスをとることが重要です。農林水産業は土壌や水等の自然資本を利用し、食料の生産を担うだけでなく、洪水制御、農村景観、土壌形成等の生態系サービスを生み出す多面的機能も担っており、「生物多様性、森林、海洋等の環境の保全」に大きな役割を果たしています。このため、農林水産省では、持続可能な農林水産業

の推進、生物多様性保全の国際協力や、海洋プラスチックごみ対策等に取り組んでいます。

特に、持続可能な農業の推進のため、環境保全型農業の拡大に取り組んでいます。このうち有機農業については、有機農業の推進に関する基本的な方針を定め、有機農業者等の

支援、流通・販売面の支援、技術開発の促進、消費者の理解の増進等を推進しています。

また、生物多様性保全については、海外との連携が重要であり、遺伝資源[1]保有国における遺伝資源保全の促進に向けた能力開発や、海外植物遺伝資源の収集・保存等の国際協力を行っています。

生分解性マルチ

さらに、海洋プラスチックごみ対策では、食品用プラスチック製容器包装や農業由来廃プラスチックの適正処理、排出抑制等に向けた自主的な取組の後押し等を推進しています。

事例 生物多様性に配慮したワイン用ぶどうの栽培（長野県）

酒類メーカーのメルシャン株式会社は、平成15(2003)年に長野県上田市内の遊休農地*を活用して、ワイン用ぶどう畑を整備し、現在は29haまで広がっています。同ほ場で取り入れられている垣根栽培・草生栽培は、通常の棚栽培と異なり、太陽光が遮られることなく地面に届き、適度に下草を生やすのが特徴です。

このため、ぶどう畑は広大な草原の体をなしており、同社が国立研究開発法人農業・食品産業技術総合研究機構（以下「農研機構」という。）と共同で生態調査を行ったところ、希少種を含む昆虫168種（ベニモンマダラ、ウラギンスジヒョウモン等）、植物258種（ユウスゲ（キスゲ）、メハジキ、スズサイコ等）の生息が確認されました。

垣根栽培・草生栽培のぶどう畑

また、同社では、ほ場における年数回の草刈り等の栽培管理作業を徹底して行うとともに、NPOやボランティア等と連携して、ほ場周囲の植生の再生活動等にも取り組み、ほ場に生息する希少種の保護に努めています。

本事例は、農業が、農地の適切な管理を通じて、生物多様性の維持・向上に貢献できることを示しています。

＊ 用語の解説3（1）を参照

---

1 用語の解説3（1）を参照

事例　飲料容器の省資源化・回収・リサイクル

　日本のコカ・コーラシステム*は、かねてより容器の省資源化・回収・リサイクルに取り組んでいます。昭和45（1970）年には、業界に先駆けて自動販売機の横に容器回収ボックスの設置を開始しました。

　また、平成21（2009）年には、樹脂使用量を40%削減した国内最軽量（当時）のPETボトルを使用した飲料水（「い・ろ・は・す 天然水」）を発売しました。軽量化することで、より少ない原料でPETボトルをつくることができ、環境負荷を軽減できます。

　さらに、同年、植物由来素材を一部に使用した「プラントボトル」の導入により、石油由来原料の使用を削減しました。平成27（2015）年からは使用済みPETボトルを再びPETボトルへとリサイクルする「ボトルtoボトル」の取組を開始し、様々な製品に採用することで、環境負荷の低減を実現してきました。

　こうした取組の進捗を踏まえ、令和元（2019）年7月、より高いレベルで「World Without Waste（廃棄物ゼロ社会）」を目指すことを決定しました。具体的には、「令和4（2022）年までにリサイクルPET樹脂の使用率50%以上を達成、令和12（2030）年にはその比率を90%にまで高めること」、「令和7（2025）年までに、日本国内で販売する全ての製品の容器をリサイクル可能な素材へと変更し、リサイクルPET樹脂または植物由来PET樹脂を使用すること」、「令和12（2030）年までに全てのPETボトルを100%サスティナブル素材に切り替え、新たな化石燃料の使用ゼロの実現を目指すこと」としています。従来のリサイクルペット素材のボトルより透明度を高める技術を実現し、令和2（2020）年3月から、リサイクルペット素材を100%用いた飲料水（「い・ろ・は・す 天然水 100%リサイクルペットボトル」）を発売するなど、環境負荷低減を加速すべく、様々な取組を進めています。

　＊　日本のコカ・コーラシステムは、日本コカ・コーラとコカ・コーラボトラーズジャパン株式会社、北海道コカ・コーラボトリング株式会社、みちのくコカ・コーラボトリング株式会社、北陸コカ・コーラボトリング株式会社、沖縄コカ・コーラボトリング株式会社で構成

（課題8　SDGs実施推進の体制と手段）

　SDGsの実現のためには、全ての関係者、全ての人々が参加し、必要な手段を動員しながら行動することが重要であることから、農林水産省では、途上国への官民ミッションの派遣、二国間政策対話等の枠組を活かし、官民が連携して途上国のフードバリューチェーンの構築支援に取り組んでいます。

　例えば、東アフリカでは、日系企業3社が協働し、農林水産省の補助事業を活用しつつ、ケニアの漁港でとれた水産物の鮮度を保持したまま内陸国のウガンダの日本食レストランまで長距離輸送する手法を確立しました。

　このような取組は、アフリカにおける日本食の普及はもとより、輸送段階での食品ロスの発生抑制にもつながるものであり、途上国のSDGs達成に貢献する取組となっているところです。

事例　我が国の農業技術を結集し海外で高品質の農産物を生産

　農林水産省は、我が国農業関連企業の海外進出と世界の食料需給の改善を支援することを目的として、種苗や省水技術、農薬等の我が国の優れた技術を結集し、高品質の農産物を他国で生産する「J-Methods Farming」に取り組んでいます。

　令和元（2019）年度に実施したインドでの取組では、我が国の民間企業13社が種苗や農薬等の自社の資材・サービス等を持ち寄り、女性労働者の経済的・社会的自立を支援する現地のNGOであるSEWA（女性自営者協会）の協力の下、キャベツ等の農産物を生産しました。

　この取組を通して、民間企業が提供した種苗の発芽率やICT＊システムの技術力等は、現地関係者から高い評価を得ることができました。取組に参画した民間企業の関係者は「進出が難しいインドで、本プロジェクトを通じて他社と協業することで新たなビジネスの可能性を模索することができた。」と語っているほか、現地の農業リーダーのShantaさんは「このプロジェクトは、農業労働者の女性に雇用機会と収入、そして尊厳を与えた。」と話すなど、今後、「J-Methods Farming」を通じて、我が国の民間企業と現地との間で長期的な協力関係が築かれることが期待されています。

ほ場に設置された
ICTシステム

収穫したキャベツを
持つ現地農業者

＊　用語の解説3（2）を参照

75

G20新潟農業大臣会合においてSDGsが議論

　令和元（2019）年のG20サミット関連会合の一つとして、令和元（2019）年5月11日から12日に新潟県新潟市で開催された「G20新潟農業大臣会合」では、「SDGsの達成に向けた関係者の対応方法」が主要議題の一つとして議論されました。

　議論の中では、各国代表から、SDGsの17の目標のうち、目標1「貧困をなくそう」及び目標2「飢餓をゼロに」は他の全ての目標に関係すること、SDGs達成には官民協力が重要であること、ICTやAI等の新技術の有効活用を進める必要があること等の意見が出され、「G20新潟農業大臣宣言」に各国がSDGsの実現に積極的に取り組んでいくことが盛り込まれました。

G20新潟農業大臣宣言

　世界の農地の約60％、農産物貿易の約80％を占めるG20農業大臣として、増加する世界人口を養うため、資源の持続可能性を確保しつつ、生産性を上げていくことを目指す。

1．農業・食品分野の持続可能性に向けたイノベーションの必要性

2．農業・食品分野の包摂的かつ持続可能な成長に向けた農業・食品バリューチェーンへの着目の必要性

3．世界的課題に対応するための協力及び知識の交換の必要性
　・SDGsのうち、特に飢餓の終結や食料安全保障、栄養改善の達成、持続可能な農業の推進に取り組む。

4．世界的なアウトリーチ活動とストックテイクの必要性

G20新潟農業大臣会合の様子

イ　SDGsの実現に取り組む食品事業者の取組事例

　食品産業は、様々な栄養素を含む食品を安定供給することでSDGsが目指す社会に貢献できる産業であり、SDGsへの積極的な参画が期待されています。

　我が国の食品事業者においては、健康問題の解決に貢献する商品の開発、環境負荷の低減、持続可能な原料調達、従業員が安心して働ける職場づくり等、SDGsの達成に向けた取組を実施する企業が増えています（図表トピ1-3）。

目標	企業名	取組事例
1 貧困をなくそう	生活協同組合コープさっぽろ	○注文ミスなどによって返品された食品で、品質に問題がないものを児童養護施設やファミリーホームに提供するトドックフードバンクに取り組んでいます。
2 飢餓をゼロに	ハウス食品グループ本社株式会社	○食べることの大切さ、作ることの楽しさを伝え、「より食べる力」を育むための食育活動を行っています。ハウス食育プロジェクトとして、幼稚園・保育園の子供達を対象にした「はじめてクッキング」や小中学校への出張事業、作物の生産や周辺環境の体験学習等を実施し、社員の参加も促進しています。
3 すべての人に健康と福祉を	日本ハム株式会社	○「安全・安心な食品づくり」と「食とスポーツで心と体の元気を応援」を主な取組として、食物アレルギーの研究や対応食品の開発に力を入れるとともに、食を楽しむ体験型イベントや出前授業、食肉成分の研究等に取り組んでいます。
4 質の高い教育をみんなに	森永乳業株式会社	○未来を創る子供たちに生きる力を身に付けてもらいたいという思いから、出前講座等食育活動や野外教育活動を行っています。 さらに、キッザニアでの職業体験や企業インターンワークの実施等、キャリア教育を支援しています。
5 ジェンダー平等を実現しよう	株式会社ヤクルト本社	○ヤクルト独自の組織「ヤクルトレディ」による宅配は、50年以上の歴史があり、人の健康に役立つプロバイオティクス商品を地域の皆様へ真心込めてお届けしながら、健康情報の提供や地域貢献活動にも取り組んでいます。世界で8万人超のヤクルトレディが活躍しており、就労機会の提供等を通じて、女性の活躍を支援しています。
6 安全な水とトイレを世界中に	サントリーホールディングス株式会社	○グループの「水理念」の中に、事業で使用している水の流域や循環を科学的に調べること、水の3R活動を進めて環境インパクトを軽減すること、水源保全を行うこと、地域コミュニティとともに取り組むことを盛り込み、「水と生きる」企業理念を実施しています。
7 エネルギーをみんなにそしてクリーンに	株式会社アレフ	○自社から出る食品廃棄物を原料に再生可能エネルギー電力を自ら発電する、再生可能エネルギー由来電力を利用することを平成30（2018）年度から令和2（2020）年度の環境行動目標として掲げ、再生可能エネルギーを利用した事業運営を推進し、令和元（2019）年度に41事業所で利用しています。
8 働きがいも経済成長も	カルビー株式会社	○全従業員がその能力を十分に発揮し活躍できるよう、公正な評価・報酬の制度も含めた仕組みづくりを行っています。さらに、「女性の活躍なしにカルビーの成長はない」という信念の下、ダイバーシティの最優先課題として従業員の約半数を占める女性の活躍推進に注力してきましたが、女性の活躍推進のみならず、多様性の理解促進と風土づくりのための施策等、個々の多様性を活かし全員が活躍する組織づくりを目指しています。
9 産業と技術革新の基盤をつくろう	株式会社ローソン	○価値創造を支える基盤としてイノベーションを位置付け、IoT技術を活用した需要予測の高度化や店舗オペレーションの効率化に取り組んでいます。また、CO_2冷媒を活用した冷凍・冷蔵システム等、環境に配慮した設備の導入により、省エネルギー対策を進めています。
10 人や国の不平等をなくそう	アサヒグループホールディングス株式会社	○事業を行う上で、個人の人権と多様性（ダイバーシティ）を尊重し、人種、国籍、思想信条、宗教、身体障害、年齢、性別、配偶者の有無及び性自認・性的指向による差別は一切行わないことを、アサヒグループの人権方針の中で明示しています。また、事業活動に関係する人権への負の影響を特定、予防、軽減するために人権デューデリジェンスを通じて、人権リスクの低減に取り組んでいます。
11 住み続けられるまちづくりを	株式会社セブン＆アイ・ホールディングス	○全国に多数の店舗を有する事業特性を活かし、「高齢化、人口減少時代の社会インフラの提供」と、「商品を通じた安全・安心の提供」という重要課題をこの目標に関連付けています。地域に根差した存在であるために、生活に必要な商品を店舗やネット、移動販売を通じて提供することに加え、公共サービスの提供や災害時の対応、地域活性化包括連携協定の締結等にも取り組んでいます。
12 つくる責任つかう責任	株式会社永谷園ホールディングス	○環境負荷低減のために資源の効率的な利用と廃棄物のリサイクルに努めています。特に、「食品ロス」の削減を重視し、賞味期限の延長や、需要予測の精度向上による流通在庫減・欠品防止、フードバンクの活用に取り組んでいます。
13 気候変動に具体的な対策を	キユーピー株式会社	○グループ全体で製造工程における効率改善、省エネ設備の導入、重油から天然ガスへの燃料転換等により、CO_2排出削減に取り組んできました。さらに、前工程となる原料資材メーカー、後工程となるグループ物流会社との連携を最適化する等、事業活動全体の効率化によりCO_2排出削減を行っています。
14 海の豊かさを守ろう	株式会社パン・パシフィック・インターナショナルホールディングス（ユニー株式会社）	○プラスチックが海洋問題等自然破壊につながることを踏まえ、使用済みプラスチック製容器包装のリサイクルループの構築、ペットボトルキャップのリサイクル、有料化によるレジ袋の削減、バイオマスプラスチック製容器包装の導入等に取り組んでいます。

図表トピ1-3	SDGsを達成するための食品事業者の取組事例（続き）

目標	企業名	取組事例
15 陸の豊かさも守ろう	キリンホールディングス株式会社	○この目標に関連するコミットメントとして、「原料生産地と事業地域における自然環境を守り、生態系を保全します」を掲げ、成果目標として、「スリランカの農園の持続性向上」を挙げています。
16 平和と公正をすべての人に	昭和産業株式会社	○従業員一人一人がコンプライアンス実践者となり、より堅牢な組織としていくために、コンプライアンス委員会を設置し、推進体制の維持・強化と、啓発活動に努めています。
17 パートナーシップで目標を達成しよう	UCC上島珈琲株式会社	○コーヒーの生産国とともに、森林の保全やコーヒーの品質向上、希少品種の再生、労働環境の改善に取り組んでいます。生産者とともに重ねる努力や工夫は、彼らの生活水準の向上にもつながります。

資料：農林水産省作成
　注：各企業の取組の多くは、表に記載の目標だけでなく、SDGsの複数の目標に関連しています。
　　　また上記企業は一例です。

（4）持続可能な生産と消費の普及に向けて

（「農林水産省環境政策の基本方針」を策定）

　自然資本や環境に立脚した食料・農業・農村分野は、SDGsが目指す経済・社会・環境の統合的向上において果たす役割が非常に大きく、他産業に率先してSDGsの実現に貢献することが求められています。このため、農林水産省では、令和2（2020）年3月に「農林水産省環境政策の基本方針」を策定し、ⅰ環境負荷低減への取組と、環境も経済も向上させる環境創造型産業への進化、ⅱ生産から廃棄までのサプライチェーンを通じた取組と、これを支える政策のグリーン化及び研究開発の推進、ⅲ事業体としての農林水産省の環境負荷低減の取組を基本理念に、施策を推進していくこととしています。

（「持続可能な生産消費形態のあり方検討会」を立ち上げ）

　また、SDGsのゴール12に「つくる責任　つかう責任」が位置付けられ、生産と消費の両面を持続可能なものにしていくことが求められていることから、農林水産省では、令和元（2019）年11月に「持続可能な生産消費形態のあり方検討会」を立ち上げました。検討会においては、「未来の姿からバックキャスティング[1]し、ビジョナリー[2]で未来志向な討論をしたい」との座長からの呼びかけに応え、生産、流通、小売、メディア、地方公共団体、国際機関等の有識者13人が活発な討論を行いました。有識者からは、「1円でも安く買うことが賢い消費ではなく、環境に配慮した商品を選択することが楽しくてかっこいい、おしゃれという価値観にシフトさせていきたい」、「自分にとってのサステナビリティとは何かを考えてもらうことが重要」、「生産者自身の意識向上も必要」、「サステナビリティやSDGsに向けた取組であれば、競合企業でも手を組みやすい」といった意見が出されました。

　これらの意見を踏まえて、持続可能な生産と消費を啓発するために事業者が連携して持続可能な商品の販売や広報等に取り組む「サステナブルデー」の創設、持続可能な生産等を行う地域、生産者、事業者の表彰の実施等を含む中間取りまとめを令和2（2020）年3月30日に公表しました（図表トピ1-4）。今後は、これらの取組を行う事業者等のネットワークを構築し、事業者等の主体的な取組や事業者等の間の連携を促進することとしています。

1　未来の姿から逆算して現在の施策を考える発想
2　社会や産業等の将来の展望を持っていること

サプライチェーンの各段階の努力が
商品選択時に、見える、たどれる未来

誰も（地球も）犠牲にしない、今も未来も
都市も農村も持続的に発展できる仕組みが
ある未来

持続可能な生産消費形態のあり方
検討会中間とりまとめ広報用資料

サステナブルな
「かなえたい未来」をつくる行動を！

農山漁村で生み出される
見えにくい価値が伝わる未来

かっこいい、おいしい、しかも
サステナブルな選択肢がたくさんある未来

こんな未来に
したいなぁ。

スペンドシフト
〜 サステナブルを日常に、エシカルを当たり前に！〜
2025年までに
全ての生活者が、持続可能なサービス・商品を利用する
全ての事業者が、持続可能なサービス・商品を扱う

資料：農林水産省作成

事例　**女性誌初の一冊丸ごとSDGs特集号〜世界を変える、はじめかた。〜**

　株式会社講談社（こうだんしゃ）は、女性誌として初めて一冊まるごと
SDGsを特集した「FRaU SDGs号」を平成30（2018）年
12月に刊行しました。世界や日本の先進的な取組を掲載す
るとともに、読者自身の行動を促す「今日からできる、100
のこと」を掲載し、好評を得ました。また、発刊と同時に
企業や団体、読者が参画する「FRaU×SDGsプロジェクト」
を立ち上げ、SDGsの輪を広げる共創の場を作りました。

　さらに、国連が平成30（2018）年に発足させた「SDG
メディア・コンパクト」に加盟し、FRaUに限らず、報道・
ライフスタイル・コミック・児童向け等同社の様々なメディ
アを通じ、サステナブルな社会の達成に寄与していくこと
としています。

　農林水産省は、令和2（2020）年2月、「FRaU×
SDGsプロジェクト」と連携し、農村×SDGsカンファレンス「環境のための大人の食育プ
ロジェクト」を開催しました。第1部では、5人の講師から農業や食の最新の取組や提案を
紹介しました。第2部では参加者が共に考える共創ワークショップを行いました。生産者、
消費者、流通業者、地方公共団体関係者ら約80人が参加し、持続可能な農業や環境に向け
て生産から流通、消費における解決すべき課題について、ディスカッションを行いました。
参加者からは「今回のディスカッションで出た話を私なりに形にしていきたい」、「生産者で
ある私達から変わらなくちゃ、何も始まらないと実感した」等といった意見が出ました。

トピックス 2 日米貿易協定の発効と対策等

令和元（2019）年9月の日米首脳会談において、日米貿易協定の最終合意が確認され、令和2（2020）年1月1日に発効しました。本協定においては、米について関税の削減の対象から完全に除外するとともに、牛肉輸出に係る低関税枠を大きく拡大するなどの成果が得られました。

平成30（2018）年度に発効したTPP11、日EU・EPA[1]も合わせれば、世界経済の6割を占める自由で公正なルールに基づくマーケットが誕生したことになります。これは我が国の農業にとっても大きなチャンスです。この機を生かすため、我が国の農林水産業の生産基盤を強化するとともに、新市場開拓の推進等、万全の対策を講じていくこととしています。

（1）交渉の概要

日米貿易協定は、平成30（2018）年9月の日米首脳会談で発表された共同声明において、日米間での貿易協定の締結に向けた交渉開始について一致したことを受け、平成31（2019）年4月から交渉が始まりました。

約半年間にわたる交渉を行い、令和元（2019）年9月25日の日米首脳会談で最終合意を確認し、同年10月7日にワシントンにおいて日米間でこの協定の署名が行われました（図表トピ2-1）。

農林水産物の交渉に当たっては、我が国の農林水産業が今後とも国の基として発展し、将来にわたって、その重要な役割を果たしていくことができるよう、過去の経済連携協定で約束した市場アクセスの譲許内容が最大限との考え方の下、粘り強く交渉を行った結果、日本側の関税について、米について関税の削減の対象から完全に除外するなどTPP[2]（環太平洋パートナーシップ）をはじめとする過去の経済連携協定の範囲内とすることができました。また、農産品の米国への輸出についても、牛肉輸出に係る低関税枠が拡大するなどの成果を獲得しました。

図表トピ2-1　日米貿易協定の構成

前文	本文	附属書Ⅰ　日本国の関税及び関税に関連する規定	附属書Ⅱ　アメリカ合衆国の関税及び関税に関連する規定
協定した事実	用語の定義，協定発効日等の基本的なルール等を規定	用語の定義，日本側の関税撤廃・削減等の対象品目・条件等，原産地規則及び手続を規定	米国側の関税撤廃・削減等の対象品目・条件等，原産地規則及び手続を規定

資料：外務省資料を基に農林水産省作成

1　用語の解説3（2）を参照
2　Trans-Pacific Partnership の略

（2）合意内容

ア　日本側関税に関する規定

　米については、米粒（もみ・玄米・精米・砕米<ruby>砕米<rt>さいまい</rt></ruby>）のほか、調製品を含め、関税削減・撤廃等からの除外を確保しました。

　脱脂粉乳・バター等、TPPでTPPワイドの関税割当枠[1]が設定された品目については、新たな米国枠を一切認めませんでした。

　牛肉については、TPPと同内容の関税削減とし、令和2（2020）年度のセーフガードの発動基準数量を、平成30（2018）年度の米国からの輸入実績より低い水準としました。

　これらのほか、TPPで関税削減・撤廃した木材・水産品全てを除外としました（**図表トピ2-2**）。

1　現在、TPP11発効国全てが利用可能な関税割当枠

図表トピ2-2　主な品目の合意内容（米国からの輸入）

品目	合意内容
米	・米粒のほか、調製品を含め、全て除外（米国枠も設けない）[1]
小麦	・TPPと同内容でマークアップ（政府が輸入する際に徴収している差益）を45%削減（現行の国家貿易制度、枠外税率（55円/kg）を維持） ・TPPと同内容の米国枠（2019年度12万トン[2]→2024年度15万トン、主要3銘柄45%、その他の銘柄50%のマークアップ削減）を設定
大麦	・TPPと同内容でマークアップを45%削減（現行の国家貿易制度、枠外税率（39円/kg）を維持） ・新たな米国枠は設けない
牛肉	・TPPと同内容で9%まで関税削減し、セーフガード付きで長期の関税削減期間を確保 ・セーフガード発動基準数量は、2020年度24.2万トン。以後、TPPの発動基準と同様に増加し、2033年度29.3万トン ・2023年度以降については、TPP11協定が修正されていれば、米国とTPP11発効国からの輸入を含むTPP全体の発動基準に移行する方向で協議
豚肉	・TPPと同内容で、従価税部分について関税を撤廃、従量税部分について関税を50円/kgまで削減。差額関税制度と分岐点価格（524円/kg）を維持し、セーフガード付きで長期の関税削減期間を確保 ・従量税部分のセーフガードは、米国とTPP11発効国からの輸入を含むTPP全体の発動基準数量とし、2022年度9.0万トン、以後、TPPの発動基準数量と同様に増加し、2027年度15.0万トン
脱脂粉乳・バター	・新たな米国枠は設けない[3]
ホエイ	・TPPと同内容で、脱脂粉乳と競合する可能性の高いホエイ（たんぱく質含有量25-45%、25%未満）についてセーフガード付きで長期の関税削減期間を確保した上で関税を撤廃
チーズ	・TPPと同内容 ・シュレッドチーズ原料用フレッシュチーズについて新たな米国枠は設けない
園芸関連品	・りんご（生果）、オレンジ（生果）、トマトピューレー・ペースト、トマトジュースはTPPと同内容 ・オレンジ（生果）（12〜3月に輸入されるもの）のセーフガード発動基準数量は、TPPの95%の水準（2019年度35,150トン→2024年度44,650トン）に設定 ・トマトケチャップ、ぶどう、オレンジ・りんご果汁（一部除く）は、除外
砂糖・加糖調製品、でん粉、豆類、こんにゃく、茶	・砂糖・異性化糖混合物、異性化糖、でん粉、小豆、いんげんは、TPPと同内容 ・粗糖・精製糖、こんにゃくいも、落花生の一部、茶の一部、ココア調製品等、チョコレート菓子は、除外（米国枠も設けない）
鶏卵、鶏肉、軽種馬、天然はちみつ	・鶏肉（冷凍）、鶏肉調製品（牛・豚の肉を含まないもの）、全卵又は卵黄、卵白、天然はちみつ、軽種馬は、TPPと同内容 ・鶏肉（生鮮、冷蔵）、鶏肉調製品（牛・豚の肉を含むもの）、殻付き卵は、除外
小麦の加工調製品等	・麦芽はTPPと同内容の米国枠を設定し、ベーカリー製品製造用小麦粉調製品、スパゲティ、マカロニ、ビスケット、クッキー、クラッカー等は、TPPと同内容 ・いった小麦・小麦粉、その他の小麦粉調製品は、除外
牛肉・豚肉の加工調製品等	・牛内臓（ハラミ等）、牛タン、豚肉調製品（ハム・ベーコン、ソーセージ等）は、TPPと同内容 ・生きた牛、豚（子豚、成豚の従量税部分）、牛肉30%未満の調製品、「塩蔵、乾燥、くん製牛肉及び牛肉粉」は、除外
乳製品の加工調製品等	・フローズンヨーグルト、乳糖、カゼイン、ミルクアルブミン等は、TPPと同内容 ・特定の用途・種類のホエイは、TPPと同数量の米国枠を設定 ・PEF（調製食用脂）、アイスクリーム・氷菓、全粉乳、バターミルクパウダー、加糖れん乳、無糖れん乳、無糖ココア調製品等は、除外（米国枠も設けない）
林産品（木材）・水産品	・除外[4]

資料：農林水産省作成
注：1）[1]　米の既存のWTO・SBS枠（国家貿易・最大10万実トン）について、透明性を確保するため、入札件数等入札結果を公表
　　2）[2]　発効日（令和2（2020）年1月1日）から年度末までの月数に応じて算出
　　3）[3]　脱脂粉乳について、既存のWTO枠（国家貿易・生乳換算13.7万トン）の枠内に、内数として、たんぱく質含有量（無脂乳固形分中）35%以上の規格基準の輸入枠750トン（生乳換算0.5万トン）を設定
　　4）[4]　まつたけ（現行税率：3%）等の一部の特用林産物については即時撤廃等（TPP合意の範囲内）

イ　米国側関税に関する規定

　一方、米国側の関税については、牛肉については協定発効前の日本枠200ｔと64,805ｔの複数国枠を合わせた、1kg当たり4.4セント（日本円で5円程度）の低関税の複数国枠65,005ｔへのアクセスを確保し、我が国が利用できる低関税枠が拡大しました。また、我が国の輸出関心が高い42品目（醤油、ながいも、切り花、柿等）で関税削減・撤廃を獲得しました（図表トピ2-3）。

図表トピ2-3	主な品目の合意内容（米国への輸出）
品目	**合意内容**
牛肉の輸出	・現行の日本枠200トン（2019年は3月20日、2018年は4月10日に超過*）と64,805トンの複数国枠を合わせた、65,005トンの複数国枠へのアクセスを確保
その他日本からの輸出関心品目	・我が国の輸出関心が高い42品目（醤油、ながいも、切り花、柿等）の関税削減・撤廃を獲得

資料：農林水産省作成
注：＊低関税枠200トンを超える数量は、枠外税率26.4％で輸出

（3）協定の発効

　日米貿易協定が発効するためには国会の承認が必要です。このため政府は、令和元（2019）年10月15日に日米貿易協定の承認案を国会に提出しました。

　承認案は11月19日に衆議院、12月4日に参議院で可決され、国会において承認されました。

　日米貿易協定は、日米両国がそれぞれ国内法上の手続を完了した旨を相互に通告[1]し、令和2（2020）年1月1日に発効しました。この結果、4億5千万人の人口と世界全体の3割に相当する25兆5千億ドルのGDPを有する貿易圏が誕生しました（図表トピ2-4）。内閣官房が令和元（2019）年10月に公表した経済効果分析では、本協定により我が国の実質GDPが約0.8％（約4兆円）押し上げられ、その際労働供給が約0.4％（約28万人）増加すると試算されています。

図表トピ2-4	世界の人口とGDPに占める我が国と米国の割合（平成30（2018）年）

（人口）　　　　　　　　　　　　　　　（GDP）

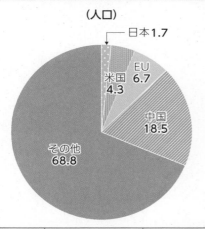

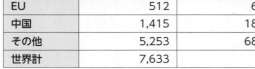

	人口（百万人）	シェア（％）
日本	126	1.7
米国	327	4.3
EU	512	6.7
中国	1,415	18.5
その他	5,253	68.8
世界計	7,633	－

	GDP（10億ドル）	シェア（％）
日本	4,971	5.8
米国	20,494	23.9
EU	18,756	21.9
中国	13,608	15.9
その他	27,975	32.6
世界計	85,804	－

資料：外務省資料を基に農林水産省作成

1　日米貿易協定第9条において「この協定は、両締約国がそれぞれの関係する国内法上の手続を完了した旨を書面により相互に通告した日の後三十日で、又は両締約国が決定する他の日に効力を生ずる。」と規定されている。

（4）総合的なTPP等関連政策大綱の改訂

（「総合的なTPP等関連政策大綱」の改訂と補正予算の確保）

　TPP11、日EU・EPAに続く今回の日米貿易協定により、我が国は名実ともに新たな国際環境に入りました。これらの協定について、関税削減等に対する農業者の懸念と不安を払拭し、協定発効後の経営安定に万全を期すため、経営安定・安定供給へ備えた措置を、引き続き講じていく必要があります。

　一方、これらの協定によって、相手国の関税がほぼ全ての品目で撤廃されることから、我が国の農林水産物の輸出を拡大する好機でもあります。高品質な我が国の農林水産物を求める海外の需要に対応していくことが求められます。

　このため政府は、国民に対する丁寧な説明や情報発信を行うとともに、「総合的なTPP等関連政策大綱」を令和元（2019）年12月に改訂しました。改訂された大綱では、これまでの対策について、実績の検証を踏まえた所要の見直しを行いつつ、我が国の農林水産業の大半を中小・家族経営が占めることに留意し、規模の大小を問わず、意欲的な農林漁業者がその創意工夫を最大限発揮できるよう配慮することとしており、これに基づいて、国内生産の拡大に向けて、経営規模の大小や中山間地域といった条件にかかわらず我が国の農林水産業の生産基盤を強化するとともに、新市場開拓の推進等、万全の対策を講じることとしています。

　具体的には、強い農林水産業・農山漁村を構築していくための体質強化対策として、肉用牛・酪農経営の増頭・増産、産地生産基盤パワーアップ事業や畜産クラスター事業における要件見直し、スマート農業技術の実証品目の拡大と中山間地・被災地での導入支援、幅広い世代からの多様な担い手が新規就業・定着しやすい環境の整備等の措置が新たに盛り込まれました（図表トピ2-5）。次に、肉用牛肥育経営安定交付金（牛マルキン）等の経営安定対策については、確実に再生産を可能とするため、引き続き着実に実施することとしています。また、交渉で獲得した成果を最大限活用できるよう、輸出のための司令塔組織の創設と併せて国内の輸出環境整備等を進めることとしています。さらに、知的財産の分野では、優良な植物新品種や和牛遺伝資源の保護を推進することで、農林水産物の輸出を促進することとしています。

　農林水産分野の対策の財源については、TPP等が発効し関税削減プロセスが実施されていく中で将来的に麦のマークアップや牛肉の関税が減少することに鑑み、既存の農林水産予算に支障を来さないよう政府全体で責任を持って毎年の予算編成過程で確保することとしています。令和元（2019）年度補正予算においては、改訂された大綱に基づき、我が国の農林水産業の体質強化対策を実施するため、総額3,250億円を確保しました。なお、これまでに、平成27（2015）年度補正予算において3,122億円、平成28（2016）年度補正予算において3,453億円、平成29（2017）年度補正予算において3,170億円、平成30（2018）年度補正予算において3,188億円を計上しています。

（農林水産物の生産額への影響の試算結果の公表）

　また、農林水産省では、令和元（2019）年12月に日米貿易協定による農林水産物の生産額への影響について試算結果を公表しました。試算においては、関税削減等の影響で価格低下による生産額の減少が生じるものの、体質強化対策による生産コストの低減・品質向上や経営安定対策等の国内対策により、引き続き生産や農家所得が確保され、国内生産

量が維持されると見込んでおり、農林水産物の生産減少額は約600億円から約1,100億円としています。また、日米貿易協定とTPP11を合わせた農林水産物の生産額への影響は約1,200億円から約2,000億円としています。

図表トピ2-5 総合的なTPP等関連政策大綱の概要

総合的なTPP等関連政策大綱の概要 （令和元年12月5日改訂）

1 強い農林水産業の構築（体質強化対策）

○次世代を担う経営感覚に優れた担い手の育成
- 就職氷河期世代を含む幅広い世代の新規就業者の就農準備への支援や地域における受入体制の充実とともに、担い手の農業用機械・施設の導入を支援
- 農地の集積・集約化及び大区画化により担い手の生産コストの引下げを推進
- 中山間地域における所得の確保や生産性向上のため、基盤整備と生産・販売施設等の整備を総合的に支援

○高品質な我が国農林水産物の輸出等需要フロンティアの開拓
- 司令塔組織の創設による輸出環境の整備
- グローバル産地づくり緊急対策、海外の需要拡大・商流構築に向けた取組、輸出拠点の整備

○国際競争力のある産地イノベーションの促進
- ロボット・AI・IoT等の先端技術を活用したスマート農業を現場に導入・実証し、スマート農業の社会実装を加速化
- 農業者等が行う高性能な機械・施設の導入や栽培体系の転換等に対して総合的に支援
- 海外や加工・業務用等の新市場を安定的に獲得していくための拠点整備、全国産地の生産基盤の強化・継承、堆肥の活用による全国的な土づくり等を支援

○畜産・酪農収益力強化総合プロジェクトの推進
- 肉用牛・酪農経営の増頭・増産を図るため、繁殖雌牛・乳用後継牛の増頭に向けた「増頭奨励金」の交付、公共牧場・試験場等での繁殖雌牛の導入や施設等の整備、和牛受精卵の増産・利用の促進、国産チーズの競争力強化等を支援
- 増頭・増産を支える環境整備を図るため、畜産クラスター事業の要件を見直すとともに、後継者不在の家族経営からの経営資源の継承、家畜排せつ物処理の円滑化と土づくりを支援
- 生産現場と結びついた流通改革を推進するため、家畜市場・食肉処理施設の再編整備を支援
- 畜産クラスター事業等による体質強化、自給飼料の増産、加工施設の再編合理化によるコスト縮減の取組等を支援

○合板・製材・構造用集成材等の木材製品の国際競争力の強化
- 加工施設の大規模化や高効率化、他品目への転換を支援するとともに、原木の安定供給・生産コストの低減を図るため、路網整備や高性能林業機械の導入等を支援
- 非住宅分野等における木材製品の消費拡大や付加価値の高い林産物の輸出促進、新技術の実証等を支援

○持続可能な収益性の高い操業体制への転換
- リース方式による漁船導入や産地施設の再編整備
- 海上ブロードバンド用機器及び生産性向上や省力・省コスト化に資する漁業用機器等の導入等を支援

2 経営安定・安定供給のための備え（重要5品目関連）

○米、麦、牛肉・豚肉、乳製品、甘味資源作物の経営安定・安定供給のための対策を継続
- 国別枠の輸入量に相当する国産米を政府が備蓄米として買入れ
- 国産麦の安定供給を図るため、引き続き、経営所得安定対策を着実に実施
- パスタ・菓子製造等の経営改善を特定農産加工業経営改善臨時措置法に基づく支援措置により促進
- 法制化し、補填率を引上げた牛・豚マルキンの両交付金制度を、引き続き、適切に実施
- 経営の実情に即して肉用子牛保証基準価格を引き上げた肉用子牛生産者補給金制度を適切に実施
- 液状乳製品を追加し、補給金単価を一本化した加工原料乳生産者補給金制度を着実に実施
- 加糖調製品から調整金を徴収し、砂糖の競争力強化を図るとともに、着実に経営安定対策を実施

3 知的財産権の保護の推進

○地理的表示（GI）関係
- 地理的表示の登録を進めるとともに、海外において我が国農林水産物等の名称保護を図り、侵害行為に適切に対応

○植物新品種・和牛遺伝資源保護関係
- 優良な植物新品種について海外における品種登録の促進
- 和牛遺伝資源について流通管理対策の実施及び知的財産的価値の保護を推進

資料：農林水産省作成

第1章

食料の安定供給の確保

食料自給率と食料自給力

　令和2（2020）年3月に閣議決定された食料・農業・農村基本計画においては、令和12（2030）年度を目標年度とする総合食料自給率[1]の目標が設定されるとともに、新たに国内生産の状況を評価する食料国産率[2]の目標が設定されました。また、我が国の食料の潜在生産能力を評価する食料自給力指標[3]について、新たに農業労働力や省力化の農業技術を考慮するよう指標が改良され、さらに、今後の農地や農業労働力の確保、単収の向上等を踏まえた令和12（2030）年度の見通しが示されました。

（1）食料自給率の目標と動向

（供給熱量ベースは1ポイント低下の37%、生産額ベースは前年同の66%）

　総合食料自給率の目標は、令和12（2030）年度を目標年度として、供給熱量[4]ベースで45%、生産額ベースで75%と定められました。平成30（2018）年度の供給熱量ベースの総合食料自給率は、天候不順により、小麦、大豆、飼料作物等の生産量が減少したこと、これに伴う飼料自給率の低下等から、前年度に比べ1ポイント低下し、平成5（1993）年度に並び、過去最も低い37%となりました。生産額ベースの総合食料自給率は、野菜や鶏卵の生産量増加により単価が下落した一方、ホタテ貝等の輸出増加による国内仕向量減少、国産てんさい由来の砂糖の製造量増加等から、前年度と同じ66%となりました。

　我が国の食料自給率は、長期的には低下傾向で推移してきましたが、近年では、供給熱量ベースの総合食料自給率は平成8（1996）年度以降おおむね40%前後とほぼ横ばいで、生産額ベースの総合食料自給率は平成8（1996）年度以降60%台後半から70%台前半までの範囲で、それぞれ推移しています（図表1-1-1）。

図表1-1-1 我が国の総合食料自給率

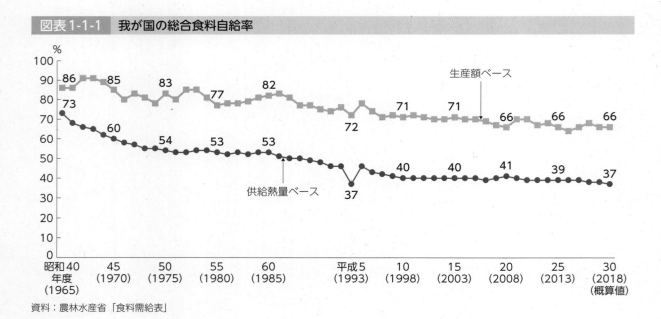

資料：農林水産省「食料需給表」

1～4　用語の解説3（1）を参照

長期的に食料自給率が低下してきた主な要因としては、食生活の多様化が進み、国産で需要量を満たすことのできる米の消費が減少した一方で、飼料や原料の多くを海外に頼らざるを得ない畜産物や油脂類等の消費が増加したことによるものです（図表1-1-2）。

図表1-1-2　食料消費構造の変化と食料自給率の変化

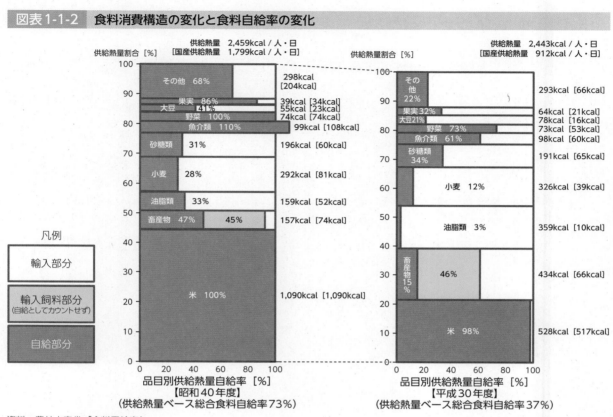

資料：農林水産省「食料需給表」

　また、近年供給熱量ベースの総合食料自給率は40％前後で推移してきましたが、これは、マイナス要因である国産米熱量の減少、水産物や野菜等その他品目の国産熱量の減少の寄与が拡大する一方で、プラス要因である高齢化等に伴う1人・1日当たり供給熱量の減少、小麦、大豆、新規需要米[1]の国内生産量の増加等の寄与が一定にとどまっていることによります（図表1-1-3）。

図表1-1-3　供給熱量ベース総合食料自給率への寄与度

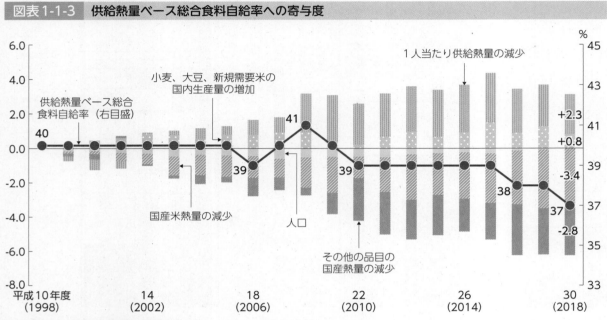

資料：農林水産省「食料需給表」を基に作成
　注：各年度における寄与度は全て平成10（1998）年度を基準とし、次式により算出
　　1）1人当たり供給熱量の減少＝－（1人・1日当たり供給熱量の増減×当該年度総人口×当該年度の日数）／平成10年度総供給熱量／当該年度総供給熱量×当該年度国産総供給熱量×100
　　2）人口＝－（平成10年度の1人・1日当たり供給熱量×（当該年度総人口×当該年度の日数－平成10年度総人口×平成10年度の日数））／平成10年度総供給熱量／当該年度総供給熱量×当該年度国産総供給熱量×100
　　3）小麦、大豆、新規需要米の国内生産量、国産米熱量、その他の品目の国産熱量の寄与度＝各品目の国産総供給熱量の増減／平成10年度における各品目の総供給熱量×100
　　4）なお、総供給熱量＝1人・1日当たり供給熱量×1年間の日数×総人口、国産供給熱量＝1人・1日当たり国産供給熱量×1年間の日数×総人口

1　主食用米、加工用米、備蓄米以外の米穀で、飼料用米、米粉用米、稲発酵粗飼料用米等がある。

一方、生産額ベースの総合食料自給率は緩やかな低下で推移してきましたが、平成25（2013）年度以降は国内消費仕向額（分母）と国内生産額（分子）がともに増加していることから、横ばいで推移しています。国内消費仕向額の増加は、景気回復や輸入品も含めた食料価格の上昇によると考えられ、国内生産額の増加は、和牛やシャインマスカット等の高付加価値品目の取組の進展や生産量の微減傾向等による価格の上昇に伴い、畜産物、野菜、果実を中心に増加傾向にあることによると考えられます（図表1-1-4）。

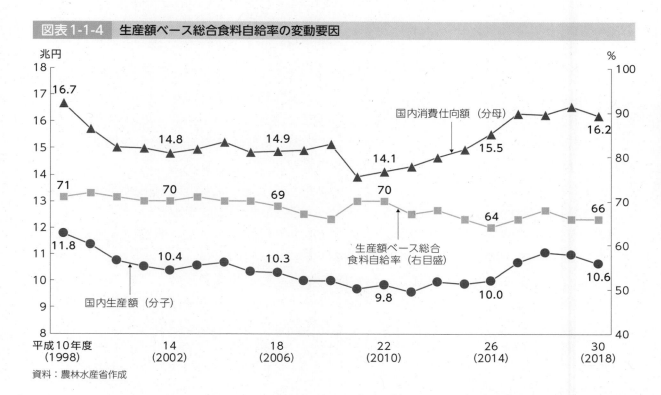

図表1-1-4　生産額ベース総合食料自給率の変動要因

資料：農林水産省作成

　総合食料自給率のうち供給熱量ベースは、生命と健康の維持に不可欠な基礎的栄養価であるエネルギー（カロリー）に着目したものであり、消費者が自らの食料消費に当てはめてイメージを持つことができるなどの特徴があります。一方で生産額ベースは、食料の経済的価値に着目したものであり、エネルギーが比較的少ない一方で高い付加価値を有する畜産物、野菜、果実等の生産活動をより適切に反映させることができます。

　供給熱量ベースよりも生産額ベースの方が相対的に高いのは、我が国の農業構造が諸外国と比べて、カロリーの高い土地利用型作物よりも畜産物、野菜、果実等の付加価値の高い作物の生産に比較優位があることを示唆しています。

　このため、諸外国の経済発展による海外市場の拡大や食生活の多様化等国際環境の変化に積極的に対応し、比較優位のある品目を生産・輸出していくことは、生産額や所得の確保を図り、農地の保全や就業者の確保等を図っていく上で重要となります。一方で、食料の安定供給のためには、国内生産の増大を図ることを基本としつつ、国内生産では十分に賄うことのできない食料を安定的に輸入することも必要となります。

（食料自給率向上に向けて生産基盤の強化と消費拡大の推進が重要）

　総合食料自給率目標は、令和12（2030）年度の食料消費の見通しと生産努力目標を前提として示されています。生産努力目標は、国内外の需要の変化に的確に対応できる農業生産を推進するとの方針の下、品目ごとに農業生産に関する課題が解決された場合に実現

可能となる生産量として設定されています。令和12（2030）年度の生産努力目標について、小麦は108万t（平成30（2018）年度76万t）、大豆は34万t（平成30（2018）年度21万t）となっており、目標達成に向けては、耐病性や加工適性等に優れた新品種の開発導入の推進や、排水対策の更なる強化等が課題となっています。また、野菜は1,302万t（平成30（2018）年度1,131万t）、果実は308万t（平成30（2018）年度283万t）となっており、目標達成に向けて、労働生産性の向上等を図ることが必要です。この他の品目でも、畜産物については、国内外の需要に応える供給を確保するための生産基盤強化が課題であるなど、生産努力目標達成に向けては、品目ごとに課題を克服していく必要があります。

　人口減少、農業従事者[1]の高齢化、農地面積の減少等が進む中で、食料自給率を向上させるためには、国内生産基盤の強化等により我が国農業を持続可能なものとすることが重要です。このため、品目ごとのきめ細かな対策とともに、担い手への農地の集積・集約化[2]、新規就農の促進等による担い手の確保、スマート農業の導入、農地の大区画化・汎用化等を推進する必要があります。また、食の外部化[3]等による加工・業務用需要の拡大や、近年増加している訪日外国人旅行者によるインバウンド需要、健康志向の高まり等による食料消費の変化に適切に対応するとともに、旺盛な海外需要を取り込むため、輸出向け産地の形成や流通加工体制の整備等を通じて輸出を促進するなど、需要の変化に応じたマーケットイン型の取組を推進する必要があります。

　このような生産面での取組に加え、消費面においても、消費者が食料・農業・農村の持つ役割を理解することを促し、国産農産物の消費拡大につながる主体的な行動を引き出していくことや、安定的な取引関係の確立による農業と食品産業の連携強化等により国産農産物の需要拡大を図ることも重要です。

（食料国産率と飼料自給率）

　新たな基本計画において、新たに目標に位置付けられた食料国産率は、飼料が国産か輸入かにかかわらず、畜産業の活動を反映し、国内生産の状況を評価するものです。需要に応じて増頭・増産を図る畜産農家の努力が反映され、また、国産畜産物を購入する消費者の実感に合うという特徴があります。

　一方、飼料の自給度合いによって畜産物の自給率は大きく影響を受けるため、国産飼料基盤に立脚した畜産業を確立する観点から、新たな基本計画においても飼料自給率の目標が設定されています。食料自給率は輸入飼料による畜産物の生産分を除いているため、食料国産率と飼料自給率の双方の向上を図りながら、食料自給率の向上を図ることが必要です（図表1-1-5）。

図表1-1-5	食料国産率（平成30（2018）年度）	

（単位：%）

	供給熱量ベース	生産額ベース
食料国産率	46（37）	69（66）
畜産物の食料国産率	62（15）	68（56）
牛肉	43（11）	64（56）
豚肉	48（6）	56（43）
鶏卵	96（12）	96（65）
飼料自給率		25

資料：農林水産省作成
注：1）（　）内の数値は、飼料自給率を反映した総合食料自給率の数値
　　2）飼料自給率は、粗飼料及び濃厚飼料を可消化養分総量（TDN）に換算して算出

1　用語の解説1、2（4）を参照
2、3　用語の解説3（1）を参照

（2）食料自給力指標の動向

（いも類中心の作付けでは、推定エネルギー必要量を上回る）

　食料の多くを海外に依存している我が国では、食料安全保障[1]の観点から、国内の農地等を最大限活用することで、どの程度の食料が得られるのかという食料の潜在生産能力（食料自給力）を把握し、その維持・向上を図ることが重要です。

　食料自給力指標は、我が国の食料の潜在生産能力を評価する指標であり、栄養バランスを一定程度考慮した上で、農地等を最大限活用し、熱量効率が最大化された場合の１人・１日当たり供給可能熱量を、米・小麦中心の作付けといも類中心の作付けの２パターンについて試算したものです。新たな基本計画では、農業労働力や省力化の農業技術も考慮することとし、また、令和12（2030）年度の見通しも併せて示しています[2]。

　平成30（2018）年度の食料自給力指標の試算では、442万haの農地面積、９万haの再生利用可能な荒廃農地[3]面積、実際に投入されている臨時雇用を含む延べ労働時間等を前提として試算を行っています。平成30（2018）年度の労働力の充足状況を考慮した食料自給力指標は、「米・小麦中心の作付け」で1,727kcal／人・日、「いも類中心の作付け」で2,546kcal／人・日となりました（図表1-1-6）。

　日本人の平均的な１人当たりの推定エネルギー必要量2,169kcal/人・日と比較すると、より私たちの食生活に近い「米・小麦中心の作付け」ではこれを下回る一方、供給熱量を重視する「いも類中心の作付け」ではこれを上回ります。なお、いも類中心の作付けにおいては、農地を最大限活用した場合の供給可能熱量では、その作付けに必要な労働力が不足するため、作付けの一部を米・小麦等の省力的な作物に置き換え、労働力も併せて最大限活用されるよう試算を行っています。

　また、食料自給力指標の推移については、農地面積の減少、単収の伸び悩み等により平成30（2018）年度まで低下傾向にありますが、農地確保、単収向上、労働力確保、生産性向上を今後図っていくことにより、供給可能熱量を押し上げていくことが可能です。

　将来における世界の食料需給に不安定要素が存在する中、需要に応じた生産や海外需要の獲得等により、平素から我が国における農業生産の振興を図ることで優良農地が確保され、食料自給力の維持向上につながります。このため、担い手の確保や担い手への農地の集積・集約化を進め、荒廃農地の発生防止と再生を図るとともに、新品種・新技術の開発・導入、輪作体系の適正化や排水対策等の基本技術の励行により単収の高位安定化を図る必要があります。

1　用語の解説３（１）を参照
2　新たな食料自給力指標については、特集１を参照
3　用語の解説３（１）を参照

図表1-1-6　食料自給力指標の推移と見通し

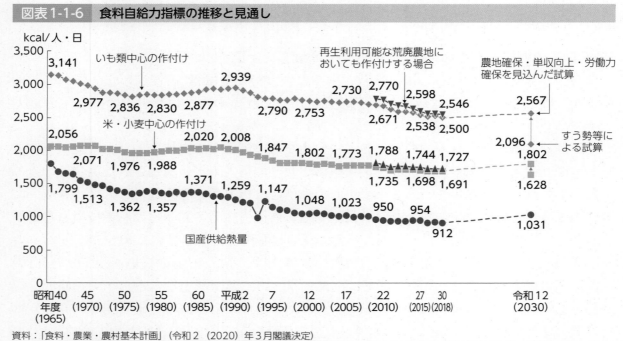

資料：「食料・農業・農村基本計画」（令和2（2020）年3月閣議決定）
注：1）労働力の充足状況を考慮した場合の最大供給可能熱量の推移。ただし、平成17（2005）年以前は統計データがそろわないため、労働力を考慮していない。
　　2）平成30（2018）年度と令和12（2030）年度の間の点線については、2時点を直線で結んだものであり、途中年度の試算値を示すものではない。

第2節 グローバルマーケットの戦略的な開拓

今後、人口減少や高齢化により国内の食市場は縮小する一方、我が国と距離が近いアジアを中心に、世界全体の市場は大きく拡大すると見込まれています。

このような世界の需要を獲得し、我が国の農林水産業を成長産業化するためには、日本貿易振興機構（JETRO）等と協力したオールジャパンでの輸出促進体制の整備や輸出阻害要因の解消等による政府一丸となった輸出環境整備、日本食・食文化の海外展開支援、GAP[1] やHACCP[2] 等の認証取得、知的財産制度の活用等に取り組むことが必要です。

（1）農林水産物・食品の輸出促進

（農林水産物・食品の輸出額は7年連続で過去最高を更新）

令和元（2019）年の農林水産物・食品の輸出額は、前年に比べ0.6％（53億円）増加の9,121億円となり、7年連続で増加しました（図表1-2-1）。

日本産品への高い関心を背景に、中国やアメリカ等で輸出額が大幅に増加しました。また、輸出額の増加が大きい品目としては、アメリカへの輸出が堅調であったぶり、海外で和牛等の人気が高まった牛肉、日本酒や日本産ウィスキーが人気となっているアルコール飲料等が挙げられます。

一方、政治・経済情勢の影響による香港、韓国向けの輸出額の減少、さば等の漁獲量減少等の影響を受け、令和元（2019）年に輸出額を1兆円にするという目標の達成には至りませんでした。今後、政府一丸となって更なる輸出拡大に取り組んでいくこととしています。

図表1-2-1　農林水産物・食品の輸出額

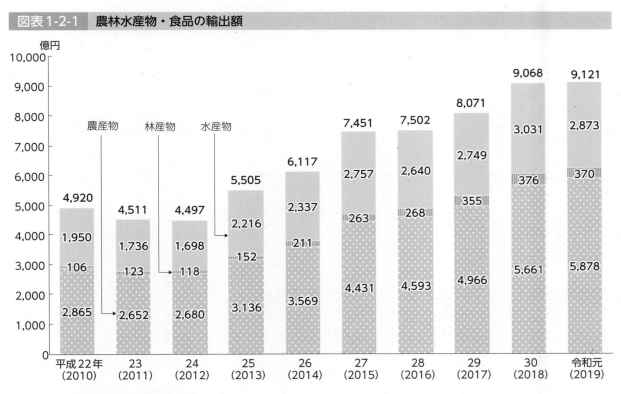

資料：財務省「貿易統計」を基に農林水産省作成

1、2　用語の解説3（2）を参照

（輸入規制に対して政府一体となって戦略的に取り組む体制を構築）

　農林水産物・食品の輸出に関しては、これまで、輸出先国による食品安全等の規制について、担当省庁が複数にまたがることにより、輸出先国との協議や証明書発行、施設認定に時間を要し、輸出に取り組む事業者の負担となっていました。

　このような課題に対応するため、令和元（2019）年11月に公布された「農林水産物及び食品の輸出の促進に関する法律」に基づき、令和2（2020）年4月に輸出促進を担う司令塔として、農林水産大臣が本部長を務める「農林水産物・食品輸出本部」が農林水産省に創設されることとなりました（図表1-2-2）。この本部においては、輸出を戦略的かつ効率的に促進するための基本方針や実行計画（工程表）を策定し、進捗管理を行うとともに、関係大臣等が一丸となって、輸出先国に対する輸入規制等の緩和・撤廃に向けた協議、輸出証明書発行や施設認定等の輸出を円滑化するための環境整備、輸出に取り組む事業者の支援等を実施することとしています。

図表1-2-2　農林水産物・食品の輸出拡大のための体制整備

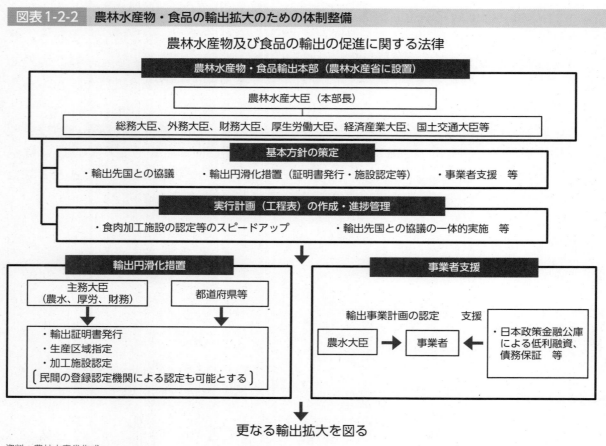

資料：農林水産省作成

（農業生産基盤強化プログラムにより輸出拡大を推進）

　令和元（2019）年12月に農林水産業・地域の活力創造本部で決定された農業生産基盤強化プログラムにおいて、海外需要の開拓、加工・流通施設の整備等の生産基盤の強化を一体的に行い、生産者の所得向上につながる輸出を促進することとされました。これを受けて、農林水産省では、海外の規制・ニーズに対応できる産地の生産基盤の強化に向けたグローバル産地づくりや輸出向け施設の整備に対する支援、海外における販売促進活動の更なる強化・充実等に取り組むこととしています。

（輸出に意欲的な農林漁業者・食品事業者向けコミュニティサイトを開設）

　輸出は国内出荷と異なり、様々な手続、規制、言語のハードルや各国独特の商習慣が存在することから、個々の農林漁業者・食品事業者が継続的な成果を出すことが困難な場合もあります。

　このような課題を踏まえ、平成30（2018）年8月に、農林水産省は、JETRO等と協力して、農林水産物・食品輸出プロジェクトであるGFP[1]のコミュニティサイトを開設しました。ここでは、既に輸出に取り組んでいる又はこれから取り組もうとする意欲的な農林漁業者や食品事業者等が情報収集や意見交換を行い、ビジネスパートナーを見つけ、商談へと進めるための橋渡しを行うこととしています。

　本Webサイトの登録者数は、令和元（2019）年度末時点で、2,801件であり、このうち輸出診断の対象者である農林水産物・食品事業者は1,787件となっており、令和元（2019）年度においては、601か所に輸出診断（うち、訪問診断360か所）を行いました。

　また、海外市場のニーズ、需要に応じたロットの確保、輸出先国の求める農薬規制・衛生管理等に対応した生産・加工体制を構築するためのGFPグローバル産地計画については令和元（2019）年度末時点で29産地を承認しており、これらの産地において計画の達成に向けた取組等を支援しています。

事例　**取引先へのセールスやシェフへの技術指導でブランド確立（宮崎県）**

　宮崎県 都城市の株式会社ミヤチクは、平成2（1990）年に商社からの依頼で米国に和牛を輸出して以降、宮崎県内で生産・肥育された宮崎牛を中心に肉類の輸出を続けています。

　輸出開始当初は、宮崎牛の知名度が低く販売が伸び悩んだことから、ミヤチクは、商談会への参加や海外の料理人に対する宮崎牛の調理セミナーの実施、調理技術指導といった営業活動等を通じて、販路拡大を行ってきました。また、海外の販売先が拡大した後も、自社の料理人が納品先に直接足を運び、宮崎牛の味を活かす調理方法を指導するなどして、そのブランド化に取り組んできました。

取引先シェフによる調理セミナー

　このような結果、平成31（2019）年2月には、2年連続でアカデミー賞授賞式後の祝賀会で宮崎牛が提供されるなど、海外でも高い評価を獲得するようになり、公益財団法人食品等流通合理化促進機構が主催する「令和元年度輸出に取り組む優良事業者表彰」で農林水産大臣賞を受賞しました。

　今後は、更なる販路の拡大のため、平成29（2017）年に我が国の牛肉輸出が解禁された台湾等において、自社の料理人による実演等の販売活動に引き続き取り組んでいくこととしています。

1　Global Farmers/Fishermen/Foresters/Food Manufacturers Project の略称

（動植物検疫協議により6つの国・地域の8品目で輸出が解禁又は検疫条件が緩和）

　農林水産省では、「農林水産業の輸出力強化戦略[1]」に基づき、検疫条件の厳しい国・地域や品目について、当該国・地域との動植物検疫協議を重点的かつ戦略的に進めています。

　輸出解禁の取組は、産地の要望を踏まえ、農林水産省が相手国・地域への解禁要請を行うことから始まります（図表1-2-3）。その後、相手国・地域において疾病や病害虫のリスク評価がなされ、さらに、検疫条件の協議が行われることで輸出解禁へと至ります。このような一連の協議の結果、令和元（2019）年度は、タイへの豚肉の輸出が解禁されるなど、6つの国・地域の8品目で輸出が解禁又は検疫条件が緩和されました（図表1-2-4）。

　今後、「農林水産物・食品輸出本部」の下で、実行計画に定められた国及び品目については、優先的かつ戦略的に二国間協議を行うこととしています。

図表1-2-3　輸出解禁・検疫条件緩和に向けた動植物検疫協議の手続の流れ

相手国・地域への解禁要請	相手国・地域におけるリスク評価	検疫条件の協議	輸出解禁・条件緩和
（要請段階の例） 韓国：豚肉 インドネシア：家きん肉 フィリピン：鶏卵	（リスク評価段階の例） 中国：牛肉、豚肉、ぶどう 韓国：牛肉 フィリピン：豚肉、いちご 米国：豚肉、メロン EU：豚肉 台湾：豚肉、家きん肉 トルコ：牛肉 カナダ：もも 豪州：もも タイ：玄米 ベトナム：うんしゅうみかん インド：なし、スギ	（検疫協議段階の例） 中国：牛乳、乳製品 ロシア：家きん肉、殻付き卵、牛肉（施設追加） マレーシア：家きん肉 米国：家きん肉、なし（全ての都道府県の解禁等） EU：黒松盆栽（綿松盆栽含む） タイ：かんきつ類（合同輸出検査から査察制への移行） インド：りんご 豪州：いちご、なし（全ての都道府県の解禁等）、うんしゅうみかん（全ての都道府県の解禁等） NZ：かんきつ類（品目の拡大等）	

資料：農林水産省作成
注：令和元（2019）年度末時点

図表1-2-4　令和元（2019）年度に輸出が解禁又は検疫条件が緩和された国・地域と品目

月	輸出先国・地域	品目	内容
5月	シンガポール	家きん肉	輸出の解禁
		家きん肉製品	
		卵製品	
8月	タイ	豚肉	輸出の解禁
11月	マカオ	食用殻付き鶏卵	輸出の解禁
	EU	家きん肉	輸出の解禁
	米国	盆栽（ツツジ属及びゴヨウマツ）	網室内での栽培期間の短縮
12月	ベトナム	りんご	袋かけに代わる検疫措置の設定
2月	米国	うんしゅうみかん	輸出前臭化メチルくん蒸の廃止
3月	マカオ	家きん肉	輸出の解禁

資料：農林水産省作成
注：1）令和元（2019）年度末時点
　　2）網室は、病害虫等の侵入を防ぐため、網等を設置した栽培施設のこと

1　平成28（2016）年5月に農林水産業・地域の活力創造本部において策定

（2）日本食・食文化の海外展開

（海外における日本食レストランと日本産食材サポーター店は堅調に増加）

　海外における日本食レストランの数については、令和元（2019）年は約15万6千店と、平成25（2013）年の3倍近くに増加しており、近年、海外での日本食・食文化への関心が高まっていることが分かります（図表1-2-5）。

　農林水産省は、急増している海外の日本食レストラン等を日本産食材の輸出拠点として継続的に活用していくため、民間が主体となり日本産食材を積極的に使用する海外の飲食店や小売店を「日本産食材サポーター店」として認定する制度を平成28（2016）年度に創設しました。令和元（2019）年度末時点で、前年度に比べて664店増加の4,776店が認定されています。

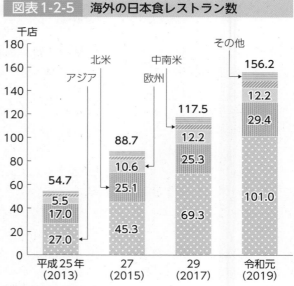

図表1-2-5　海外の日本食レストラン数

資料：農林水産省作成

（日本食・食文化の発信の担い手を育成）

　農林水産省は、日本食・食文化の海外発信を強化するため、海外の外国人料理人の日本料理に関する知識・調理技能を習得度合いに応じて認定する「日本料理の調理技能認定制度」を平成28（2016）年度に創設しました。令和元（2019）年度末時点で、前年度に比べて462人増加の1,375人[1]が認定されています。

　また、我が国の食関連事業者が海外展開する際に、現地のパートナーとなり得る人材を育成するため、海外の外国人料理人が日本料理の知識や調理技能、おもてなしの精神等を日本国内の有名日本料理店で学ぶ民間事業者等による研修を支援しています。研修修了生は、「日本料理の調理技能認定制度」の認定も受けており、帰国後に母国で日本料理店を開店するなど日本食・食文化の普及に寄与しています。

　さらに、日本食・食文化の魅力を広く国内外に効果的にPRするため、平成26（2014）年度から、海外の日本食レストラン等に対してアドバイスを行う国内外の日本料理関係者を「日本食普及の親善大使」として任命しています。「日本食普及の親善大使」は、独自で行う日本食普及活動のほか、農林水産省が海外の料理学校等と連携して実施する日本料理講習会の講師や、外国人による日本料理コンテストの審査員等を務めており、令和元（2019）年度末時点で109人が任命されています。

1　ゴールド13人、シルバー461人、ブロンズ901人の合計

事例	ポーランドで日本産食材サポーター店を展開する寿司料理人

ポーランドで寿司レストランやカフェを営む寿司料理人のアーロン・タンさんは、農林水産省が主催する世界の寿司料理人のコンテスト「World SUSHI CUP」の平成27（2015）年度優勝者です。

平成31（2019）年3月には、ポーランドで農林水産省が開催した日本食レセプションにおいて、日本食普及の親善大使の小川洋利さんの助手として参加し、来場者に寿司を提供しました。この際、レセプションに併せて開催された日本産食材サポーター店認定式において、タンさんが経営する寿司レストランやカフェ等7店舗が認定されました。

タンさんは以前から、日本産の調味料、お茶、日本酒等を使用していましたが、本レセプションへの参加をきっかけに、新たに日本産ぶり等を輸入し、店舗で提供することとなりました。現在では同店舗で使用される全食材のうち3割程度が日本産となっています。タンさんは、今後もポーランド国内で新たな出店を予定しており、更なる日本食文化の普及や日本産食材の活用が期待されます。

また、令和2（2020）年1月には、スイスで開催された世界の政財界の代表者が集まる世界経済フォーラム年次総会（ダボス会議）のサイドイベントであるレセプション「ジャパンナイト」において、来場者にヴィーガン向けの野菜寿司等を提供し、好評を博しました。

「日本産食材サポーター店」
ロゴマーク

「ジャパンナイト」での
寿司提供の様子

（訪日外国人旅行者の食体験を活用して輸出を促進）

訪日外国人旅行者の日本滞在時の食に関する体験をきっかけとした日本産食材の需要拡大・輸出促進を目的として、農林水産省は、平成30（2018）年11月に「食かけるプロジェクト」を立ち上げました。本プロジェクトでは、食と芸術や歴史等異分野の活動を掛け合わせた体験を通じて、訪日外国人旅行者の日本食への関心を高めるとともに、帰国後も我が国の食を再体験できる環境の整備を推進しています。本プロジェクトの一環として、食と異分野を掛け合わせた食体験を募集・表彰する「食かけるプライズ」を実施し、令和元（2019）年10月に大賞等14件を決定しました。表彰事例については、旅行商品サイトへの掲載や体験商品としての磨き上げを支援しています。

| 事例 | かまくら内で独自の食体験を提供（長野県） |

長野県飯山市は国内でも有数の豪雪地帯であり、かつてはウィンタースポーツのために多く観光客が訪れていましたが、地元のスキー場の閉鎖をきっかけに観光客は減少傾向にありました。このような中、地域を盛り上げようと、一般社団法人信州いいやま観光局は、地元有志により結成された「かまくら応援隊」と協力して、「レストランかまくら」を開始しました。

「レストランかまくら」は、積雪量を活かし、地元の人が作り上げるかまくらの中で、地元の伝統野菜等を使用した「のろし鍋」を食べる体験を提供しています。

国内の旅行者だけでなく、多言語表示等の地道な取組を重ね、訪日外国人旅行者への周知に取り組んできた結果、降雪のないアジアの国・地域を中心に、多くの旅行者が訪れるようになりました。

このような取組が評価され、信州いいやま観光局は「食かけるプライズ」で大賞を受賞しました。

「かまくら」内の様子
資料：一般社団法人信州いいやま観光局
（長野県）

（選手村ダイニングにおける日本食・食文化の発信）

公益財団法人東京オリンピック・パラリンピック競技大会組織委員会（以下「大会組織委員会」という。）は、選手村の食堂のうち、日本食や地域特産物を活用した食事を提供する場所として「カジュアルダイニング」を設置し、全国各地の食材や食文化のすばらしさを発信していくこととしています（図表1-2-6）。

このため、農林水産省は内閣官房に協力し、カジュアルダイニングで各都道府県が供給できる食材を把握し、実際の提供へつなげていくため、令和元（2019）年5月に「食材供給に関する意向調査」を実施しました。

| 図表1-2-6 | 選手村のダイニングの概要 |

	メインダイニングホール	カジュアルダイニング
提供内容	・選手団へ飲食を提供する拠点 ・過去大会と同等レベルの食事提供	・日本食や地域特産物を活用した食事の提供
座席	4,500席	400席
1日最大食数想定	45,000食/日	3,000食/日
オープン時間	24時間	午前6時〜午後9時
考慮が必要となる点（IOC推奨事項含む。）	・食品安全の確保 ・パラリンピアンへの配慮 ・栄養管理（多様な栄養条件を満たす食事） ・多様性への配慮（宗教、食習慣等） ・選手の満足度を上げる工夫	・日本の食文化の発信 ・復興の発信（被災3県産食材を大会期間を通じメニューの一部に活用） ・東京都産食材・全国各地の地域特産物の活用（旬の食材等） ・メインダイニング混雑時の補完

資料：大会組織委員会資料を基に農林水産省作成

本調査結果を踏まえ、大会組織委員会は、被災3県や東京都の食材、全国各地の地域特

産物を活用したメニューをカジュアルダイニングで提供する予定としています。これらの
メニューについては、代表的な食材の産地を、ダイニング内やWebサイトに表示する方
針となっており、大会史上初の取組として注目されています。このほか、農福連携の取組
や農業高校等の生徒が生産した食材の魅力が発信される予定です。

（3）規格・認証の活用

ア　GAP（農業生産工程管理）

（GAP認証を取得する経営体が増加）

GAPは、食品安全、環境保全、労働安全等の観点から、農業者が自らの生産工程を
チェックし、改善する取組です。GAPを実践することで、持続可能性の確保、競争力の
強化、品質の向上、農業経営の改善や効率化、消費者や実需者の信頼の確保等に役立つこ
とが期待されています。

これらGAPの取組が正しく実施されていることを第三者機関が審査し、証明する仕組
みをGAP認証といい、我が国では主にGLOBALG.A.P.[1]、ASIAGAP[2]、JGAP[3]の3種類
が普及しています。農産物においてこれらのGAP認証を取得している経営体数は、平成
30（2018）年度末時点で、前年に比べ688経営体増加の5,341経営体となっています
（図表1-2-7）。

また、GAP認証等が2020年東京オリ
ンピック競技大会・東京パラリンピック競
技大会[4]（以下「東京2020大会」という。）
の食材調達基準とされていることを契機と
して、農林水産省は、指導者の育成等を通
じて、国際水準のGAPの取組やGAP認
証の取得の拡大を更に進めていくこととし
ています。

図表1-2-7	GAP認証取得経営体数（農産物）		

（単位：経営体）

	GLOBALG.A.P.	ASIAGAP	JGAP
全国計	699	1,869	2,773

資料：一般社団法人GAP普及推進機構、一般財団法人日本GAP協
　　　会公表資料を基に農林水産省作成
注：平成30（2018）年度末時点

（畜産物においてもGAPの認証取得が進展）

畜産物については、平成29（2017）年8月にJGAP家畜・畜産物の認証が開始され、
令和元（2019）年度末時点で、認証取得経営体数は186経営体となっています。また、
認証取得の準備段階として、畜産GAPに必要な取組の実施を確認するGAP取得チャレ
ンジシステムも始まっており、これによる確認済経営体数は、令和元（2019）年度末時
点で、120経営体（うち43経営体はその後JGAPを取得）となっています。

1～3　用語の解説3（2）を参照
4　令和2（2020）年3月に、大会開催を令和3（2021）年に延期することが決定

<table>
<tr><td>事例</td><td>GAP教育のノウハウを活かした指導者育成（宮崎県）</td></tr>
</table>

　宮崎大学農学部では、平成23（2011）年より、国際的GAP人材の育成を目指し、GAPを取り入れた教育カリキュラムを開発しました。また、同年に青果物のJGAPを、翌年には穀物のJGAPの認証を取得し、さらに、平成26（2014）年には国内初の畜産のGLOBALG.A.P.認証を取得しています。これらに併せて、GAP指導員講座も新設しており、平成24（2012）年からこれまでに260人以上のJGAP指導員資格を持った卒業生を輩出しています。

　より実践的な指導員を育成し、県内のGAPの普及支援のために、一般的な座学のみならず、現地研修等も取り入れており、平成28（2016）年以降は宮崎県と協力した学外の農業者等向けの青果物等のGAP指導員・審査員研修、平成29（2017）年度以降は、畜産GAPの指導員研修を行っています。

　また、県内外からの視察の受入れや講師派遣にも積極的に対応し、全国レベルでもGAPの普及に貢献している点が評価され、「令和元年度未来につながる持続可能な農業推進コンクール」において、農林水産大臣賞に選ばれました。

JGAP認証取得
木花フィールド

研修会風景

イ　HACCP（危害要因分析・重点管理点）
（HACCPの義務化に対応するための取組を推進）

　HACCPは、食品の製造・加工の工程ごとに微生物汚染等の危害要因を分析し、それらを防止する観点から、特に重要な工程を継続的に監視・記録する衛生管理システムです。

　HACCPを導入することで、安全性に問題のある食品の出荷が未然防止される効果等が期待されており、世界的にHACCP導入義務化の動きが広がっています。

　平成30（2018）年6月に公布された食品衛生法等の一部を改正する法律により、原則として全ての食品等事業者に、一般衛生管理に加え、HACCPに沿った衛生管理の実施が求められることになりました。食品衛生法等の一部を改正する法律が令和2（2020）年6月に施行された後1年間の経過措置期間を経て、令和3（2021）年6月から本制度が完全実施されるため、この間に食品等事業者はHACCPに沿った衛生管理を行う準備を進める必要があります。

　食品製造事業者でみると、HACCPに沿った衛生管理を導入している割合は、2割程度にとどまっています。食品等事業者の大部分を占め、導入が遅れている中小事業者においてもHACCPの制度化に円滑に対応できるよう、農林水産省は、厚生労働省とともに、HACCPの知識を普及する研修や業界団体によるHACCP導入の手引書作成等に対するきめ細かな支援を行っています。令和元（2019）年度は、全国59回の研修等の開催とともに、40の手引書作成を支援しました。また、中小規模の食品等事業者を対象に、HACCP導入等のための施設整備に対する金融措置も行っています。

（国際規格として承認された日本発の食品安全管理規格JFSの普及）

　JFSは、一般財団法人食品安全マネジメント協会が策定した、食品製造業において食品の安全管理に関する取組を認証する規格です。JFSは日本語の規格であり、我が国の食文化である生食・発酵食品等の安全管理も行えるなど、日本の事業者が利用しやすいものとなっています。平成30（2018）年10月には、このJFSの規格の一つであるJFS-Cとその認証の仕組みが、GFSI[1]（世界食品安全イニシアティブ）に国際規格として承認され、これによって国際標準の食品安全を客観的に示すことが可能になりました。

　JFSの国内取得件数は、前年に比べ約3倍に増加しており、令和元（2019）年度末時点で845事業所となりました。今後、JFSの普及により、我が国の食品安全レベルの向上や食品の輸出力強化が期待されます。

ウ　JAS（日本農林規格）

（多様なJASの制定と国際規格化に向けた取組）

　JAS制度は、これまで、農林水産大臣が制定した農林物資の品質に関する規格（JAS）に基づき、第三者機関が農林水産物・食品の品質を認証・保証する公的制度として、市場に出回る粗悪品の排除や商品の品質の改善に寄与してきました。

　近年、輸出の拡大や市場ニーズの多様化が進んでいることから、農林水産省では、農林水産物・食品の品質だけでなく、事業者による農林物資の取扱方法、生産方法、試験方法等について認証する新たなJAS制度を推進しており、令和2（2020）年までに20規格以上の新たなJASの制定を目指しています（図表1-2-8）。令和元（2019）年度末時点では、人工光型植物工場における葉菜類の栽培環境管理のJAS等13規格が制定されています。これらのJASによって、事業者や産地の創意工夫により生み出された多様な価値・特色を戦略的に活用でき、我が国の食品・農林水産分野の競争力の強化につながることが期待されています。

　また、農林水産省は、我が国主導による国際規格として、機能性成分の定量試験方法に関する規格について、国際標準化機構（ISO）への提案を目指しています。

1　用語の解説3（2）を参照

図表 1-2-8 多様な価値・特色を反映したJAS認証例

（人工光型植物工場における葉菜類の栽培環境管理のJAS）

（青果市場の低温管理のJAS）

（障害者が生産行程に携わった食品のJAS）

（有機料理を提供する飲食店等の管理方法のJAS）

資料：農林水産省作成

（4）知的財産の保護

ア　地理的表示（GI）保護制度
（GI保護制度の登録産品は94産品となり着実に増加）

　地理的表示（GI）保護制度は、地域ならではの特徴的な産品の名称を知的財産として保護する仕組みです。同制度に産品を登録することで、模倣品が排除されるほか、登録生産者団体が自らの産品の価値を再認識することができるなどの効果が期待されています。

　令和元（2019）年度は、新たに19産品が同制度に登録され、これまでに登録された産品は、同年度末時点で、37都道府県と1か国の計94産品となりました（**図表1-2-9**）。

　また、平成31（2019）年2月の日EU・EPA[1]の発効に伴い、日本側GI47産品、EU側GI71産品の相互保護が開始され、我が国のGI産品がEU加盟国においても保護されています。

1　用語の解説3（2）を参照

図表1-2-9　令和元（2019）年度にGI保護制度に登録された産品

東京しゃも
（東京都）

佐用もち大豆
（兵庫県）

いぶりがっこ
（秋田県）

大栄西瓜
（鳥取県）

津南の雪下にんじん
（新潟県）

善通寺産四角スイカ
（香川県）

比婆牛
（広島県）

豊島タチウオ
（広島県）

伊吹そば
（滋賀県）

今金男しゃく
（北海道）

東出雲のまる畑ほし柿
（島根県）

田浦銀太刀
（熊本県）

大野あさり
（広島県）

大鰐温泉もやし
（青森県）

三瓶そば
（島根県）

檜山海参
（北海道）

大竹いちじく
（秋田県）

八代特産晩白柚
（熊本県）

八代生姜
（熊本県）

資料：農林水産省作成
注：令和元（2019）年度末時点

イ　植物品種保護
（我が国で開発された優良品種の海外流出防止に向けた取組を推進）

　我が国で開発された優良な植物品種は海外においても高く評価されていますが、適切な知的財産保護措置が取られないまま海外で広く栽培されると、我が国の農産物の輸出拡大に支障を来す懸念があります。

　シャインマスカットは平成18（2006）年に我が国で品種登録されたブドウ品種で、甘みや食味に優れており、高値で取引されるため、輸出産品として期待されています。しかし、海外での品種登録はされておらず、農林水産省の調査によると、我が国から中国や韓

国にその種苗が流出し、当該国内で栽培や流通が拡大している事例が確認されています（図表1-2-10）。さらに、それら他国で生産されたシャインマスカットがASEAN[1]諸国等へ輸出され、安値で取引されている状況も確認されています。このように優良品種の海外流出によって、海外市場において、日本産農産物の需要が奪われたり、価格が低下したりするといった影響が生じることが懸念されています。

　農林水産省では、優良な新品種の知的財産権の海外での取得を進めることにより、権利侵害が発生した場合の警告や流通の差止め等の権利行使によって海外流出を防止するため、品種開発者による海外での品種登録の取組を支援しています。

　また、我が国のイニシアティブの下、ASEAN10か国と日中韓の計13か国が参加して開催されている「東アジア植物品種保護フォーラム」では、各国がUPOV条約[2]に則した植物品種保護制度を整備すること等を共通方針とした「10年戦略」に則して、各国の実施戦略に基づく活動や各国の出願・審査手順の調和をとる取組等を重点的に実施しています。

図表1-2-10　我が国で開発された優良品種の海外流出の例

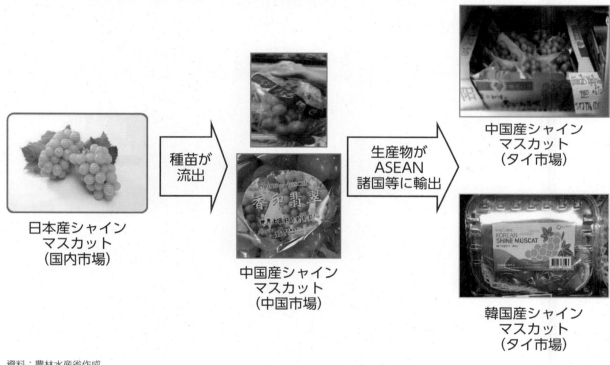

種苗が流出

生産物がASEAN諸国等に輸出

日本産シャインマスカット（国内市場）

中国産シャインマスカット（中国市場）

中国産シャインマスカット（タイ市場）

韓国産シャインマスカット（タイ市場）

資料：農林水産省作成

（種苗法改正案を国会に提出）

　優良品種の海外流出や品種開発の停滞傾向等の状況を踏まえ、農林水産省は学識経験者や関係団体等から構成する「優良品種の持続的な利用を可能とする植物新品種の保護に関する検討会」を平成31（2019）年3月から6回にわたり開催し、実効性ある植物新品種保護の方策を検討してきました。

　この結果、令和元（2019）年11月に、優良品種の海外への流出を防止するとともに、持続的な新品種の開発と利用を確保していくため、検討会としての取りまとめが行われま

1　用語の解説3（2）を参照
2　正式名称は「植物の新品種の保護に関する国際条約」

した。具体的には、現行制度の見直しによる育成者の意図に反した海外流出の防止や海外における品種登録の促進等の必要性が示されました。

　これら取りまとめの内容を踏まえ、令和2（2020）年3月に「種苗法の一部を改正する法律案」が国会に提出されました。

ウ　家畜遺伝資源保護
（家畜遺伝資源保護のための2法案を国会に提出）

　和牛は、関係者が長い年月をかけて改良してきた我が国固有の貴重な財産であることから、国内の農業者団体等は「和牛遺伝資源国内活用協議会」を設立し、和牛遺伝資源[1]の輸出自粛等の取組を行ってきました。

　しかし、平成30（2018）年6月、和牛の精液・受精卵が輸出検査を受けずに中国に持ち出され、中国当局において輸入不可とされた事案が確認されたことから、我が国における和牛遺伝資源の保護を求める声が高まりました。

　このような情勢を踏まえ、農林水産省は、学識経験者や関係団体等から構成する「和牛遺伝資源の流通管理に関する検討会」を設置し、流通管理の在り方や知的財産としての価値の保護の可能性について検討を進め、令和元（2019）年7月には中間とりまとめが示されました。また、同年10月には、同検討会の下に、法曹実務家、知的財産に関する専門家、オブザーバーとして関係省庁を加えた「和牛遺伝資源の知的財産的価値の保護強化に関する専門部会」が設置され、保護強化に向けた課題・対策と知的財産制度上の位置付けの可能性について検討し、令和2（2020）年1月には中間とりまとめが示されました。

　これら中間とりまとめの内容を踏まえ、令和2（2020）年3月に、家畜人工授精用精液・受精卵の適正な流通の確保のための「家畜改良増殖法の一部を改正する法律案」と、家畜遺伝資源の不正競争への差止請求等のための「家畜遺伝資源に係る不正競争の防止に関する法律案」が国会に提出されました（図表1-2-11）。

1　用語の解説3（1）を参照

家畜改良増殖法の一部を改正する法律案	家畜遺伝資源に係る不正競争の防止に関する法律案

1．安全性及び品質の適切な管理のための措置の強化等

家畜人工授精用精液・受精卵の取扱いに関する規制が今日の生産・流通・利用の実態に対応したものとなるよう現行の規制を見直し、以下の措置を講ずる。
○ 家畜人工授精所における家畜人工授精用精液・受精卵に係る業務状況の定期報告
○ 家畜人工授精所以外の場所での家畜人工授精用精液・受精卵の保存禁止
○ 家畜人工授精所で保存していない家畜人工授精用精液・受精卵の譲渡禁止
○ 家畜人工授精師の免許に係る欠格事由の厳格化
等

2．特に適正な流通の確保を必要とする家畜人工授精用精液・受精卵に係る措置

家畜人工授精用精液・受精卵のうち経済的価値が高いなどその適正な流通の確保が特に必要なものを「特定家畜人工授精用精液等」として農林水産大臣が指定した上で、以下の措置を講ずる。
○ 特定家畜人工授精用精液等について
・ 封入する容器（ストロー）への種畜の名称等の表示義務
・ 譲渡等（在庫管理）を記録する帳簿の作成・保存の義務
○ 家畜人工授精所・生産者に対する農林水産大臣による報告徴収
等

3．家畜人工授精等に関する規制違反に対する抑止力の強化

○ 行政命令の新設
・ 特定家畜人工授精用精液等に係る規制違反に対する農林水産大臣の是正命令
・ 不適正流通の場合の農林水産大臣又は都道府県知事による回収・廃棄命令
○ 新たな規制措置に対する違反への罰則を措置し、罰金を引き上げ
・ 家畜人工授精用精液等の譲渡制限違反
・ 農林水産大臣又は都道府県知事による回収・廃棄命令違反
等

1．不正競争行為の定義

家畜遺伝資源に対する以下の成果冒用行為を不正競争として類型化
① 詐欺等による家畜遺伝資源の取得又は管理の委託を受けた家畜遺伝資源の領得
② ①により取得した家畜遺伝資源の使用、譲渡等
③ ①につき取得時に悪意・重過失の転得者による使用、譲渡等
等

2．民事上の救済措置の整備

家畜遺伝資源に対する不正競争への民事的な救済措置として、以下の措置を整備。
○ 差止請求
不正競争により営業上の利益を侵害され、又は侵害のおそれがある生産事業者による、侵害の停止又は予防の請求を可能とする差止請求を規定
○ 損害賠償請求、信用回復措置
不正競争を行った侵害者に対する損害賠償請求や信用回復措置を規定
○ 民事訴訟手続の特例規定
損害賠償請求訴訟に関する損害額の推定や裁判所による書類提出命令等の規定を整備
等

3．刑事罰による抑止

家畜遺伝資源に対する不正競争への抑止力強化のため、罰則を導入。
図利加害目的を持った以下の違法行為
① 詐欺等の違法な手段による取得、領得、使用、譲渡等
② 悪意の転得者による使用・譲渡等
③ ①又は②の使用行為により生じた派生物（家畜又は受精卵）の使用・譲渡等
④ ③の違法使用により生じた二次的な派生物（家畜、精液又は受精卵）の譲渡等
等

資料：農林水産省作成

第1章

109

第3節　世界の食料需給と食料安全保障の確立

　世界の食料需給は、人口の増加や開発途上国の経済発展による所得向上に伴う畜産物等の需要増加に加え、異常気象の頻発、水資源の制約による生産量の減少等、様々な要因によって逼迫（ひっぱく）する可能性があります。このような世界の食料需給を踏まえ、我が国の食料の安定供給は、国内の農業生産の増大を図ることを基本とし、これに輸入及び備蓄を適切に組み合わせることにより確保することが必要です。

（1）世界の食料需給の動向

（世界全体の穀物の生産量、消費量は前年度に比べて増加）

　2019/20年度における世界の穀物全体の生産量は、とうもろこし、米が降雨過多等による影響で減少するものの、小麦が主に単収の伸びにより増加することから、前年度に比べて0.4億 t （1.5%）増加の26.7億 t となり、2年連続で増加する見込みです（図表1-3-1）。

　また、消費量は、開発途上国の人口増加、所得水準の向上等に伴い、近年一貫して増加傾向で推移しており、前年度に比べて0.3億 t （1.0%）増加の26.7億 t となる見込みです。

　この結果、期末在庫量は前年度から0.04億 t の減少となり、期末在庫率は29.8%と前年度（30.3%）を下回る見込みです。

図表1-3-1　世界全体の穀物の生産量、消費量、期末在庫率

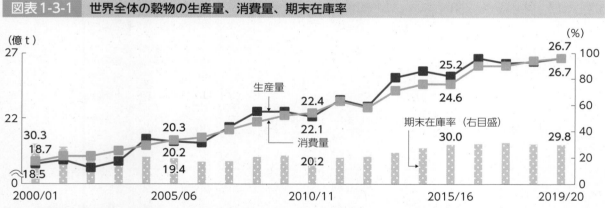

資料：米国農務省「PS&D」、「World Agricultural Supply and Demand Estimates」を基に農林水産省作成（令和2（2020）年3月時点）
注：1）穀物は、小麦、粗粒穀物（とうもろこし、大麦等）、米（精米）の合計
　　2）期末在庫率＝期末在庫量÷消費量×100

　2019/20年度における世界の穀物等の生産量を品目別に見ると、小麦は、豪州で乾燥の影響が継続しているものの、EU、ウクライナ、インド、中国等で増加することから、前年度に比べて4.5%増加し、7.6億 t となる見込みです（図表1-3-2）。

　とうもろこしは、南アフリカ、中国、ロシア等で増加となるものの、米国、メキシコ等で減少することから、前年度に比べて1.0%減少し、11.1億 t となる見込みです。

　米は、タイで減産するものの、インドで増加することから、前年度並みの5.0億 t となる見込みです。

　大豆は、ブラジル、中国等で増加するものの、米国等で減少することから、前年度に比べて4.7%減少し、3.4億 t となる見込みです。

また、生産量が消費量を上回った小麦、米の期末在庫率は、それぞれ38.0％、37.0％となる一方で、消費量が生産量を上回ったとうもろこし、大豆の期末在庫率は、それぞれ26.2％、29.3％となる見込みです。

| 図表1-3-2 | 世界全体の穀物の生産量、消費量、期末在庫率（2019/20年度） |

（単位：百万t）

品目	生産量	対前年度増減率（%）	消費量	対前年度増減率（%）	期末在庫量	対前年度増減率（%）	期末在庫率（%）	対前年度増減差（ポイント）
小麦	764.49	4.5	754.93	2.4	287.14	3.4	38.0	0.4
とうもろこし	1,112.01	− 1.0	1,135.47	− 0.8	297.34	− 7.3	26.2	− 1.9
米	499.31	− 0.0	492.32	1.2	182.30	4.0	37.0	1.0
大豆	341.76	− 4.7	350.07	2.1	102.44	− 8.4	29.3	− 3.4

資料：米国農務省「World Agricultural Supply and Demand Estimates」を基に農林水産省作成（令和2（2020）年3月時点）

　穀物等の国際価格については、主要生産国での天候不順等により、平成20（2008）年には小麦と米が、平成24（2012）年にはとうもろこしと大豆が過去最高水準を記録しました（図表1-3-3）。その後は、世界的なとうもろこし等の豊作や南米での大豆の増産等により、全般的に低下傾向で推移し、落ち着きを見せています。

| 図表1-3-3 | 穀物等の国際価格 |

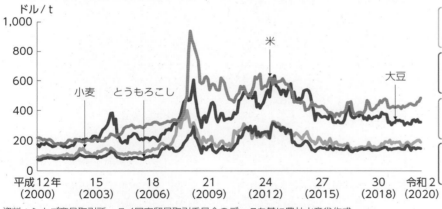

小麦　191.5ドル／t
過去最高価格470.3ドル／t
平成20（2008）年2月27日

とうもろこし　148.5ドル／t
過去最高価格327.2ドル／t
平成24（2012）年8月21日

米　487ドル／t
過去最高価格1,038ドル／t
平成20（2008）年5月21日

大豆　324.5ドル／t
過去最高価格650.7ドル／t
平成24（2012）年9月4日

資料：シカゴ商品取引所、タイ国家貿易取引委員会のデータを基に農林水産省作成
注：1）小麦、とうもろこし、大豆の価格は、各月ともシカゴ商品取引所の第1金曜日の期近価格
　　2）米の価格は、タイ国家貿易取引委員会公表による各月第1水曜日のタイうるち精米100％2等のFOB価格。FOBはFree On Board
　　　の略。国際的売買契約の約款の1つで、売主は船積港で指定の船舶に物品を積み込むまでの一切の責任と費用を持つ。
　　3）令和2（2020）年3月時点

　なお、穀物等の国際需給は総じて安定しているものの、内訳は大きく変化しています（図表1-3-4）。例えば、小麦については、この20年間にロシア・ウクライナの増産・輸出増が顕著となり、米国の輸出国としての地位は相対的に低下しています。一方、輸入は、アジア・アフリカ地域で大きく増加し、特に、東南アジアでは、食の西洋化により肉食や小麦食へのシフトが進み、小麦の輸入が大きく増加しています。

図表1-3-4　小麦の国際需給構造の変化

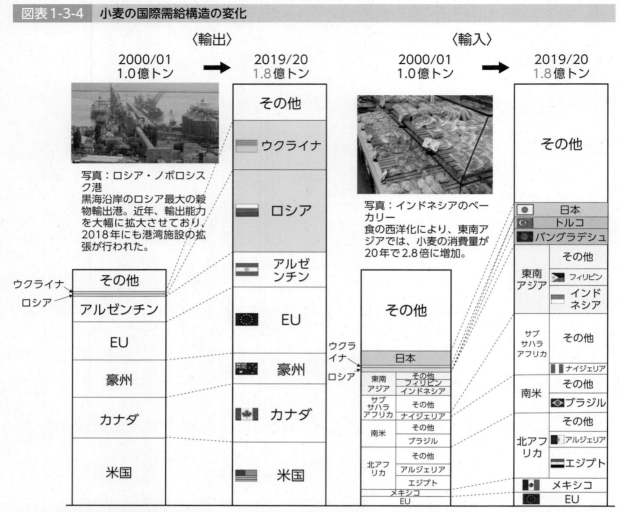

〈輸出〉

2000/01
1.0億トン
→
2019/20
1.8億トン

写真：ロシア・ノボロシスク港
黒海沿岸のロシア最大の穀物輸出港。近年、輸出能力を大幅に拡大させており、2018年にも港湾施設の拡張が行われた。

〈輸入〉

2000/01
1.0億トン
→
2019/20
1.8億トン

写真：インドネシアのベーカリー
食の西洋化により、東南アジアでは、小麦の消費量が20年で2.8倍に増加。

資料：米国農務省「World Agricultural Supply and Demand Estimates」を基に農林水産省作成（令和元（2019）年8月時点）
注：2019/20の輸入について国名表記している国は、輸入量500万t以上の国（日本は590万t）

（世界の食料需給の見通し）

　世界の人口は、令和元（2019）年では77.1億人と推計されていますが、今後も開発途上国を中心に増加することが見込まれており、令和32（2050）年には97.4億人になると見通されています。

　このような中、世界の穀物等の需要は、人口増加や食生活の多様化、経済成長に伴い、食用の需要が増加するとともに、多くの穀物等を飼料とする肉類の需要が大幅に増加することから、今後、全体として増加する見込みです。

　令和32（2050）年における主要4作物（小麦、とうもろこし、米、大豆）の需給を地域別に見通すと、輸入地域であるアジア、アフリカ等では、人口増加、食生活の多様化等により、生産増加が消費増加に追い付かず、純輸入量が更に増加する見込みです。また、このような輸入地域への食料供給を担う形で、輸出地域である北米、中南米、オセアニア及び欧州では、純輸出量が更に増加する見込みです（図表1-3-5）。

　このように、世界の食料需給は、長期的に輸入地域と輸出地域の差が更に拡大すると見込まれており、ひとたび異常気象等により輸出国が減産した場合、需給バランスが崩れ、我が国にとっても、他の輸入国との競合が厳しくなることが想定されます。このため、引

き続き、国際需給の動向を注視し、食料安全保障[1]に万全を期する必要があります。

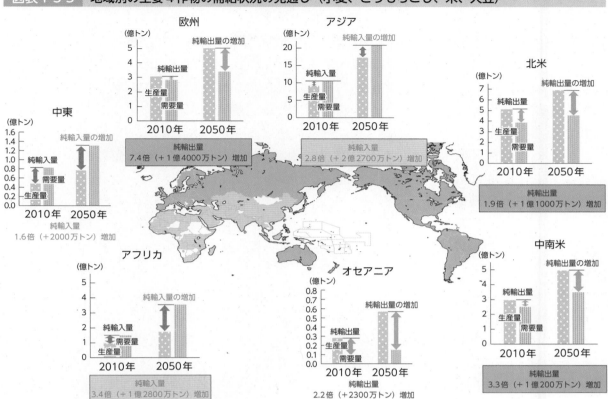

図表1-3-5　地域別の主要4作物の需給状況の見通し（小麦、とうもろこし、米、大豆）

資料：農林水産省「2050年における世界の食料需給見通し」
注：1）純輸出入量は生産量と需要量の差により算出しており、純輸出入量がプラスの時は輸出、マイナスの時は輸入となる。
　　2）色つきの国は、本見通しの対象国である。そのうち、緑色は2050年において輸出超過となる地域の国であり、橙色は輸入超過となる地域の国である。

　また、原料の多くを海外に依存する食品加工業者や飼料製造業者に対し、世界の穀物等の需給状況や見通し等の情報を幅広く提供することで、安定的な原料調達につなげることが重要です。情報収集に当たっては、国立研究開発法人宇宙航空研究開発機構（JAXA）との連携により人工衛星から取得した気象データ等も活用し、世界の主要生産地域における穀物等の作柄情報の収集・分析を広範囲に進めることとしています。

（農産物の生産において気候変動等の不安定要素が存在）

　農産物の生産においては、気候変動を始め、水資源の制約や土壌劣化等の不安定要素が存在し、穀物需給が逼迫するリスクも指摘されています。

　平成30（2018）年10月に公表されたIPCC[2]の1.5℃特別報告書[3]では、地球温暖化が現在の度合いで続けば、令和12（2030）年から令和34（2052）年までの間に、工業化以前の水準からの気温上昇が1.5℃に達する可能性が高いとされています。さらに、気温上昇幅が2℃となった場合、1.5℃の場合と比べて、極端な高温が顕著になるとともに、地域によっては強い降雨現象、干ばつ、少雨が増加するといったリスクが更に高まると予測されています。

1　用語の解説3（1）を参照
2　気候変動に関する政府間パネル（Intergovernmental Panel on Climate Change）の略
3　正式名称は、「気候変動の脅威への世界的な対応の強化、持続可能な発展及び貧困撲滅の文脈において工業化以前の水準から1.5℃の気温上昇にかかる影響や関連する地球全体での温室効果ガス（GHG）排出経路に関する特別報告書」

（2）総合的な食料安全保障の確立

（不測の事態に備えてリスクを分析・評価し、演習を実施）

　国民に対する食料の安定的な供給は、国内の農業生産の増大を図ることを基本とし、これに輸入及び備蓄を適切に組み合わせることにより確保することが必要です。しかしながら、世界の人口増加等による食料需要の増大や異常気象による生産減少等、我が国の食料の安定供給に影響を及ぼす可能性のある様々なリスクが顕在化しつつあり、将来の食料需給の逼迫が懸念されています。また、自然災害や輸送障害、新型コロナウイルス感染症等の新たな感染症の発生等の一時的・短期的に発生するリスクも存在しています。

　このため、農林水産省では、不測の事態に備えて、食料の安定的な供給に関するリスクの影響等を定期的に分析・評価しています。令和元（2019）年度は、諸外国と比較した我が国の食料安全保障政策の点検を実施しました。その結果、各国の食料安全保障政策は、農業の状況、地理的条件、歴史的背景等、それぞれの国が置かれている環境が影響しており、これらの環境の中で、食料供給の起こり得るリスクを踏まえ、国内の食料供給や、農業貿易、備蓄・不測時対応の考え方が形成され、独自の施策が実施されていると評価されました。このような各国の取組を参考に、我が国として、今後新たな要因を分析し、対応策やこれまでの取組の強化を検討していく必要があります（図表1-3-6）。

　また、国内における不作や輸入の大幅な減少等、食料の安定的な供給に影響を及ぼす不測の事態が生じた場合には、その影響を軽減するため、政府として講ずべき対策の内容等を示した「緊急事態食料安全保障指針」に基づき対応することとしています。令和元（2019）年度は、不測時に食料供給の確保が迅速に図られるよう、同指針に即した緊急的な食料の増産等の方策を点検・確認するシミュレーション演習を実施しました。

　政府は、国内の生産量の減少や海外における不測の事態の発生による供給途絶等に備えるため、食料等の備蓄を行っています。米にあっては政府備蓄米の適正備蓄水準[1]に基づき100万t程度を、食糧用小麦にあっては国全体として外国産食糧用小麦の需要量の2.3か月分を、飼料穀物にあっては国全体としてとうもろこし等100万t程度をそれぞれ備蓄しています。また、地方公共団体の備蓄は、大規模な自然災害等に備え、飲料水や食料を対象に行われています[2]。

1　10年に1度の不作や通常程度の不作が2年連続した事態にも国産米をもって対処し得る水準
2　地方公共団体による備蓄は、都道府県、市町村等の行政と災害時応援協定を締結した民間事業者が実施

図表1-3-6　諸外国と比較した我が国の食料安全保障政策

国内農業生産の増大

- ▶ 諸外国では、国内農業生産により、食料供給を確保することを重視。
- → 我が国では、農業者の高齢化・減少を踏まえ、持続可能な農業生産基盤の強化を図っていく必要。
- ▶ 諸外国では、輸出を重視。
- → 我が国では、輸出を促進することにより、海外マーケットの拡大による農業生産基盤の強化を図ることを重視していく必要。
- ▶ EUでは、CAP政策の中で青年農業者支援政策などの農業人材確保策を実施。
- → 我が国では、雇用就農や若者、女性の域外からの転入による就農など、多様な人材を確保するための取組を進めていく必要。
- ▶ スイスでは、持続可能な食料消費を重視。
- → 我が国では、一人でも多くの消費者に、自らの消費行動が農業・農村の将来に密接に関連することを認識してもらうため、食育の推進、食品ロスの削減、食と農の理解促進や国産農産物の消費拡大、持続的な生産・消費に向け、関係者が連携して消費者の具体的行動を促す施策を検討していく必要。
- ▶ 欧州では、生産性向上とともに、環境保全を重視して精密農業を推進。欧米では、大規模営農におけるデータ農業の取組が拡大。
- → 我が国では、農業者の減少・高齢化が進む中で、農業生産の持続性を確保し、生産性を向上するため、スマート農業の現場実装に向けた取組を進めて行く必要。

安定的な輸入の確保

- ▶ 諸外国では、国内自給と同様に、海外からの食料調達も重視。
  また、世界では、国際的枠組みなどを通じて、関係国との良好な関係を維持するための取組を実施。ABCDなどの穀物メジャーは、生産国に穀物集荷ルートを有し、高い情報収集能力。
- → 我が国では、関係国との良好な関係を維持するための取組を進めるとともに、作柄だけでなく、輸入相手国の物流・インフラの状況など、幅広い情報収集の強化を図っていく必要。
- ▶ 主要輸入先国や発展途上国などにおける主要農作物の作柄を正確・迅速に把握するために衛星データの利活用に向けた研究を実施する必要。
- ▶ 食料輸入国である我が国においては、輸出禁止・規制に関する規律強化が図られるよう国際交渉を進める必要。

備蓄、不測時に備えた平時からの取組

- ▶ 諸外国では、食料備蓄は縮小される方向。
- → 島国である我が国においては、国内における米の不作や海外からの食糧用小麦、飼料穀物の供給遅滞・途絶等の不測の事態に対応するため、引き続き適正な備蓄水準を確保する必要。
- ▶ ドイツでは、経口ワクチン散布により、2009年にCSF清浄化を達成。
- → グローバル化の進展により、ヒト、モノの往来が頻繁になる中で、水際における家畜の伝染性疾病や植物の病害虫の侵入防止策を万全にするとともに、国内で発生した場合には、迅速なまん延防止措置を講じる必要。
- ▶ 米国では、収入保険プログラム（RP）等を実施。
  英国では、緊急時に国、地方公共団体、民間が連携して対応を図る仕組み。
- → 収入保険などの施策の現場への周知及び加入促進、食品産業事業者によるBCPの策定を促進する等、不測時の備えの強化を進めていく必要。
- → 「緊急事態食料安全保障指針」に関するシミュレーション演習」を踏まえ、不測時の食料安全保障を強化するために、生産転換のより定量的な検討などを進めていく必要。

資料：農林水産省作成

（輸入農産物の安定供給の確保に向け相手国との良好な関係の維持・強化等が重要）

　我が国の農水産物の輸入金額は、近年、為替の円安を受けた輸入物価の上昇もあり、増加傾向にありますが、物価の変動を除けば長期的には減少傾向で推移してきています（図表1-3-7）。この背景としては、総人口ベースの総供給熱量[1]が減少していることが考えられます。

図表1-3-7　我が国の農水産物の輸入額と実質輸入額

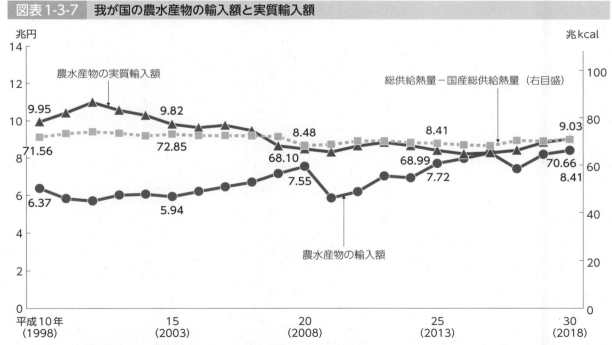

資料：農林水産省「食料需給表」、「農林水産物輸出入概況」、財務省「貿易統計」、日本銀行「企業物価指数」を基に農林水産省作成
注：1）農水産物の実質輸入額は、輸入額と輸入物価指数（飲食料品・食料用農水産物）で品目構成が異なるため参考試算
　　2）供給熱量は、総人口、年ベース

1　用語の解説3（1）を参照

　令和元（2019）年の輸入額は前年比0.4％減少の6兆5,946億円となりました。

　国別輸入額割合を見てみると、米国が21.6％、次いで中国が10.9％、豪州、タイ、カナダと続いています（図表1-3-8）。

　また、品目別に見ると、とうもろこしは前年比3.2％増加の3,841億円、牛肉は前年比0.1％増加の3,851億円、豚肉は前年比3.8％増加の5,051億円、鶏肉は前年比3.4％増加の1,357億円となりました。一方、小麦は前年比11.3％減少の1,606億円、大豆は前年比1.6％減少の1,673億円、生鮮・乾燥果実は前年比0.2％減少の3,470億円となりました。

　海外からの輸入に依存している主要農産物の安定供給を確保するため、輸入相手国との良好な関係の維持・強化や関連情報の収集等を通じて、輸入の安定化や多角化を図ることが重要です。

図表1-3-8　我が国の主要農産物の国別輸入額割合（令和元（2019）年）

（農産物全体）

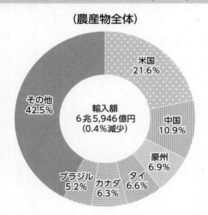

（小麦）

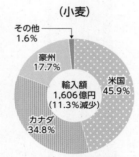

（大豆）

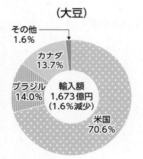

（とうもろこし）

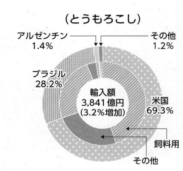

資料：財務省「貿易統計」を基に農林水産省作成
注：円グラフ中央の（　）は前年比

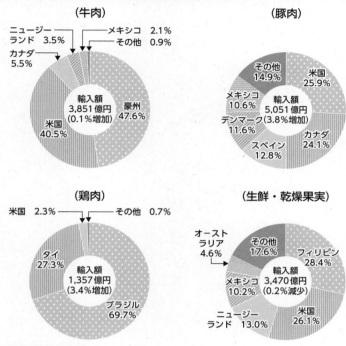

（牛肉）

輸入額
3,851億円
（0.1％増加）

- 豪州　47.6%
- 米国　40.5%
- カナダ　5.5%
- ニュージーランド　3.5%
- メキシコ　2.1%
- その他　0.9%

（豚肉）

輸入額
5,051億円
（3.8％増加）

- 米国　25.9%
- カナダ　24.1%
- スペイン　12.8%
- デンマーク　11.6%
- メキシコ　10.6%
- その他　14.9%

（鶏肉）

輸入額
1,357億円
（3.4％増加）

- ブラジル　69.7%
- タイ　27.3%
- 米国　2.3%
- その他　0.7%

（生鮮・乾燥果実）

輸入額
3,470億円
（0.2％減少）

- フィリピン　28.4%
- 米国　26.1%
- ニュージーランド　13.0%
- メキシコ　10.2%
- オーストラリア　4.6%
- その他　17.6%

資料：財務省「貿易統計」を基に農林水産省作成
注：円グラフ中央の（　）は前年比

（3）農産物の貿易交渉

（EPA/FTA交渉が進展）

　世界の貿易ルールづくり等が行われるWTO[1]では、これまで数次の貿易自由化交渉が行われてきました。平成13（2001）年に開始されたドーハ・ラウンド交渉は、依然として、開発途上国と先進国の溝が埋まらず、農業については交渉に進展がみられていません。

　一方、特定の国・地域間で貿易ルールを取り決めるEPA/FTA[2]の締結が世界的に進み、令和元（2019）年12月時点では320件[3]に達しています。

　我が国においても、海外の成長市場の取り込みを図るため、戦略的かつスピード感を持ってEPA/FTA交渉を進め、近年では、TPP11（平成30（2018）年12月発効）や日EU・EPA（平成31（2019）年2月発効）が発効しています。この結果、令和元（2019）年度末時点で、18のEPA/FTAを発効済・署名済です（図表1-3-9）。

　このほか、東アジア地域包括的経済連携（RCEP）、日中韓FTA、日コロンビアEPA、日トルコEPAが交渉継続中、日・湾岸協力理事会（GCC）FTA、日韓FTA、日カナダEPAが交渉延期又は中断となっています。

1、2　用語の解説3（2）を参照
3　独立行政法人日本貿易振興機構（JETRO）「世界と日本のFTA一覧（2019年12月）」

図表1-3-9　我が国におけるEPA/FTA交渉の状況

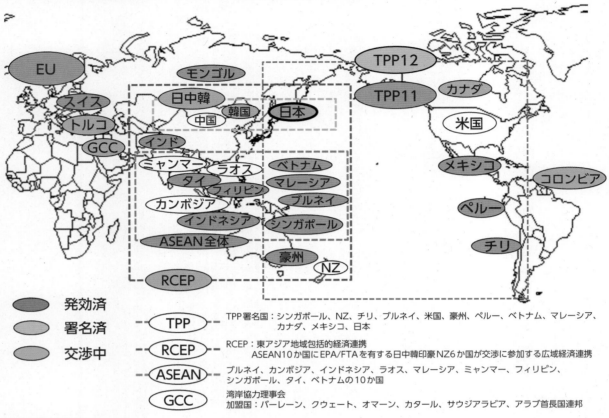

発効済
署名済
交渉中

TPP｜TPP署名国：シンガポール、NZ、チリ、ブルネイ、米国、豪州、ペルー、ベトナム、マレーシア、カナダ、メキシコ、日本

RCEP｜RCEP：東アジア地域包括的経済連携
ASEAN10か国にEPA/FTAを有する日中韓印豪NZ6か国が交渉に参加する広域経済連携

ASEAN｜ブルネイ、カンボジア、インドネシア、ラオス、マレーシア、ミャンマー、フィリピン、シンガポール、タイ、ベトナムの10か国

GCC｜湾岸協力理事会
加盟国：バーレーン、クウェート、オマーン、カタール、サウジアラビア、アラブ首長国連邦

資料：農林水産省作成

（日米貿易協定が発効）

日米貿易協定はトピックス2参照

（4）国際関係の維持・強化

（対話と協力を通じた国際関係の維持・強化）

国民生活に必要となる農産物の輸入の安定、拡大する世界の食市場をターゲットとした農産物の輸出増加、さらには、我が国の食産業[1]の海外展開の加速化を通じて、我が国の食料安全保障の確立を目指すには、良好な国際関係の維持・強化が必要です。

このため、農林水産省では日常的に諸外国の食料・農業担当部局や国際機関と情報交換を行い、関係の維持・強化を図っています。

2020年1月　クレックナードイツ食料・農業大臣と会談を行う江藤農林水産大臣（ドイツ）

また、多くの国や国際機関が参加する国際会議等の際には、参加国・機関の閣僚等と二国間会談等を実施し、輸入規制の撤廃や緩和等の要請を行っています。令和元（2019）年度には、5月に新潟県新潟市で開催されたG20新潟農業大臣会合、8月にチリで開催された第5回APEC食料安全保障担当大臣会合、同じく8月に神奈川県横浜市で開催された第7回アフリカ開発会議（TICAD 7）や令和2（2020）年1月にドイツで開催さ

1　食産業とは、農林水産物の生産から製造・加工、流通、消費に係る幅広い産業を指し、花き、種苗、農業関連資材、農業機械・食品機械等の関連する産業も含む。

れたベルリン農業大臣会合に農林水産大臣が出席し、会議の合間に参加国・機関の閣僚等との会談を行いました。

　さらに、我が国の農林水産物の輸出や農業技術に関する連携等の観点から重要な国とは、定期的に二国間政策対話を実施しています。例えば、8月に開催された大臣級の第4回日ブラジル農業・食料対話においては、税制・通関等の各種手続の改善、穀物輸送インフラの改善等、ブラジルでの投資・ビジネスの改善に向けた意見交換を行いました。また、11月に開催された第9回日中農業担当省事務次官級対話では、日中両国の農業政策の動向及び農業交流・協力の状況を紹介し、今後とも二国間の交流・協力を発展させることで一致しました。

コラム　日本の魅力を世界に発信！〜G20新潟農業大臣会合〜

　令和元（2019）年5月、農林水産大臣を議長とする、G20新潟農業大臣会合が新潟県新潟市で開催され、「人づくり・新技術」「フードバリューチェーン」「SDGs」の3つの主議題について、34の国・国際機関の代表が議論を行いました。農林水産大臣からは、持続可能な農業の取組事例として、スマート農業の農業生産現場への導入、東日本大震災の被災地域での高品質農産物の生産を紹介しました。

　また、新潟市立高志中等教育学校の生徒が英語で、効率的水利用を可能とする技術導入や、先進国と途上国が協力して低コストの技術開発を行う「農業オリンピック」の開催を提案しました。

　さらに、現地視察においては、自動走行トラクター、自動走行田植機、ドローン、情報一元化システム等の水田農業における先進技術の実演を視察しました。

　また、会合には米国、EU、中国を含む18人の農業担当大臣が参加しましたが、農林水産大臣はこの全てと二国間会談を行い、農産物の輸出解禁の要請や農業分野での連携について意見交換し、我が国の農業の持続的発展のための二国間関係の維持・強化に努めました。

高校生から提言書を受け取る農林水産大臣

スマート農業を視察する参加閣僚

（グローバル・フードバリューチェーン（GFVC）の構築の推進）

　我が国には、長年培ってきた高度な農業生産・食品製造・流通システム、高品質コールドチェーン、環境負荷軽減技術等、「強み」となる様々な食関連の技術・ノウハウがあります。これらを生かし、アジア・アフリカ等の途上国を含め、フードバリューチェーン[1]の構築を推進することは、我が国の農林水産物の輸出促進や、海外展開を通じた我が国の食産業の発展にとって重要です。

　このため、農林水産省においては、平成26（2014）年に海外展開を検討する企業、政

1　農林水産物の生産から製造・加工、流通、消費に至る各段階の付加価値を高めながらつなぎ合わせ、食を基軸とする付加価値の連鎖をつくること

府関係機関等からなるGFVC推進官民協議会を立ち上げ、官民参加の二国間対話や官民ミッション等を通じて、日本企業の海外展開を支援してきました。

　令和元（2019）年度においても、ロシア、ブラジル等6か国と二国間対話等を行うとともに、インド、モザンビーク等4か国に官民ミッションを派遣したところですが、これまでの取組により、例えば、以下のような成果が得られています。

　平成28（2016）年、平成29（2017）年にロシア極東への官民ミッションに参加した機械製造業者は、訪問先のウラジオストク漁業港との間で水産物用冷却施設の納入契約を締結するに至りました。また、平成30（2018）年以降のインドとの二国間協議等においては、日本醤油の輸出・現地生産の障壁となっていた、粘度の高いものしか醤油と認めないインド独自基準について見直しを要請したところであり、現在、インド側において、この基準を見直すための国内手続の検討が進められています。さらに、カンボジアにおいては、現地企業の要請に応じて農林水産省が日本の製菓会社を紹介したことが契機となり、平成30（2018）年に米菓を製造する合弁会社が設立され、平成31（2019）年1月以降、豪州向けの輸出が行われているところです。

　以上のような成果も踏まえつつ、今後とも、輸出と海外展開の一体的な推進、地方の中小企業の海外展開の支援、複数企業の連携による海外展開の推進に重点的に取り組み、我が国の食産業の海外展開を促進していくこととしています。

ウラジオストク漁業港に建設予定の
水産物用冷却施設（イメージ図）

事例　メイド・イン・マラウイを支える日本のものづくり（愛媛県）

　愛媛県伊予市の合同会社エヌエスコーポレーションは、平成11（1999）年に設立され、社員7人で運営されています。農業者や漁業者の求めに応じ、農水産物の殺菌装置、低温乾燥装置を製造し、国内のみならず、中国で開催された「大連日本商品展覧会」等の機会も活用し、東南アジア・アフリカ等の開発途上国でも販路を開拓しています。

　マラウイに進出したのは、同国から愛媛大学に留学した学生が同社に来た際に「祖国は貧しいにもかかわらず、農産物が適切に保管されないままになっている。これを使って産業を興したい」「メイド・イン・マラウイの製品を作りたい」と語ったのがきっかけです。マラウイは、サブサハラの内陸部にある人口約1,814万人の国です。労働人口の8割が農業関連に従事し、タバコ・紅茶等を輸出する一方、主食用食料を輸入に頼っており、モノカルチャーからの脱却と新産業の育成が喫緊の課題となっています。

マラウイにおいて食品衛生指導を
行った仲井さんと受講した
食品製造事業者

　このため、同社創業者の仲井利明さんは、同社の装置を現地に持ち込み、衛生管理方法を伝えつつ、おいしい乾燥食品の開発・製造を支援しています。仲井さんは「国際協力は一過性ではダメ。現地で使ってもらえる装置を作って現地で教え、マラウイの発展にも貢献していきたい」と語っています。

（TICAD 7 を契機としたアフリカとの関係強化）

　アフリカでは、農業は人口の５割以上が従事する主要産業ですが、小規模農家による自給自足的農業が中心となっており、農業者の組織化、生産性の向上、加工・保存・流通等の技術導入が課題となっています。

　このため、我が国は、平成20（2008）年に開催された第４回アフリカ開発会議（TICAD Ⅳ）において、今後10年間でサブサハラ・アフリカにおける米の生産量を1,400万ｔから2,800万ｔに倍増させる目標を掲げ、「アフリカ稲作振興のための共同体（CARD）」を立ち上げました。この目標については、アフリカの努力と我が国の高収量イネの開発・普及、稲作やかんがいに関する技術指導等により達成することができました。

　また、令和元（2019）年８月に開催された第７回アフリカ開発会議（TICAD 7）においては、令和12（2030）年までにサブサハラ・アフリカにおける米の生産量を5,600万ｔまで更に倍増させることを目標とするCARDフェーズ２が発表され、更なる米の増産と高付加価値化に向けた取組が開始されることとなりました。

　このような取組に貢献するため、農林水産省は、平成30（2018）年以降、農林水産省の職員や元職員をケニア、ザンビア、セネガルの３か国に派遣し、派遣された職員等は、開発協力案件の形成や派遣先国政府への助言等を行いました。また、令和元（2019）年からは、園芸作物や稲作に関する知見を有する地方公共団体の元職員のアフリカ派遣にも取り組んでいます。

　このほか、アフリカの農業の産業化や栄養改善を進めるため、小規模農業者のグループがICT[1]技術を活用して共同購入・共同販売を行えるようにするための電子プラットフォームを構築する取組や、日本の農業技術・機械をアフリカ地域へ展開する取組を、官民一体となって進めているところです。

西アフリカ諸国で米の栄養価と保存性を保つ技術を伝える農林水産省からの派遣職員

1　用語の解説３（２）を参照

121

食料消費の動向と食育の推進

　今後、人口減少や高齢化により国内の食市場が量的に縮小する中で、消費者ニーズは多様化、個別化し、食の外部化[1]が一層進展していくことが見込まれています。国産志向や食べることへの関心の向上を目指し、国産農林水産物の消費拡大のため、食育の推進や和食文化の保護・継承に向けた様々な活動が展開されています。

（1）食料消費の動向

（飲食料の最終消費額は83.8兆円となり4年前に比べて増加）

　我が国で生産された食材及び輸入された食材は、流通・加工等の段階を経て、最終消費されます。平成27（2015）年においては、食用農林水産物11.3兆円（国内生産9.7兆円、輸入1.6兆円）と輸入加工食品7.2兆円が食材として国内に供給されました（図表1-4-1）。これらの食材は、食品製造業、食品関連流通業、外食産業を経由することで流通経費、加工経費、調理サービス代等が付加され、飲食料の最終消費額は83.8兆円となりました。

図表1-4-1　我が国の農林水産物の生産・流通・加工・消費の流れ（平成27（2015）年）

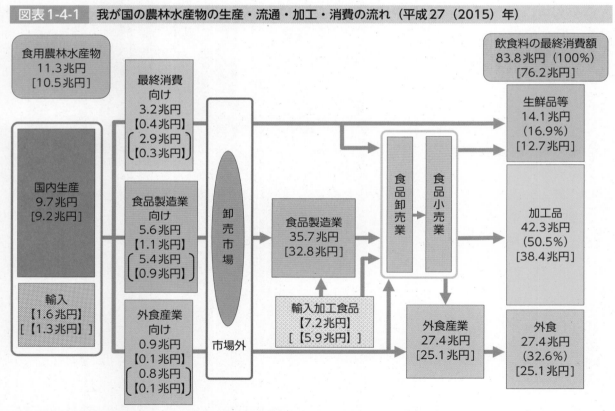

資料：農林水産省「平成27（2015年）農林漁業及び関連産業を中心とした産業連関表（飲食費のフローを含む。）」等を基に作成
　注：1）総務省等10府省庁「産業連関表」を基に農林水産省作成
　　　2）旅館・ホテル、病院、学校給食等での食事は「外食」に計上するのではなく、使用された食材費を最終消費額として、それぞれ「生鮮品等」及び「加工品」に計上している。
　　　3）加工食品のうち、精穀（精米・精麦等）、食肉（各種肉類）及び冷凍魚介類は加工度が低いため、最終消費においては「生鮮品等」として取り扱っている。
　　　4）【　】内は、輸入分の数値。［　］内は、最新の「平成27年産業連関表」の概念等に合わせて再推計した平成23（2011）年の数値
　　　5）市場外とは卸売市場を経由しない流通を指し、産地直送や契約栽培等の生産者と消費者・実需者との直接取引をいう。

1　用語の解説3（1）を参照

消費者が支払う飲食料の最終消費額は、平成7（1995）年以降、減少傾向にありましたが、平成27（2015）年は、円安に伴う輸入食品の価格上昇等により平成23（2011）年に比べ10%増加しました。

平成27（2015）年の飲食料の最終消費額の内訳を見ると、生鮮品等は14.1兆円、加工品は42.3兆円、外食は27.4兆円となり、食の簡便化や外部化等を背景として、加工品と外食の合計で、全体の8割を超えています。また、業種別の帰属額について見ると、食品製造業、食品関連流通業、外食産業の合計で、全体の87%を占めています（図表1-4-2）。

図表1-4-2　飲食料の最終消費額の推移

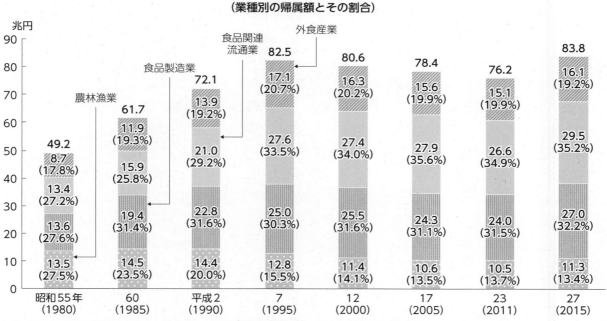

資料：農林水産省「平成27年（2015年）農林漁業及び関連産業を中心とした産業連関表（飲食費のフローを含む。）」
注：1）総務省等10府省庁「産業連関表」を基に農林水産省作成
　　2）平成23（2011）年以前については、最新の「平成27年産業連関表」の概念等に合わせて再推計した数値である。
　　3）（　）内は、飲食料の最終消費額に対する割合
　　4）帰属額とは、飲食料の最終消費額のうち、最終的に各業種に支払われることとなる額を示している。なお、食品関連流通業は食用農林水産物及び加工食品が最終消費に至るまでの流通の各段階で発生する流通経費の額を表している。

（60歳以下の食料消費額は長期的に減少傾向）

　二人以上の世帯において、1人1か月当たりの食料消費額を平成12（2000）年から令和元（2019）年にかけて年齢別に見てみると、70歳以上は304円増加の27,972円、60歳代は91円増加の28,723円と微増となっていますが、29歳以下、30歳代、40歳代ではいずれも1,500円以上減少しています（図表1-4-3）。60歳を目安に食料消費支出の傾向が異なり、60歳以下の年齢では長期的に減少傾向にあることがうかがえます。

　なお、令和元（2019）年は、外食、調理食品、飲料の需要の増加や消費税率引上げ実施前の酒類、飲料の需要の増加とあいまって、食料消費額は増加しました。60歳代では前年比1,015円増加、50歳代では889円増加しました。

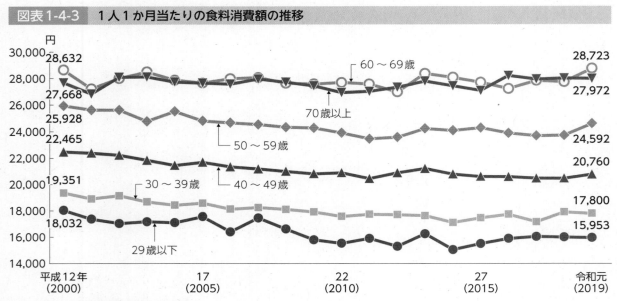

図表1-4-3　1人1か月当たりの食料消費額の推移

資料：総務省「家計調査」（全国・用途分類）
注：1）消費者物価指数（食料：平成27（2015）年基準）を用いて物価の上昇・下落の影響を取り除いた数値
　　2）世帯員数で除した1人当たりの数値

（年代によって分かれる食の志向）

　公庫が令和2（2020）年3月に公表した調査によると、消費者の食の志向を年齢別に見るとおおむね「健康志向」、「手作り志向」、「国産志向」は年齢に従って高くなる傾向にあります。一方で、「簡便化志向」、「経済性志向」、「美食志向」は年齢が低いほど高くなる傾向が見られます。支出が伸びている調理食品は、若年世代に需要があると言えます（図表1-4-4）。また、10年前と比べると「簡便化志向」は全ての年代で伸びており、特に20から40代ではいずれも10ポイント以上増加しています。「経済性志向」は、50代で8ポイント増加した一方、30代で7ポイント、40代で10ポイント減少しました。「安全志向」は、20から30代で5ポイント以上増加した一方、50から60代で5ポイント以上減少しました。

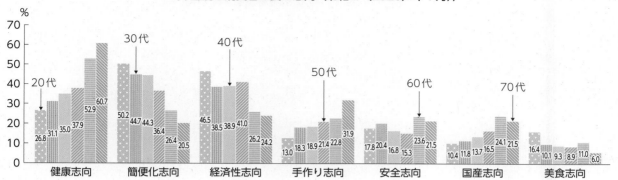

図表1-4-4　年齢別の消費者の食の志向

（年齢別の消費者の食の志向（令和2（2020）年1月））

（年齢別の平成22（2010）年と令和2（2020）年の比較（簡便化志向、経済性志向、安全志向））

（単位：%）

年代	簡便化志向		経済性志向		安全志向	
	平成22年 （2010年）	令和2年 （2020年）	平成22年 （2010年）	令和2年 （2020年）	平成22年 （2010年）	令和2年 （2020年）
20代	38.4	50.2	42.8	46.5	11.3	17.8
30代	32.8	44.7	45.6	38.5	14.5	20.4
40代	31.6	44.3	49.1	38.9	15.4	16.8
50代	28.5	36.4	33.0	41.0	20.5	15.3
60代	16.8	26.4	25.6	26.2	29.1	23.6

資料：株式会社日本政策金融公庫「消費者動向等調査」（令和2（2020）年1月調査及び平成22（2010）年6月調査）を基に農林水産省作成
注：令和2（2020）年1月調査は、全国の20歳代から70歳代の男女2千人を対象としたインターネットによるアンケート調査。平成22（2010）年6月調査は、全国の20歳代から60歳代の男女2千人を対象としたインターネットによるアンケート調査

　食べることへの関心度に関する調査によると、食べることに関心があるのは全体の8割となっていますが、令和元（2019）年を平成28（2016）年と比較すると、60代を除く全ての年代で関心が低下しています（図表1-4-5）。年齢別にみると、年齢が高くなるほど食べることに関心を持っている割合が高くなる傾向にあります。

　「食べることに関心がある」とした理由は、「おいしいものを食べること」（66.8%）が最多となり、平成28（2016）年から9.9ポイント増加しています。若い世代では「おいしいものを食べること」、「おなか一杯になること」の割合が高く、高齢世代では「色々な種類・味のものを食べること」、「人と一緒に食べること」の割合が高くなっています。

　高齢世代は食べることに対して多様な志向・目的を意識しており、若年世代は経済性と美食を意識してると言えます。

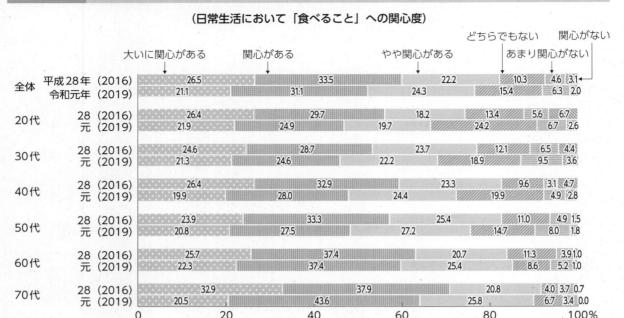

図表1-4-5　食事への関心度

（日常生活において「食べること」への関心度）

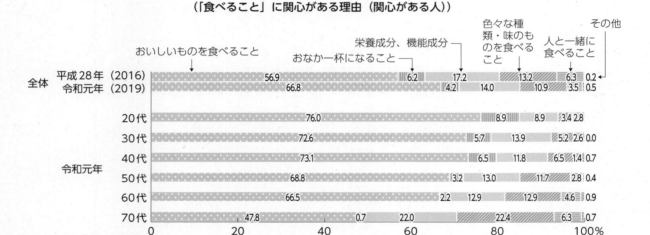

（「食べること」に関心がある理由（関心がある人））

資料：株式会社日本政策金融公庫「食生活に関する消費者動向調査」（令和元（2019）年7月調査）
注：全国の20歳代から70歳代の男女2千人を対象としたインターネットによるアンケート調査

　また、食料消費額の内訳を平成20（2008）年、平成25（2013）年、平成30（2018）年で比較してみると、各年代で生鮮食品の消費額は減少した一方、調理食品と外食の消費額は増加しています[1]。

　二人以上の世帯で調理食品の支出を平成21（2009）年、平成26（2014）年、令和元（2019）年で比較してみると、10年前と比べて弁当、すし等の主食的調理食品は294円増加し、サラダ、総菜、ミールキット等の他の調理食品は361円増加しています。年齢別に調理食品の支出を見ると、特に60歳代では1,040円増加と大きく支出が伸びています（図表1-4-6）。

　一方、単身世帯では、二人以上の世帯に比べて調理食品の支出が多く、10年前と比べて主食的調理食品は83円増加し、他の調理食品は542円増加しています。特に35から59歳以下では862円増加と支出が伸びています。

1　平成30年度食料・農業・農村白書　第1章第4節を参照

図表1-4-6　1人1か月当たりの世帯主の年齢別調理食品への支出

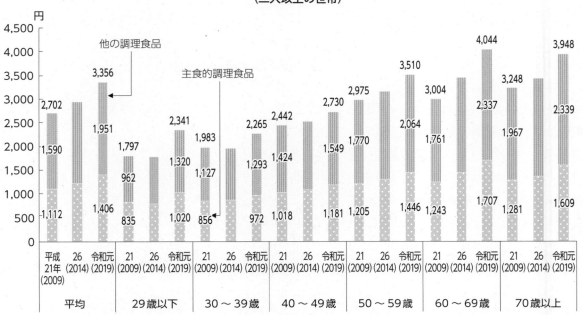

（二人以上の世帯）

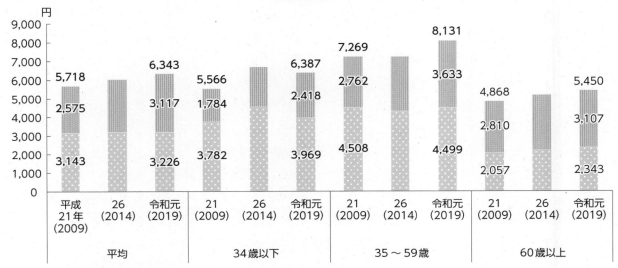

（単身世帯）

資料：総務省「家計調査」（全国・用途分類）
注：1）消費者物価指数（食料：平成27（2015）年基準）を用いて物価の上昇・下落の影響を取り除いた数値
　　2）世帯員数で除した1人当たりの数値

（2）食育の推進と国産農林水産物の消費拡大、和食文化の保護・継承

（「日本型食生活」の実践、フード・アクション・ニッポン、農林漁業体験機会の提供等を推進）

農林水産省では、食育の取組の一環として、消費者に健全な食生活の実践を促すため、栄養バランスに優れた「日本型食生活」の実践に向けた調理講習会や食育授業等の開催を支援しています。

フード・アクション・ニッポンアワード2019において受賞した10産品

「日本型食生活」は、我が国の気候風土に適した多様性のある食生活であり、地域や全国各地で生産される豊かな食材を用い、健康的で栄養バランスに優れています。ごはんと組み合わせる主菜、副菜等は、家庭での調理だけでなく、中食[1]、冷凍食品、レトルト食品等も活用する形で普及を図っています。

また、国産農林水産物の消費拡大に向けた取組として、民間企業・団体・行政等が一体となった国民運動「フード・アクション・ニッポン[2]」を進めています。令和元（2019）年度末時点で11,157社の「推進パートナー」が、国産農林水産物を使用した商品販売や国産の魅力発信等を行っています。この一環で、消費者に向けて国産農林水産物の魅力を発信するとともに、それらを広く消費者に届け、食する機会を増やすため、魅力ある優れた国産農林水産物を表彰する「フード・アクション・ニッポン　アワード」を毎年開催しています。令和元（2019）年度は入賞100産品、その中から受賞10産品、プレイベントでの消費者投票によって特別賞5産品が選定されました。受賞産品は、審査員である大手百貨店、流通、外食事業者、宿泊サービス10社が販売し、都市の消費者が地域の逸品を手にする機会につながっています。

さらに、消費者が生産者と直接会話したり、収穫体験等をすることで、国産農林水産物の魅力を知って、消費拡大につなげるため、我が国の農業や農林水産物、食文化について、見て、触れて、食べて、体験できるイベント「ジャパンハーヴェスト　2019丸の内農園」を令和元（2019）年11月に開催しました。2日間で12万人が来場し、来場者アンケートでは85％の人が「国産農林水産物の魅力や日本の食文化を再発見できた」と回答しました。

また、国産農林水産物の消費拡大の前提となる食や農林水産業への理解増進につながる農林漁業体験の機会が、全国の教育ファーム等で提供されています。酪農においては、一般社団法人中央酪農会議が体験の受入れや学校への講師派遣等を行う牧場を酪農教育ファームとして認証しており、平成30（2018）年度末時点で認証牧場数は289牧場となっています。

1　用語の解説3（1）を参照
2　民間企業・団体・行政等が一体となって、国民運動として推進する国産農林水産物の消費拡大の取組

<table>
<tr><td>コラム</td><td>農林水産省職員自らがYouTubeで国産農林水産物等の魅力を発信</td></tr>
</table>

　農林水産省の職員が、省公式YouTubeチャンネルでYouTuberとなり、その人ならではのスキルや個性を活かして、我が国の農林水産物の良さや農林水産業、農山漁村の魅力を発信するプロジェクト「BUZZ MAFF」が、令和2（2020）年1月から始まりました。

タガヤセキュウシュウ

　チャンネルの一つである「タガヤセキュウシュウ」では、九州農政局職員の白石くんとノダさんが九州の農業の魅力を発信しています。令和2（2020）年2から3月にかけて、新型コロナウイルス感染症の影響に伴うイベントの中止等により、花きの需要が落ち込みました。農林水産省は「花いっぱいプロジェクト」を立ち上げ、「タガヤセキュウシュウ」で発信したところ、白石くんとノダさんの人柄や表現方法が話題となって、再生回数64万回（令和元（2019）年度末時点）と多くの反響を呼び、花きや生産農家に対する国民の関心を高めることができました。

日本茶チャンネル

　また、「日本茶チャンネル」では、農林水産省職員の御茶村さんが、お茶会の様子やおすすめのお茶の入れ方を紹介しています。今後も、お茶について勉強しながら様々な内容の動画で、お茶の魅力を発信することとしています。

さつまいも大好きチャンネル

　さらに、「さつまいも大好きチャンネル」では、さつまいもを愛してやまない農林水産省職員の渡邊さんが、毎回個性豊かなさつまいも好きをゲストに迎え、いつものいもが違って見えるきっかけづくりを目指して、さつまいもの魅力を発信しています。

　BUZZ MAFFでは、令和元（2019）年度末時点で本省・地方の14組の職員が発信しており、農山漁村の美しい景観や棚田等の魅力、特産品を活用したレシピ、農産物の豆知識等の様々な内容の動画を投稿していく予定です。

（和食文化の保護・継承の取組を推進）

　「和食；日本人の伝統的な食文化」[1] が平成25（2013）年12月にユネスコ無形文化遺産に登録されましたが、我が国では、食の多様化や家庭環境の変化等を背景に、和食文化の存在感が薄れつつあります。和食文化の保護・継承に当たっては、食生活の改善意識が高まりやすい子育て世代や若者世代等に対し、和食文化の良さを理解してもらい、実践してもらうことが重要です。令和元（2019）年度には、各地域が選定した郷土料理の

各地域が選定した郷土料理

歴史・レシピ等の調査・データベース化等を通じて情報発信を行うとともに、栄養士・保育士等を対象に、子供たちや子育て世代に対して和食文化の継承活動を行う中核的な人材

1　用語の解説3（1）を参照

を育成するための研修会等を開催しました。また、次世代を担う子供たちを対象に、和食や郷土料理に関するお絵描きや和食の知識と技を競うイベントとして、第4回「全国子ども和食王選手権」を実施しました。さらに、和食に関わる事業者と行政が一体となって子供たちや子育て世代に、中食・外食等も活用しながら身近・手軽に健康的な「和ごはん」を食べる機会を増やしてもらうための活動を推進しています。

　第3次食育推進基本計画では、令和2（2020）年度までに「地域や家庭で受け継がれてきた伝統的な料理や作法等を継承し、伝えている国民の割合」を50％以上、「地域や家庭で受け継がれてきた伝統的な料理や作法等を継承している若い世代の割合」を60％以上とすることを目標としています。令和元（2019）年度の食育に関する意識調査では、「地域や家庭で受け継がれてきた伝統的な料理や作法等を継承し、伝えている国民の割合」は47.9％（図表1-4-7）、「地域や家庭で受け継がれてきた伝統的な料理や作法等を継承している若い世代の割合」は61.6％でした（図表1-4-8）。前年度よりそれぞれ1.7ポイント、4.7ポイント減少していますが、第3次食育推進基本計画作成時[1]の調査結果と比べて、それぞれ6.3ポイント、12.3ポイント増加しています。

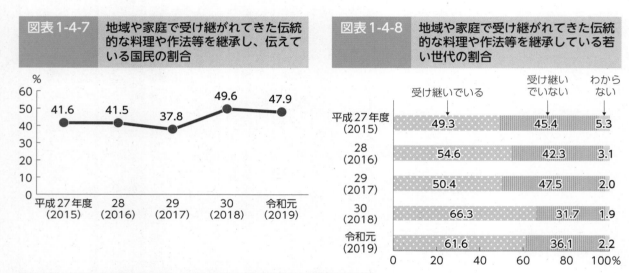

図表1-4-7　地域や家庭で受け継がれてきた伝統的な料理や作法等を継承し、伝えている国民の割合

図表1-4-8　地域や家庭で受け継がれてきた伝統的な料理や作法等を継承している若い世代の割合

資料：農林水産省（平成27（2015）年度は内閣府）「食育に関する意識調査報告書」

（文化財としての和食文化の価値の見える化）

　平成29（2017）年の文化芸術基本法の改正により、生活文化の一つとして「食文化」が明文化され、平成30（2018）年には、「食文化」から約30年ぶりに文化功労者の顕彰がなされました。このような流れを受け、国内の有形・無形の文化財の保存・活用に取り組む文化庁において、和食文化の文化財としての価値を評価し、見える化するための検討が開始されています。和食文化の保護・継承を担う農林水産省としては、和食文化を支える農林水産業や農山漁村の様々な関係者が引き続き誇りを持って農林漁業活動に従事できるよう、文化庁と連携して取り組んでいきます。

1　平成28（2016）年3月食育推進会議決定

健康的で栄養バランスに優れた食事の認証制度

　健康的で栄養バランスにも優れた食事を取るためには、家庭での食事だけでなく、外食や中食（持ち帰り弁当）でも健康に配慮した食事選択ができる商品を増やし、適切な情報提供がなされる環境を整備することが必要です。

　このため、平成29（2017）年12月、特定非営利活動法人日本栄養改善学会と日本 給食 経営管理学会が中心となって、外食・中食・事業所給食における、健康的な食事に関する基準を設け、継続的に、健康的な環境（適切な情報提供や完全禁煙等に取り組んでいる環境）で提供する店舗や事業所を認証する「健康な食事・食環境」認証制度（通称：スマートミール）を創設するとともに、「健康な食事・食環境」コンソーシアム[1]を立ち上げました。

　スマートミールとは、科学的根拠に基づき、主食・主菜・副菜が組み合わさっており、エネルギー量や食塩相当量、エネルギー産生栄養素バランス[2]にも配慮した食事です。このような食事を外食や中食で体験し、家庭での食事にもフィードバックすることで、国民の「健康寿命の延伸」の実現を目指しています。

　平成30（2018）年9月に第1回認証を行い、68事業者が認証を受けました。その後も認証事業者は増加し、令和元（2019）年12月現在で、外食部門、中食部門、給食部門合計で304事業者、16,000店舗以上でスマートミールが提供されています。

*1　令和元（2019）年12月現在、日本栄養改善学会、日本給食経営管理学会、日本高血圧学会、日本糖尿病学会、日本肥満学会、日本公衆衛生学会、健康経営研究会、日本健康教育学会、日本腎臓学会、日本動脈硬化学会、日本補綴歯科学会、日本産業衛生学会、日本がん予防学会（計13学会）

*2　エネルギー産生栄養素バランスは、「エネルギーを産生する栄養素（energy-providing nutrients、macronutrients）、すなわち、たんぱく質、脂質、炭水化物（アルコールを含む）とそれらの構成成分が総エネルギー摂取量に占めるべき割合（%エネルギー）」としてこれらの構成比率を示す指標（出典：厚生労働省「日本人の食事摂取基準（2020年版）」）

スマートミールの基準

	「スマートミール」の基準
1	エネルギー量は、1食当たり450～650 kcal未満（通称「ちゃんと」）と、650～850 kcal（通称「しっかり」）の2段階とする。
2	料理の組み合わせの目安は、①「主食＋主菜＋副菜」パターン ②「主食＋副食（主菜，副菜）」パターンの2パターンを基本とする。
3	PFCバランスが、食事摂取基準2015年版に示された、18歳以上のエネルギー産生栄養素バランス（PFC%E; たんぱく質13～20%E, 脂質20～30%E, 炭水化物50～65%E）の範囲に入ることとする。
4	野菜等（野菜・きのこ・海藻・いも）の重量は、140g以上とする。
5	食塩相当量は、「ちゃんと」3.0 g未満、「しっかり」3.5 g未満とする。
6	牛乳・乳製品、果物は、基準を設定しないが、適宜取り入れることが望ましい。
7	特定の保健の用途に資することを目的とした食品や素材を使用しないこと。

資料：「健康な食事・食環境」推進事業事務局「「スマートミール　Smart Meal」の基準」

事例　公益社団法人日本給食サービス協会における取組

　社員食堂等の事業所給食においては、従業員の健康維持・管理の観点から、ヘルシーメニューの提案や減塩の取組、野菜を多めに取り入れた食事の提供が増えています。

　このため、事業所や学校、病院・介護施設での給食を行う事業者等から構成される公益社団法人日本 給食サービス協会では、スマートミールの考え方に賛同し、ユーザーのニーズに合った食事を提供できるよう、事業者を集めた講習会や取組を紹介する発表会を開催しています。

2020　フードケータリングショーにおけるセミナーの様子

　このような機会を得ることで、各事業者においても様々な取組がなされています。ある給食事業者は、魚中心の食事を提供していますが、客を飽きさせないため、煮魚やバター醤油焼き、ホイル焼き等と調理法を変えています。また、白身魚を使用すると脂質量が少なくなるため、から揚げにしたり、付け合わせでイモ類を使うなど、脂質量やエネルギー量をコントロールして適切なエネルギー産生栄養素バランスを保つよう工夫しています。

提供メニューの一例（煮魚）

　さらに、体に良い食事でも「見た目」、「味」、「腹持ち」が悪いと売れないことから、満腹感が得られやすいよう食材を大きく切ったり、歯ごたえのある食材を使用するなどの工夫をしています。減塩については、下味をつけず、薄味でもとろみがあるソースやあんをかけることで味を強く感じられるようにしたり、出汁を利かせることで、できる限り調味料を減らすよう工夫しています。

　また、卓上の醤油差しをプッシュ式容器に変更したり、各テーブルの卓上調味料を一か所に集約するなど、客に塩分摂取量を気付かせるための工夫することで、減塩の取組を行っています。

　このようなスマートミールの取組を行う事業者は増えており、「健康な食事・食環境」認証制度により給食部門で認証を受けた事業所数は令和元（2019）年12月現在で195事業所となっています。

事例 花王株式会社の社員食堂における取組

花王株式会社では健康経営の一環として、社員食堂で"しっかり食べて内臓脂肪をためにくい"バランスのとれた食事、「スマート和食」*を提供しています。

内臓脂肪の過大な蓄積は、食事や生活習慣に起因し、メタボリックシンドロームが「内臓脂肪症候群」と称されるように、脳卒中や糖尿病を始めとする様々な疾患の原因で、その対策が「健康」への第一歩とも言われています。

花王では600キロカロリー前後でボリュームたっぷりのスマート和食ランチを、定期的な内臓脂肪測定や食育セミナーと合わせて提供し、社員の健康意識や生産性の向上を図っています。この取組は本社を含む11の事業場の社員食堂に広がり、さらに、岩手県・福島県等の地方公共団体や、健康経営を志向する企業からの依頼を受け、社外の社員食堂や弁当等での提供も開始されており、食を通じた健康改善の取組が着実に広がっています。実施先では「いわ

花王株式会社の社員食堂における
スマート和食の献立

花王株式会社の社員食堂の様子

ゆる健康メニューとして想像していたよりもボリュームがありおいしい」という声と共に、多くの利用者で内臓脂肪が減るという成果が得られています。

* 花王は内臓脂肪蓄積と食生活の関係を研究した結果、1970年代の日本型食生活には、食後に燃えやすく、内臓脂肪として蓄積しにくいという特性があったことを見いだし、その健康有益性を現代の食生活にスマートに取り入れる食事法、「スマート和食」を開発しました（同社において商標登録）。スマート和食は、米飯を中心に多様な食材を活用し、主食＋主菜＋2副菜の食卓を構成します。それにより、食事摂取基準の範囲内でできるだけ「たんぱく質／脂質」「食物繊維／炭水化物」「n-3脂肪酸／脂質」の3つの比を高め、その結果、"エネルギーはあるのに内臓脂肪になりにくい"という特性が発揮されます（ヒト試験により確認済み）。

　食の安全と消費者の信頼確保

食品の安全性を向上させるため、食品を通じて人の健康に悪影響を及ぼす可能性のある有害な化学物質や微生物について、科学的根拠に基づいたリスク管理に取り組むとともに、農林水産物・食品に関する適正な情報提供を通じて、消費者の食品に対する信頼確保を図ることが重要です。

（1）食品の安全性向上

（科学的根拠に基づいたリスク管理を実施）

食品の安全性を向上させるためには、科学的根拠に基づき、生産から消費に至るまでの必要な段階で有害化学物質・微生物の汚染の防止や低減を図る措置の策定・普及に取り組むことが重要です（図表1-5-1）。そのため農林水産省は、関係省庁等[1]と協力して、食品の安全性向上に取り組んでいます。

例えば、食品の安全性を向上させる対策が必要かどうかを検討するために、農畜水産物や加工食品、飼料中の有害化学物質・微生物の実態を調査しています。具体的には、令和元（2019）年度は、ヒ素、鉛、ダイオキシン類、トリコテセン類[2]、麦角アルカロイド類[3]、カンピロバクター[4]、ノロウ

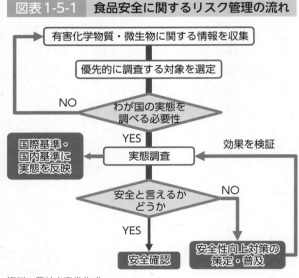

図表1-5-1　**食品安全に関するリスク管理の流れ**

- 有害化学物質・微生物に関する情報を収集
- 優先的に調査する対象を選定
- わが国の実態を調べる必要性　NO / YES
- 実態調査　効果を検証
- 国際基準・国内基準に実態を反映
- 安全と言えるかどうか　NO / YES
- 安全確認
- 安全性向上対策の策定・普及

資料：農林水産省作成

イルス[5]等の危害要因について、農畜水産物、加工食品中の汚染実態等の調査や、加工食品中のアクリルアミド[6]の低減対策に係る効果を検証するための調査を行いました。また、飼料については、有害化学物質の基準の設定・見直しや遵守状況の監視のため、カドミウム、フモニシン等の含有実態を把握しました。さらに、こうした実態調査が科学的原則に基づいた一貫した考え方の下で行われるよう、「分析法の妥当性確認に関するガイドライン」と「化学物質の経口摂取量推定に関するガイドライン」を公表しました。

こうした実態調査の結果、健康への悪影響がないと言い切れない危害要因について、安全性向上対策を策定・普及するための検討を行っています。具体的には、令和元（2019）年度は、3-MCPD脂肪酸エステル類及びグリシドール脂肪酸エステル類[6]、カンピロバ

1　消費者庁、食品安全委員会、厚生労働省
2　主にフザリウム属菌が産生する、トリコテセン骨格という構造を持つかび毒の総称。デオキシニバレノール、ニバレノール、T-2トキシン、HT-2トキシン等がある。
3　主にクラビセプス属菌（麦角菌）が産生するアルカロイド類の総称。エルゴタミン、エルゴメトリン、エルゴクリスチン等がある。
4　食中毒の原因細菌の一つ。カンピロバクターによる食中毒は、細菌性食中毒の中で患者数と発生件数が最も多く、主な原因食品は生又は加熱不十分の鶏肉製品。食鳥処理やと畜の段階で家きん・家畜の腸管にいるカンピロバクターに食肉（内臓を含む。）が汚染されることがある。
5　食中毒の原因ウイルスの一つ。ノロウイルスによる食中毒は、食中毒事件の中で患者数が最も多く、主な原因食品は食品製造者・調理従事者を介してウイルスに汚染された食品である。そのほか、二枚貝も原因食品の一つとなっている。
6　食材を加熱すると、もとから含まれる成分から、食品にとって好ましい色や香りのもととなる物質や健康に影響を及ぼす可能性がある物質ができる。健康に影響を及ぼす可能性がある物質の一つにアクリルアミドがあり、食材に含まれるアミノ酸と糖類を120℃以上に加熱するとできる。そのほか、3-MCPD脂肪酸エステル類及びグリシドール脂肪酸エステル類があり、油脂の精製工程のうち、油脂を真空に近い条件で高温に加熱する脱臭工程でできる。

クター等の危害要因について、汚染の防止・低減技術を開発するための試験研究や、生産者及び事業者と連携した汚染の防止・低減技術の効果の検討を行いました。

また、食品安全に関する情報の発信にも積極的に取り組んでおり、令和元（2019）年度は食品中のトランス脂肪酸低減に関し、国内事業者向けの情報を充実させました。さらに、学校や保育所向けに学校等の菜園でのジャガイモ栽培の注意点を分かりやすく解説した動画のほか、正しい手洗いのポイント、お弁当を作る際の注意点をまとめたWebサイトと動画を作成し、食中毒の予防対策の普及を図りました。

（農業者のニーズに応じ肥料取締制度を見直し）

近年、我が国の農地土壌をめぐっては、堆肥の施用量の減少や主要成分中心の画一的な施肥等により、地力の低下や土壌の栄養バランスの悪化といった課題が顕在化してきています。また、世界的に肥料の需要が伸びてきており、将来にわたって我が国の肥料を安定的に確保するためには、国内で調達可能な堆肥や産業副産物をより有効利用し、肥料原料の海外依存度を下げることが重要です。一方で、肥料については、原料の虚偽表示等により、有機農産物等を生産する農家に経済的被害が発生する事例も発生しています。このため、より安心して肥料を利用できるよう、原料管理を強化することや表示偽装への対応を行うことが課題となっています。

さらに、これまでは堆肥等の特殊肥料と化学肥料等の普通肥料の配合を原則認めておらず、そのことが、両者を一度に散布して省力化につなげたいといった農業者のニーズに対応した柔軟な肥料生産を行う上での制約となっています。

このため、令和元（2019）年12月に「肥料取締法の一部を改正する法律」が公布され、この改正により、肥料の原料管理制度の導入、肥料の配合に関する規制の見直し、肥料の表示基準の整備、法律の題名の変更が行われることとなっています（図表1-5-2）。今後、農林水産省は改正法の施行に向けた準備を進めることとしています。

図表1-5-2　肥料取締法の一部を改正する法律の概要

法改正のポイント

1．肥料の原料管理制度の導入（公布（令和元（2019）年12月4日）から2年以内に施行）

・肥料の原料として使えるものの規格を定め、利用できる原料を明確化
・肥料の生産業者及び輸入業者に対し、原料帳簿の備付けを義務付け、業者自身での原料管理を徹底
・使用した原料の虚偽宣伝を禁止し、原料の正確な表示を確保

2．肥料の配合に関する規制の見直し（公布から1年以内に施行）

・普通肥料と特殊肥料を配合した肥料や、肥料と土壌改良資材を配合した肥料などの生産を可能とし、堆肥と化学肥料などの同時散布による省力化、堆肥を原料とした肥料利用による土づくりなどに取り組みやすい環境を整備
・登録済みの肥料同士の配合に加え、造粒等を行った肥料も届出だけで生産可能にするとともに、配合肥料や特殊肥料の届出期日を2週間前から1週間前に変更し、農家ニーズに応じた柔軟な肥料生産を可能に。

3．肥料の表示基準の整備（公布から2年以内に施行）

・成分量等の表示に加え、肥料の効果の発現時期（緩効性）等の肥料の効果に関する表示についても基準を定められるようにし、農家が使いたい肥料を選択しやすい環境を整備

4．法律の題名の変更（公布から1年以内に施行）

・肥料業者自身による原料管理の義務付けや、届出肥料の拡大に伴い、法律の題名を「肥料の品質の確保等に関する法律」に改正

資料：農林水産省作成

（農薬の安全性に関する審査の充実）

　農林水産省は、平成30（2018）年に改正された農薬取締法に基づき、農薬使用者や蜜蜂に対する影響を科学的に評価するためのガイダンスを令和元（2019）年6月に公表しました。これに基づき評価を行うことで、農薬使用者や蜜蜂に対する農薬の安全性を更に向上させることとしています。

（2）消費者の信頼確保

（ゲノム編集技術を利用して得られた農林水産物・食品等の取扱いが決定）

　近年、ゲノム編集[1]という新たな技術により、機能性成分を多く含んだトマト、天然毒素を大幅に低減したばれいしょ、超多収性等の形質を有するイネ等の開発が進められています。ゲノム編集技術を利用して得られた農林水産物・食品等については、食品衛生法上

1　用語の解説3（1）を参照

の組換えDNA技術応用食品等やカルタヘナ法[1]上の「遺伝子組換え生物等」に該当せず、規制の対象にならないもの等も作出される可能性があることから、それぞれの関係省庁において、その取扱いについて議論され、令和2（2020）年2月までに整理、公表されました。

　ゲノム編集技術を利用して得られた農林水産物・食品等について、食品安全や飼料安全の観点から、自然界又は従来の品種改良の技術でも起こり得る範囲のものは、食品衛生法等に基づく安全性審査を義務付けずに、食品等を実用化しようとする事業者がその使用に先立ち、食品安全の観点からは厚生労働省、飼料安全の観点からは農林水産省へ届出を行い、各省庁で内容を確認した上でその情報を公表することとしました。また、それ以上の遺伝子変化により得られるものは、基本的に安全性審査の対象とすることとなりました。なお、食品への表示については、厚生労働省の安全性審査の対象となるものは遺伝子組換え表示を行うものとし、安全性審査の対象とならないものについては、表示等の義務はないものの、食品関連事業者は合理的な根拠資料に基づき積極的に情報提供に努めるべきとの考え方が消費者庁から示されました。

　生物多様性への影響の観点からは、細胞外で加工した核酸が含まれないものについては、カルタヘナ法における「遺伝子組換え生物等」には該当しないとされた一方、これらの生物について拡散防止措置を執らずに使用する場合は、農林水産省及び環境省へ生物多様性影響等について事前に情報提供を行い、農林水産省及び環境省は、学識経験者への意見照会を行うなどして内容を確認した上で、その情報を公表することとなりました。

1　正式名称は、「遺伝子組換え生物等の使用等の規制による生物の多様性の確保に関する法律」（平成15年法律第97号）

第6節　動植物の防疫

　食料の安定供給や農畜産業の振興を図るため、CSF[1]（豚熱[2]）を始めとする家畜伝染病や植物病害虫に対し、侵入・まん延を防ぐための対応を行っています。近年、ASF[3]（アフリカ豚熱[4]）を始め、畜産業に甚大な影響を与える口蹄疫や高病原性鳥インフルエンザ[5]といった越境性動物疾病が近隣のアジア諸国において継続的に発生しています。これら疾病の海外からの侵入を防ぐため、政府一丸となって取り組むことが重要です。

（CSFの感染拡大防止が急務）

　平成30（2018）年９月、我が国において26年ぶりにCSFが発生し、令和２（2020）年３月末時点で、岐阜県、愛知県、三重県、福井県、埼玉県、長野県、山梨県、沖縄県の豚又はイノシシ（以下「豚等」という。）の飼養農場において58例の発生が確認されており、清浄国のステータスは一時停止中となっています（図表1-6-1）。また、野生イノシシにもCSFウイルスが浸潤し、感染区域が拡大しており、豚等及び野生イノシシにおける感染拡大防止とその後の清浄化が急務となっています。

　農林水産省は、令和元（2019）年10月15日に、発生から１年が経過し、埼玉県や長野県において新たに発生が確認されるなど、CSFの状況が新たなステージに入ったこと等から、飼養豚へのCSFの予防的ワクチン接種を可能にする新たな防疫指針を施行しました。これを受け、野生イノシシにおいて感染が確認されている12県（岐阜県、愛知県、三重県、福井県、埼玉県、長野県、山梨県、富山県、石川県、滋賀県、群馬県、静岡県）において、10月25日から順次、接種が開始されました。その後、野生イノシシの感染拡大が想定される８都府県（茨城県、栃木県、千葉県、東京都、神奈川県、新潟県、京都府、奈良県）のほか、飼養豚において新たにCSFの発生が確認された沖縄県をワクチン接種推奨地域に設定し、順次、接種が開始されています。

　また、「CSFの疫学調査に係る中間取りまとめ」[6]において、今般のCSFの感染経路については、CSFに感染した野生イノシシ由来のウイルスを人、車両又は野生動物が農場内に持ち込んだ事例が多いとされているため、関係省庁、都道府県、市町村等が連携して、野生イノシシの捕獲の強化とともに、空中散布も含めた経口ワクチンの散布によりウイルス拡散を防ぐ「ワクチンベルト」の構築等の野生イノシシ対策を推進し、豚等への感染リスクを低減させる取組を行っています。

　CSFの豚等への感染リスクの低減を図るためには、飼養衛生管理基準の遵守が極めて重要です。現行基準が平成29（2017）年２月に施行されて以降、CSFの国内での発生やASFの近隣諸国での発生が新たに確認されていることから、農林水産省では、農場における飼養衛生管理基準の遵守に向けて指導しています。特に、沖縄県での初発事例では、加熱が不十分な肉製品を含んだ食品残さの給餌により感染した可能性が否定できないと推定されたことも踏まえ、豚、イノシシの基準について、病気を防除するために必要となる水準や目指すべき飼養衛生管理の姿を現場に普及させる取組について議論を行い、農場ごとの飼養衛生管理に係るマニュアル策定や野生動物侵入防止対策の義務付け、エコフィー

1、3　用語の解説3（2）を参照
2、4、5　用語の解説3（1）を参照
6　令和元（2019）年８月８日農林水産省、拡大CSF疫学調査チーム策定

ド[1]の加熱基準の厳格化等を内容とする基準の改正を行うこととしました。

　なお、農林水産省や地方公共団体は、CSFが豚やイノシシの病気であって、人に感染することはなく、仮にCSFに感染した豚やイノシシの肉を食べても人体に影響がないことを周知しています。

図表1-6-1　CSFの発生場所

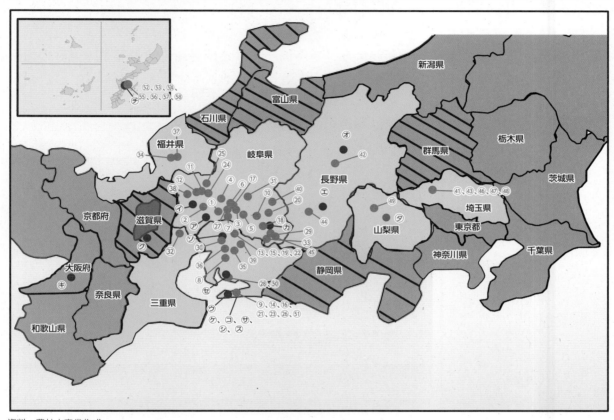

資料：農林水産省作成
注：1）令和2（2020）年3月末時点
　　2）黄色は飼養豚又はイノシシでの発生県。斜線は野生イノシシ発生県
　　3）数字は飼養豚での発生農場。カタカナは発生農場からの豚の移動等から疑似患畜と判定し殺処分を行った農場等

（ASFの国内への侵入防止を徹底）

　ASFは、FAO（国際連合食糧農業機関）等の国際機関が「国境を越えてまん延し、発生国の経済、貿易及び食料の安全保障に関わる重要性を持ち、その防疫には多国間の協力が必要となる疾病」と定義する「越境性動物疾病」の代表例です。

　ASFには、病原性が高い一方で、治療法や予防法がないため、一度まん延すると、長期にわたり畜産業の生産性を低下させ、国民への畜産物の安定供給を脅かす可能性があります。

　現在、ASFは、アフリカ大陸だけでなく、ロシア、東欧地域においても発生が拡大しており、平成30（2018）年8月には、中国においてアジアで初めて発生が確認されました（図表1-6-2）。その後、モンゴル、ベトナム、カンボジア、北朝鮮、ラオス、ミャンマー、韓国等アジア各国へ発生が拡大していることに加え、国際的な人及び物の往来が増加している状況を踏まえると、今後、我が国にASFが侵入するリスクが非常に高くなっ

1　用語の解説3（1）を参照

ています。

　ASFの豚等への感染リスクの低減を図るためには、水際における国内へのウイルス侵入防止の徹底と飼養衛生管理基準の遵守が極めて重要です。

　このため、農林水産省では、関係省庁と連携しながら水際検疫を徹底するとともに、国内にASFウイルスが侵入する可能性があるという前提に立ち、豚等の所有者と行政機関及び関係団体とが緊密に連携し、実効ある防疫体制を構築しています。また、OIE[1]（国際獣疫事務局）/FAOのアジア地域ASF専門家会合の開催等、OIE等の国際機関を通じた情報共有や国際連携の強化を図っています。あわせて、万が一国内にウイルスが侵入した場合に備え、農場に持ち込ませないよう、各農場における飼養衛生管理基準の遵守の徹底と、バイオセキュリティの向上を図っています。

図表1-6-2　ASFの発生状況

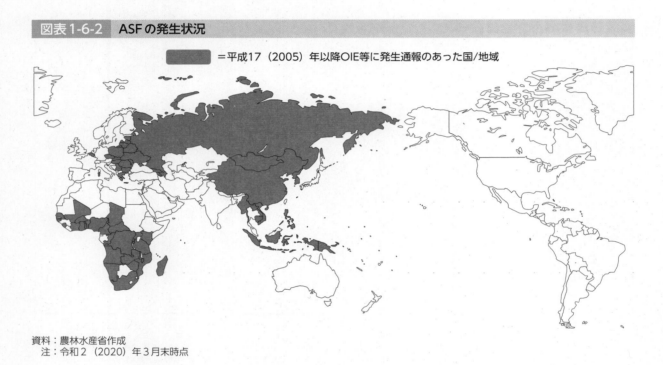

　　■＝平成17（2005）年以降OIE等に発生通報のあった国/地域

資料：農林水産省作成
　注：令和2（2020）年3月末時点

（越境性動物疾病の侵入防止策を強化）

　CSF、ASFを始め、畜産業に甚大な影響を与える口蹄疫や高病原性鳥インフルエンザといった越境性動物疾病は、近隣のアジア諸国において継続的に発生しています。これら疾病の海外からの侵入を防ぐため、政府一丸となって取り組む必要があることから、平成31（2019）年4月に関係省庁による申合せを行い、肉等の持込み禁止に関する広報活動の強化、水際における摘発強化、農場へのウイルス侵入防止対策の強化について連携を図ることを確認しました。

　具体的な取組として、旅行者が訪日前に我が国の検疫制度を認識できるよう、動物検疫所Webサイトの多言語化や多言語動画の配信を行っているほか、在外公館や日本政府観光局（JNTO）を通じて現地でのSNS[2]の配信やWebサイトでの注意喚起、航空会社の協力による現地空港カウンターでの注意喚起、航空機内や船舶内でのアナウンス、税関申告書の様式変更（肉製品の持込みの有無についての質問が目立つよう、用紙の裏面から表

1　用語の解説3（2）を参照
2　Social Networking Serviceの略。登録された利用者同士が交流できるWebサイトのサービス

面へ移動）といった、海外から肉製品等を「持ち出させない」ための広報を強化しています。

また、急増する入国者に対応するため、家畜防疫官の増員や動植物検疫探知犬の増頭による検疫の強化を行いました。入国者の携帯品検査については、平成31（2019）年4月以降、畜産物の違法持込み者への対応を厳格化し、税関と連携して違反者情報のデータベース管理を行うとともに、悪質な場合は警察への通報や告発等を行うこととしており、実際に輸入禁止肉製品の持込みによる逮捕者も出ているところです。

検疫探知犬を視察する
農林水産大臣

さらに、国内線における靴底消毒マットの設置推進、農場における野生動物侵入防止防護柵の設置支援、地方公共団体へのごみ対策の協力依頼等「農場に入れない」ための国内対策を強化しています。

このようなCSF、ASF等家畜疾病対策の取組の強化については、令和元（2019）年12月に決定された農業生産基盤強化プログラムにも位置付けられ、関係省庁と連携して万全の対策を講じることとされました。

（家畜伝染病予防法を改正）

家畜伝染病予防法は、家畜の伝染性疾病の発生を予防し、まん延を防止することにより、畜産の振興を図ることを目的としています。同法については、有効なワクチンがないASFが近隣諸国でまん延している状況に鑑み、国内でのASF発生時に緊急の措置としてASFのまん延を防止するための予防的殺処分ができることとする等の措置を講ずるため、令和2（2020）年2月に改正されました。また、野生動物における悪性伝染性疾病のまん延防止を図るための措置を新たに法に位置付けるとともに、農場における飼養衛生管理基準の遵守の徹底、予防的殺処分の対象疾病の拡大、畜産物の輸出入検疫に係る家畜防疫官の権限の強化等の措置を講ずるため、令和2（2020）年2月に家畜伝染病予防法の一部を改正する法律案を国会に提出し、同年3月に成立しました。

（植物病害虫の侵入・まん延防止に向けた対策を実施）

農産物の生産に被害を及ぼす病害虫の侵入を効果的かつ効率的に防止するため、農林水産省では、海外での発生情報等を踏まえ、病害虫の侵入・まん延の可能性や、まん延した場合に農業生産に与える経済的被害について評価する病害虫リスクアナリシスを行っています。

また、国内への侵入を防止するため、植物防疫所では、空港・港等において、量や商用・個人用を問わず、貨物、携帯品、郵便物として輸入される植物を対象に検疫を行っています。さらに、国内で病害虫のまん延を防ぐため、侵入病害虫に対する緊急防除や寄主植物の移動禁止等の取組を進めています。

国内で既に発生している病害虫についても、急激なまん延による我が国農業への被害を防止するため、病害虫の発生予測や、発生予測に基づく的確な防除対策を推進しているところであり、特に、近年、りんごの黒星病等農薬への耐性が課題となっている病害虫に対する新たな防除体系の確立に向けた取組を進めています。

　令和元（2019）年７月、鹿児島県においてツマジロクサヨトウ[1]が国内で初めて確認され、その後、南は沖縄県から北は青森県まで広い地域での発生が確認されました。農林水産省では都道府県と連携し、発生状況の把握、早期発見・早期防除の徹底に努めています。

　平成31（2019）年４月、我が国で開催したG20首席農業研究者会議（G20MACS）において、「越境性植物病害虫」を主要議題の一つに取り上げ、これを踏まえ、農林水産省は、G20メンバー等関心国及び国際機関の研究者を参集範囲とする国際ワークショップを開催しました。国際ワークショップでは、越境性病害虫のリスク軽減のため、発生情報の迅速な提供や病害虫の分析方法、防除方法等の確立に向けた国際的な連携が必要との方向性が示されました。

（動物分野における薬剤耐性対策を推進）

　抗菌剤の不適切な使用により、抗菌剤が効かない細菌（薬剤耐性菌）が増加し、家畜の治療を難しくしたり、畜産物等を介して人に伝播して健康に影響を及ぼしたりすることがないよう、農林水産省では、家畜における薬剤耐性菌の全国的な動向調査（平成11（1999）年より開始）や抗菌剤の使用を真に必要な場合に限定する「慎重使用」等の薬剤耐性対策を進めてきました。また、平成28（2016）年４月に国際的に脅威となる感染症対策関係閣僚会議で決定された薬剤耐性対策アクションプランに基づき、抗菌剤の飼料添加物としての指定の取消しを進める[2]とともに、令和元（2019）年度には、医療分野と連携した公開シンポジウムの開催、獣医系大学生への抗菌剤の慎重使用に関する普及啓発の実施、養殖魚及び愛玩動物における薬剤耐性菌の全国的な動向調査等を行いました。

1　さとうきび、とうもろこし、イネ、豆類、いも類、野菜類等、80種類以上の作物に被害を与えるヤガ科の害虫
2　コリスチン、リン酸タイロシン、テトラサイクリン系等９種類の抗菌剤の飼料添加物としての指定を取消、使用を禁止

第7節　食品産業の動向

　食品産業は、農林水産業と消費者の間に位置し、食品の生産、流通、消費の各段階において品質と安全性を保ちつつ食品を安定的に供給するとともに、消費者ニーズを生産者に伝達する役割を担っています。我が国の食品製造業は、高い品質やブランド力等の強みを持つ一方で、他の製造業と比べ、雇用人員が不足していること、労働生産性が低いこと等の課題を抱えています。

　また、食品ロス等の社会的な環境問題への意識が高まっている中、食品関連事業者による食品ロスの削減目標の設定や、商慣習の見直し等の取組が進められています。

（1）食品産業の現状と課題

（食品産業の国内生産額は99.9兆円）

　食品産業の国内生産額は、近年増加傾向で推移しており、平成30（2018）年は、前年から0.6兆円増加し、99.9兆円となりました（図表1-7-1）。なお、全経済活動に占める割合は前年並の9.6％となりました。

　前年と比較すると、食品製造業は水産食料品、そう菜等の工場出荷額、関連流通業は卸売業のマージン額、外食産業は飲食店の売上高等が増加しました。

　また、食品産業は国内の農林水産業と密接に関係しており、国内で生産されている食用農林水産物の67％が食品産業を仕向先としています[1]。

図表1-7-1　食品産業の国内生産額の推移

資料：農林水産省「農業・食料関連産業の経済計算」

（地域の雇用において重要な役割を果たす食品製造業）

　各都道府県の全製造業の従業員数に占める食品製造業の従業員数の割合を見ると、多くの都道府県で1割を超えており、特に北海道と沖縄県では40％を超えています（図表1-7-2）。また、全製造業の従業員数に占める食品製造業の従業員数の割合の順位を見ると、1位が26道府県、2位が13都府県、3位が4県と、ほとんどの都道府県において1位から3位に入る結果となりました。このことから、食品製造業が地域の雇用において重要な役割を果たしていることがうかがえます。

1　農林水産省「平成27年（2015年）農林漁業及び関連産業を中心とした産業連関表（飲食費のフローを含む。）」

図表1-7-2　全製造業の従業者数に占める食品製造業の従業者数の割合と順位（平成29（2017）年）

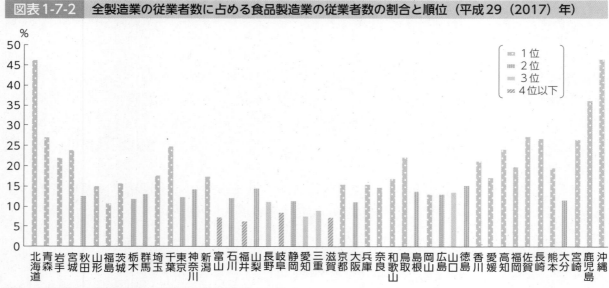

資料：経済産業省「工業統計調査」を基に農林水産省作成
注：地域別統計表のうち、従業者4人以上の事業所に関する統計表

（食品製造業の労働生産性は低い水準）

　平成29（2017）年度における食品製造業の有効求人倍率は2.78倍であり、全職業平均の1.38倍を上回っています[1]。欠員率は3.2％で、有効求人倍率同様に高い水準であることから、雇用人員不足がより深刻な状況にあることがうかがえます[2]。また、食品製造業の労働生産性を見ると、緩やかな上昇傾向にはあるものの、依然として製造業全体に比べて低い水準にとどまっています（図表1-7-3）。

　公庫が食品関係企業を対象に実施した調査によると、食品製造業における労働力不足の解決策として期待できるものとして、66.2％が労働条件の改善を、54.0％が作業工程の機械化と回答しています（図表1-7-4）。食品製造業は、小さく、やわらかく、形状が不安定な食品を取り扱うことや、高い衛生性、安全性が求められること等から機械の導入が困難な場合が多く、多くの人手に頼らざるを得ませんでした。しかし、現状を打破するためには、従業員が働きやすい環境の整備に努めるとともに、機械化による省人化に取り組むことが重要です。

1　厚生労働省「一般職業紹介状況」
2　厚生労働省「雇用動向調査」

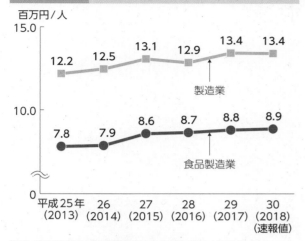

図表1-7-3 製造業と食品製造業における労働生産性（平成30（2018）年）

百万円/人

	製造業	食品製造業

製造業：12.2、12.5、13.1、12.9、13.4、13.4
食品製造業：7.8、7.9、8.6、8.7、8.8、8.9

平成25年（2013）、26（2014）、27（2015）、28（2016）、29（2017）、30（2018）（速報値）

資料：経済産業省「工業統計調査」を基に農林水産省作成
注：産業別統計表のうち、従業者4人以上の事業所に関する統計表

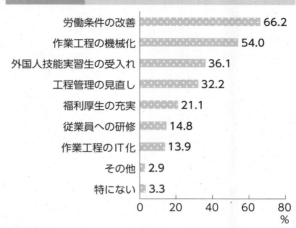

図表1-7-4 食品製造業における労働力不足の解決策として効果が期待できるもの（複数回答）

項目	%
労働条件の改善	66.2
作業工程の機械化	54.0
外国人技能実習生の受入れ	36.1
工程管理の見直し	32.2
福利厚生の充実	21.1
従業員への研修	14.8
作業工程のIT化	13.9
その他	2.9
特にない	3.3

資料：株式会社日本政策金融公庫農林水産事業本部「食品産業動向調査」（平成29（2017）年11月公表）を基に農林水産省作成
注：1）株式会社日本政策金融公庫農林水産事業本部が平成29（2017）年7月に実施した「平成29年上半期食品産業動向調査」において、全国の食品関係企業7,027社のうち、雇用労働力について「不足」と回答した食品関係企業が対象
　　2）回答数1,148社

（「食品製造業における労働力不足克服ビジョン」を取りまとめ）

平成30（2018）年4月、農林水産省は食品産業の2020年代のビジョンを示した「食品産業戦略」を策定し、需要を引き出す新たな価値の創造による付加価値額の3割増加、海外市場の開拓による海外売上高の3割増加、労働生産性の3割向上という3つの目標を掲げました。令和元（2019）年度は、特に食品製造業における労働力不足や人材確保難に焦点を当てた議論を行い、令和元（2019）年7月に「食品製造業における労働力不足克服ビジョン」を取りまとめました。同ビジョンでは、今後の施策の方向性として、「従業員のやる気を育てる」、「IT・機械設備の導入による生産性の向上」、「多様な人材の活用」の3本柱を整理し、それらに関してアプローチを行うことが重要としています。また、平成31（2019）年4月から開始した新たな外国人材受入れ制度の活用や、女性、高齢者の活用促進も有用であると指摘しています。

（新たな在留資格「特定技能」による外国人材の受入れを開始）

令和元（2019）年10月末時点での外国人雇用状況は、食品製造業では、総数が13万1千人となっています。このうち、主な在留資格は、技能実習生が5万6千人、身分に基づく在留資格が4万3千人、留学生等の資格外活動が2万7千人となっています。また、外食業では、総数が18万4千人となっています。このうち、主な在留資格は、留学生等の資格外活動が12万7千人、身分に基づく在留資格が3万5千人、専門的・技術的分野が1万5千人となっています。

深刻化する人手不足に対応するため、平成31（2019）年4月に改正された出入国管理及び難民認定法により、新たな外国人材の受入れのための特定技能制度が創設されました。この制度では、飲食料品製造業及び外食業を含む14の特定産業分野が受入対象分野となっており、一定の専門性・技能を有し即戦力となる外国人材を受け入れることとしています。

　この制度により令和2（2020）年3月末時点で、飲食料品製造業分野で1,402人、外食業分野で246人の外国人材が働き始めています。農林水産省では、食品産業特定技能協議会を設置し、大都市圏への外国人材の過度な集中防止への対応や、制度や情報の周知、法令遵守の啓発等を実施しています。また、この制度を活用し、日本での就労を希望する外国人材の働きやすい環境が整備されるよう、地域や受入事業者における優良事例の収集・周知等を行っています。

事例　**食品製造業における生産性向上による労働力不足の克服（群馬県）**

　東京カリント株式会社群馬工場は、昭和26（1951）年から、かりんとうの製造を行っています。かりんとうは商品の特性上、作り置きができず、受注生産を行っていることから、繁忙期の人材確保が課題となっています。

　これまでに製造工程では、計量工程までは自動化されていましたが、箱詰め工程から先の作業が手作業となっていたため、繁忙期の対応は無理な残業に頼らざるを得ない状況でした。

　そこで、食品産業イノベーション推進事業の革新的技術活用実証事業に応募し、計量・包装機器の改良や、箱詰めロボット、自動製函機の導入により箱詰め工程の自動化を図りました。

箱詰めロボット

　これにより、作業者の負担が大幅に削減されるとともに、袋詰め作業に要する人数が、10人から3人で対応できるようになりました。また、製造速度に合わせた包装速度に調整した結果、不良品の発生頻度が減少したことで、生産性は事業実施前と比較して333%向上しました。

　同社では、今後、現在の3人から2人で作業できるように、社内での教育・訓練を進めたいと考えています。

（2）食品流通の合理化

（サプライチェーン全体で食品流通の合理化を推進）

　トラックドライバーを始め人手不足が深刻化する中で、国民生活や経済活動に必要不可欠な物流の安定を確保するには、サプライチェーン全体で合理化に取り組む必要があります。特に食品や花きの輸送は、荷物の手積み、手降ろしといった手荷役作業が多い、小ロット・多頻度での輸送が多いなどの事情から、取扱いを敬遠される事例が出てきています。このような中、農林水産省、経済産業省、国土交通省は、食品流通合理化検討会を設置し、具体的な方策の検討を進めているところです。

　食品流通の合理化は、令和元（2019）年12月に決定された農業生産基盤強化プログラムにおいても主要な施策の一つに位置付けられました。具体的には、物流拠点の整備・活用等による共同輸配送の推進、トラック輸送から船舶・鉄道輸送へのモーダルシフト[1]、統

1　トラック等の自動車で行われている貨物輸送を、鉄道や船舶の利用へと転換すること

一規格輸送資材（パレット等）の導入による手荷役から機械荷役[1]への転換等、サプライチェーン全体での合理化を推進することとしています。

また、卸売市場については、市場の実態に応じて、商物分離等取引ルールの設定が可能となったところであり、食品流通における卸売市場のハブ機能の強化、低温物流センターの整備等によるコールドチェーンの確保や情報通信技術等の利用による効率的な商品管理等に取り組んでいます。

（食品等流通合理化計画の認定数は48件）

平成30（2018）年10月に改正された食品等流通合理化法[2]に基づき、事業者による流通合理化のための取組を支援するため、食品等流通合理化計画の認定制度が創設されました。同計画の認定を受けた事業者は、公庫による資金の貸付け等の支援措置を受けることができ、令和元（2019）年度末時点での認定数は48件となっています。

（3）環境問題等の社会的な課題への対応

（我が国の食品ロスの発生量は年間612万 t ）

食品ロスとは、売れ残りや規格外品、返品、食べ残し、直接廃棄等の、本来食べられるにもかかわらず廃棄されている食品のことを言います。平成29（2017）年度における我が国の食品ロスの発生量は、前年度より31万 t 減少し、年間612万 t と推計されます。平成24（2012）年度からの納品期限緩和の働きかけなどにより、食品ロス削減の取組が進展してきたこと等が減少した要因と考えられます。これを国民1人当たりに換算すると年間48kgとなり、我が国の1人当たりの米の年間消費

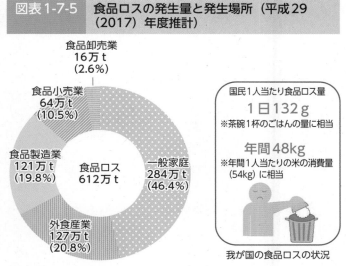

図表1-7-5　食品ロスの発生量と発生場所（平成29（2017）年度推計）

食品卸売業 16万 t（2.6%）
食品小売業 64万 t（10.5%）
食品製造業 121万 t（19.8%）
食品ロス 612万 t
一般家庭 284万 t（46.4%）
外食産業 127万 t（20.8%）

国民1人当たり食品ロス量
1日132g
※茶碗1杯のごはんの量に相当
年間48kg
※年間1人当たりの米の消費量（54kg）に相当
我が国の食品ロスの状況

資料：農林水産省作成

量54kgに相当する量です。また、1日当たりに換算すると132gとなり、茶碗1杯のごはんの量に相当します。

食品ロスの発生場所の内訳を見ると、一般家庭における発生が最も多く284万 t 、次いで外食産業127万 t 、食品製造業121万 t 、食品小売業64万 t 、食品卸売業16万 t となっています（図表1-7-5）。

（食品ロス削減推進法を施行）

食品ロスを削減するためには、事業者、消費者、行政機関等の多様な主体が連携し、フードチェーン全体での国民運動として取り組むことが重要です。令和元（2019）年10月に施行された食品ロスの削減の推進に関する法律では、国、地方公共団体、事業者の責務を明らかにするとともに、消費者の役割、関係者相互の連携協力について規定されまし

---

1 パレットに積載した荷物をフォークリフト等で積み込み、積み降ろしすること
2 正式名称は「食品等の流通の合理化及び取引の適正化に関する法律」。食品流通構造改善促進法から名称変更

た。また、同法に基づき、関係大臣及び有識者で構成される食品ロス削減推進会議において、食品ロスの削減の推進に関する基本的な方針について検討が行われ、令和2（2020）年3月に閣議決定されました。

　加えて、同法では、毎年10月を食品ロス削減月間、10月30日を食品ロス削減の日と定め、法律施行後初めての食品ロス削減月間となった令和元（2019）年10月には、全国の食品小売事業者に対して食品ロス削減に向けた消費者啓発ポスターの掲示を呼びかけました。具体的には、掲示を行った事業者名（75事業者）を公表したほか、「飲食店等の食品ロス削減のための好事例集」への新たな事例（28事例）の追加、食品ロス削減国民運動ロゴマーク「ろすのん」の活用事例（19事例）及び活用者（299者）の公表等を行い、食品ロスの削減に積極的な食品関連事業者の取組を見える化し、業界全体の取組につなげました。また、G20首席農業研究者会議から派生した取組として、令和元（2019）年10月、東南・東アジアを対象とした食品ロス削減に関する国際ワークショップを我が国で開催しました。

　さらに、令和2（2020）年2月の恵方巻きシーズンには、予約販売等の需要に見合った販売に取り組む食品小売事業者を公表するとともに、恵方巻きのロス削減に取り組む小売店である旨を消費者に情報発信するための資材を提供し、消費者に対して食品小売事業者の取組への理解を促しました。また、個々の食品企業の努力だけで事業系食品ロスを大幅に削減させることは容易ではないことから、異業種と協働した食品ロス削減を進めるため、ICT[1]やAI[2]等の新技術を活用した食品ロス削減に効果的なビジネスを募集し、農林水産省Webサイトで紹介しました。

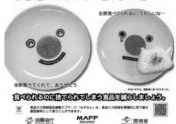

食品ロス削減月間ポスター

消費者啓発ポスターの掲示

（飲料、菓子、カップ麺の納品期限の緩和を推奨）

　食品業界における食品ロス削減のため、食品製造業、食品卸売業、食品小売業の話合いの場である「食品ロス削減のための商慣習検討ワーキングチーム」において、（1）納品期限の緩和[3]、（2）賞味期限の年月表示化、（3）賞味期間の延長を三位一体で進めています。特に、食品小売事業者による納品期限の緩和については、賞味期間が長く、かつ購

1、2　用語の解説3（2）を参照
3　商慣習に基づく小売事業者の加工食品の納品期限について、製造日から賞味期間の3分の1に相当する日数を経過した日（いわゆる3分の1ルール）から2分の1を経過した日にまで緩和するというもの

入後の家庭での消費が早い飲料、賞味期間が180日以上の菓子、カップ麺の3品目について推奨しています。納品期限を緩和している食品小売事業者は、平成31（2019）年3月時点で39事業者でしたが、令和2（2020）年3月時点では108事業者となりました[1]。農林水産省では、更なる食品ロス削減に向け、令和2（2020）年10月30日[2]までに全国一斉で商慣習を見直すことを呼びかける運動を展開することとし、上記3品目の納品期限の緩和について食品小売事業者へ呼びかけるとともに、食品製造事業者による賞味期限表示の大括り化[3]についても取組を促しています。

（東京2020大会に向けて食品ロス削減手法を検討）

　世界的に食品ロスへの関心が高まる中で、環境に配慮した持続可能な大会を目指す東京2020大会では、「Zero Wasting〜資源を一切ムダにしない〜」との目標の下、食品ロスの削減に取り組んでいくこととしています。

　この目標の達成に貢献するため、大規模スポーツイベントにおける食品ロス削減手法を検討しました。ラグビーワールドカップ2019の期間中には、選手の宿泊するホテルや競技会場周辺の飲食店において、食べ残しを発生させないことを呼びかける多言語の啓発資材を掲示し、その効果を検証しました。この結果、「食べ残しゼロにトライ！」と呼びかけたポスターや卓上ポップを掲示した飲食店では、利用客1人当たりの食べ残し量が2割減少するなど、食品ロスの削減効果が示唆されました。また、これら飲食店の利用客へのアンケート調査[4]では、9割の利用客が食品ロス削減に取り組む店舗について好印象を持つとともに、6割の利用客がこのような店舗を積極的に利用したいと回答しており、食品ロスの削減に取り組むことで、利用客から高く評価されることが示されました。

　今後は大会本番に向けて、これらの啓発手法をホテルや飲食店に普及させることにより、大会期間中に食品ロスをできるだけ発生させない取組を推進し、世界中に「もったいない」を発信するとともに、大会後も継続して取り組んでいくこととしています。

1　食品ロス削減のための商慣習検討ワーキングチーム事務局調べ。令和2（2020）年3月時点の調査は、実施を予定している事業者を含む。
2　食品ロス削減推進法において「食品ロス削減の日」に制定
3　賞味期限の表示を年月日から年月にすることや、異なる製造日の商品の賞味期限を統一すること
4　農林水産省委託事業「スポーツイベントにおける食品ロス削減手法等に関する調査」（居酒屋の利用者119人とファミリーレストランの利用者83人を対象とした調査。居酒屋の利用者の回答数114人、回答率95.7％、ファミリーレストランの利用者の回答数83人、回答率100％）

| 事例 | 飲食店の食品ロス削減の取組（愛知県） |

　株式会社ナゴヤキャッスルは、愛知県名古屋市等でホテルとレストランを経営する事業者です。

　同社では、国際的な枠組みであるSDGs等環境に配慮したおもてなしを目指し、省エネ・節水等の基本的な環境対策に加え、食品ロス削減等持続可能性を意識した多様な取組を行っています。

　特にブッフェレストランにおいては、食品廃棄物削減のため、厨房単位で削減目標を設定するとともに、過去の予約人数に応じた食材の使用量をデータ化し、適切な仕入れ量・仕込み量を把握しています。加えて、食品廃棄物の排出量も記録し、増加した場合は要因の分析を行っています。

　このほか、ブッフェレストランで残ったパンを二次活用し、フレンチトーストやチョコラスク等にリメイクして提供したところ、顧客には好評で満足度も向上しています。

　これらのことから、同社では、削減目標の達成に向けて、引き続き取組を継続していくこととしています。

ブッフェレストラン等で残った
パンを二次活用したチョコラスク

（食品リサイクル法に基づく基本方針を見直し）

　食品リサイクル法[1]に基づく基本方針では、食品関連事業者による食品廃棄物等の発生抑制と飼料や肥料等への再生利用を促進するため、発生抑制の目標を設定するとともに、食品循環資源の再生利用等実施率の目標を業種別（食品製造業、食品小売業、食品卸売業、外食産業）に定めています。SDGs[2]において、食品ロス削減に関する目標が設定されたこと等の社会情勢を踏まえ、令和元（2019）年7月に新たな基本方針を公表しました。

　新たな基本方針においては、発生抑制の目標について、達成した業種[3]の目標値を見直すとともに、新たに3業種[4]で設定しました。また、食品廃棄物等のうちの特に

| 図表1-7-6 | 再生利用等実施率に関する目標の達成状況 |

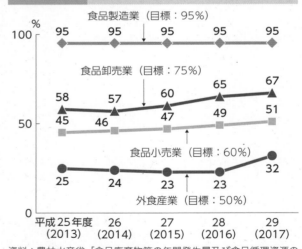

資料：農林水産省「食品廃棄物等の年間発生量及び食品循環資源の
再生利用等実施率（推計値）」

食品ロスに着目し、令和12（2030）年度までに食品関連事業者から発生する食品ロスをサプライチェーン全体で平成12（2000）年度の発生量（547万t）から半減させるという目標を新たに設定しました。

1　正式名称は「食品循環資源の再生利用等の促進に関する法律」
2　トピックス1及び用語の解説3（2）を参照
3　みそ製造業、ソース製造業、パン製造業等、19業種
4　水産練製品製造業、食用油脂加工業、食肉小売業

再生利用等実施率については、食品製造業で目標値を達成し、食品卸売業・小売業では目標値の達成に向けて向上しつつありますが、外食産業では目標値と実績値に乖離が生じています（図表1-7-6）。このため、今後5年間の新たな目標の設定に当たっては、外食産業は機械的に目標値を引き上げるのではなく据え置いて、発生抑制の取組を優先して進めていくこととしました。その結果、食品関連事業者の業種別の再生利用等実施率の目標は、令和6（2024）年度までに食品製造業は前回目標と同じ95％、食品卸売業は5ポイント増加の75％、食品小売業は5ポイント増加の60％、外食産業は前回目標と同じ50％となりました。

　目標達成に向けて食品関連事業者の意識の向上と取組の促進を図るため、食品ロス削減やリサイクルの取組等の状況を、食品リサイクル法の定期報告に基づく公表対象としました。

（海洋プラスチックごみ対策アクションプラン等を策定）

　プラスチックは、軽量で破損しにくいことや、加工・着色が容易であること、水分や酸素を通しにくく食品を効果的に保護できること等から、農林水産・食品産業において幅広く活用されています。一方で、我が国を含む世界各国から多量の廃プラスチックを輸入し再生利用してきた中国が輸入禁止措置を講じたことや、海岸での漂着ごみやマイクロプラスチック等の海洋プラスチック問題の顕在化を受け、国内におけるプラスチックの資源循環を推進するための体制整備が急がれています。このような中、令和元（2019）年6月のG20大阪サミットにおいて、令和32（2050）年までに海洋プラスチックごみによる新たな汚染をゼロとすることを目指す「大阪ブルー・オーシャン・ビジョン」が共有されました。また、これに先立ち、令和元（2019）年5月に、国全体の方針として、海洋プラスチックごみ対策アクションプラン、プラスチック資源循環戦略が策定されました。農林水産・食品産業においては、容器包装の薄肉化・軽量化による減容化、生分解性プラスチック等の代替素材の活用、リサイクルしやすい素材・製品の研究開発、地域と連携した環境美化活動等、プラスチック資源循環に向けた取組が行われています。これまでの取組の結果、例えば、ペットボトルのリサイクル率は84.9％と欧州の4割や米国の2割と比べ、高水準にあります[1]（図表1-7-7）。清涼飲料業界では、ペットボトルが海洋ごみとして注目されていることから、使用済みペットボトルを更に回収、リサイクルし、100％有効利用する目標を掲げています。その実現に向け農林水産省も連携し、消費者が利用しやすい業界横断的な回収体制を構築する取組を進めています。

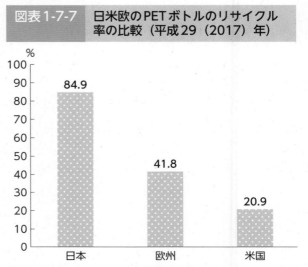

図表1-7-7　日米欧のPETボトルのリサイクル率の比較（平成29（2017）年）

資料：PETボトルリサイクル推進協議会「日米欧のリサイクル状況比較」を基に農林水産省作成

1　PETボトルリサイクル推進協議会調べ

（地方の企業や中小企業においても自主的取組を推進）

　農林水産省では、企業・団体による自主的取組を「プラスチック資源循環アクション宣言」として募集し、広く情報発信すること等により、国民理解の促進や農林水産・食品産業におけるプラスチック資源循環に向けた自主的取組を推進しています。この中で、地方の企業や中小企業、また食品小売業や外食産業の取組を促していくため、令和元（2019）年度は、これらの企業を中心としたセミナーを全国9か所で開催しました。

第8節　生産・加工・流通過程を通じた新たな価値の創出

　我が国の農業総産出額は8兆円から9兆円程度で推移しています。農林漁業者が生産した農林水産物は、保管、流通、加工、調理等の様々な過程で価値が付加され、飲食料の最終消費額は80兆円を超えています[1]。農林漁業の成長産業化のためには、農林水産物を始めとする地域の多様な資源を有効に活用した6次産業化[2]等により、新たな付加価値を生み出すことが重要です。

（農業生産関連事業の年間総販売金額は近年増加傾向）

　農業者による加工・直売等の取組である農業生産関連事業の市場規模は近年拡大しています。平成30（2018）年度の年間総販売金額は2兆1,040億円で、前年度並となりました（図表1-8-1）。また、1事業体当たりの年間販売金額は増加しており、このことが全体の販売金額を下支えしている要因となっています。

図表1-8-1　農業生産関連事業の年間総販売金額と1事業体当たりの年間販売金額

（農業生産関連事業の年間総販売金額）

（1事業体当たりの年間販売金額）

資料：農林水産省「6次産業化総合調査」
　注：その他は観光農園、農家民宿、農家レストランの合計

（6次産業化により売上高は増加しているものの経常利益の向上が課題）

　六次産業化・地産地消法[3]に基づく総合化事業計画[4]の認定件数は、令和元（2019）年度末時点で2,557件となりました。同計画の認定を受けた事業者は、交付金や農林漁業成長産業化ファンドによる資金面での支援等を受けることができます。令和元（2019）年度末時点で、農林漁業成長産業化ファンドによる出資決定案件は157件、出資決定額は181.9億円となりました[5]。なお、最近の出資状況、過去の投資実績等を踏まえ、農林水産省は、農林漁業成長産業化ファンドに対し、令和3（2021）年度以降、新たな出資の

1　農林水産省「平成27年（2015年）農林漁業及び関連産業を中心とした産業連関表（飲食費のフローを含む。）」
2、4　用語の解説3（1）を参照
3　正式名称は「地域資源を活用した農林漁業者等による新事業の創出等及び地域の農林水産物の利用促進に関する法律」
5　農業競争力強化支援法に基づく事業再編計画等及び食品等の流通の合理化及び取引の適正化に関する法律に基づく食品等流通合理化計画の認定事業者への出資を含む。

決定を行わないなどの方向で、投資計画を見直すよう指示しました。

　農林水産省が行った認定事業者を対象としたフォローアップ調査によると、5年間総合化事業に取り組んだ事業者の総合化事業で用いる農林水産物等と新商品の売上高平均額は、増加傾向で推移しています（図表1-8-2）。

　一方で、取組から5年目における総合化事業関連の売上高と経常利益について計画認定申請時と比較すると、8割近くの事業者は売上高が増加しているものの、その半数は経常利益が減少しています（図表1-8-3）。その主な要因としては、新たな事業の開始に伴う人件費や減価償却費の増加、農業生産資材等の高騰による経費の増加が挙げられています。さらに、認定事業者にヒアリングを実施したところ、加工技術が向上せず、商品開発に遅れが生じていること、他の事業者との競合等により、新商品の販路開拓が難航していることも挙げられています。

　このことから、農業者の経営改善に向けて、加工・業務用需要に対応した農産物の一次加工や農泊等と連携した取組の促進、多様な関係者とのコーディネート機能を有するプランナー等によるサポート体制の構築が求められています。

図表1-8-2　農林水産物等と新商品の売上高平均額

百万円

- 1年目　65
- 2年目　73
- 3年目　85
- 4年目　83
- 5年目　90

資料：農林水産省作成
注：平成25（2013）年度までに総合化事業の認定を受け、5年間取り組んでいる事業者のうち、有効回答を行った251事業者の売上高平均額

図表1-8-3　認定事業者の売上高と経常利益

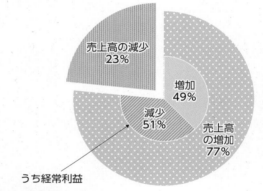

売上高の減少 23%
増加 49%
減少 51%
売上高の増加 77%
うち経常利益

資料：農林水産省作成
注：平成23（2011）年度に総合化事業計画を開始した141事業者について、取組から5年目における総合化事業関連の売上高と経常利益を計画認定申請時と比較

（6次産業化プランナーが6次産業化の取組をサポート）

　6次産業化の取組を支援するため、都道府県段階に6次産業化サポートセンターが設置され、同センターに登録された6次産業化プランナーが農林漁業者の抱える様々な課題を解決するためのアドバイス、新商品の企画・設計や販路拡大、申請書類の作成補助等の支援を行っています。6次産業化プランナーの派遣実績は、令和元（2019）年度は5,787件となりました。また、市町村段階では、地域の実情に応じた取組方針の検討や、商工業者や大学等の地域の多様な主体が連携することで地域ぐるみの6次産業化が推進されています。

| 事例 | 担い手育成と遊休農地を活用した業務用野菜の6次産業化（茨城県） |

茨城県つくば市に本社を置く、有限会社ワールドファームでは、農産物の国産化と若い担い手を育成する農業と関連産業の地域一体化プロジェクト「アグリビジネスユートピア構想」を掲げ、自社はもとより、全国13か所の地方公共団体と農業参入協定を締結し、遊休農地や耕作放棄地を活用したキャベツ、ほうれんそう等の生産及び業務用一次加工（カット、冷凍）を展開するとともに、地元若手就農者の雇用就農を促進しています。

ワールドファームの皆さん

農業の無駄や非効率を解消し、儲かる農業を実践するために、加工場を建設して6次産業化に取り組み、加工品は、グループ企業を経由して、食品メーカーやコンビニ等に業務用として販売しています。

また、約8年で一人前の担い手を目指す教育プログラムを導入し、若手の育成にも積極的に取り組んでおり、社員80人の平均年齢は30歳となっています。さらに、全国に農場を展開していることを活かし、収穫や定植等で一定期間のみ多くの人手が必要な場合には、他の農場の人材を数十人単位で投入することが可能な「集団農業」の仕組みを構築しています。

今後は、民間企業との連携により、100か所程度の野菜加工施設（カット、冷凍、乾燥等）を整備し、更なる冷凍野菜の国産化を推進する予定です。

（農産物直売所の総販売金額は農協等の規模の大きい事業体が牽引）

地域で生産された農林水産物をその地域内において消費する地産地消[1]の取組を推進することは、食料自給率[2]の向上や地域活性化、流通経費の削減等につながります。

農林水産省の基本方針[3]では、令和2（2020）年度までに年間販売金額が1億円以上の通年営業の農産物直売所の割合を50％以上にするという目標が掲げられています。平成30（2018）年度の年間販売金額1億円以上の農産物直売所の割合は、前年度に比べ3.0ポイント上昇して24.5％となりました。

また、平成30（2018）年度の農産物直売所の総販売金額は、前年度並の1兆789億円となりました（図表1-8-4）。内訳を見ると、運営主体が農協等である農産物直売所の年間販売金額が8,978億円と全体の8割を占めています。そのうち年間販売金額が1億円以上の割合は、前年度に比べ3.4ポイント上昇して26.2％となっており、このことから、農協を始めとする年間販売金額の大きい事業体が農産物直売所の総販売金額を牽引していることがうかがえます。

さらに、学校給食等において地場産物を使用することは、地産地消を推進するに当たって有効な手段となります。このため、「第3次食育推進基本計画」では、学校給食において地場産物を使用する割合を令和2（2020）年度までに30％以上にする目標が掲げられていますが、相次いだ自然災害の影響による国産農産物価格の高騰等により、平成30

1、2　用語の解説3（1）を参照
3　農林水産省「農林漁業者等による農林漁業及び関連事業の総合化並びに地域の農林水産物の利用の促進に関する基本方針」

（2018）年度は前年度と比べ0.4ポイント低下の26.0％となりました。取組の拡大のために
は、学校給食と生産現場の双方のニーズや課題を調整してつなぐ地産地消コーディネー
ターの活動が重要です。農林水産省では、これまで、コーディネーターの育成や派遣、優
良事例の普及等の支援を実施してきましたが、今後、これらの取組を更に発展させていく
ことが求められます。

図表1-8-4　農産物直売所の販売状況

（年間販売金額が1億円以上の農産物直売所の割合）

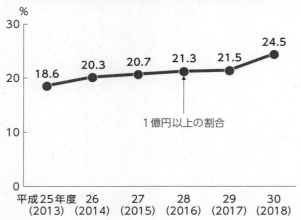

（農産物直売所の年間総販売金額）

資料：農林水産省「6次産業化総合調査」
注：1）1億円以上の割合は、通年営業で常設施設利用の農産物直売所
　　2）「農協等」は、農協、地方公共団体・第3セクター、生産者グループ等

（消費者が最も重視する食の志向は健康志向、簡便化志向も増加傾向）

公庫が令和2（2020）年3月に公表し
た調査によると、消費者の食の志向の動向
としては、簡便化志向が前年に比べ5.7ポ
イント増加の36.9％となり、初めて経済
性志向を上回りました。簡単に食べられる
ものを求めるという新たな傾向がうかがえ
ます。一方、健康志向は、前年に比べ5.6
ポイント減少の41.0％となりましたが、
消費者の食の志向のうちで最も高く、健康
を重視する傾向にあることに変わりがない
と言えます[1]（図表1-8-5）。国内の人口減少
や高齢化の進行に伴い食料需要が減少する
中、このような消費者のニーズを的確に捉
え、新たな販路の獲得につなげるために
は、農林水産物や食品が有する健康維持・
増進機能の科学的根拠による実証が重要で
す。このため、農研機構を中心とする産学官のチームでは、農林水産物・食品の健康維

図表1-8-5　消費者の食の志向（上位3回答）

資料：株式会社日本政策金融公庫農林水産事業本部「消費者動向等
　　　調査」（令和2（2020）年3月公表）を基に農林水産省作成
注：1）全国の20歳代から70歳代の男女を対象としたインター
　　　ネットによるアンケート調査
　　2）回答者数は2,000人
　　3）各年1月時点

1　第1章第4節（1）を参照

持・増進機能に関する科学的根拠の獲得と、それらのデータを収載した農林水産物・食品健康情報統合データベースの開発を進めています。これを活用して民間企業がヘルスケアに貢献する高付加価値食品を開発したり、アプリ開発やサービス提供をしたりすることによって国民の健康増進に貢献することが期待されています。

（機能性表示食品の届出が増加）

機能性表示食品は、安全性と機能性に関する科学的根拠に基づき、食品関連事業者の責任で「おなかの調子を整えます」等の健康の維持・増進に資する、特定の保健の目的が期待できる旨を表示するものとして、販売前に食品関連事業者により科学的根拠等の情報が消費者庁長官に届け出られた食品です。

令和元（2019）年度では、「加齢により衰えがちな認知機能の一部である、個人が経験した比較的新しい出来事に関する記憶をサポートする機能がある」との報告があるアンセリンやカルノシンを含む鶏肉、「一過性の疲労感を軽減する機能と加齢に伴い低下する認知機能の一部である記憶力（言葉を覚え、思い出す能力）を維持する機能がある」との報告があるイミダゾールペプチドを含む豚肉等が新たに届出されています。

第2章
強い農業の創造

第1節　農業産出額と生産農業所得等の動向

　我が国の農業総産出額[1]と生産農業所得[2]は長期的に減少していましたが、近年は高い水準を維持しています。農業総産出額の内訳を見ると、畜産の割合が最も大きく、次いで野菜、米となっています。また、都道府県別の農業産出額の推移から、条件に合わせた農業生産の選択的拡大が図られてきたことが分かります。

（農業総産出額は9.1兆円と高い水準を維持）

　農業総産出額は、ピークであった昭和59（1984）年から長期的に減少傾向が続いていましたが、近年、米、野菜、肉用牛等における需要に応じた生産の進展等により、平成27（2015）年以降は、3年連続で増加してきました。平成30（2018）年は、野菜、豚、鶏卵等において、生産量の増加に伴い、価格が低下したこと等により、前年に比べ2.4%減少の9兆1千億円となりましたが、引き続き高い水準を維持しています（図表2-1-1）。内訳を見ると、畜産の割合が最も大きく35.5%、次いで野菜が25.6%、米が19.2%となっています。

図表2-1-1　農業総産出額

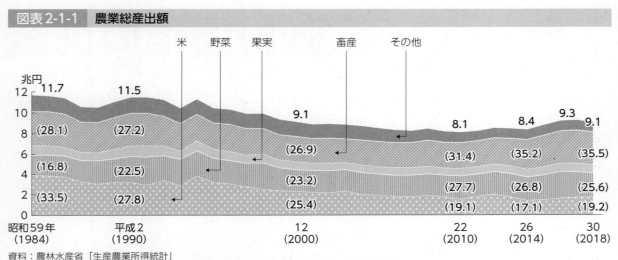

資料：農林水産省「生産農業所得統計」
注：1）その他は、麦類、雑穀、豆類、いも類、花き、工芸農作物、その他作物、加工農産物の合計
　　2）（　）内は、産出額に占める割合

　平成30（2018）年の部門別の産出額を見ると、米の産出額は、前年に比べ0.3%増加の1兆7千億円となり、4年連続の増加となりました。この要因としては、一部の産地で日照不足等の影響により作柄が悪かったものの、平成30（2018）年産から実施された米政策改革により、産地・生産者が中心となって需要に応じた生産・販売を行う中で、低価格帯を中心に主食用米の価格が上昇したこと等が寄与しています。

　野菜の産出額は、前年に比べ5.3%減少の2兆3千億円となりました。この要因としては、だいこん、レタス、はくさい等の根菜類や葉茎菜類について、冬場の温暖な天候により生育が良好であったことから、価格が高騰した前年よりも落ち着いたこと等が影響しています。

1、2　用語の解説1を参照

果実の産出額は、前年に比べ0.5％減少の8千億円となりました。この要因としては、日本なし等について、生育期間中の天候不順や台風等の影響により、生産量が減少したこと等が影響しています。

　畜産の産出額は、前年に比べ1.2％減少の3兆2千億円となっています。この要因としては、肉用牛については和牛の飼養頭数が増加に転じ、価格も上昇したこと等により産出額が増加したものの、豚肉や鶏卵について、生産量の増加に伴い、価格が低下したことにより産出額が減少したこと等が影響しています。

（都道府県では条件に合わせた農業生産の選択的拡大が進展）

　都道府県別の農業産出額を見ると、北海道が1兆2,593億円で1位となっており、2位は鹿児島県で4,863億円、3位は茨城県で4,508億円となっています（図表2-1-2）。また、これら上位3道県の昭和43（1968）年から平成30（2018）年までの部門別割合の変遷を見ると、いずれも米の割合が低下する一方、北海道では野菜や生乳、鹿児島県では肉用牛やブロイラー、茨城県では野菜や鶏卵の割合が増加しています（図表2-1-3）。このように、各都道府県がそれぞれの条件に合わせ、農業生産の選択的拡大を図ってきたことが分かります。

第2章

図表2-1-2　都道府県別の農業産出額

(単位：億円)

	農業産出額	順位		1位部門		2位部門		3位部門	
北海道	12,593	1	(1)	畜産	7,347	野菜	2,271	米	1,122
青森県	3,222	7	(8)	畜産	905	野菜	836	果実	828
岩手県	2,727	10	(10)	畜産	1,608	米	582	野菜	303
宮城県	1,939	18	(19)	米	818	畜産	758	野菜	277
秋田県	1,843	19	(20)	米	1,036	畜産	359	野菜	308
山形県	2,480	12	(14)	米	835	果実	709	野菜	472
福島県	2,113	17	(17)	米	798	野菜	488	畜産	455
茨城県	4,508	3	(3)	野菜	1,708	畜産	1,277	米	868
栃木県	2,871	9	(9)	畜産	1,095	野菜	815	米	714
群馬県	2,454	14	(11)	畜産	1,047	野菜	983	米	166
埼玉県	1,758	20	(18)	野菜	833	米	370	畜産	261
千葉県	4,259	4	(4)	野菜	1,546	畜産	1,287	米	728
東京都	240	47	(47)	野菜	134	花き	37	果実	33
神奈川県	697	38	(35)	野菜	360	畜産	146	果実	82
新潟県	2,462	13	(12)	米	1,445	畜産	478	野菜	350
富山県	651	40	(40)	米	451	畜産	89	野菜	58
石川県	545	43	(43)	米	288	野菜	108	畜産	90
福井県	470	44	(44)	米	305	野菜	87	畜産	46
山梨県	953	34	(34)	果実	629	野菜	112	畜産	77
長野県	2,616	11	(13)	野菜	905	果実	714	米	473
岐阜県	1,104	31	(30)	畜産	427	野菜	318	米	219
静岡県	2,120	16	(15)	野菜	643	畜産	464	果実	298
愛知県	3,115	8	(7)	野菜	1,125	畜産	866	花き	543
三重県	1,113	30	(31)	畜産	434	米	287	野菜	137
滋賀県	641	41	(41)	米	369	野菜	114	畜産	112
京都府	704	37	(38)	野菜	256	米	174	畜産	144
大阪府	332	46	(46)	野菜	150	米	73	果実	67
兵庫県	1,544	21	(21)	畜産	604	米	479	野菜	355
奈良県	407	45	(45)	米	111	野菜	104	果実	71
和歌山県	1,158	29	(28)	果実	748	野菜	161	米	75
鳥取県	743	36	(37)	畜産	277	野菜	211	米	145
島根県	612	42	(42)	畜産	242	米	204	野菜	99
岡山県	1,401	23	(23)	畜産	567	米	320	果実	245
広島県	1,187	27	(27)	畜産	474	米	263	野菜	234
山口県	654	39	(39)	米	228	畜産	176	野菜	158
徳島県	981	33	(32)	野菜	371	畜産	265	米	134
香川県	817	35	(36)	畜産	337	野菜	234	米	126
愛媛県	1,233	26	(26)	果実	530	畜産	245	野菜	201
高知県	1,170	28	(29)	野菜	745	米	117	果実	114
福岡県	2,124	15	(16)	野菜	729	米	429	畜産	408
佐賀県	1,277	24	(24)	畜産	351	野菜	325	米	281
長崎県	1,499	22	(22)	畜産	562	野菜	439	果実	149
熊本県	3,406	6	(6)	野菜	1,227	畜産	1,147	米	391
大分県	1,259	25	(25)	畜産	454	野菜	328	米	248
宮崎県	3,429	5	(5)	畜産	2,208	野菜	670	米	178
鹿児島県	4,863	2	(2)	畜産	3,172	野菜	556	工芸農作物	306
沖縄県	988	32	(33)	畜産	449	工芸農作物	205	野菜	158

資料：農林水産省「生産農業所得統計」
注：1）（　）は平成29（2017）年の順位
　　2）農業産出額には、自都道府県で生産され農業へ再投入した中間生産物（種苗、子豚等）は含まない。

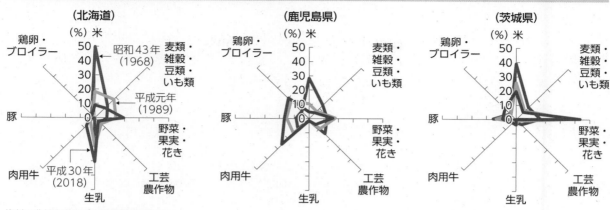

図表2-1-3　農業産出額の部門別構成割合の比較

（北海道）

（鹿児島県）

（茨城県）

資料：農林水産省「生産農業所得統計」

（生産農業所得も3.5兆円と高い水準を維持）

　生産農業所得は、農業総産出額の減少や資材価格の上昇により、長期的に減少傾向が続いてきましたが、近年、農業総産出額の増加等により平成27（2015）年以降は3年連続で増加してきました（図表2-1-4）。

　平成30（2018）年は、農業総産出額の減少等により、前年に比べて7.3％減少の3兆5千億円となりましたが、引き続き高い水準を維持しています。

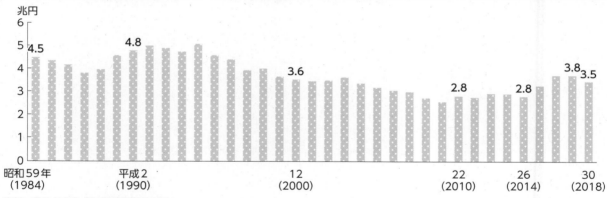

図表2-1-4　生産農業所得

資料：農林水産省「生産農業所得統計」

（1経営体当たりの農業所得は施設野菜作経営と果樹作経営で増加）

　平成30（2018）年の主な営農類型別の1経営体当たりの農業所得[1]を見ると、施設野菜作経営と果樹作経営で増加した一方、水田作経営と酪農経営、肥育牛経営では減少しています（図表2-1-5）。

　施設野菜作経営については、きゅうり等の価格の上昇があったこと等から、1経営体当たりの農業所得が前年に比べて4.1％の増加となりました。また、果樹作経営については、りんごの作柄が良好であったことに加え、シャインマスカット等の高品質で簡便化志向にも対応したぶどうの栽培が拡大し、価格が上昇したこと等から、1経営体当たりの農業所得が13.1％増加しました。

1　用語の解説2（3）を参照

　水田作経営については、米価が堅調に推移し、稲作収入が微増となったものの、原油価格の上昇による光熱動力費の増加等により、前年から19.2％減少しました。酪農経営については、乳価が上昇し、酪農収入が増加したものの、配合飼料価格の上昇による飼料費の増加等により、前年から13.9％減少しました。肥育牛経営についても、配合飼料価格の上昇による飼料費の増加等により、前年から17.1％減少しました。

図表2-1-5　1経営体当たりの経営状況

（単位：ha、頭、万円）

		平成26年 (2014)	27 (2015)	28 (2016)	29 (2017)	30 (2018)
水田作経営	水田作作付延べ面積	1.83	1.92	2.01	2.14	2.23
	農業所得	34.3	63.3	77.6	89.6	72.4
20ha以上	水田作作付延べ面積	36.04	40.20	42.24	45.04	43.55
	農業所得	1,363.5	1,808.8	1,967.2	2,247.2	1,719.7
施設野菜作経営	施設野菜作作付延べ面積	0.47	0.51	0.53	0.54	0.55
	農業所得	429.5	509.9	572.9	522.5	543.7
2ha以上	施設野菜作作付延べ面積	4.09	4.74	4.38	4.86	4.55
	農業所得	1,260.4	1,579.7	2,163.6	1,446.0	1,940.9
果樹作経営	果樹植栽面積	1.01	1.03	1.05	1.06	1.07
	農業所得	188.8	210.3	252.6	229.8	259.9
3ha以上 （組織法人は5ha以上)	果樹植栽面積	4.62	4.69	4.98	5.29	4.91
	農業所得	686.0	711.2	911.2	716.4	948.3
酪農経営	月平均搾乳牛飼養頭数	49.3	51.0	51.8	54.8	56.6
	農業所得	900.5	1,125.0	1,558.2	1,698.0	1,462.7
100頭以上	月平均搾乳牛飼養頭数	192.4	200.6	196.0	203.9	190.5
	農業所得	2,689.0	3,174.2	4,771.0	4,792.0	4,138.0
肥育牛経営	月平均肥育牛飼養頭数	230.5	241.6	217.3	219.2	215.1
	農業所得	688.0	1,297.1	2,239.3	967.0	801.2
200頭以上 （組織法人は300頭以上)	月平均肥育牛飼養頭数	769.3	1,140.1	990.0	817.6	699.7
	農業所得	1,201.3	4,479.7	7,415.3	1,509.0	1,432.0

資料：農林水産省「営農類型別経営統計からみた1農業経営体当たりの経営状況（推計）」を基に作成
注：1）個別経営体と組織法人経営体の調査結果を母集団（農林業センサス）の経営体数で加重平均した1経営体当たりの結果
　　2）営農類型は、最も多い農業生産物販売収入により区分した分類。なお、水田作経営は、稲、麦類、雑穀、豆類、いも類、工芸農作物の販売収入のうち、水田で作付けした農業生産物の販売収入が他の営農類型の農業生産物販売収入と比べて最も多い経営

第2節　農業の構造改革の推進

　担い手の減少、高齢化が進行する中、我が国農業を持続可能なものにするためには、農地利用の最適化や担い手の育成・確保等を推進し、効率的で生産性の高い農業経営に取り組んでいく必要があります。このような農業の構造改革について、近年では、農地の集積・集約化[1]を通じた規模拡大や経営の法人化等の動きが見られます。

（1）農地中間管理機構の活用等による農地の集積・集約化

（農地面積は緩やかに減少、荒廃農地面積は横ばい）

　令和元（2019）年における我が国の農地面積は、荒廃農地[2]からの再生等による増加があったものの、耕地の荒廃、宅地等への転用、自然災害等による減少を受け、前年に比べて2万3千ha減少の440万haとなりました（図表2-2-1）。作付（栽培）延べ面積も減少傾向が続いており、この結果、平成30（2018）年の耕地利用率は91.6％となっています。

　また、荒廃農地の面積は、前年と同水準の28万haとなりました。このうち、再生利用が可能なもの（遊休農地[3]）は9万2千ha、再生利用が困難と見込まれるものは18万8千haとなっています。このような傾向の中、国内の農業生産に必要な農地を確保するためには、地域における積極的な話合いを通じ、農地を担い手に集積・集約化すること等で荒廃農地の発生を未然に防ぐこと等が重要です。

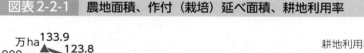

図表2-2-1　農地面積、作付（栽培）延べ面積、耕地利用率

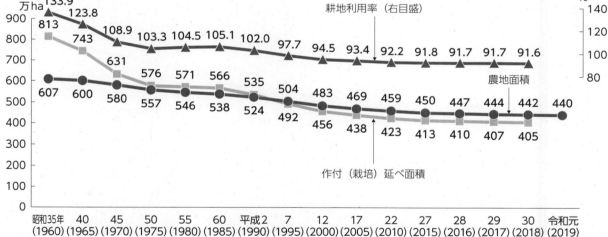

資料：農林水産省「耕地及び作付面積統計」
注：耕地利用率（％）＝作付（栽培）延べ面積÷耕地面積×100

（担い手への農地集積率は年々上昇）

　より効率的な農業経営を進めていくためにも、担い手への農地の集積・集約化を進める必要があります。

　平成26（2014）年に発足した農地中間管理機構（以下「農地バンク」という。）は、

1〜3　用語の解説3（1）を参照

地域内に分散・錯綜する農地を借り受け、条件整備等を行い、再配分して担い手への集約化を実現する、農地中間管理事業を行っています。

農地バンクの活用により、実際に、地域の話合いを通じて農地の再配分を行い、分散錯圃[1]が解消された地区や、担い手が不足していたため、地域関係者との連携の下に県外から企業を誘致した地区等、全国で様々な優良な事例が見られるようになっています（図表2-2-2）。

このような取組の結果、近年、担い手への農地集積率は年々上昇しており、平成30（2018）年度末時点で56.2％になりました（図表2-2-3）。これを地域別に見ると、農業経営体[2]の多くが担い手である北

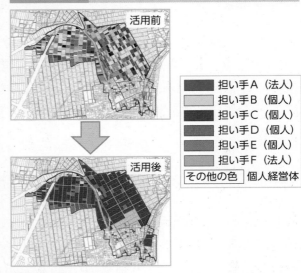

図表2-2-2　農地バンクを活用して分散錯圃を解消した事例

活用前

活用後

担い手A（法人）
担い手B（個人）
担い手C（個人）
担い手D（個人）
担い手E（個人）
担い手F（法人）
その他の色　個人経営体

資料：農林水産省作成
注：新潟県長岡市の事例

海道では集積率が9割を超えるほか、水田率や基盤整備率が高く、集落営農[3]の取組が盛んである東北、北陸では集積率が高い傾向にあります。一方で、大都市圏を抱える地域（関東、東海、近畿）や中山間地を多く抱える地域（近畿、中国四国）の集積率は総じて低い傾向にあります（図表2-2-4）。

図表2-2-3　担い手への農地集積率

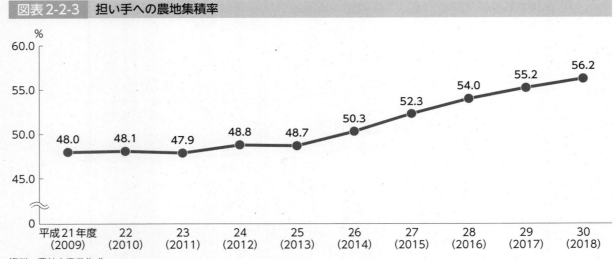

資料：農林水産省作成
注：1）農地バンク以外によるものを含む。
　　2）各年度末時点

1　農業者が利用する農地が互いに入り組んで分散している状態。一般的に作業効率に支障が生じやすい。
2　用語の解説1、2（1）を参照
3　用語の解説3（1）を参照

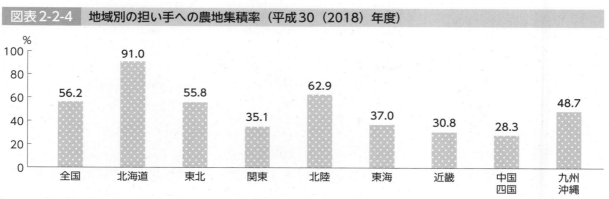

図表 2-2-4　地域別の担い手への農地集積率（平成30（2018）年度）

資料：農林水産省作成

（経営耕地面積が10ha以上の層の面積シェアは年々増加）

　このような取組によって、経営耕地面積が10ha以上の層の面積シェアは年々増加し、平成31（2019）年には53.3％となっています（**図表2-2-5**）。また、意欲ある担い手がその活動領域を継続的に拡大している動きもあり、平成31（2019）年では複数の市町村で農地を利用する農地所有適格法人は2,243法人に上っています。

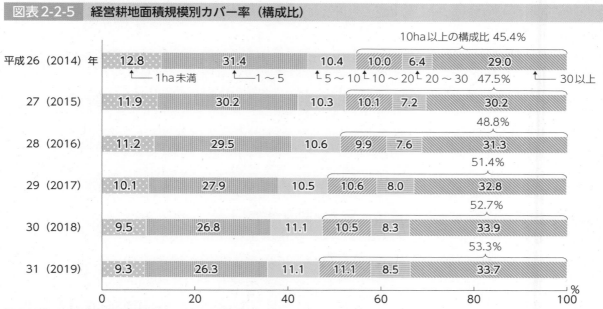

図表 2-2-5　経営耕地面積規模別カバー率（構成比）

資料：農林水産省「農業構造動態調査」、「2015年農林業センサス」
注：各年2月時点

（農地集積・集約化の加速のため農地中間管理機構法を見直し）

　担い手への農地の利用集積率については、令和5（2023）年度までに8割に引き上げる目標が設定されており、今後はその達成に向け、取組を一層加速させていく必要があります。

　このような中、農地中間管理事業の根拠法である「農地中間管理事業の推進に関する法律」が施行から5年を迎えたため、この間に明らかになった課題も踏まえて更に事業を加速化させるべく、「人・農地プラン」の実質化、手続きの簡素化と支援体制の一体化を内容とする「農地中間管理事業の推進に関する法律等の一部を改正する法律」（以下「改正

農地バンク法」という。）が令和元（2019）年5月に公布されました。

（「人・農地プラン」の実質化へ向けた取組）

これまで、地域の農業・農地の維持・発展に必要なほ場整備や機械・施設の導入、共同活動等の取組は、各地域の話合いによりその方針が決められてきました。

「人・農地プラン」は、農業者の話合いを基に、地域農業における中心経営体、地域における農業の将来の在り方等を明確化する地域農業の将来の設計図として取りまとめるものです。「人・農地プラン」の作成は、平成24（2012）年度から全国で開始され、平成30（2018）年度末時点で、1,583市町村の1万5,444の地域で作成されています。この中には、地域の徹底した話合いに基づいて作成されているものがある一方、地域の話合いに基づくとは言い難いものもあります。

そこで、今回の改正農地バンク法の公布に伴い、農林水産省では、担い手への農地の集積・集約化を加速させる観点から、農業者、市町村、農協、農業委員会、土地改良区等の関係者が徹底した話合いを行い、5年後から10年後の農地利用を担う経営体の在り方を決定するという取組を令和2（2020）年度末までに全国で集中的に推進することとしています。また、このような「人・農地プラン」の実質化に際しては、農業者の年齢や後継者の有無等をアンケートで確認し、これを地図化するなどにより、5年後から10年後に後継者がいない農地を「見える化」することが重要です。

このため、今般の改正農地バンク法では、「人・農地プラン」の実質化の取組に当たっては、市町村が農地に関する地図を活用して、農業者の年齢別構成や後継者確保の状況等の情報を提供するよう努めることとされたほか、農業委員会による農地に関する情報提供や農業委員・農地利用最適化推進委員の農業者等による協議への出席等の協力を行うことが明確化されました。

また、市町村、農業委員会、農協、土地改良区等のコーディネーター役を担う組織と農地バンクとが一体となって推進する体制を構築することとしています。

（農地集積・集約化の手続の簡素化と支援体制の一体化）

また、改正農地バンク法では、担い手への農地の集積・集約化を加速する観点から、農地バンクによる農地の借入れ・転貸の手続を更に簡素化するため、これまで市町村の集積計画と農地バンクの配分計画の2つの計画が必要であったところ、従来の方式に加えて、市町村の集積計画のみで一括して権利設定を可能とする仕組みが新たに創設されました（図表2-2-6）。

また、農地の集積・集約化を支援する体制の一体化を図る観点から、農協等が担う農地利用集積円滑化事業を農地中間管理事業に統合一体化することとされました。

図表 2-2-6　集積計画による一括処理のイメージ

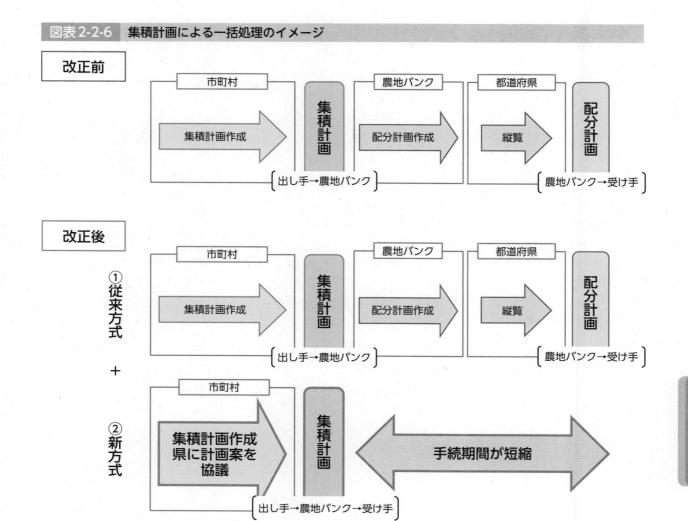

資料：農林水産省作成

事例　「人・農地プラン」の見直しを通じ分散錯圃を解消（滋賀県）

　滋賀県彦根市 南 三ツ谷 町 地区では、地区内外の担い手や小規模農家同士が利用調整を行う機会がなく、農地が分散していました。

　このため、市は、地区内の担い手間で農地の交換が行われることを契機に、「人・農地プラン」を見直し、分散錯圃を解消することを提案しました。この結果、主要耕作者を中心とした農地集積推進委員会が設置され、農地バンクを活用した集約化に取り組むことになりました。

　市は、現況の耕作地図と、今後の農地の集約化案を作成した上、農業委員会・農地バンクの現地駐在員と連携して話合いを進めました。集約過程では、担い手間の農地交換を促したほか、希望農地等の条件を調整しながら、集約化案を計21回作成し、地区内外の耕作者での徹底的な話合いを行いました。また、地権者に対しては、農地バンク・市・推進委員会等が説明を実施することで、合意を取り付けました。

　このような「人・農地プラン」の見直しを通じて、南三ツ谷町地区では担い手への集積率を97％にまで上昇させることができました。

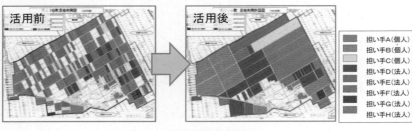

分散錯圃の解消

（2）担い手の動向と人材力の強化

ア　担い手の動向

（法人経営体数は増加傾向）

平成31（2019）年における基幹的農業従事者[1]数は、前年に比べ3.2％減少の140万4千人となり、平均年齢は67歳となりました。また、農業経営体数は、前年に比べ2.6％減少の118万9千経営体となりました（図表2-2-7）。一方、組織経営体[2]数は3万6千経営体と前年に比べ1.4％増加しており、このうち法人経営体数[3]は2万3千経営体と前年に比べ3.1％の増加となりました。

農業経営体数が一貫して減少していく中、法人経営体は従業員を集めやすい、経営継続がしやすいなどの利点があることから、年々増加しています。農業経営の法人化に関しては、都道府県段階に設置した農業経営相談所において専門家派遣等による相談対応が実施されています。

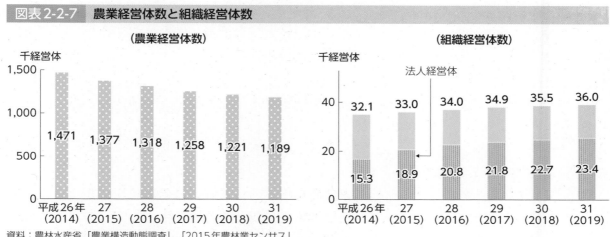

図表2-2-7　農業経営体数と組織経営体数

（農業経営体数）

千経営体
	平成26年(2014)	27(2015)	28(2016)	29(2017)	30(2018)	31(2019)
	1,471	1,377	1,318	1,258	1,221	1,189

（組織経営体数）

千経営体　　法人経営体
	平成26年(2014)	27(2015)	28(2016)	29(2017)	30(2018)	31(2019)
組織経営体	32.1	33.0	34.0	34.9	35.5	36.0
法人経営体	15.3	18.9	20.8	21.8	22.7	23.4

資料：農林水産省「農業構造動態調査」、「2015年農林業センサス」
注：1）各年2月時点
　　2）法人経営体数については、農産物の生産を行う法人組織経営体であり、一戸一法人は含まない数

（認定農業者数は横ばいで推移）

認定農業者[4]制度は、農業者が作成した経営発展に向けた計画（農業経営改善計画）を市町村が認定するもので、認定を受けた農業者（認定農業者）には、計画の実現に向け、農地の集積・集約化や経営所得安定対策、低利融資等の支援措置が講じられています。

農業経営改善計画の認定数は、平成31（2019）年3月末時点で23万9千となっており、近年はほぼ横ばいで推移しています（図表2-2-8）。ただし、認定された農業経営改善計画のうち法人のものは一貫して増加しており、平成31（2019）年3月末では前年度に比べて6％増加の2万5千経営体となりました。

認定農業者の年齢構成[5]は、29歳以下が1％、30歳代が6％、40歳代が14％、50歳代が24％、60から64歳が18％、65歳以上が37％となっており、60歳以上が全体の55％を占めています。

1　用語の解説1、2（4）を参照
2　用語の解説1、2（1）を参照
3　農産物の生産を行う法人組織経営体であり、一戸一法人は含まない数
4　用語の解説3（1）を参照
5　法人と共同申請によるものを除く。

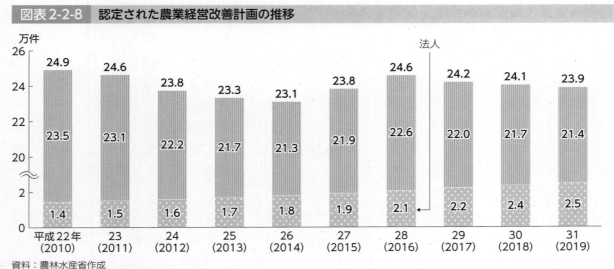

図表2-2-8　認定された農業経営改善計画の推移

資料：農林水産省作成
注：特定農業法人で認定農業者とみなされている法人を含む。

（国・都道府県が農業経営改善計画を認定する仕組みの導入）

　近年、都道府県の区域や市町村の区域を越えて農業経営を行う農地所有適格法人が過去5年間で6割増加しているなど、営農活動の広域化が進展しています。これを踏まえ、令和2（2020）年4月に改正される農業経営基盤強化促進法により、担い手の営農範囲に応じ、国又は都道府県が農業経営改善計画を認定する仕組みが新たに設けられることとなりました。

（集落営農組織の新しい動き）

　集落営農は、農作業の共同化や機械の共同利用を通じて経営の効率化を目指す取組で、個人の担い手が少ない地域において、農地等の受け皿として農業生産を担ってきました。

　近年、後継者の確保や農産物のブランド化等の観点から、年々、集落営農組織の法人化が進展しており、令和2（2020）年2月時点で5,458法人となっています（図表2-2-9）。また、その組織形態は、農事組合法人が87.7％、株式会社が10.9％、合名会社・合資会社・合同会社が0.8％等となっており、いずれの組織形態も増加しています（図表2-2-10）。

　一方で、依然として3分の2は法人化されておらず、オペレーター不足等のために、解散する集落営農組織も見られます。

　このような中、集落営農組織についての現状を打破すべく、様々な新しい動きが見られるようになってきました。例えば、複数の集落営農が共同して法人を設立するといった取組や、経営の経験が豊かな担い手を外部から招致するといった動きがあります。

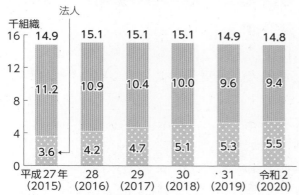

図表 2-2-9	集落営農組織数

資料：農林水産省「集落営農実態調査」
注：1）各年2月1日時点
　　2）東日本大震災の影響で営農活動を休止している宮城県と福島県の集落営農については調査結果に含まない。

図表 2-2-10	形態別集落営農組織数（法人）

（単位：組織）

	合計	農事組合法人	株式会社	合名・合資・合同会社	その他
平成27年（2015）	3,622	3,147（86.9%）	446（12.3%）	21（0.6%）	8（0.2%）
28（2016）	4,217	3,703（87.8%）	470（11.1%）	27（0.6%）	17（0.4%）
29（2017）	4,693	4,141（88.2%）	501（10.7%）	35（0.7%）	16（0.3%）
30（2018）	5,106	4,499（88.1%）	545（10.7%）	39（0.8%）	23（0.5%）
31（2019）	5,301	4,665（88.0%）	569（10.7%）	41（0.8%）	26（0.5%）
令和2（2020）	5,458	4,788（87.7%）	597（10.9%）	43（0.8%）	30（0.5%）

資料：農林水産省「集落営農実態調査」
注：1）各年2月1日時点
　　2）東日本大震災の影響で営農活動を休止している宮城県と福島県の集落営農については調査結果に含まない。

（新規就農者数は前年並、49歳以下は減少傾向）

　平成30（2018）年の新規就農者[1]は前年並（0.3%増加）の5万6千人となっており、その多くが自家農業に就農する新規自営農業就農者[2]となっています（図表2-2-11）。一方で、農業法人等に雇われる形で就農する新規雇用就農者[3]は、平成27（2015）年以降、1万人前後で推移しており、平成30（2018）年は9,820人となりました。この新規雇用就農者は49歳以下が全体の71.9%を占めており、また、非農家出身者も81.9%に上っています。

　また、将来の担い手と期待される49歳以下の新規就農者は、他産業との人材獲得競争が激化する中で、平成30（2018）年は1万9千人であり、近年は減少傾向となっています。

図表 2-2-11	新規就農者数

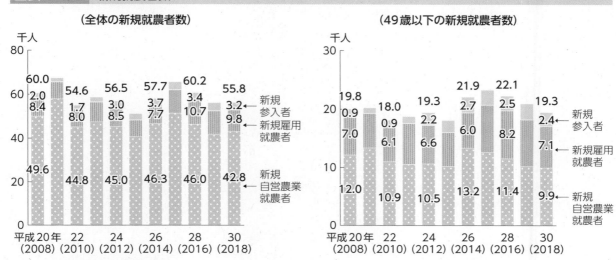

資料：農林水産省「新規就農者調査」
注：平成26（2014）年調査より、新規参入者については、従来の「経営の責任者」に加え、新たに「共同経営者」を含めた。

1～3　用語の解説2（5）を参照

（青年就農者に対する支援）

農林水産省では、青年の新規就農を促進するため、平成24（2012）年度から就農準備段階（準備型、最大150万円を最長2年間）や経営開始時（経営開始型、最大150万円を最長5年間）を支援する資金を交付する農業次世代人材投資事業を実施しています。平成30（2018）年度の交付実績は、準備型で2,176人、経営開始型で11,498人となりました。

令和元（2019）年度は、これまで原則44歳以下だった交付要件を49歳以下に拡大し、中山間地域等での担い手不足解消に向けて、活用を促進しています。

その他にも、認定新規就農者には、農業経営の開始に必要な機械や施設を取得する際の資金を無利子で借入れできる青年等就農資金等の支援策が用意されており、これらを活用して新規就農者が大規模生産に取り組む事例も見られるようになってきています。

（地域における新規就農受入体制の構築）

新規就農者が就農地を選択した理由を見ると、「取得できる農地があった」が最も多く回答されている一方、「就業先・研修先があった」「行政等の受入れ・支援対策が整っていた」という、研修や就農支援体制も重視されていることが分かります（図表2-2-12）。

近年、市町村や農協、農地バンク等地域の関係機関が連携して、就農相談や短期農業体験、実践研修、農地や住宅の斡旋、就農後の農業技術向上や販路確保の支援等によって、新規就農者を地域全体で支援する取組が広がりつつあり、新規就農者の経営発展や地域への定着に効果が見られるところです。

農林水産省は、今後も地域の新規就農受入体制を調査・分析し、受入体制の構築を進めるとともに、就農希望者が情報を容易に入手することができるようWebサイト等の充実を行っていくこととしています。

図表2-2-12　新規参入者の就農地の選択理由

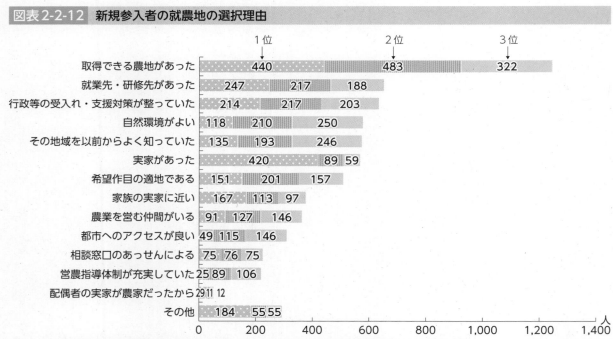

資料：一般社団法人全国農業会議所全国新規就農相談センター「新規就農者の就農実態に関する調査結果」（平成29（2017）年3月）を基に農林水産省作成
注：就農してからおおむね10年以内の新規参入者を対象に行ったアンケート調査（有効回答者数2,370人）

農林水産業は、国民への食料の安定供給や国土・生物の保全等重要な役割を担っており、国の基（もとい）を成すものですが、我が国の農林水産業は担い手の高齢化や減少が課題となっています。

一方、近年、農業法人等での雇用が拡大し、若手の新規就業者数が比較的高い水準で推移するなど、明るい兆しも見られます。

しかしながら、これまで農林水産業とつながりのなかった皆さんが「農林水産業について知りたい！始めたい！」と思っても、品目、規模、地域、本人のスキルなどによって、仕事の選び方、始め方はさまざまであり、どこを見て、どこに相談したらよいか分かりにくい状況でした。

そこで、農林水産省は、令和元（2019）年6月に、農業・林業・漁業、その加工・販売に興味がある人や、これから始めたい人に向けた情報を発信するポータルWebサイト「あふてらす　農林漁業はじめるサイト」を公開しました。「あふてらす」では、農林水産業との関わりがなかった皆さんへの一次産業の魅力の紹介のほか、農林水産業に仕事として関わりたい人のための全国各地の求人情報や就業支援フェア等の開催情報、就業に当たっての支援制度や関連する情報、生産品の6次産業化*や付加価値の向上に挑戦するための情報を掲載するなど、農林漁業を始めるための情報を「テラス」のように集めたWebサイトとなっています。

*用語の解説3（1）を参照

長野県飯田市（いいだし）の清水優一郎（しみずゆういちろう）さんは、地域食品の企画・製造・販売会社で約10年勤めていましたが「生まれ育った地域を守りたい」という強い思いにより、地元に戻って妻の由枝（よしえ）さんと夫婦での就農を決意しました。実家は農家でしたが親元就農ではなく、飯田市内の後継者のいない梨園70aを借りて、平成24（2012）年に就農、経営を開始しました。

しかし、経営1年目は、主に中山間地域の農作業を請け負うために設立した「農援隊」の作業受託面積は50aで、農業所得もマイナスでした。

経営3・4年目では、地域行事や地域活動等に多く参加して周囲からの信頼を得るとともに、青年就農給付金（現農業次世代人材投資事業）や経営体育成支援事業（現 強

清水優一郎（しみずゆういちろう）さん、由枝（よしえ）さん

い農業・担い手づくり総合支援交付金）を活用して農業用機械等をそろえました。その結果、経営8年目現在、「農援隊」の作業受託面積は1ha（受託戸数50戸）、自身の経営面積は265aまで拡大し農業所得も安定してきました。今後も地域に密着した農業を行い、代表的な担い手となることが期待されます。

なかもりつよし
中森剛志さん

> **事例**　青年等就農資金等の活用で就農4年目で100ha経営に（埼玉県）
>
> 　東京都出身の中森剛志さんは高校生の時に読んだ本を
> きっかけに農業に強い関心を持ち、大学時代から農業関連
> 事業を展開してきました。東日本大震災の復興支援に関
> わった際に、地方の基幹産業である農業を立て直そうと思
> い就農を決意し、埼玉県内の農業法人で2年間研修に取り
> 組みました。
> 　埼玉県加須市で独立した際には、データ収集や実地調査
> を実施し、農地を集積しやすい地区を約1年かけて選定し
> ました。このような徹底した準備に加え、青年等就農資金
> を活用して設備投資を行ったことにより、初年度から水田
> 10haを作付けすることができ、黒字経営を実現しました。
> 　就農4年目にあたる令和元（2019）年は経営規模を
> 100haまで拡大しており、4人の雇用者とともに、スマー
> ト農業の導入やGAP認証・有機JASの取得に取り組んでいます。
> 　今後は更なる規模拡大を目指し、将来的には我が国農業を牽引するメガファームを目指し
> たいと語っています。

（経営継承の取組を推進）

　基幹的農業従事者の減少・高齢化が進む中、農業の持続的な発展を維持していくために
は、農地等の資産を後継者や他の農業者に円滑に引き継いでいく経営継承の取組が重要と
なっています。

　このため、農林水産省は、「人・農地プラン」の実質化を通じ、農地バンクも活用しな
がら次世代への経営ノウハウを含めた円滑な経営継承ができるよう、税理士や中小企業診
断士等の専門家による相談対応を推進しています。このほか、農地、農業用機械等に係る
贈与税・相続税の納税猶予等の各種税制特例や、後継者不在の農業者の農業用ハウスや果
樹園・茶園等の再整備・改修、畜舎の補修等担い手等に資産を引き継ぐための取組の支援
等を行うこととしています。

イ　多様な人材力
（農業生産基盤強化プログラムにより人材のすそ野の拡大と定着を促進）

　地域の農林水産業を確実に次世代に引き継ぐため、令和元（2019）年12月に決定され
た農業生産基盤強化プログラムでは、中小・家族経営の経営基盤の継承のための仕組みと
合わせて、農林水産業に新たに就業する人材のすそ野の拡大と定着を促進することとされ
ました。これを受けて、農林水産省では、就職氷河期世代の就業を後押しするための研修
期間に必要な資金の交付や、50歳代を対象とする研修について農業研修機関への支援等
を行うこととしています。

（企業による農業参入の促進）

　農地を利用して農業経営を行う一般法人数は平成30（2018）年時点で3,286法人と
なっており、農地のリース方式による参入が自由化された平成21（2009）年以前と比較

して、１年当たりの平均参入数は５倍のペースとなっています（図表2-2-13）。参入した企業の業務形態別の割合を見ると、農業・畜産業が27％、食品関連産業が20％、建設業が10％、特定非営利活動が８％となっています。

（若い世代に支えられる雇用労働）

　近年、法人経営体数の増加等の結果、雇用によって労働力の確保を進める動きが見られるようになっています。このような常雇い[1]がいる農業経営体の割合は、平成31（2019）年２月時点では、前年に比べ0.2ポイント増加の5.5％となっています（図表2-2-14）。また、常雇い全体のうち、49歳以下の占める割合は50.7％となっており、雇用労働が若い世代に支えられていることが分かります。

図表2-2-13　農地を利用して農業経営を行う一般法人数

資料：農林水産省作成

図表2-2-14　常雇い数と全経営体数に占める常雇いがいる経営体の割合

資料：農林水産省「農業構造動態調査」、「農林業センサス」

ウ　外国人材の活用

（農業分野における外国人材の受入数は年々増加）

　近年の深刻な人手不足を受けて、農林水産省は、これまで、生産性向上のための対策や国内での人材確保対策に取り組んできました。しかし、農村では人口減少が全国を超えるペースで進行しており、高齢化率も都市を上回る水準で推移しています。

　一方、令和元（2019）年10月末時点での外国人の雇用状況は、農業分野では、総数が３万5,500人となっています。このうち、３万1,900人が外国人技能実習生となっています。平成27（2015）年と比べると、外国人雇用数全体は1.8倍、外国人技能実習生は1.9倍に増加しています。このような中、外国人材を受け入れることは農業の生産基盤を維持・強化する上で不可欠となっています。

（技能実習の適正な実施に向け農業技能実習事業協議会を設置）

　外国人技能実習制度は、外国人技能実習生への技能等の移転を図り、その国の経済発展を担う人材育成を目的とした制度であり、我が国の国際協力・国際貢献の重要な一翼を担っています。農業分野においても、全国の農業生産現場で多くの外国人技能実習生が受け入れられています。一方で、農業分野では、技能実習生の失踪や技能実習生への賃金未

1　用語の解説1、2（4）を参照

第2章

払いといった問題が生じています。このため、農業の実情を踏まえた技能実習の適正な実施と技能実習生の人権保護を図るため、農業関係の業界団体と関係省庁で構成する農業技能実習事業協議会において失踪問題への対応、不正行為等の情報共有及びその防止に向けた対応等の協議、周知依頼等を行っています。

（新たな在留資格「特定技能」による外国人材の受入れを開始）

深刻化する人手不足に対応するため、平成31（2019）年4月に改正された出入国管理及び難民認定法により、新たな外国人材の受入れのための在留資格である特定技能制度が創設されました。この制度では、農業を含む14の特定産業分野が受入対象分野となっており、一定の専門性・技能を有し即戦力となる外国人材を受け入れることとしています。

この制度により令和2（2020）年3月末時点で、農業分野で686人の外国人材が働き始めています。農林水産省では制度の適切な運営を図るため、受入機関、業界団体、関係省庁で構成する農業特定技能協議会及び運営委員会を設置しています。令和元（2019）年度末時点で、協議会を1回、運営委員会を4回開催し、農林水産省を始めとした関係省庁、農業関係団体等の構成員とともに、本制度の状況や課題の共有、その解決に向けた意見交換等を行っています。

エ　将来の農業者の育成
（農業分野を支える人材を育成する農業高校と農業大学校）

農業高校では、農業実習等の実践的・体験的な学習や、生徒自らが課題を発見し、解決方法を探求するプロジェクト学習等に取り組んでいます。また、「ディスカバー農山漁村の宝」や「GAP普及大賞」等の様々な大会でも農業高校生が活躍しています。このような生徒たちに農業を将来の職業の選択肢の一つとして考えてもらうには、在学中から農業の楽しさや、やりがいを感じる機会を提供することが重要です。このため、地域の特産品を利用した6次産業化の学習や、農業用ドローン操縦実習等、特色あるカリキュラムを導入する動きもあります。

また、農業高校等の中には、先進的な卓越した取組を行う専門高校等としてスーパー・プロフェッショナル・ハイスクールに指定され、人材育成の実践研究を行っている学校や、「地域の協働による高等学校教育改革推進事業」の対象校として指定され、地域の産業界等との連携・協働による実践的な職業教育を推進している学校もあります。

一方、農業経営に関する知識、生産技術の習得等、実践的な教育を行う農業大学校の卒業生は将来の地域の中心的なリーダーとなって活躍することが期待されています。

平成30（2018）年度の卒業生1,755人のうち、卒業後すぐに就農した者は947人で、卒業生全体の54.0%となっています（図表2-2-15）。就農の形態別に見てみると、雇用就農の割合が自営就農に比べて大きく伸びていることが分かります。また出身別では、農家出身の学生の就農率は横ばいが続いていますが、農家出身でない学生の就農率は法人経営体の増加等によって農業分野の求人倍率が上昇していること等を背景に、平成23（2011）年度から平成30（2018）年度において32.8%から46.5%に上昇しています。このように、農業大学校が、農家の子弟が親元就農することを前提に学ぶ場から、雇用就農希望者や農家出身でない者も学ぶ場へと、その役割の幅を広げてきている傾向がうかがえます。

また、農業教育の高度化のニーズに対応して、農業大学校が専門職大学へ移行する動きもあり、令和2（2020）年4月には、農林分野で初めて、静岡県立農林環境専門職大学

が開学されることとなりました。

さらに、直接就農せず農業関連の業種で活躍する卒業生もいるなど、農業高校や農業大学校は、幅広く農業分野を支える人材を育成する場となっています。

図表2-2-15 農業大学校卒業生の就農率

（形態別就農率）

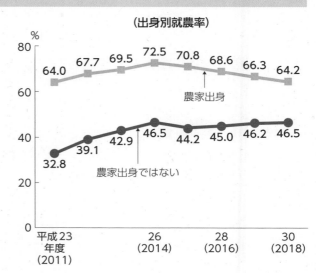

（出身別就農率）

資料：全国農業大学校協議会の資料を基に農林水産省作成
注：就農者には、一度、他の仕事に就いた後に就農した者は含まない。

事例 　**遠農物語（北海道）**

　北海道遠別農業高等学校は、我が国の水田作付けの北限である北海道遠別町にある、生徒数64人の日本最北端の農業高校です。同校では、「遠農」のブランド化の一環として、国産自給率の低いサフォーク種の羊に校内で栽培したもち米のくず米を飼料として与え、「もち米ラム」として飼育・加工・販売しています。その加工品は、ふるさと納税返礼品として取り扱われているほか、Webサイトでも販売されています。

　このような取組の結果、同校の産品が町や学校の評判を呼び、道外からの生徒数の増加につながっています。また、ふるさと納税の寄付金が校内のICT＊の整備やドローンの導入という形で教育現場に還元されていることも評価され、株式会社トラストバンクが主催する「2019年ふるさとチョイスアワード」では「未来を支える部門」の大賞を受賞しました。

　さらに、令和元（2019）年5月には、地元の農業者・農協・町役場と高校が一体となり、地域課題の収集、学校での実践、地域への還元を目指した「遠別農業高校　農業教育推進連絡協議会」を設立しました。現在は、同校のASIAGAP認証取得の経験を活かして近隣農家へ普及活動を行っています。

　このような同校の取組は、農山漁村の有するポテンシャルを引き出し、地域の活性化、所得向上に寄与するものとして、同校は第6回「ディスカバー農山漁村の宝」において、準グランプリを受賞しました。

＊用語の解説3（2）を参照

北海道遠別農業高等学校の生徒

（農業経営力や指導力の強化のための研修を各地で展開）

　就農後は、生産に関わる技術はもとより、マネジメント力や課題解決力等、経営に関する能力が必要となります。平成29（2017）年に農林水産省が行った49歳以下の農業経営者へのアンケート[1]でも、農業経営で大切なこととして、経営分析能力を挙げた回答が最も多くなりました。

　こうした中、地域の農業者が経営に関する能力を向上させる場として、農業大学校等が運営主体となった、農業経営塾が展開されています。ここでは、マーケティングや組織経営等に関する座学や演習等が実施されており、令和元（2019）年度は41都道府県で開講されました。

　また、農林水産省では、地域農業のリーダーとなる人材の層を厚くするため、意欲の高い農業大学校の学生等を対象とした高度な農業経営等に関する研修や、農業大学校の教員等の地域の農業経営者育成教育を担う指導者等を対象とした、指導力を高めるための研修について支援をしています。

（3）女性農業者の活躍

　特集2参照

（4）農業金融

（農業向けの新規貸付は近年増加傾向）

　農業は、天候等により減収や品質低下の影響を受けやすい、収益性が低く投資回収までの期間が長い、融資を受ける際に供する物的担保が農地等の特殊なものにならざるを得ないなど、他産業には見られない特性があります。このため、農業向けの融資においては、農協、信用農業協同組合連合会、農林中央金庫（以下「農協系統金融機関」という。）と地方銀行等の一般金融機関が短期の運転資金や中期の施設資金を中心に、公庫がこれらを補完する形で長期・大型の施設資金を中心に、農業者への資金供給の役割を担っています。

　近年、農業経営の規模拡大や人手不足等を背景として、省力設備の導入等の資金需要の高まりが続いており、農業向けの新規貸付額が増加傾向となっています（図表2-2-16）。農業向けの新規貸付額の伸びを見ると、一般金融機関は5年間で1.6倍、農協系統金融機関は3年間[2]で1.5倍、公庫は5年間で1.8倍に増加しています。

1　農林水産省「若手農業者向けアンケート調査」
2　農協系統金融機関においては、農業向けの新規貸付額を平成27（2015）年度から調査している。

図表2-2-16　農業向けの新規貸付額

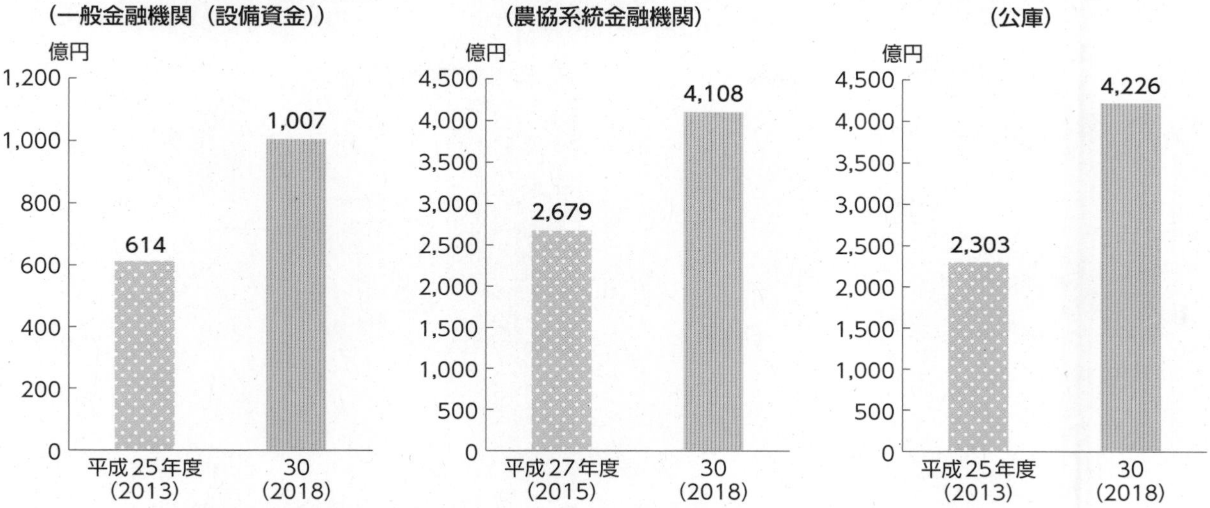

（一般金融機関（設備資金））

億円
1,200

1,000

800

600

400

200

0

614（平成25年度（2013））
1,007（30（2018））

（農協系統金融機関）

億円
4,500

4,000

3,500

3,000

2,500

2,000

1,500

1,000

500

0

2,679（平成27年度（2015））
4,108（30（2018））

（公庫）

億円
4,500

4,000

3,500

3,000

2,500

2,000

1,500

1,000

500

0

2,303（平成25年度（2013））
4,226（30（2018））

資料：日本銀行「貸出先別貸出金」、農林中央金庫調べ、株式会社日本政策金融公庫「業務統計年報」を基に農林水産省作成
注：1）一般金融機関（設備資金）は国内銀行（3勘定合算）と信用金庫の農業・林業向けの新規設備資金の合計
　　2）農協系統金融機関は、新規貸付額のうち長期の貸付のみを計上したもの

（一般金融機関と公庫との協調融資が増加）

　農業者による農地の集積・集約化、経営の規模拡大を目的とした設備投資等に対応していくため、一般金融機関と公庫が連携し、協調融資を積極的に行っています。公庫は、一般金融機関との間で情報交換を行うとともに、農業融資についてのノウハウの提供を行うことで、安定した資金供給を実現しています。平成30（2018）年度の一般金融機関と公庫との協調融資の実績は、前年度に比べ36.8％（665億円）増加の2,473億円となりました[1]。

（5）経営所得安定対策

（担い手に対する経営所得安定対策を実施）

　経営所得安定対策は、米、麦、大豆等の重要な農産物を生産する農業の担い手（認定農業者、集落営農、認定新規就農者）に対し、経営の安定に資するよう、諸外国との生産条件の格差から生ずる不利を補正するための交付金（以下「ゲタ対策[2]」という。）や農業収入の減少が経営に及ぼす影響を緩和するための交付金（以下「ナラシ対策[3]」という。）を交付するものです（図表2-2-17）。

　令和元（2019）年度の加入申請状況を見ると、ゲタ対策は対象とならない作物への転換等により、加入申請件数が前年度に比べ1千件減少の4万3千件、作付計画面積は前年度に比べ7千ha減少の49万4千haとなりました。また、ナラシ対策は収入保険への移行等により、加入申請件数が前年度に比べ1万3千件減少の8万8千件、申請面積は前年度に比べ11万8千ha減少の88万3千haとなりました。

1　株式会社日本政策金融公庫調べ
2　対象作物は、麦、大豆、てんさい、でん粉原料用ばれいしょ、そば、なたね
3　対象作物は、米、麦、大豆、てんさい、でん粉原料用ばれいしょ

図表2-2-17　経営所得安定対策の仕組み

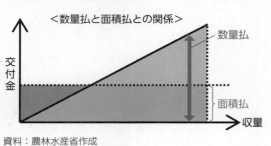

（ゲタ対策）

数量払：生産量と品質に応じて交付
面積払：当年産の作付面積に応じて、数量払の先払いとして交付

＜数量払と面積払との関係＞

資料：農林水産省作成

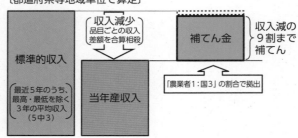

（ナラシ対策）

〔都道府県等地域単位で算定〕

（6）収入保険の実施

（収入保険の普及促進・利用拡大が課題）

　農業は自然環境からの影響を受けて作柄が変動しやすいため、従来から、法律に基づいて、自然災害等による被害の程度を外見で確認できる品目を対象として、収量減少等を補償する農業共済が措置されています。

　これに加えて、農業者の自由な経営判断に基づき、収益性の高い作物の導入や新たな販路の開拓にチャレンジする取組等に対する総合的なセーフティネットとして、品目の枠にとらわれず、自然災害だけでなく価格低下等、様々なリスクによる収入の減少を補償する収入保険が平成31（2019）年1月から始まりました。この収入保険は、青色申告を行っている農業者を対象に、保険期間の農産物の販売収入が基準収入の9割を下回った場合に、下回った額の9割を補てんするものです（図表2-2-18）。

図表2-2-18　収入保険の概要

＜収入保険の概要＞

・保険料の掛金率は1％程度で、基準収入の8割以上の収入を補償

・米、畑作物、野菜、果樹、花、たばこ、茶、しいたけ、はちみつなど、原則として全ての農産物を対象に、自然災害だけでなく、価格低下など農業経営上のリスクを幅広く補償

＜収入保険の対象となるリスク例＞

自然災害や鳥獣害などで収量が下がった

市場価格が下がった

災害で作付不能になった

けがや病気で収穫ができない

倉庫が浸水して売り物にならない

取引先が倒産した

盗難や運搬中の事故にあった

輸出したが為替変動で大損した

＜収入保険の補てん方式＞　（注）5年以上の青色申告実績がある者

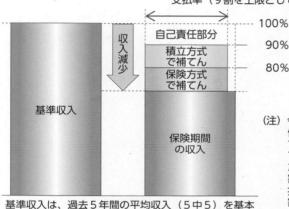

支払率（9割を上限として選択）

100%

自己責任部分

90%（保険方式＋積立方式の補償限度額の上限）

積立方式で補てん

80%（保険方式の補償限度額の上限）

保険方式で補てん

基準収入

収入減少

保険期間の収入

（注）令和2年1月からは、補償の下限を選択することで、最大4割安い保険料で加入できるタイプを新たに創設（基準収入の7割を補償の下限として選択した場合、保険料が4割引）

基準収入は、過去5年間の平均収入（5中5）を基本に規模拡大など、保険期間の営農計画も考慮して設定

＜収入保険の加入・支払等のスケジュール＞

・保険期間が2020年1月〜12月の場合のイメージ
・保険期間は税の収入の算定期間と同じ。法人の保険期間は、事業年度の1年間。事業年度の開始月によって、スケジュールが変動

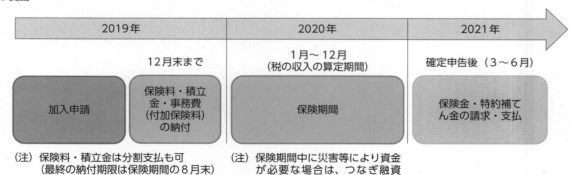

2019年		2020年	2021年
	12月末まで	1月〜12月（税の収入の算定期間）	確定申告後（3〜6月）
加入申請	保険料・積立金・事務費（付加保険料）の納付	保険期間	保険金・特約補てん金の請求・支払

（注）保険料・積立金は分割支払も可（最終の納付期限は保険期間の8月末）

（注）保険期間中に災害等により資金が必要な場合は、つなぎ融資（無利子）

資料：農林水産省作成

　初年である令和元（2019）年の収入保険の加入実績は2万3千経営体となりました。これは、実施主体である全国農業共済組合連合会が、令和4（2022）年度を見据えて早期に達成すべき加入推進目標として設定した10万経営体の23％となっています。都道府県別の加入状況を見ると、果樹の生産が多い愛媛県（70％）、青森県（63％）等において、加入推進目標に対する割合が高くなっています（図表2-2-19）。品目別の加入状況を

見ると、米（1万5千件）に続いて、野菜（1万1千件）、果樹（7千件）が多くなっています（図表2-2-20）。農業共済、ナラシ対策、野菜価格安定制度等の類似制度の加入者の収入保険への移行割合を見ると、果樹共済は全加入件数の9％、ナラシ対策は同8％と比較的高く、野菜価格安定制度は全加入件数の3％と低くなっています（図表2-2-21）。

図表2-2-19　令和元（2019）年の収入保険の都道府県別の加入実績

(単位：件数、％)

都道府県	加入推進目標	加入件数	割合	都道府県	加入推進目標	加入件数	割合	都道府県	加入推進目標	加入件数	割合
北海道	6,440	1,369	21%	石川県	1,110	279	25%	岡山県	2,237	267	12%
青森県	2,580	1,628	63%	福井県	1,200	481	40%	広島県	2,000	248	12%
岩手県	2,930	819	28%	山梨県	1,810	268	15%	山口県	1,820	328	18%
宮城県	2,579	583	23%	長野県	4,500	509	11%	徳島県	860	175	20%
秋田県	1,706	873	51%	岐阜県	1,450	227	16%	香川県	1,150	469	41%
山形県	2,500	711	28%	静岡県	3,500	554	16%	愛媛県	2,000	1,408	70%
福島県	3,000	792	26%	愛知県	4,500	303	7%	高知県	960	426	44%
茨城県	2,540	570	22%	三重県	1,800	322	18%	福岡県	3,030	693	23%
栃木県	2,860	933	33%	滋賀県	1,250	247	20%	佐賀県	1,710	443	26%
群馬県	2,400	279	12%	京都府	1,300	135	10%	長崎県	1,130	394	35%
埼玉県	3,100	218	7%	大阪府	1,200	21	2%	熊本県	3,540	908	26%
千葉県	4,550	79	2%	兵庫県	2,150	173	8%	大分県	1,700	826	49%
東京都	2,050	84	4%	奈良県	850	69	8%	宮崎県	2,130	750	35%
神奈川県	2,816	59	2%	和歌山県	2,300	361	16%	鹿児島県	2,100	524	25%
新潟県	3,050	519	17%	鳥取県	2,000	686	34%	沖縄県	740	170	23%
富山県	1,070	108	10%	島根県	910	524	58%	計	100,000	22,812	23%

資料：農林水産省作成
注：加入推進目標は、令和4（2022）年度を見据えて早期に達成すべき目標として、平成30（2018）年6月に全国農業共済組合連合会が設定

図表2-2-20　令和元（2019）年の収入保険の品目別の加入件数

(単位：件数)

米	麦類	豆類	野菜	果樹	花き	その他
14,634	3,049	3,110	10,637	6,923	1,277	4,989

資料：農林水産省作成

図表2-2-21　令和元（2019）年の収入保険の主な類似制度からの移行件数

(単位：件数)

類似制度	移行件数	類似制度加入件数	移行割合
果樹共済	4,442	4.8万	9%
ナラシ対策（米、麦、大豆等）	8,096	10.1万	8%
畑作物共済	2,825	5万	6%
野菜価格安定制度	4,475	17万	3%

資料：農林水産省作成

　初年は、掛金の負担感等から様子見の農業者も多く、また、収入保険の仕組みの周知が不十分といった声もありました。このため、令和2（2020）年の収入保険からは農業者の意向を踏まえ、補償の下限を選択することにより、保険料が最大4割安くなるタイプを

農業生産基盤の整備と保全管理

　農業の生産性向上や多様化のための農業生産基盤整備とともに、老朽化が懸念される農業水利施設[1]の保全管理、大規模災害時にも機能不全に陥らない強靱性を確保するための農村の防災・減災対策を引き続き実施していきます。あわせて、ICT[2]を活用した情報化施工による農業農村整備の生産性向上、地域住民も参加した効果的な土地改良施設の維持管理を進めます。

（1）農地の大区画化、水田の汎用化・畑地化等を通じた農業の競争力強化

（区画整備済みの水田は66%、畑地かんがい施設が整備済みの畑は24%）

　我が国の農業の競争力を強化するためには、農地の大区画化、水田の汎用化・畑地化、畑地かんがい施設の整備等の農業生産基盤整備を実施し、担い手への農地の集積・集約化[3]や農業の高付加価値化等を図る必要があります。

　平成30（2018）年における区画整備の状況を見ると、水田では、水田面積全体（241万ha）に対して、30a程度以上の区画に整備済みの面積が66%（159万ha）、そのうち50a以上の大区画に整備済みの面積が11%（25万ha）となっています。また、30a程度以上の区画に整備済みの水田のうち、7割は排水が良好であり、畑としても利用可能な汎用田となっています（**図表2-3-1**）。

　一方、畑では、畑面積全体（201万ha）に対して、区画整備済みの面積が64%（128万ha）、末端農道が整備されている面積が77%（156万ha）、畑地かんがい施設が整備されている面積が24%（49万ha）となっています。また、区画整備済みの畑のうち、9割において末端農道の整備が、3割において畑地かんがい施設の整備がされています[4]（**図表2-3-2**）。

図表2-3-1	区画整備済みの水田の汎用化の状況

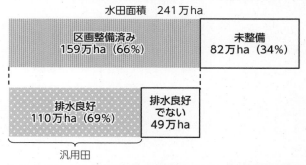

資料：農林水産省「耕地及び作付面積統計」、「農業基盤情報基礎調査」
　注：水田面積は平成30（2018）年7月15日時点、水田面積以外は平成29（2017）年度末時点

図表2-3-2	区画整備済みの畑のかんがい施設等の整備状況

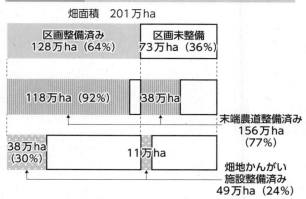

資料：農林水産省「耕地及び作付面積統計」、「農業基盤情報基礎調査」
　注：1）畑面積は平成30（2018）年7月15日時点、畑面積以外は平成29（2017）年度末時点
　　　2）末端農道整備済みは、幅員3m以上の農道に接している畑
　　　3）区画整備済みは、区画の形状が原則として方形に整形されている畑

1、3　用語の解説3（1）を参照
2　用語の解説3（2）を参照
4　農業基盤情報基礎調査（数値は平成29（2017）年度末時点）

187

（農地の大区画化、水田の汎用化・畑地化によりスマート農業や高収益作物の導入を推進）

　大区画化された水田において、地下水位制御システムやスマート農業の導入により、水管理や営農の省力化を推進しています。令和2（2020）年2月、農林水産省は「自動走行農機等に対応した農地整備の手引き」を策定しました。この手引きが活用されることにより、自動走行農機等がその性能を発揮しやすい農地の整備が進むことが期待されます。

　また、暗渠による水田の排水改良は、ほ場の水管理を容易にし、作物の生育環境を良好にします。暗渠の整備が進むことに伴い、米中心の営農体系から野菜等の高収益作物を取り入れた営農体系への転換が図られ、農業所得[1]の向上に寄与しています。

事例　基盤整備により延べ17人が新規就農（北海道）

　北海道鷹栖町では、小区画のほ場や排水不良が効率的な農作業の支障となっていましたが、昭和49（1974）年以降の国営かんがい排水事業や国営緊急農地再編整備事業を契機として、農地の大区画化と地下水位制御システムの導入が行われたことにより、営農や水管理の省力化が実現しました。さらに、自動操舵田植機の導入、ドローンによる生育管理の試験導入等、省力化に向けた取組を開始しました。

　これを受けて、新規就農者は平成24（2012）年度から平成30（2018）年度までの間で17人となりました。また、町外からの新規就農やUターン者が増加しており、地元の小学校に通学する農業者の子供の数は同期間で10人から20人と2倍に増加しました。

地下水位制御システムを活用した
かんがいの様子
資料：国土交通省

新規就農者延べ人数（鷹栖町）

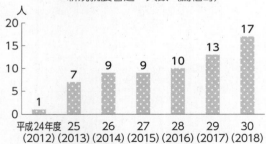

	平成24年度(2012)	25(2013)	26(2014)	27(2015)	28(2016)	29(2017)	30(2018)
人	1	7	9	9	10	13	17

資料：国土交通省資料を基に農林水産省作成

1　用語の解説2（3）を参照

事例 **農地中間管理機構と連携する農地整備事業（愛知県）**

　愛知県田原市の和地太田地区は、昭和40（1965）年代に水田として整備されたものの、昭和63（1988）年頃から労働力不足により作付面積が減少し、豊川用水の全面通水に伴う地域の営農形態の畑地営農への移行により、平成6（1994）年頃から地区の大半の21.7haが荒廃農地となっていました。

　これを解消するため、平成19（2007）年頃から農業者と市、土地改良区が土地改良事業による水田の畑地化に向けた調整を行い、9割の地権者の同意を得ましたが、農業者の費用負担が障壁となり実現しませんでした。

　しかし、平成29（2017）年に全ての対象農地に農地中間管理権を設定すること等を条件に農業者の費用負担なし

基盤整備実施地区の様子
資料：愛知県

で基盤整備できる農地中間管理機構関連農地整備事業が創設されたことを受けて、同事業の活用に向けた調整を進め、平成30（2018）年度に事業着手が決定しました。

　市、農地中間管理機構が中心となって、地権者82人と調整を進め、地区内外から借受けを希望する者を募集した結果、12人の担い手に農地を集積・集約化することとなり、担い手への集積面積は再生する荒廃農地を含めて22.7haとなりました。

　現在は、令和5（2023）年の事業完了に向けて、荒廃農地の解消、水田の大区画化・畑地化を進め、キャベツ、水稲を作付けし、担い手による効率的な農地利用を目指しています。

（ICTを活用した情報化施工により農業農村整備の建設現場の生産性が向上）

　農業農村整備事業では、農業の競争力強化等に資する基盤整備を着実に推進しつつ、事業実施を支える建設業界における労働力不足の急速な進行に対応するため、ICTを活用した情報化施工による建設現場の生産性向上に取り組んでいます。

　情報化施工では、工事着手時や工事完成後の検査時にドローン等を用いて位置と高さを同時に把握する3次元の測量を行うとともに、GNSS[1]（衛星測位システム）を用いて建設機械の操作を制御することにより、従来の施工技術と比べて工事現場の省力化が図られます。また、将来的には、情報化施工を通じて得られるほ場や周辺構造物の座標データを、営農段階において自動走行農機の走行経路設定等に活用することも期待されます。

　農林水産省では、情報化施工技術の導入を推進するため、「情報化施工技術の活用ガイドライン」等の技術基準類の整備を進めており、平成29（2017）年度から令和元（2019）年度にかけて、直轄事業において60件の情報化施工技術活用工事が実施されました。

（2）農業水利施設の長寿命化

（農業水利施設の機能保全対策を推進）

　農業水利施設の整備状況は、農林水産省の調査[2]によると、基幹的水路が5万1,154km、ダムや取水堰等の基幹的施設が7,582か所となっています。

1　用語の解説3（2）を参照
2　農業基盤情報基礎調査（数値は平成29（2017）年度末時点）

　基幹的農業水利施設の相当数は、戦後から高度成長期に整備されてきたことから、老朽化が進行しています。平成30（2018）年度における経年劣化やその他の原因による農業水利施設の漏水等の突発事故は、前年度に比べ425件少ない1,109件となりましたが、ピーク時の平成28（2016）年度以前と比べると依然として高い水準となっています（図表2-3-3）。標準耐用年数を経過している基幹的農業水利施設は、再建設費ベース[1]で5兆円であり、全体の26％を占めています。さらに、今後10年のうちに標準耐用年数を超過する施設を加えると7兆8千億円であり、全体の40％を占めています[2]（図表2-3-4）。

図表2-3-3　突発事故発生状況

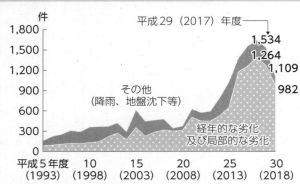

資料：農林水産省作成

図表2-3-4　基幹的農業水利施設の老朽化状況（再建設費ベース）

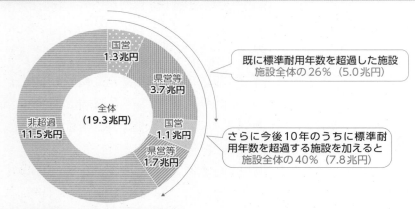

資料：農林水産省「農業基盤情報基礎調査」
注：基幹的農業水利施設（受益面積100ha以上の農業水利施設）の資産価値（再建設費ベース）

　このような現状を踏まえ、農林水産省では、施設全体の現状を把握・評価し、中長期的な施設の状態を予測しながら、施設の劣化とリスクに応じた対策の工法、時期を選定し、計画的に対策を進めるストックマネジメント[3]を推進しています。新技術の開発と現場への円滑な導入を推進することにより、更新時期を延伸し、施設の長寿命化を図るとともに、維持管理費や将来の更新費用を考慮したライフサイクルコスト[4]を低減します。
　施設保全の対策の工法、時期は個々の施設により異なりますが、性能低下がかなり進んでから事後的な保全対策を行う方法と、性能低下の初期において予防的な保全対策を実施

1　同じ機能及び構造のものを、現在の一般的な施工水準及び現在価値をもって再建設する場合の費用により施設を評価したもの
2　農業基盤情報基礎調査（数値は平成29（2017）年度末時点）
3　施設の機能がどのように低下していくのか、どのタイミングで、どの対策を取れば効率的に長寿命化できるのかを検討し、施設の機能保全を効率的に実施することを通じて、施設の有効活用や長寿命化を図り、ライフサイクルコストを低減する取組
4　施設の建設に要する経費から供用期間中の維持保全コスト、廃棄に係る経費に至るまでの全ての経費の総額

する方法があります（図表2-3-5）。

計画的かつ効率的な補修・更新等を実施することで、施設の長寿命化とライフサイクルコストの低減を図ることが必要です。

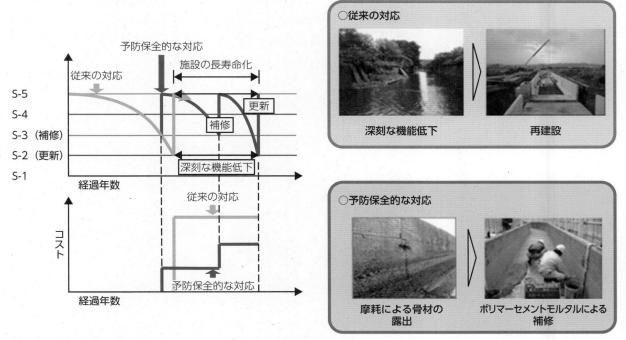

資料：農林水産省作成

（農業水利施設の長寿命化計画の策定）

政府は、国や地方公共団体等が一丸となってインフラの戦略的な維持管理・更新等を進めるため、平成25（2013）年11月に「インフラ長寿命化基本計画」を策定しており、この中で各インフラの管理者は、令和2（2020）年度までのできるだけ早い時期に「個別施設毎の長寿命化計画（個別施設計画）」を策定することとしています。「インフラ老朽化対策の推進に関する関係省庁連絡会議幹事会（第8回）」によれば、農業水利施設（受益面積100ha以上の基幹的農業水利施設）の個別施設計画策定率は、平成31（2019）年4月1日時点で75％となっています。

（土地改良区の体制を強化）

今後、組合員の減少により、土地改良施設の維持管理に支障が生じるおそれがあることから、平成31（2019）年4月に改正された土地改良法において、土地改良区は貸借地の所有者又は耕作者で事業参加資格がない者を准組合員に、地域住民を構成員とする団体を施設管理准組合員にすることができるようになりました。このような新たな仕組みの定着により、土地改良区の体制強化を図るとともに、土地改良施設の維持管理を効果的に行うことが重要です。

コラム　農業水利施設（水の恵み施設）の情報発信に向けた取組

　「水の恵みカード」は、農産物の生産に不可欠な農業用水の大切さや、その農業用水を農地まで届ける農業水利施設（水の恵み施設）の役割を一般消費者に紹介するために作成しているものです。

　このカードは、農林水産省や都道府県等が平成28（2016）年から作成し、各地の農産物直売所等で配布しています。令和元（2019）年度には、新たに7事例を追加し、令和2（2020）年2月時点で61事例となっています。

令和元（2019）年度に作成された水の恵みカード「大淀川右岸地区の日向夏」
（宮崎県宮崎市）

主食用米の年間消費量が減少する中、平成30（2018）年産から行政による生産数量目標の配分を廃止し、産地・生産者が中心となって需要に応じた多様な米の生産・販売を行う米政策へと見直しを行いました。この米政策改革をしっかりと定着させるとともに、食料自給率[1]・食料自給力[2]向上等を図る観点から、水田をフル活用し、需要のある麦、大豆、米粉用米、飼料用米等への転換を進めることが重要です。これに加えて、伸び続ける海外需要に対応した輸出の拡大や、情報発信等を通じた新たなニーズの掘り起こしを進めています。

（需要に応じた生産・販売を推進）

米[3]の1人当たりの年間消費量は、昭和37（1962）年度の118.3kgをピークとして、平成30（2018）年度は前年度に比べて0.3kg減少の53.8[4]kgとなるなど、減少傾向が続いています。

このような中では、経営感覚あふれる農業者により、消費者ニーズにきめ細かく対応した米生産が行われるとともに、食料自給率・食料自給力の向上等を図る観点から、水田をフル活用し、需要のある麦、大豆、米粉用米、飼料用米等の戦略作物や野菜、果樹等の高収益作物等への転換が進められることが重要です。このため、平成30（2018）年から、行政による生産数量目標の配分を廃止し、産地・生産者が中心となって需要に応じた生産・販売を行う米政策へと見直しを行い、その定着に向けて推進を行っています。

農林水産省では、この米政策改革がしっかりと定着するよう、水田活用の直接支払交付金による支援や、主食用米については中食[5]・外食等のニーズに応じた生産と安定取引を推進するためのマッチングの支援、米の都道府県別の販売進捗や在庫・価格等の情報提供を実施しています。

令和元（2019）年産の主食用米の作付面積は、都道府県ごとの増減があるものの、全国では前年産に比べて、7千ha減少の137万9千haとなりました（図表2-4-1）。一方、主食用米の生産量については、全国で作況指数[6]が99となったことで、前年産に比べて0.9%減少の726万tとなりました。

第2章

1、2、5、6　用語の解説3（1）を参照
3　主食用米のほか、菓子用・米粉用の米
4　農林水産省「食料需給表」平成30（2018）年度は概算値

図表2-4-1　主食用米の作付面積

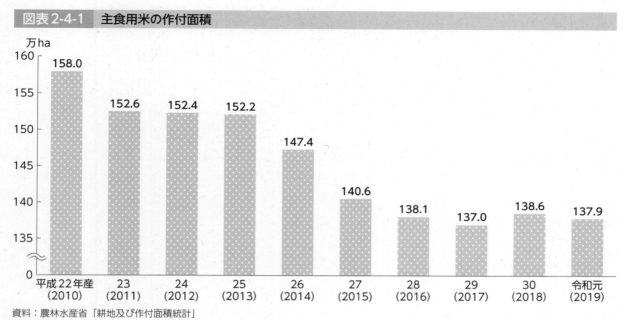

資料：農林水産省「耕地及び作付面積統計」

　このような状況の下、令和元（2019）年産の米の価格動向を見ると、令和2（2020）年3月までの相対取引価格は、年産平均で60kg当たり15,749円と前年産とほぼ同水準の堅調な動きとなっています（図表2-4-2）。

　しかしながら、人口減少局面に至ったこと等により、今後とも、主食用米の需要減少が続くと想定されます（図表2-4-3）。令和2（2020）年産米について、産地においては、このような需要減少を踏まえた上で、実需者と結び付いた事前契約や複数年契約による安定的な取引を行うことにより、米の需給と価格の安定を図っていくことが重要となっており、農林水産省では、令和2（2020）年1月から3月まで「米取引の事前契約研究会」を開催し、事前契約の拡大に向けた方策について中間取りまとめを行うなど、引き続き、環境整備を推進しています。

図表2-4-2　米の相対取引価格

資料：農林水産省「米穀の取引に関する報告」
注：1）相対取引とは、出荷団体（事業者）・卸売事業者間で取引されている価格
　　2）出回り〜翌年10月（令和元（2019）年産は令和2（2020）年3月まで）の相対取引価格の平均値

図表2-4-3　主食用米の需要量

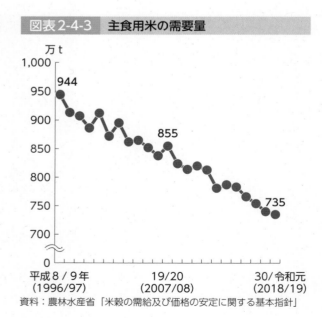

資料：農林水産省「米穀の需給及び価格の安定に関する基本指針」

（戦略作物や高収益作物への更なる転換が必要）

　こうした中、水田において、需要のある麦、大豆、米粉用米、飼料用米等の戦略作物や、主食用米と比べて面積当たりの収益性の高い野菜や果樹等の高収益作物等への転換を積極的に推進していくことが重要になります。

　特に、高収益作物については、排水対策等の基盤整備や機械化一貫体系等の新しい技術の導入と合わせて取り組むことで、作業の効率化が図られるとともに、更なる農業所得[1]の増加により、水田農業経営の安定化が期待できます。

　高収益作物への転換については、令和元（2019）年12月に決定された農業生産基盤強化プログラムにおいても主要な施策の一つに位置付けられました。具体的には、国や地方公共団体等が連携し、「水田農業高収益化推進計画」に基づいて水田で野菜や果樹等の高収益作物を導入する産地に対して、農業農村整備事業による水田の汎用化・畑地化のための基盤整備、栽培技術や機械・施設の導入、販路確保等の取組を計画的かつ一体的に支援することとしています。

（「コメ海外市場拡大戦略プロジェクト」により輸出拡大を推進）

　我が国の主食用米の消費量が、毎年10万tずつ減少していく一方で、海外における食市場は年々拡大しており、日本食レストランも増加傾向にあります。このような中で新たな市場の開拓を通じ、水田のフル活用を図っていくためには、国内だけでなく海外市場に積極的に進出し、輸出を拡大していくことが重要です。

　このため、農林水産省では、米輸出の飛躍的な拡大に向けて、平成29（2017）年9月に、「コメ海外市場拡大戦略プロジェクト」を立ち上げました。同プロジェクト

図表2-4-4　商業用の米の輸出量と輸出額

資料：財務省「貿易統計」を基に農林水産省作成
注：政府による食糧援助米を除く。

においては、令和元（2019）年までにコメ・コメ加工品の輸出量を10万t（原料米換算）とする目標を掲げ、米輸出に取り組む戦略的輸出事業者と輸出用米の安定的な生産に取り組む戦略的輸出基地（産地）の結び付きを強化・拡大するとともに、産地と輸出事業者が連携したプロモーション等により、日本産米の海外市場の開拓を図ってきました。令和元（2019）年度末時点で、同プロジェクトに71の輸出事業者と272の産地が参加しています。令和元（2019）年のコメ・コメ加工品の輸出量は3万4,851tと目標は達成できなかったものの、このうち、商業用の米の輸出量は1万7,381tと、過去5年間で約4倍に増加しています（図表2-4-4）。引き続き、輸出事業者による海外の需要先の開拓を支援するとともに、輸出事業者と産地を結び付けること等を通じ輸出用米の生産拡大を推進していきます。

（米の消費拡大に向けWebサイト「やっぱりごはんでしょ！」で情報発信）

　農林水産省では、中食・外食業界による主体的な米の消費拡大の取組を応援すべく、平

1　用語の解説2（3）を参照

成30（2018）年10月に各企業等が実施する消費拡大につながる取組情報を幅広く集約したWebサイト「やっぱりごはんでしょ！」を開設しました。

このWebサイトでは企業等の企画・イベント情報、地域ならではの「ごはん食」が食べられる店舗の情報、ごはん・米粉を使ったレシピ等、消費者にとって有益な情報を発信しています。

（「ノングルテン米粉使用マーク」の使用を開始）

米粉用米の需要量は、平成24（2012）年度以降、2万t程度で推移していましたが、「ノングルテン米粉第三者認証制度」の運用を開始したこと等から、平成30（2018）年度は前年度に比べて24%増の3万1千tとなりました（図表2-4-5）。

さらに、令和元（2019）年9月から、日本米粉協会が運営する「ノングルテン米粉を使用した加工品の登録」も開始され、ノングルテン米粉を使用した加工品に「ノングルテン米粉使用マーク」を使用することができることとなりました。今後、登録の拡大を通じて米粉加工品の販売拡大が期待されます。

図表2-4-5　米粉用米の生産量と需要量

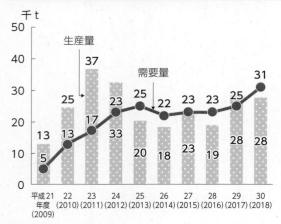

資料：農林水産省作成

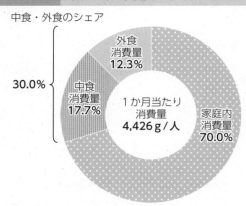

ノングルテン米粉使用マーク

資料：日本米粉協会

（中食・外食需要への対応が重要）

主食用米は、中食・外食向けの業務用需要が全体の3割を占めており、今後も堅調な需要が期待されます（図表2-4-6）。

しかし、産地においては高価格帯の一般家庭向けの米を中心に生産する意向が強い反面、中食・外食事業者からは値頃感のある米を求める声も多くあり、ミスマッチが生じています。

農林水産省としては、中食・外食向けニーズに対応した安定取引を推進するためマッチングを支援しており、令和元（2019）年度に開催した「米マッチングフェア2019」では、産地と中食・外食事

図表2-4-6　主食用米の消費内訳（平成30（2018）年度）

中食・外食のシェア

30.0%

外食消費量 12.3%
中食消費量 17.7%
家庭内消費量 70.0%
1か月当たり消費量 4,426g／人

資料：公益社団法人米穀安定供給確保支援機構「米の消費動向調査」

業者の実需者等が安定した取引に向けて商談を行いました。

（担い手の生産コストの削減を推進）

　稲作経営の農業所得を向上させるためには、品質の向上等による収入の増加に加えて、生産コストの削減が重要です。担い手の米の生産コストについては、令和5（2023）年までに平成23（2011）年産の全国平均（16,001円/60kg）から4割削減する目標を掲げています[1]。平成30（2018）年産については、認定農業者[2]（15.0ha以上）では、平成23（2011）年産の全国平均と比べて29.4%減少の11,294円/60kg[3]、稲作主体の組織法人経営では25.4%減少の11,942円/60kg[4]となりました。

　農林水産省では、更なる生産コスト削減に向けて、農地の集積・集約化[5]による分散錯圃（ほ）の解消や作付けの連坦（たん）化・団地化、多収品種の導入やスマート農業技術等による省力栽培技術の普及、資材費の低減等を推進しています。

1　「日本再興戦略」（平成25（2013）年6月閣議決定）
2、5　　用語の解説3（1）を参照
3　農林水産省「平成30年農産物生産費（個別経営）」
4　農林水産省「平成30年農産物生産費（組織法人経営）」

主要農畜産物の生産等の動向

　我が国では、各地域の気候や土壌等の条件に応じて、麦、大豆、野菜、畜産物等の様々な農畜産物が生産されています。消費者ニーズや海外市場、加工・業務用等の新たな需要に対応し、国内外の市場を獲得できるよう生産体制の強化や新品種の開発・普及を進めることが重要です。

（1）小麦・大豆

（小麦の収穫量は前年産より増加）

　令和元（2019）年産の小麦については、作付面積は前年とほぼ同水準の21万2千ha となり、収穫量は天候に恵まれ生育が順調で登熟も良好であったこと等から、前年産に比べ36％増加し、103万7千tとなりました（図表2-5-1）。

図表2-5-1　小麦の作付面積、収穫量、単収

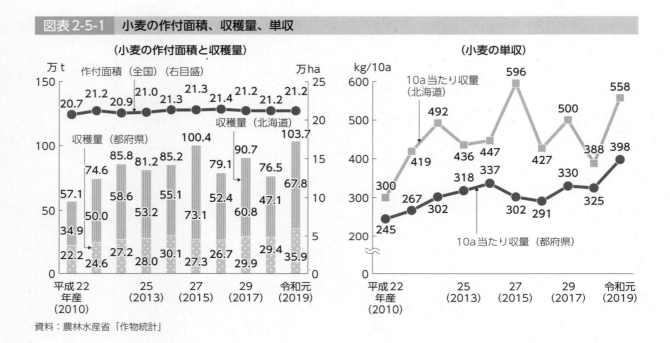

資料：農林水産省「作物統計」

（大豆の収穫量は前年産と同程度）

　令和元（2019）年産の大豆の作付面積は、他作物への転換等により、前年産に比べ2％減少し、14万4千haとなりました。収穫量は台風や天候不順による播種遅れ等の影響により、21万8千tと、前年産と同程度の低い収量となりました（図表2-5-2）。

図表2-5-2　大豆の作付面積、収穫量、単収

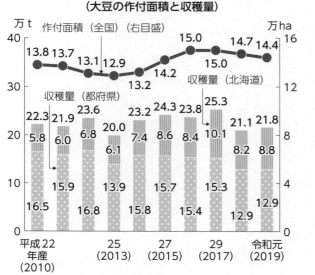

（大豆の作付面積と収穫量）

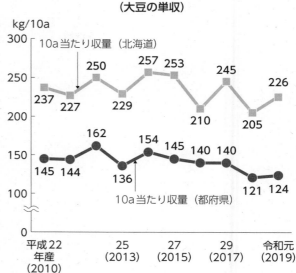

（大豆の単収）

資料：農林水産省「作物統計」

（需要に応じた品質の実現・安定化が必要）

　国産小麦は、外国産小麦と混ぜ合わせて使用されることが一般的ですが、近年、加工適性に優れた新品種の導入・普及が進んだことや、消費者の国産志向の高まりを受け、国産小麦のみを使用した商品が増えてきました。

　しかし、国産小麦は、収穫期が降雨の時期に重なること、赤カビ等の病害が発生しやすく、また、外国産小麦に比べてタンパク含有量のばらつきが大きいこと等、品質上の課題もあります。

　また、大豆については、平成30（2018）年度の需要量は356万tで、近年では食品用を含めた大豆全体の需要が増加傾向となっています（図表2-5-3）。このうち、国産大豆については、実需者からは味の良さ等の品質面が評価され、ほぼ全量が豆腐、煮豆、納豆等の食用に向けられています。豆腐は製品歩留まり、煮豆は粒の大きさや見栄え、納豆は色、硬さ等、食品の用途によって求められる特性が異なります（図表2-5-4）。

　実需者の求める量・品質・価格に着実に応え、国産小麦・大豆の増産と安定供給を図るため、食品産業との連携強化を図るとともに、作付けの連坦化・団地化やスマート農業による生産性向上等を通じたコストの低減、基盤整備による水田の汎用化、排水対策の更なる強化、耐病性・加工適性等に優れた新品種の開発・導入、収量向上に資する土づくり、農家自らがスマートフォン等で低単収要因を分析してほ場に合わせた単収改善に取り組むことができるソフトの普及等を推進していきます。

図表 2-5-3　大豆の需要動向

(我が国における大豆の需要量及び自給率)

（単位：千 t ）

	需要量	うち食品用	うち国産	自給率(%)
平成25年度(2013)	3,012	936	194	7
26（2014）	3,095	942	226	7
27（2015）	3,380	959	237	7
28（2016）	3,424	975	231	7
29（2017）	3,573	988	245	7
30（2018）(概算値)	3,561	1,012	203	6

資料：農林水産省「食料需給表」を基に作成

(我が国における大豆の需要割合（平成30（2018）年度）)

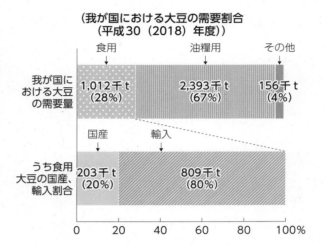

資料：農林水産省「食料需給表」を基に作成

図表 2-5-4　大豆の用途別に求められる品質

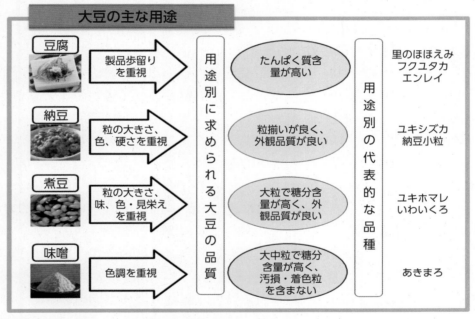

資料：農林水産省作成

コラム　水田でも高単収の麦・大豆を目指して〜スマートフォンで簡単診断〜

　麦・大豆は、都府県では主に水田で栽培されていますが、近年、都府県の麦・大豆の単収が低下傾向にあり、この改善が強く求められています。麦・大豆が低単収となる要因は複合的な場合が多く、ほ場条件によっても異なるため、どのような対策をとれば良いのか判断が難しい場合が多くあります。

　このため、農研機構では、1,000筆以上のほ場データを分析し、低単収となる主な要因を6つ（湿害、土壌肥沃度、雑草害等）の要因に分類し、それぞれの要因ごとに必要となる適切な対策技術（排水対策技術、雑草防除技術等）の導入をサポートするマニュアルを作成しました。さらに、生産者自らがスマートフォンやタブレットを使ってほ場の状態を簡単に選択するだけで低単収要因の診断結果が示されるとともに、上述のマニュアルも利用できるWebサイトを令和2（2020）年3月に公開しました。

　このWebサイトには、多くの水田で課題となっている排水対策等に役立つ最新の機械や技術等が紹介されており、低単収に悩んでいる生産者が、それぞれのほ場の課題にあった具体的な対応策を知ることができるようになります。その結果、ほ場によって異なる課題が解決され、麦・大豆の収量の向上・安定が大きく進むことが期待されます。

健全なほ場（左）と湿害ほ場（右）の対比

湿害と干ばつの両方の対策施工が可能な"カットブレーカー"

事例　在来種で地域活性化！佐用もち大豆（兵庫県）

　大豆は、日本人の食生活に欠かせない、古くから日本人と共にある農作物です。このため、特徴ある在来種が各地に存在し、根強い人気を誇るとともに、ブランド化され地域の活性化に一役買っている場合もあります。

　兵庫県佐用町で約30年前から生産される佐用もち大豆は、大粒で甘みが強く、何よりも加熱した時のもちもちした食感が最大の特徴です。味噌や豆腐等に加工され、町の特産品として町内外から広く認識されています。また、実需者からの評価も高く、佐用もち大豆を使用した豆腐が全国豆腐品評会で賞を受賞したこともあります。

　佐用町では、佐用もち大豆を地域資源として活かすため、町、農協、町内の農家が連携して佐用もち大豆振興部会を立ち上げ、種子の厳格な管理による優れた特性の維持に努めており、現在は、約400人の生産者が佐用もち大豆の生産に取り組んでいます。

　令和元（2019）年5月には、佐用もち大豆が地理的表示（GI）保護制度に登録されました。佐用町では、これを契機に、佐用もち大豆の更なるブランド化に地域を挙げて取り組み、味噌や豆腐の販路拡大、観光振興等、町の活性化にもつなげていく考えです。

佐用もち大豆で作られたみそ
資料：佐用町公式ホームページ

（2）野菜

（野菜の生産量は前年産より減少）

　野菜の作付面積は、農業従事者[1]の減少や高齢化の進行により近年緩やかに減少しており、平成30（2018）年産も前年産に比べて3,900ha減少の38万8千haとなりました。生産量は、近年、天候の影響を受けて増減しているものの、おおむね横ばいで推移していますが、平成30（2018）年産は長雨や低温等の天候不順の影響で、前年産に比べ2.1％減少の1,131万tとなりました（図表2-5-5）。

図表2-5-5　野菜の作付面積と生産量

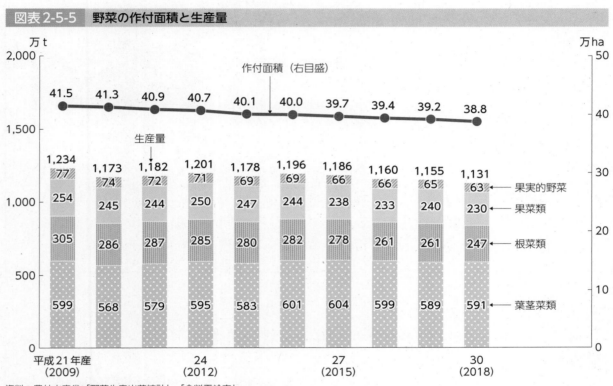

資料：農林水産省「野菜生産出荷統計」、「食料需給表」
注：1）作付面積は「野菜生産出荷統計」のうち、ばれいしょを除いたもの
　　2）生産量は年度の数値。平成30（2018）年度は概算値

（加工・業務用向けの需要が高まり）

　昭和40年代以降、社会構造・消費構造の変化に伴い、加工・業務用向けの需要が拡大してきており、近年では需要全体の6割を占めています（図表2-5-6、図表2-5-7）。今後も食の外部化[2]や簡便化の傾向は続くと見込まれ、加工・業務用需要の増加傾向は更に進展すると考えられます。

1　用語の解説1、2（4）を参照
2　用語の解説3（1）を参照

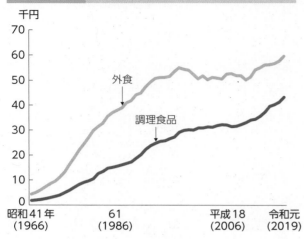

図表2-5-6　調理食品及び外食1人当たり購入（支出）金額

千円

外食

調理食品

昭和41年（1966）　61（1986）　平成18（2006）　令和元（2019）

資料：総務省「家計調査」を基に農林水産省作成
注：1）2人以上の世帯
　　2）1人当たりの支出金額は、1世帯当たりの支出金額を世帯員数で除して算出
　　3）平成12（2000）年以前は、農林漁家世帯を除く結果

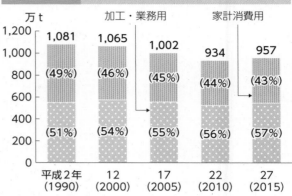

図表2-5-7　加工・業務用及び家計消費用の仕向け量（主要野菜）

万t

加工・業務用　　家計消費用

	平成2年(1990)	12(2000)	17(2005)	22(2010)	27(2015)
合計	1,081	1,065	1,002	934	957
加工・業務用	(49%)	(46%)	(45%)	(44%)	(43%)
家計消費用	(51%)	(54%)	(55%)	(56%)	(57%)

資料：農林水産政策研究所
注：1）主要品目として指定野菜（13品目）を用いて試算（キャベツ、ほうれんそう、レタス、ねぎ、たまねぎ、はくさい、きゅうり、なす、トマト、ピーマン、だいこん、にんじん、さといも（ばれいしょ除く））
　　2）（　）内の数値は、加工・業務用と家計消費用が占める割合
　　3）平成7（1995）年は推計を行っていない。

　加工・業務用野菜は、実需者等からの国産需要が高いものの、かぼちゃ等国産が出回らない時期がある品目や、たまねぎ等皮むき等の一時加工をしてから輸入される品目では、一定量の輸入が定着している状況となっています。

　一方、キャベツやはくさい等は、天候不順等により国内産が不作になった時にスポット的に輸入されており、年により輸入量が大きく変動する傾向にあります。

　また、冷凍野菜は、長期保存が可能で調理の利便性が高いこと等を背景に、国内消費量が増加傾向にあり、国内流通量も、平成24（2012）年以降100万tを上回る水準で推移しています（図表2-5-8）。

　一方、冷凍野菜の国内生産量は、平成元（1989）年以降8万tから10万t前後で推移しており、これまでに国内流通量が増加した分の大半が輸入冷凍野菜となっています。

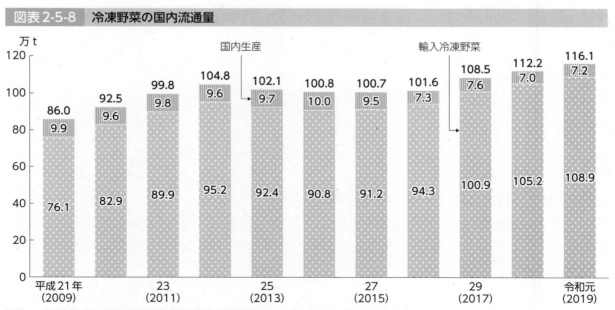

図表2-5-8　冷凍野菜の国内流通量

万t

国内生産　　　　　　　　　　　　　　　　輸入冷凍野菜

	平成21年(2009)		23(2011)		25(2013)		27(2015)		29(2017)		令和元(2019)
合計	86.0	92.5	99.8	104.8	102.1	100.8	100.7	101.6	108.5	112.2	116.1
国内生産	9.9	9.6	9.8	9.6	9.7	10.0	9.5	7.3	7.6	7.0	7.2
輸入冷凍野菜	76.1	82.9	89.9	95.2	92.4	90.8	91.2	94.3	100.9	105.2	108.9

資料：一般社団法人日本冷凍食品協会「冷凍食品の生産・消費について」を基に農林水産省作成
注：冷凍野菜の流通量は輸入量と国内生産量を合計した値

（農業生産基盤強化プログラムにより野菜の生産体制強化を推進）

　令和元（2019）年12月に決定された農業生産基盤強化プログラムでは、加工・業務用野菜等の新たな需要に応える園芸作物の生産体制を一層強化することとされました。

　これを踏まえて、農林水産省では、複数産地と連携して実需者への安定供給を果たす拠点事業者の育成、水田を活用した新たな産地の形成、端境期の野菜の生産拡大、労働生産の向上に必要となる機械化一貫体系の導入等の施策を推進することとしています。

（3）果実

（果樹の生産量は前年産より増加）

　果樹の栽培面積は、生産者の高齢化が進み、栽培農家数も減少傾向にあること等から近年緩やかに減少しており、平成30（2018）年産も前年産に比べ4千ha減少の21万2千haとなりました。また、平成30（2018）年産の生産量は、天候不順等の影響を受けた前年産に比べ、0.9%増加の283万3千tとなりました（図表2-5-9）。

図表2-5-9　主要果樹の栽培面積と生産量

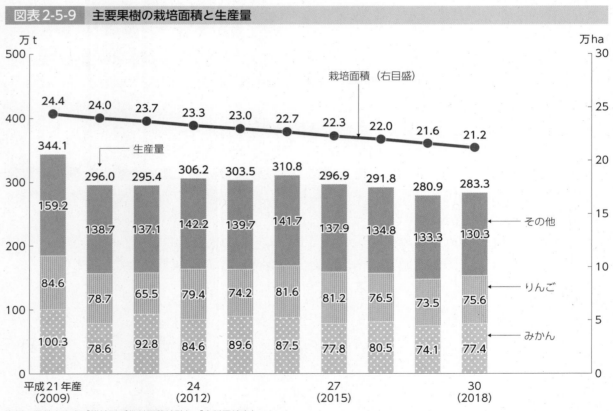

資料：農林水産省「耕地及び作付面積統計」、「食料需給表」
　注：生産量は年度の数値。平成30（2018）年度の生産量は概算値

（労働生産性の向上に向けて省力樹形の導入を推進）

　国産果実の産出額は増加傾向で推移しています（図表2-5-10）。この背景として、簡便化志向や健康志向等の消費者ニーズを踏まえ、優良品種・品目への転換等により、高品質な国産果実が生産されていることが挙げられます。

　また、その高い品質がアジアを始めとする諸外国で評価され、輸出額も近年増加傾向で推移しており、10年で3倍近くに増加しています（図表2-5-11）。

図表2-5-10 果実の産出額

億円

6,984
7,471
7,838
8,406

平成21年
(2009)
24
(2012)
27
(2015)
30
(2018)

資料：農林水産省「生産農業所得」

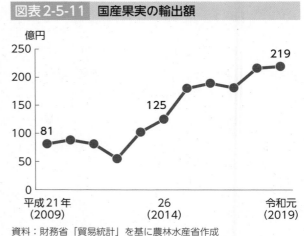

図表2-5-11 国産果実の輸出額

億円

81
125
219

平成21年
(2009)
26
(2014)
令和元
(2019)

資料：財務省「貿易統計」を基に農林水産省作成

　このように、高品質な国産果実は、国内のニーズや輸出品目としてのポテンシャルが高い一方で、農家数の減少や高齢化等により栽培面積や生産量は減少傾向で推移しています。

　生産基盤が脆弱化（ぜいじゃくか）する中で、国内外の需要に応じた生産を確保していくためには、労働生産性の向上が重要です。

　果樹農業は、水稲等の他品目と比較して、単位面積当たりの労働時間が長く、労働集約的な構造となっています。また、労働ピークが収穫時期等の短期間に集中していることから、労働生産性の向上には、作業時間の削減や単収の増加が可能な省力樹形の導入が有効です（図表2-5-12）。

図表2-5-12 ジョイント仕立てのせん定作業省力効果

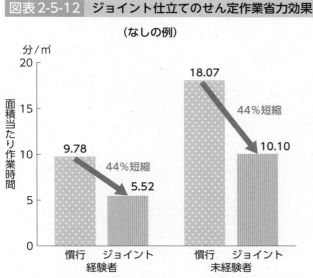
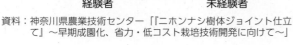

（なしの例）

分/㎡

面積当たり作業時間

9.78
5.52
18.07
10.10

44％短縮
44％短縮

慣行
経験者
ジョイント
慣行
未経験者
ジョイント

資料：神奈川県農業技術センター「『ニホンナシ樹体ジョイント仕立て』～早期成園化、省力・低コスト栽培技術開発に向けて～」

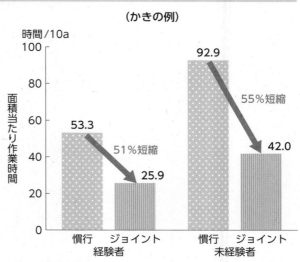

（かきの例）

時間/10a

面積当たり作業時間

53.3
25.9
92.9
42.0

51％短縮
55％短縮

慣行
経験者
ジョイント
慣行
未経験者
ジョイント

資料：農林水産省「果樹の樹体ジョイント仕立てを核とした省力、低コスト栽培システムの確立」

　従来の果樹栽培で用いられてきた慣行樹形は、大木がほ場内に散在する形になり、作業動線が複雑となるため、効率的な作業が困難になります。また、樹冠内部等への日当たりが悪く、品質がそろいにくくなります。

　一方の省力樹形は、小さな木を密植して直線的に植えるため、作業動線が単純で効率的になります。また、均一な日当たりとなり、品質がそろいやすく、密植することで高収益

が可能になります。

　開発された省力樹形の例として、りんごの樹を薄い垣根状に密植する「トールスピンドル栽培」や、接ぎ木により樹を直線的に連結した「ジョイント栽培」等があります。慣行栽培に比べて、トールスピンドル栽培では収量を1.7倍に、ジョイント栽培ではせん定に係る作業時間を4割削減することが可能です。

　農林水産省では、このような省力樹形の導入を推進しています。

りんごのトールスピンドル栽培
資料：農研機構

なしのジョイント栽培
資料：神奈川県

（消費者のニーズに応じた生産が重要）

　公益財団法人中央果実協会の調査によると、果物の摂取頻度について、週1日以上食べると回答した人の割合は、60代では約8割となった一方、20から50代では、5から6割に留まっています。一方で、年代が低いほど、今後の果物の摂取量を増やしたいという意向が高い傾向にあり、20代では半分以上を占めています（図表2-5-13）。

　果物を毎日食べない理由として、「他の食品に比べて値段が高いから」と回答した人が最も多く、「日持ちがせず買い置きができないから」、「食べるまでに皮をむくなど手間がかかるから」と続いています。また、果物の消費を増加させる方法としては、カットフルーツ、ストレートジュース等が上位になっています。

　このことから、手頃な価格で手軽に摂取できる果実や果実加工品の需要が高いことがうかがえます。

　ライフスタイルの変化に伴う食の外部化・簡便化の進展等、消費者ニーズの変化を踏まえ、食べやすいカットフルーツや冷凍フルーツ、種なしで皮ごと食べられる品種等、「より美味しく、より食べやすく、より付加価値の高い」果実及び果実加工品を供給することが重要です。このため、農林水産省では、消費者ニーズの多様化・高度化に対応した新品種の開発・普及等を推進しています。

（ア　果物の摂取頻度）

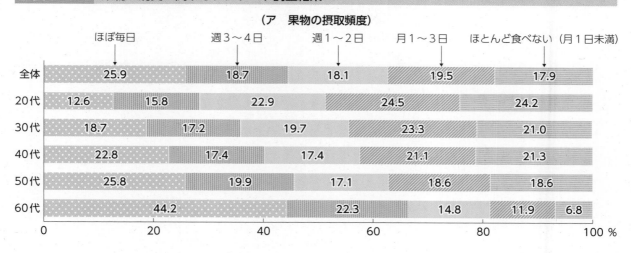

ほぼ毎日　　週3〜4日　　週1〜2日　　月1〜3日　　ほとんど食べない（月1日未満）

	ほぼ毎日	週3〜4日	週1〜2日	月1〜3日	ほとんど食べない
全体	25.9	18.7	18.1	19.5	17.9
20代	12.6	15.8	22.9	24.5	24.2
30代	18.7	17.2	19.7	23.3	21.0
40代	22.8	17.4	17.4	21.1	21.3
50代	25.8	19.9	17.1	18.6	18.6
60代	44.2	22.3	14.8	11.9	6.8

（イ　今後の果物の摂取量の変化）

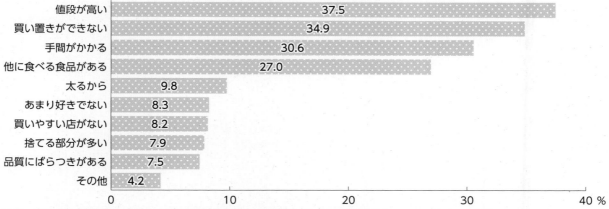

増やしたい　　減らしたい　　特に変えようとは思わない

	増やしたい	減らしたい	特に変えようとは思わない
全体	37.8	1.9	60.4
20代	53.5	2.9	43.5
30代	42.8	3.1	54.1
40代	34.6	1.5	63.9
50代	37.0	1.0	62.0
60代	26.5	1.3	72.2

（ウ　果物を摂取しない理由（毎日摂取者を除く）（複数回答））

値段が高い	37.5
買い置きができない	34.9
手間がかかる	30.6
他に食べる食品がある	27.0
太るから	9.8
あまり好きでない	8.3
買いやすい店がない	8.2
捨てる部分が多い	7.9
品質にばらつきがある	7.5
その他	4.2

資料：公益財団法人中央果実協会「平成30年度　果物の消費に関するアンケート調査報告書」を基に農林水産省作成
注：1）全国の満20歳以上70歳未満の男女2,000人を対象としたアンケート調査
　　2）ア、イの回答者数は2,000人のうち20代（310人）、30代（390人）、40代（460人）、50代（387人）、60代（453人）
　　3）ウの回答者数は、調査対象者2,000人のうち、アでほぼ毎日食べると回答した人を除いた1,483人

図表2-5-13　果物の消費に関するアンケート調査結果（続き）

（エ　果物の摂取を増加できると思う方法（非喫食層）（複数回答））

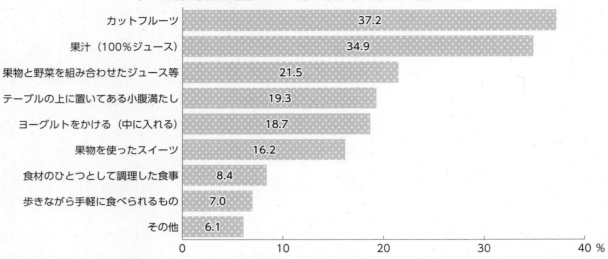

資料：公益財団法人中央果実協会「平成30年度　果物の消費に関するアンケート調査報告書」を基に農林水産省作成
注：1）全国の満20歳以上70歳未満の男女2,000人を対象としたアンケート調査
　　2）エの回答者数は、調査対象者2,000人のうち、アでほとんど食べないと回答した358人

コラム　うんしゅうみかんの生産構造

　戦後の果樹の生産構造の変化について、うんしゅうみかんを例にとって考えます。

　農業基本法の下でとられた「選択的拡大」等により、果樹の生産は大きく増加しました。特にうんしゅうみかん生産は西日本各地で広がり、生産量の増加は著しく、昭和35（1960）年の330万7千tから昭和54（1979）年にはピークの684万8千tに達しました（図表1）。
　しかしながら、増産により生産過剰となり、昭和47（1972）年には、豊作も重なり、「みかん危機」といわれる価格の大暴落が起こりました。その後、うんしゅうみかんの生産調整が行われ、他品目への改植や廃園により、生産量も減少に転じました。

図表1　果実の生産量・輸入量

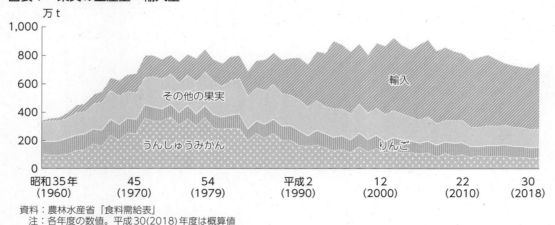

資料：農林水産省「食料需給表」
　注：各年度の数値。平成30(2018)年度は概算値

果樹の栽培農家数の推移を見ると、全体的に減少傾向にありますが、特にうんしゅうみかん農家の減少が大きいことが分かります（図表2）。

　近年は高齢化による農家数の減少も重なり、産地では、農家数の減少が園地の荒廃を招いており、地域の活力の減退につながっているとの声も聞かれます。

　うんしゅうみかんの栽培面積に目を向けると、昭和45（1970）年の13万8千haから平成17（2005）年には3万8千haとなっています。この間、農家数全体が減少する中で、1農家当たりの栽培面積の増加があまり見られなかったためです。特に、平成2（1990）年以降を見ると、2.0ha以上の面積で栽培する農家数はほとんど増加していません（図表3、図表4）。

　これは、果樹生産には、収穫等の機械化が困難な作業や、せん定等の高度な技術が必要な作業が多く、労働集約的な構造となっていること、労働ピークが収穫時期等の短期間に集中し、臨時的な雇用が必要となること等がネックとなり、規模拡大が難しいためと考えられます。

　今後も、農業者の減少が見込まれる中、地域の活力を回復し、生産基盤を強化させるためには、作業を省力化・効率化し、同じ労働力、同じ時間でより広い面積を管理すること、すなわち労働生産性を向上させることが必要です。

　労働生産性の向上のため、省力樹形を導入することで、作業動線が単純となり、収穫作業等の省力化や、機械作業体系の導入が可能となります。機械作業体系としては、現在、ロボットによる除草や収穫作業の自動化、ドローンによる受粉や農薬散布等の技術が開発されています。

　他方、うんしゅうみかん等のかんきつ類は中山間地域の急傾斜地等の厳しい条件の下で生産されていることが多く、省力樹形や機械作業体系を導入するためには、基盤整備を実施することにより、傾斜の緩和、農道や園内作業道の設置、かん水施設及び排水路の整備を進めていくことが必要です。

　基盤整備の実施と省力樹形及び機械作業体系の導入を一体的に行うことで、労働生産性の向上につながり、担い手への園地集積や、規模拡大が可能となります。

図表2　果樹類の品目別栽培農家数

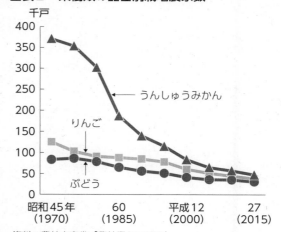

資料：農林水産省「農林業センサス」
注：昭和60（1985）年以降は販売農家数

図表3　販売農家の果樹栽培面積規模別農家数

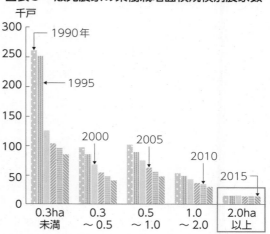

資料：農林水産省「農林業センサス」
注：2000年以前は果樹園面積規模別

図表4　販売農家の果樹栽培面積規模別栽培面積

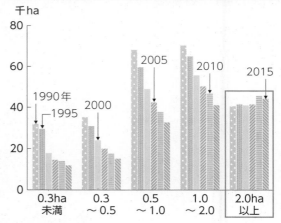

資料：農林水産省「農林業センサス」
注：2000年以前は果樹園面積規模別

第2章

事例　徹底した作業の効率化を進めて規模拡大に成功（和歌山県）

和歌山県有田川町の稲住昌広さんは、うんしゅうみかんを中心にかんきつ類を栽培しています。

団体職員を辞めて実家の経営を引き継いだ直後に、うんしゅうみかんの価格低迷を経験し、経営改善のために生産を拡大しなければならないという危機感を持ったことから、自ら重機を操り、1haの基盤整備をするなど、着実に規模拡大を進めてきました。同時に、労働時間が長いかんきつ類を少しでも効率よく栽培するため、経営や作業の方法を一から見直す必要があると考え、家族経営協定の締結や作業時間のきめ細かな記録、園内道の拡張等の様々な改善に取り組んできました。

このような一つ一つの取組の結果、現在は、就農直後より2ha広い4.6haまで経営面積を拡大していますが、年間の労働時間は就農時より10%以上削減することに成功しています。

稲住さんは「更に効率化を進めるため、今後はスマート農業にも挑戦してみたい」と話しています。

自ら基盤整備した園地に立つ
稲住昌広さん

（4）花き

（花きの産出額は前年産より減少）

平成29（2017）年産の花きは、前年に比べ作付面積が2.3%（0.6千ha）減少の2万7千haとなり、産出額は2.7%（101億円）減少の3,687億円となりました（図表2-5-14）。

図表2-5-14　花きの作付面積と産出額

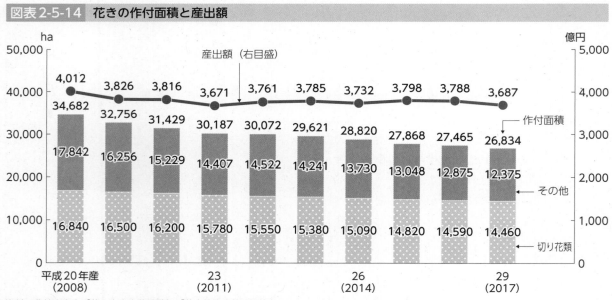

資料：農林水産省「花き生産出荷統計」、「花木等生産状況調査」
注：その他は、鉢もの類、花壇用苗もの類、球根類、花木類、芝、地被植物類の合計

近年、花きの産出額は緩やかな減少傾向で推移していますが、その内訳は、切り花類が2,078億円と全体の約6割を占めています（図表2-5-15）。続いて、鉢もの類が971億円、花壇用苗もの類が306億円、花木類が206億円となっています。

きく類の産出額は切り花類の3割を占めますが、近年減少傾向にあり、対前年比8.1％の減少、平成19（2007）年と比較すると21.8％減少しています。これは、お盆やお彼岸といった行事における利用が減少傾向であるとともに、農家の高齢化等による離農に伴い作付面積や生産量が減少傾向であるためと考えられます。

図表2-5-15 花きの産出額の内訳（平成29（2017）年）

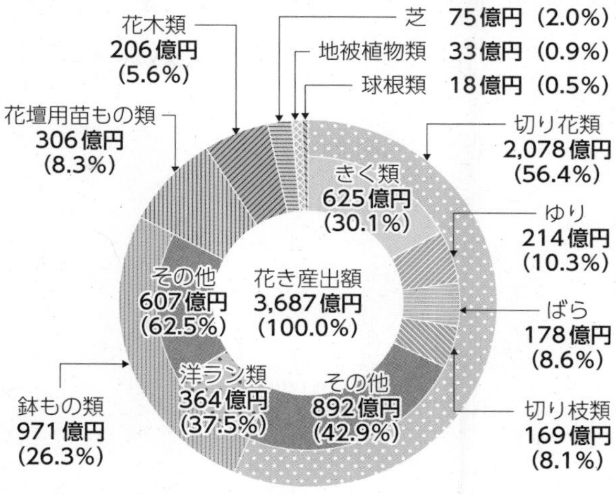

資料：農林水産省「花木等生産状況調査」

切り枝類の産出額は近年増加傾向で推移しており、対前年比1.2％の増加、平成19（2007）年と比較すると32.0％増加しています。切り枝類はフラワーアレンジメントの材料、ホテルや店頭での装飾、イベント、インテリア等様々な場面で需要が増加しているためと考えられます。

洋ラン類（鉢）の産出額は平成19（2007）年から減少傾向にありましたが、平成22（2010）年以降増加傾向で推移しています。洋ラン類はお祝い事の贈答品に用いられること等、一定の需要があり、近年は消費者のニーズにあったものが生産されるようになったためと考えられます。

また、切り花類の輸入状況については、切り花類の輸入量全体のうち、カーネーションが27％、きくが25％を占めています。海外の主要産地においては、生産に適した気象条件や栽培条件の面から、1本当たりの生産コストが国産の半分以下となっており、さらに、採花後の品質管理により、長時間の輸送に耐えられるようになったことから、輸入が増加傾向となっています。このため、国産花きの温度管理等による品質管理の徹底や作業の機械化等による低コスト化、省力化を進め、輸入花きに対する品質面・価格面での競争力を高めることが必要です。

（5）茶

（荒茶の生産量は前年産より減少）

令和元（2019）年産の茶は、栽培農家数の減少等により、栽培面積が前年産に比べて900ha減少の4万1千haとなりました。また、生産量は栽培面積の減少に加えて、主産地である静岡県において生育期間の天候不順等により生育が抑制されたこと等から、前年産に比べて5％減少し、8万2千tとなりました（図表2-5-16）。

図表2-5-16　茶の栽培面積と荒茶生産量

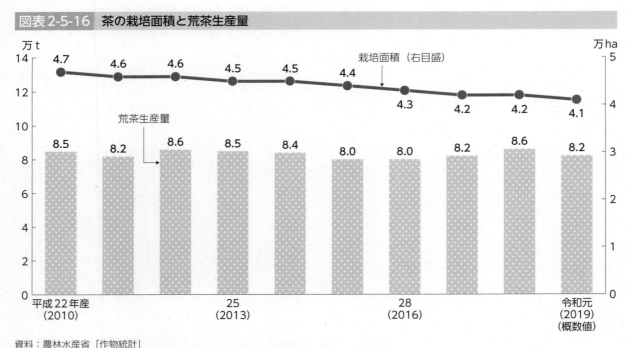

資料：農林水産省「作物統計」
注：平成23（2011）年産、平成24（2012）年産の荒茶生産量は主産県の合計値

（茶園の若返りと軽労化が重要）

　全国の茶園面積の4割は収量や品質の低下が懸念される樹齢30年以上の老園であり、茶園の4割が中山間地に位置し、傾斜の要因により乗用型機械の導入が遅れている地域もあります。優良品種への改植や、早生、晩生の品種導入による摘採期の分散等、茶園の若返りと軽労化が重要となっています。

（海外でのニーズが高くなり輸出は増加傾向）

　茶の輸出は、海外の日本食ブームや健康志向の高まりにより近年増加傾向にあり、特に抹茶は海外でのニーズが高くなっています。これに伴い、抹茶の原料となるてん茶の国内生産量も増加しています（図表2-5-17）。

　また、緑茶の輸出統計品目表が改正され、平成31（2019）年1月から緑茶を粉末状のものとその他のものに分割したことから、輸出相手国・地域ごとに粉末状の割合を把握することが可能となりました。例えば、令和元（2019）年は、米国向けの輸出額の71%、EU向けの輸出額の55%が抹茶を含む粉末状のものとして輸出されています（図表2-5-18）。

　抹茶を始めとする茶の輸出を拡大するためには、輸出先国の残留農薬基準をクリアする必要があります。このため、輸出相手国において我が国で使用されている主要な農薬の残留農薬基準の設定に必要なデータの収集や相手国への申請を進めるとともに、病害虫防除マニュアルの作成や各地での防除体系の確立を推進しています。

| 図表2-5-17 | てん茶の生産量 |

資料：全国茶生産団体連合会「茶生産流通実態調査」を基に農林水産省作成

| 図表2-5-18 | 緑茶の輸出量及び輸出額（令和元（2019）年） |

	輸出量（t）			輸出額（百万円）		
	粉末状	その他	合計	粉末状	その他	合計
米国	983 (66%)	502 (34%)	1,485 (100%)	4,604 (71%)	1,881 (29%)	6,485 (100%)
EU	228 (35%)	420 (65%)	648 (100%)	1,277 (55%)	1,031 (45%)	2,308 (100%)
台湾	103 (7%)	1,286 (93%)	1,389 (100%)	372 (24%)	1,155 (76%)	1,527 (100%)
世界計	2,200 (43%)	2,908 (57%)	5,108 (100%)	8,893 (61%)	5,749 (39%)	14,642 (100%)

資料：財務省「貿易統計」を基に農林水産省作成
注：（　）内は、形状別の割合

（6）葉たばこ

（収穫面積、収穫量ともに減少傾向）

　葉たばこの収穫面積及び収穫量は、耕作者の高齢化等から減少傾向にあり、平成30（2018）年も前年に比べて収穫面積は6.7％減少の7,100ha、収穫量は10.6％減少の1万7千tとなりました（図表2-5-19）。

　葉たばこは、東北地方や九州地方で地域経済を支える重要な作物の一つですが、健康志向の高まりによる喫煙率の低下や加熱式たばこの需要の拡大等に伴い、紙巻きたばこの販売数量は減少傾向にあります。

　農林水産省では、廃作に対する他品目への転換の支援等の措置を行ってきました。日本たばこ産業株式会社（JT）においても生産性向上に向けた支援を行っています。

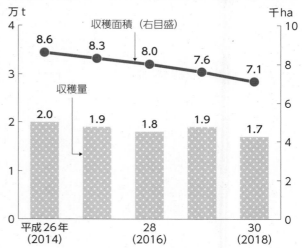

| 図表2-5-19 | 葉たばこの収穫面積と収穫量 |

資料：日本たばこ産業株式会社「買入実績」を基に農林水産省作成

（7）甘味資源作物

（てんさいの収穫量は増加、さとうきびの収穫量は減少）

　てんさいは、他の作物に比べて面積当たりの労働時間が長いことから、労働力不足等を背景に他作物への転換が進み、令和元（2019）年産の作付面積は前年産に比べて1％減少の5万7千haとなりました（図表2-5-20）。一方で、6月以降天候に恵まれ作柄が良く単収が12％増加したことから、収穫量は前年産に比べて10％増加の398万6千tとなりました。糖度は前年産に比べて0.4ポイント低下し16.8度となりました。

　さとうきびは、平成30（2018）年産の収穫面積は前年産に比べて5％減少し2万3千haとなりました（図表2-5-21）。収穫量は収穫面積の減少に加えて、台風第24号・第25号が襲来し、鹿児島県において倒伏の被害が発生したことから、前年産に比べて8％減少し119万6千tとなりました。糖度は前年産に比べて0.3ポイント上昇し13.6度となり

ました。

図表2-5-20　てんさいの作付面積、収量、糖度

資料：農林水産省「作物統計」、北海道「てんさい生産実績」を基に
農林水産省作成

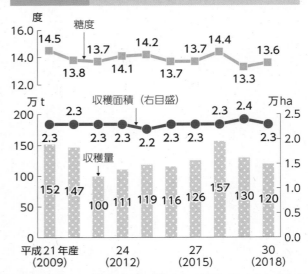

図表2-5-21　さとうきびの収穫面積、収量、糖度

資料：農林水産省「作物統計」、鹿児島県・沖縄県「さとうきび及び
甘しゃ糖生産実績」を基に農林水産省作成

（てんさいは風害軽減対策、さとうきびは新品種の導入等を推進）

　てんさいは、北海道の畑作地帯において輪作体系に組み込まれる重要な作物であり、さとうきびは、沖縄県や鹿児島県南西諸島において、台風等の自然災害に強い基幹作物です。

　てんさいは、投下労働時間が多く省力化が課題です。このため、直播栽培の普及や大型機械導入の実証試験等が行われています。しかし、直播栽培は収量がやや低いこと、春先の風害に弱いなどの傾向があることから、狭畦栽培[1]、盛土による風害軽減対策等の開発・普及を進めています。

　さとうきびは、高齢化や人手不足から管理作業の機械化・省力化や担い手確保が大きな課題となっています。これを受けて、鹿児島県徳之島と沖縄県 南 大東島では「スマート農業実証プロジェクト[2]」に参加し、スマート技術の導入による生産等への効果を検証することとしています。また、多収性に優れ、機械収穫や株出栽培[3]に適した新品種である「はるのおうぎ」の普及に向けた実証を実施しています。

（砂糖の需要拡大に向け「ありが糖運動」を展開）

　砂糖は脳とからだのエネルギー源となる重要な品目です。しかしながら、消費者の低甘味嗜好や他の甘味料の使用の増加等により、近年、その消費は減少傾向で推移しています。このような中、農林水産省は砂糖の需要拡大を応援する取組として、Webサイトで情報発信を行うなどの「ありが糖運動」を展開しており、砂糖に関する知識や、砂糖や甘

1　日本では一般的に畦間が60cmから66cmであるところ、畦間を45cmから50cmとする栽培様式。欧州では普及しており、直播栽培技術と大型機械を導入することで生産コストの抑制を見込める。
2　国、研究機関、民間企業、農業者の活力を結集し、ロボット・AI・IoT等の先端技術を活用したスマート農業の全国展開を加速化するため、モデル農場における体系的かつ一貫した形での技術実証を支援する事業
3　収穫した古株から出てきた芽を育てる栽培

味（糖分）に由来する食文化等の魅力を広く発信しています。

（8）いも類

（ポテトチップス、焼きいも等の需要に応じた生産拡大が重要）

　平成30（2018）年産のばれいしょは、作付面積は前年産並となったものの、北海道における天候不順により、作柄の良かった前年産に比べ、単収が5％減少したため、収穫量は前年産に比べて6％減少の226万tとなりました（図表2-5-22）。

　国産ばれいしょの生産量が減少傾向で推移する中で、ポテトチップスやサラダ用等の加工用ばれいしょの需要は増加傾向にあります。特に、メーカーからの国産原料の供給要望が強いことから、加工用ばれいしょの増産が課題となっています。しかし、植付や収穫に係る労働時間が大きいこと等から、労力・人員の確保が難しくなってきており、より省力的・集約的な作業体系を導入することが重要となっています。

　令和元（2019）年産のかんしょは、作付面積が前年産に比べて4％減少したこと、鹿児島県及び宮崎県で発生したサツマイモ基腐病（もとぐされびょう）の被害により単収が2％減少したことから、収穫量は前年産に比べて6％減少の74万9千tとなりました（図表2-5-23）。

　かんしょは、近年、粘質性が高く良食味の品種の開発や、電気式自動焼きいも機による小売店での固定販売の普及を背景に、食べ方としての焼きいもが注目されており、今後も堅調な需要が見込まれます。また、香港、シンガポール、タイ等のアジア諸国を中心に日本産のかんしょの需要が高まっていることから、令和元（2019）年の輸出量は前年に比べて23％増の4,347tとなりました。

　需要に応じた生産を図るためには、病害虫抵抗性品種の導入や適切な栽培管理等による単収向上、省力化機械の導入等による作付面積の拡大が重要となっています。

（9）畜産物

（飼養戸数が減少する中、大規模化が進展）

　飼養戸数は全ての畜種で減少する一方、1戸当たり飼養頭羽数は増加傾向で、大規模化

図表2-5-22　ばれいしょの作付面積と収穫量

資料：農林水産省「野菜生産出荷統計」

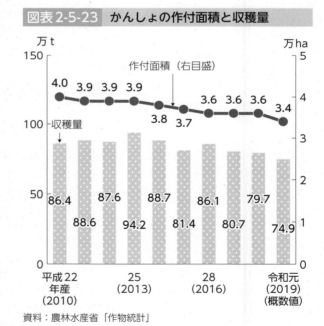

図表2-5-23　かんしょの作付面積と収穫量

資料：農林水産省「作物統計」

が進展しています（図表2-5-24）。養豚、養鶏の生産現場では、以前から他の畜種と比較して大規模経営が定着していましたが、酪農経営においても、成畜を300頭以上飼養する経営体が10年前と比べて1.5倍増加し大規模化が進展しています。一方、肥育牛経営では、500頭以上飼養する経営体が10年前と比べて1.1倍と僅かな増加にとどまっています。

一方、中小規模の経営の生産基盤強化を図るためには、労働負担の軽減や、胎児死や初生牛の死亡等子牛の事故率の低減を図ることが重要となっています。そのため、ICT[1]等の新技術を活用した発情発見装置、分娩監視装置等の機械装置の導入を支援し、生産性の向上と省力化を推進しています。

図表2-5-24　畜種別飼養戸数と1戸当たり飼養頭羽数

		飼養戸数（戸）				1戸当たりの飼養頭羽数（頭、千羽）			
		平成21年 (2009)	29 (2017)	30 (2018)	31 (2019)	平成21年 (2009)	29 (2017)	30 (2018)	31 (2019)
乳用牛	北海道	7,860	6,310	6,140	5,970	104.7	123.5	128.8	134.2
	都府県	15,200	10,100	9,540	9,070	44.5	53.8	56.3	58.5
肉用牛		77,300	50,100	48,300	46,300	37.8	49.9	52.0	54.1
	子取り用めす牛	66,600	43,000	41,800	40,200	10.2	13.9	14.6	15.6
	肥育用牛	11,700	7,840	7,620	7,100	69.2	92.1	96.7	106.1
	乳用種	7,380	4,950	4,650	4,440	140.0	168.6	174.8	173.1
豚		6,890	4,670	4,470	4,320	1,436.7	2,001.3	2,055.7	2,119.4
採卵鶏		3,110	2,350	2,200	2,120	45.0	57.9	63.2	66.9
ブロイラー		2,392	2,310	2,260	2,250	44.8	58.4	61.4	61.4

資料：農林水産省「畜産統計」、「畜産物流通統計」
注：1）各年2月1日時点
　　2）採卵鶏は成鶏めす1,000羽以上の飼養者の数値
　　3）ブロイラーは平成21（2009）年は全飼養者の数値、平成29（2017）年以降は年間出荷羽数3,000羽以上の飼養者の数値

（酪農の生産基盤の維持・強化を推進）

乳用牛の飼養頭数は平成14（2002）年以降減少を続けていましたが、子牛の出生頭数が増加したことから、平成31（2019）年は133万頭と前年に比べて4千頭増加し、2年連続で増加しました（図表2-5-25）。また、1戸当たり経産牛飼養頭数は全国的に増加傾向で推移しており、大規模化が進展しています。

平成30（2018）年度における生乳生産量は728万2千tで、北海道で増加する一方、都府県で減少していることから、依然として減少傾向となっています（図表2-5-26）。

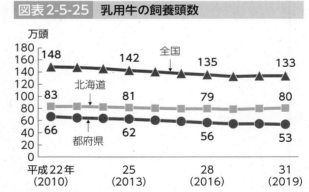

図表2-5-25　乳用牛の飼養頭数

資料：農林水産省「畜産統計」
注：各年2月1日時点

他方、黒毛和種の交配率の上昇等により、乳用雌子牛の出生頭数が減少してきたことを背景に、性判別精液の活用等による後継牛確保の取組を推進してきました。その結果、今

1　用語の解説3（2）を参照

後の乳用後継牛となる2歳未満の未経産牛の飼養頭数が増加していることから、生乳生産量の回復が見込まれています。

引き続き、後継牛確保の取組を推進するとともに、育成牛の預託等を通じて雌子牛を着実に育成することにより、生乳生産の増加につなげていくことが重要となります。

生乳の需要については、飲用にあっては牛乳の健康機能が注目されたこと等から僅かに増加しており、乳製品にあってはチーズ、生クリーム等で拡大していますが、生乳の国内生産量の減少により乳製品の輸入量が増加傾向にあります。今後、増加する国内需要に応じた生産を確保することにより、輸入で補っている需要を国産に置き換えていく必要があります。また、後継者のいない経営資産（施設、機械、生体）を、第三者に経営継承することで生産基盤の維持・強化を図ることが必要となっています。

このため、農林水産省では、生乳生産量が減少している都府県酪農の生産基盤強化を図るための増頭奨励金の交付等を推進するとともに、中小・家族経営の施設整備による経営基盤の継承等を推進し、環境整備を図ることとしています。

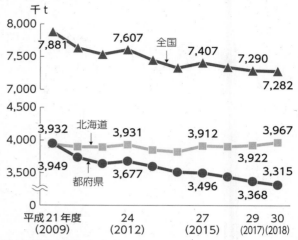

図表2-5-26 生乳生産量

千t

資料：農林水産省「牛乳乳製品統計」

（肉用牛の生産基盤の維持・強化を推進）

肉用牛の飼養頭数は、平成22（2010）年度以降、減少傾向にありましたが、農家の規模拡大や、キャトルブリーディングステーション（CBS）[1]やキャトルステーション（CS）[2]の活用等により、平成27（2015）年度以降、繁殖雌牛については増加に転じており、平成30（2018）年度には、62万6千頭となりました。牛肉生産量は、平成29（2017）年度から2年連続で増加し、平成30（2018）年度は47万6千tとなりました（図表2-5-27）。

1 繁殖経営で多くの時間を費やす、繁殖雌牛の分べん・種付けや子牛のほ育を集約的に行う組織
2 繁殖経営で生産された子牛のほ育・育成を集約的に行う組織であり、繁殖雌牛の委託を行う場合がある。

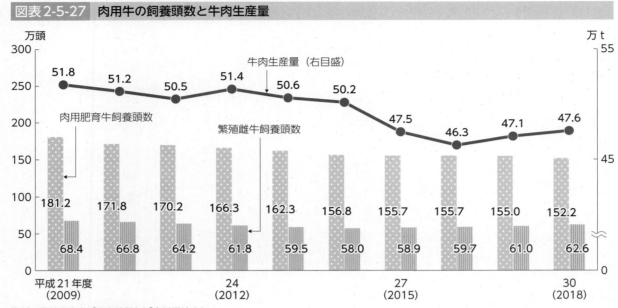

図表2-5-27　肉用牛の飼養頭数と牛肉生産量

資料：農林水産省「畜産統計」、「食料需給表」
注：1）飼養頭数は各年度2月1日時点
　　2）肉用肥育牛の飼養頭数は、肉用種の肥育用牛と乳用種の合計
　　3）牛肉生産量は枝肉ベース
　　4）平成30（2018）年度の牛肉生産量は概算値

　我が国の牛肉の消費量は、近年、肉ブーム等を背景に増加しており、輸入量も増加傾向にありますが、アジア地域の経済成長に伴う需要拡大や、ASF[1]の発生により中国が食肉の輸入量を急速に増加させていることにより、世界的な牛肉の需給バランスに変化が生じています。また、和牛の海外での認知度向上等を背景に、牛肉輸出量は年々増加しています。

　このような状況の中で、将来にわたり国民に安定的に牛肉を供給するとともに、新たな市場獲得を図るためには、国内の生産基盤を強化し、国産牛肉の生産量を増加させる必要があります。また、後継者がいない家族経営の資源を計画的に継承する仕組みを構築し、生産基盤の維持・強化を図ることが必要となっています。さらに、流通面では、生産現場が脆弱化するとともに、生産者の顔が見える商品を求める消費者ニーズが高まる中、生産者と消費者の結節点として、高品質な食肉を安定的に供給していくことが重要となっています。

　このため、農林水産省では、引き続き、畜産クラスター事業等による体質強化等を進めるとともに、輸出の拡大に向けて和牛の増産を強力に進めるため、繁殖雌牛の増頭奨励金の交付、和牛受精卵の利用の推進等による生産基盤の強化を図るとともに、中小・家族経営の施設整備による経営基盤の継承等を推進し、環境整備を図ることとしています。さらに、国産食肉の生産・流通体制を強化するため、生産現場と結びついた流通の改革を推進することとしています。

（豚肉、鶏肉、鶏卵の生産量は微増傾向）
　豚肉の生産量は、近年横ばいで推移しており、平成30（2018）年度は128万2千tとなりました（図表2-5-28）。一方、平成29（2017）年の世界の豚肉輸入量は546万tで、

1　用語の解説3（2）を参照

そのうち我が国は93万ｔ、中国が146万ｔとなっており、この２か国で世界の豚肉輸入量の４割を占めています（図表2-5-29）。特に中国は、ASFの発生により輸入量を増やしており、世界的な豚肉の需給バランスに変化が生じています。関係者からはこのような状況下では十分な豚肉の輸入量の確保が難しくなると懸念されています。このため、更なる国内生産の維持・拡大が重要となっています。

鶏肉は、消費者の健康志向の高まりを受け、価格が堅調に推移していることから、生産が拡大し、平成30（2018）年度の生産量は160万ｔと５年連続過去最高となりました。

鶏卵は、平成25（2013）年度以降の堅調な価格を背景に生産が拡大し、生産量は４年連続で増加し、平成30（2018）年度は262万8千ｔとなりました。

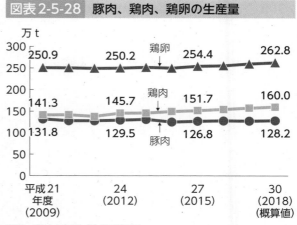

図表2-5-28　豚肉、鶏肉、鶏卵の生産量

資料：農林水産省「食料需給表」

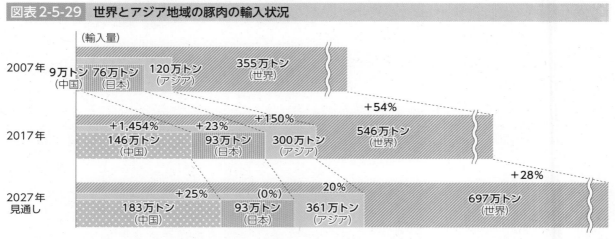

図表2-5-29　世界とアジア地域の豚肉の輸入状況

資料：USDA「Livestock and Poultry：World Markets and Trade」「Long-term Projections 2019.3（部分肉ベース換算）」、財務省「貿易統計」を基に農林水産省作成
注：1）「アジア」は、2007年は日本、香港、韓国、フィリピンの計。2017年は日本、中国、韓国、香港、フィリピンの計。2027年は日本、中国、香港、韓国の計（USDA資料中の主要輸入国として明示されているアジアの国・地域を合算）
　　2）「中国」は、USDA資料中の中国、香港の計
　　3）「世界」は、USDA資料中の主要豚肉輸入国の輸入量の合計
　　4）「日本」は、貿易統計の数値（年度ベース）。なお、「日本」の2027年見通しは、2017年の輸入実績を据え置いたもの

（飼料作物の作付面積は減少、エコフィードの製造数量は横ばい）

令和元（2019）年度の飼料作物の作付面積は、飼料用米及びWCS用稲[1]の減少等により、前年に比べて９千ha（0.9％）減少の96万２千haとなりました。また、平成30（2018）年度の飼料作物のTDN[2]ベース収穫量は、天候不順による生育抑制等により、前年に比べて19万TDNt（5.0％）減少の366万TDNtとなりました（図表2-5-30）。

1　用語の解説３（２）を参照
2　Total Digestible Nutrients の略で、家畜が消化できる養分の総量

図表2-5-30　飼料作物の作付面積と収穫量

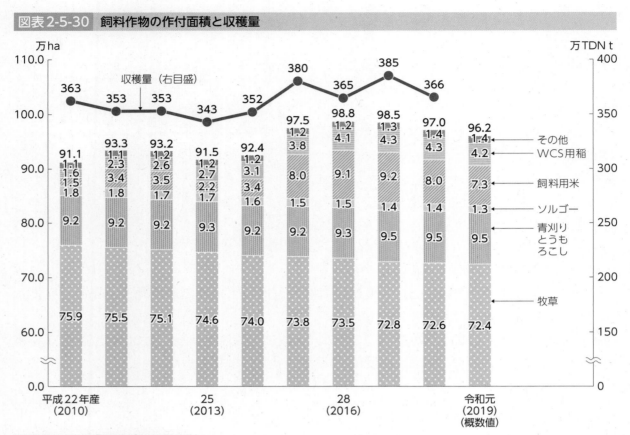

資料：農林水産省「耕地及び作付面積統計」
注：1）収穫量は農林水産省「作物統計」等を基に推計
　　2）飼料用米及びWCS用稲の作付面積は、農林水産省「新規需要米の取組計画認定状況」

　エコフィード[1]の製造数量は、平成30（2018）年度は前年同様、119万TDNtとなりました（図表2-5-31）。

　エコフィードの生産・利用の拡大については、食品残さ等を排出する食品産業、食品残さの飼料化事業者（エコフィード製造事業者）及び利用する畜産農家の連携が進むように、エコフィード製造事業者の情報が公益社団法人 中央畜産会のWebサイトで公開されています。

　経営費に占める飼料費の割合は、肥育牛で3割、養鶏で6割を占めています。このため、国際相場や為替レート等の影響で価格が乱高下しやすい輸入飼料原料を、国産の飼料用米や子実用とうもろこし、エコフィード等国内の飼料資源に置き換えていくことが、我が国の畜産業の生産基盤を強化する上で重要となっています。

　また、粗飼料についても全て国産にするため、青刈りとうもろこしの生産や放牧等を推進しています。

1　用語の解説3（1）を参照

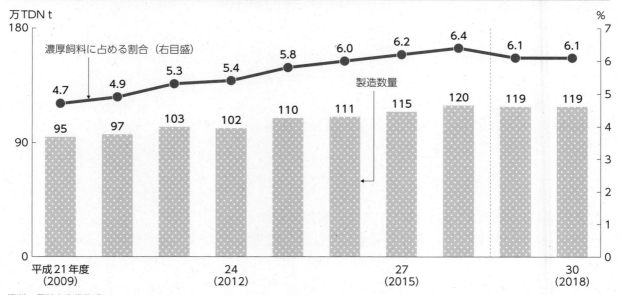

図表 2-5-31　エコフィードの製造数量と濃厚飼料に占める割合

万TDN t

濃厚飼料に占める割合（右目盛）

製造数量

| 平成21年度
(2009) | | | 24
(2012) | | | 27
(2015) | | | | 30
(2018) |

割合： 4.7　4.9　5.3　5.4　5.8　6.0　6.2　6.4　6.1　6.1

製造数量： 95　97　103　102　110　111　115　120　119　119

資料：農林水産省作成
注：1）平成29（2017）年度の集計から対象品目が減少したため、平成28（2016）年度以前とは連続しない。
　　2）赤点線は、平成28（2016）年度以前と平成29（2017）年度以降で連続性がないことを示す。

第2章

第6節　生産現場の競争力強化等の推進

　農林水産業の成長産業化を推進する上では、農業分野以外の技術等も取り入れた産学官連携等によるイノベーションの創出が必要です。ロボット、AI[1]、IoT[2]等の先端技術を活用して超省力・高品質生産を可能にするスマート農業の実装に向けた取組、ゲノム編集[3]技術の開発・活用に向けた取組、農業生産資材価格の引下げに向けた取組等により、競争力強化につなげることが重要です。

（1）スマート農業の推進

（農業現場に広まりつつある様々なスマート農業技術）

　近年、様々なスマート農業技術の開発や実用化が進んでおり、農業現場に広まりつつあります。ロボット技術やGNSS[4]等の衛星測位を活用した自動制御技術により、農業者の監視の下、無人でほ場内の農作業を行う自動走行トラクターが平成30（2018）年10月より販売開始されたほか、田植機やコンバインについても自動走行システムの開発が進められています。また、ドローンや人工衛星等を活用したセンシングにより得られた生育状況等のデータを解析し、生育のばらつきに応じた施肥等の栽培管理を行うことが可能となりました。そのほか、ICT[5]等を活用し、熟練者の栽培技術や判断等の「匠の技」についてデータを用いて見える化した技術継承のシステムや、AIを活用した画像解析等による農作物の成熟度の判定や病虫害発生箇所の検出技術の実用化も進んでいます。

　さらに、果樹ではりんご、なし等、野菜ではトマト、キャベツ等の自動収穫ロボットや、機能を絞り込んだ低価格の無人草刈機等、手作業に頼らざるを得ない作業が多く残されている果樹栽培や中山間地域にも対応した技術開発も進められています。そのほか、開発した自動野菜収穫ロボットを農業者へ貸し出し、収穫高に応じて利用料を徴収する農業支援サービス等、農業者の導入コストを抑えてスマート農業技術の現場実装を目指す新たな取組も開始されています。

（スマート農業実証プロジェクトが全国69地区で開始）

　スマート農業技術の現場実装を加速化するためには、実際に新技術を生産現場に導入し、実証することにより、技術の効果や課題等の情報を蓄積することが必要です。農林水産省では、令和元（2019）年度からスマート農業実証プロジェクトを開始し、全国69地区において、2年間にわたり技術実証を行うとともに、技術の導入による経営への効果を検証することとしています。各実証地区では様々な作目で、生産から出荷までの実証課題・目標を設定し、幾つかの技術を組み合わせて実証を行っています（図表2-6-1）。また、平地だけでなく、中山間地域で30地区、離島で3地区が採択され、様々な地域条件の農地において実証を進めています。

　得られたデータや活動記録等は、農研機構が技術面・経営面からの事例として整理して、農業者が技術を導入する際の経営判断に活用できる情報として提供することとしています。

1、2、4、5　用語の解説3（2）を参照
3　用語の解説3（1）を参照

地域	実証経営体	作目	実証の概要
北海道 岩見沢市	（有）新田農場ほか	水田作 （大規模）	ロボットトラクタや自動給水弁等の導入による労働時間の削減、センシング情報や農機の稼働情報を収集し、ほ場ごとのコストを試算する。
秋田県 男鹿市	園芸メガ共同利用組合	花き （小ギク）	耐候性LED電球による露地電照技術をシステムで管理することにより需要期出荷の安定化を図る。
栃木県 大田原市	（有）グリーンハート ティーアンドケイ	畜産 （乳用牛）	次世代閉鎖型搾乳牛舎や搾乳ロボット、個体別行動検知システム等をクラウドで飼養管理制御することにより、生産性向上と省力化を実現する。
新潟県 新潟市	（有）米八	水田作 （大規模）	センシング情報やフィールドサーバによる環境データ、ほ場ごとの施肥データ等を営農管理システムで一元的に管理し、低コスト・高品質化を図る。
愛知県 西尾市	JA西三河きゅうり 部会生産者	施設園芸 （きゅうり）	施設内の環境データや、選果機を用いた画像処理によるきゅうりの重量・形状データに基づく生育・収量予測により、生産性向上を目指す。
兵庫県 養父市	（株）Amnak	水田作 （中山間）	狭小な棚田において、無線遠隔草刈機等の導入による労働時間の削減、食味収量コンバインの情報に基づく可変施肥等により収量・品質の向上を図る。
広島県 庄原市	（株）vegeta	露地野菜 （キャベツ）	生育状況や作業情報をAIが分析し、作業指示や収穫予測を行うシステムを構築するとともに、スマート農機の導入による効率化を図り、経営面積を拡大する。
長崎県 佐世保市	ながさき西海農協 させぼ広域かんきつ部会	果樹 （うんしゅう みかん）	蓄積された生育・品質データ等に基づく品質予測等を栽培管理にフィードバック。また、ロボット搭載型プレ選果システム等を導入し、出荷量向上を図る。
鹿児島県 志布志市	鹿児島堀口製茶（有）	茶	自動散水装置やロボット茶園管理機等を導入し、労働時間を削減。また、情報管理システム技術を確立し、情報の見える化につなげる。
沖縄県 南大東村	アグリサポート 南大東（株）	畑作 （さとうきび）	ハーベスタ等の自動操縦化による高精度・省力栽培体系の確立。また、生育データや環境データに基づく精密自動灌水によって、収量・品質の向上を図る。

ロボットトラクタによる
耕転作業
（北海道岩見沢市）

可変施肥田植機
（新潟県新潟市）

ドローン空撮画像で
収穫量を予測
（広島県庄原市）

無線遠隔草刈機
（兵庫県養父市）

資料：農林水産省作成

（農業データ連携基盤「WAGRI」の運用が開始）

　農業現場における生産性を飛躍的に高めるためには、様々な農業関連データをフル活用できる環境の整備が重要ですが、これまでは個々のデータが散在し、データやサービスが相互に連携されておらず、農業者にとって必ずしも使い勝手が良い状態ではありませんでした。

　このような課題を解決するため、平成31（2019）年4月から、様々な農業関連データを連携・活用できるデータプラットフォームである農業データ連携基盤（WAGRI[1]）の運用が開始され、参加している民間企業等によるWAGRIを活用したサービスの提供が始まりました。今後このようなサービスが増えていくことで、農業者は、これらのサービスの中から経営形態に応じた最適なものを選択・活用することができるようになります。例えば、ＮＥＣソリューションイノベータ株式会社が提供する「NEC営農指導支援システム」では、WAGRIから取得した農薬の使用制限に関する登録情報やほ場の区画デー

1　農業データプラットフォームが、様々なデータやサービスを連環させる「輪」となり、様々なコミュニティの更なる調和を促す「和」となることで、農業分野にイノベーションを引き起こすことへの期待から生まれた造語（WA + AGRI）

タ（筆ポリゴン）[1]を活用し、農薬の使用禁止期間を警告表示したり、農業者がほ場ごとの作業予定や生育状況を把握したりすることができるようになるなど、WAGRIを活用することで農業者へ提供されるサービスの向上につながっています（図表2-6-2）。

図表2-6-2　民間企業によるWAGRIの活用事例

○ **WAGRI上の筆ポリゴンと農薬情報、1kmメッシュ推定気象情報を活用**した「NEC 営農指導支援システム※」を提供
※ 営農データの収集、地図上での作業・生育状況の把握等により、生育目標に基づいた指導や情報共有を可能とするシステム

資料：農林水産省作成

（農業分野におけるAI等の更なる活用に向けた環境整備を推進）

　農林水産省では、農業分野におけるデータ利活用とノウハウ保護の調和を図るルールを整備する観点から、平成30（2018）年12月にはデータ契約に関するガイドラインを策定し、令和2（2020）年3月にはAIに関する契約についてのガイドラインを追加して一体化し、公表[2]しました。AI等を活用した研究開発・利用の場面で、農業者や試験研究機関等の関係者間の農業者から提供されたデータ、データの加工により生じる中間生成物、成果物をめぐる権利と利用範囲等に関する契約のひな形等を示すことにより、農業者の栽培ノウハウ等の保護に配慮したデータの利活用が促進され、データ収集の加速化や新たなサービスの創出につながることが期待されます。

（農業分野におけるドローンの利用が拡大）

　ドローンはその取扱いやすさや拡張性の高さから、農薬や肥料の散布、生育状況や病害虫の発生状況のセンシング、鳥獣害対策等の様々な分野での利用や、中山間地域を含めた様々な場所での活用が期待されています。実際に農業でのドローン利用は急激に拡大しており、平成30（2018）年度末時点でのドローンによる空中散布面積は約3.1万haで、平成28（2016）年度末と比べて約45倍に増加しました（図表2-6-3）。

1　農林水産省が実施する耕地面積調査等の母集団情報として、全国の土地を隙間なく200m四方（北海道は、400m四方）の区画に区分し、そのうち耕地が存在する約290万区画について衛星画像等をもとに筆ごとの形状に沿って作成した農地の区画情報
2　正式名称は、「農業分野におけるAI・データに関する契約ガイドライン」（令和2（2020）年3月策定）

ドローンの普及拡大に向けて、農林水産省では、平成31（2019）年3月に「農業用ドローン普及計画」を策定し、同日、官民協議会[1]を設立しました。この普及計画では、令和4（2022）年度までの目標として、ドローンによる農薬散布面積を100万haまで拡大すること等を示しています。また、農林水産省では官民協議会をWebサイト上に常設し、新技術等の情報発信や規制等に関する意見の収集を行っています。

図表2-6-3　ドローンによる空中散布面積

資料：農林水産省作成
注：各年度末時点

（ドローンによる農薬等の空中散布に関するルールの見直しが進展）

農業用ドローンの更なる普及に向けては、規制改革の議論を踏まえて農薬等の空中散布に関するルールの見直しも行いました。

農薬等の空中散布を目的としてドローンを利用するには、国土交通省へ航空法に基づく許可・承認の申請が必要です。農林水産省では、令和元（2019）年7月、これまで義務と誤解されていた、農林水産省が登録した機関による機体や操縦者の認定、及びその認定操縦者の代行申請の仕組みを廃止し、国土交通省への申請手続に一元化しました。さらに、代行申請については機体メーカーや販売代理店が行うことを促すことにより、申請手続の円滑化が図られました。

また、国土交通省では、空中散布を目的とした無人航空機の許可・承認について適用可能な「空中散布を目的とした無人航空機飛行マニュアル」を策定しました。本マニュアルは、農林水産省における検討会での議論を踏まえ、通常の無人航空機飛行マニュアルで規定されている要件に、作業の省力化等の観点から、空中散布の際に補助者配置義務を不要とする要件と、目視外飛行の要件を加えたものです。

一方で、農薬の空中散布に当たっては、農薬の使用方法を遵守することや、農薬飛散（ドリフト）が生じない対策を適切に講じた上での実施が重要であることから、農林水産省では、ドローンを用いた安全かつ適切な農薬散布の目安となる、「無人マルチローターによる農薬の空中散布に係るガイドライン」を策定しました。本ガイドラインでは、周辺環境や風向きを考慮した飛行経路の設定、適切な散布高度の維持、強風時の散布の中止等が記載されています。

そのほか、ドローンに適した高濃度・少量で散布できる農薬数の拡大に向けて、各産地の現場のニーズを農薬メーカーに通知することで登録申請を促進し、特にニーズの高い農薬については、個別に産地と農薬メーカーのマッチングを促進しています。

第2章

1　正式名称は「農業用ドローンの普及拡大に向けた官民協議会」

（農業生産基盤強化プログラムによりスマート農林水産業の現場実装を推進）

　令和元（2019）年12月に決定された農業生産基盤強化プログラムにおいても、ドローンやAI、IoT等を活用してスマート農林水産業の現場実装を強力に推進することとされました。これを受けて、農林水産省では、シェアリングやリース等によるスマート農業の導入コスト低減を図る新サービスの創出や、スマート農業の持続的な展開に向けた地域での戦略づくり、スマート農機を現場導入する際の安全性確保策の検討、スマート農業教育、WAGRIの活用、情報ネットワーク環境の整備等の取組を推進し、これらの取組を通じて、令和7（2025）年までに農業の担い手のほぼ全てがデータを活用した農業を実践することを目指すこととしています。

（2）農業分野における新技術の開発・普及

（農林水産業以外の多様な分野と連携した研究等を推進）

　農林水産省では、我が国の豊かな食と環境を守り発展させるとともに農林水産業の国際競争力を強化するため、特に農林水産業以外の多様な分野との連携によりイノベーション創出が期待できるスマート農業、環境、バイオを対象として、農林水産研究イノベーション戦略を令和2（2020）年度に策定することとしています。本戦略に基づき、これらの分野で新技術を融合させた魅力的な研究開発プラットフォームを形成することにより、我が国の研究開発力の飛躍的向上と民間の多様なサービスの創出が期待されます。

　あわせて、我が国では地勢や気象条件に即した様々な農業が展開されており、それぞれの現場が抱える技術的な課題の解決に向けて、農林漁業者等の意見を聴きながら、省力化やコスト低減等の目標を設定した現場ニーズ対応型研究を行っています。令和元（2019）年度からは、現場への実装までを視野に入れ、直播栽培拡大に向けた雑草イネ等の難防除雑草の省力的な防除技術の開発等に取り組んでいます。

　また、農林水産省では、農林水産・食品分野に様々な分野の技術等を導入してイノベーションを創出するため、平成28（2016）年4月に「知」の集積と活用の場の産学官連携協議会を設置しました。同協議会には、工学や医学等の農業分野以外を含めた民間企業、大学、研究機関等の多様な関係者が参画しています。その会員数は堅調に増加し、令和元（2019）年度末時点で3,430人となりました。分野を超えて共通の研究課題に取り組む170の研究開発プラットフォームや、157の研究コンソーシアムが形成されており、商品化・事業化に向け、従来のロボットでは対応が難しかったいちご等の果実の選果・箱詰め作業の自動化や、石油・天然ガスプラント技術等を活用した大規模沖合養殖技術等の研究開発が進められています。

（スマート育種システムの構築）

　平成28（2016）年11月に策定された農業競争力強化プログラムでは、今後、良質かつ安価な種苗を開発・供給し、我が国の農業競争力の強化を図ることとされています。作物の品種改良（育種）には多くの時間と労力が必要ですが、技術革新によるゲノム解読コストの低減等により、農作物のゲノム情報等のデータを活用したゲノム編集やDNAマーカー[1]選抜等の新たな育種技術が登場しています。

　そこで農林水産省では、稲、麦類、大豆等の農作物を対象に、ゲノム情報や生育等の育

1　DNA塩基配列の品種間での違いを識別することで、ゲノム上の目印としたもの。DNAマーカーにより、特定の遺伝子が親から子へ受け継がれたかどうか検定可能

種に関するビッグデータ[1]を整備し、これをAIや新たな育種技術と組み合わせて活用することで、従来よりも効率的かつ迅速に育種をすることが可能となる「スマート育種システム」の開発と、そのためのデータ基盤の構築に取り組んでいます（図表2-6-4）。

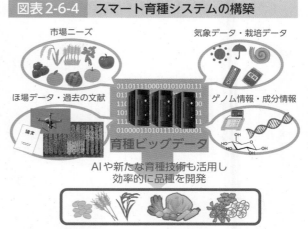

図表2-6-4 スマート育種システムの構築

資料：農林水産省作成

（ゲノム編集技術を利用した農作物の開発が進展）

ゲノム編集は特定の遺伝子を狙って変異させることにより、人間に有用な性質を引き出し、品種改良をより効率的に行うことができる技術です。このゲノム編集技術を活用し、GABA[2]を高蓄積するトマト、収穫時期に雨に濡れても発芽しにくいコムギ等、様々な研究が進んでおり、我が国農業の競争力強化や農業者の収益向上、豊かな食生活等に貢献することが期待されています。

穂発芽抑制コムギ（左）は、水で濡らして放置しても、発芽が抑制されている。
資料：農研機構

一方、このような新技術の普及には、消費者への丁寧な情報提供が重要です。農林水産省では、大学への出前授業等に研究者を派遣し、科学的な観点から正確な情報提供を行うとともに、技術特性や研究成果を分かりやすい言葉で伝え、研究者と消費者との相互理解を深める活動を進めています[3]。

（3）農業生産資材価格の動向と引下げに向けた動き

（農業生産資材価格指数は上昇基調で推移）

近年の農業生産資材価格指数は全体的に上昇基調で推移してきており、平成30（2018）年は、光熱動力等の価格が上昇したことから、前年に比べ1.9ポイントの上昇となりました（図表2-6-5）。原材料を輸入に頼る肥料と飼料については、鉱石や穀物の国際相場や為替相場の変動等の国際情勢の影響を受け、価格が変動しています。

---

1 用語の解説3（1）を参照
2 γアミノ酪酸（Gamma Amino Butyric Acid）。食品に含まれる健康機能性成分として、ストレス緩和や血圧降下作用等が注目されている。
3 ゲノム編集技術を利用して得られた農林水産物・食品等の取扱いに関するルールについては、第1章第5節を参照

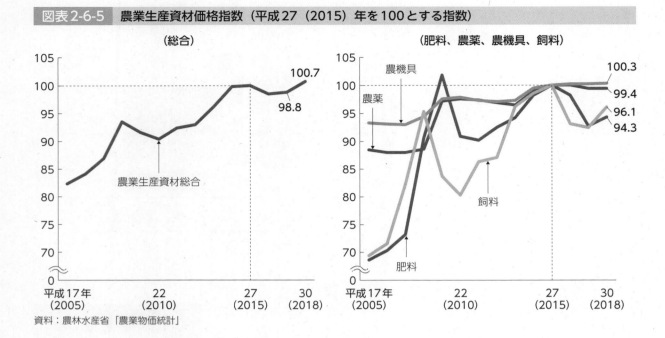

図表2-6-5　農業生産資材価格指数（平成27（2015）年を100とする指数）

（総合）

（肥料、農薬、農機具、飼料）

資料：農林水産省「農業物価統計」

　主要な農業生産資材である肥料、農薬、農機具、飼料の農業経営費に占める割合を見ると、水田作経営で4割、肥育牛経営で3割、施設野菜作で2割となっています[1]。農業所得[2]の向上に向けては、これら資材価格の引下げを進めていく必要があります。

（農業生産資材価格の引下げに向けた取組を推進）

　農林水産省は、平成28（2016）年11月に策定された農業競争力強化プログラムや、平成29（2017）年8月に施行された農業競争力強化支援法に基づき、良質で安価な資材の供給に向けた取組を推進しています。

　肥料については、令和元（2019）年12月に公布された「肥料取締法の一部を改正する法律」[3]において、これまで認められていなかった堆肥と化学肥料の配合等の規制を見直しました。これにより、堆肥と化学肥料を一度に散布できるため作業の省力化や、安価な堆肥を原料として用いることが可能となるため、肥料の低コスト化につながります。

　また、農業競争力強化支援法の事業再編スキームによる業界再編や設備投資等が進展しています。令和元（2019）年度は、飼料製造工場の集約により生産効率の向上や低コスト化を図るなどの事業再編計画について、新たに飼料会社を2件認定し、支援を実施しました。平成29（2017）年8月の法施行以降、これまで農業生産資材に関連する再編は6件、参入は1件の事業計画を認定しました。

（4）農作業安全対策の推進

（農作業中の事故による死亡者数は他産業と比べて高水準）

　農作業中の事故による死亡者数は、近年、年間300人前後で推移しています。就業者10万人当たりの死亡者数を見ると、農業者の高齢化とともに上昇傾向にあり、平成30（2018）年は15.6人となりました（図表2-6-6）。全産業の1.4人、建設業の6.1人と比べ

1　農林水産省「農業経営統計調査　営農類型別経営統計（個別経営）」（平成30（2018）年）
2　用語の解説2（3）を参照
3　第1章第5節を参照

て高い水準にあり、高齢者への対策を含めた農作業安全対策の更なる強化が重要となっています。

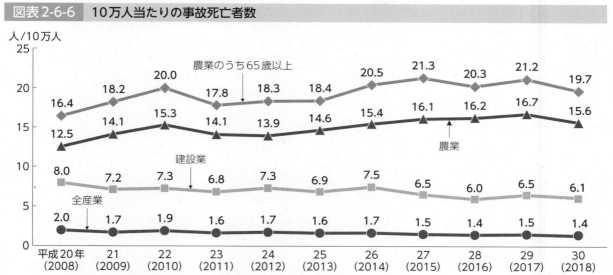

図表2-6-6 10万人当たりの事故死亡者数

人/10万人

資料：厚生労働省「死亡災害報告」、総務省「労働力調査」、農林水産省「農作業死亡事故調査」、「農林業センサス」、「農業構造動態調査」を基に農林水産省作成

（農作業事故の未然防止に向けGAPの取組等を推進）

　農作業中の死亡事故のうち6割が農業機械作業に係る事故であり、その主たる原因が乗用型農業機械の転落・転倒事故となっています。このような状況を踏まえ、農作業死亡事故の減少を図るためには、乗用型の農業機械への安全キャビンやフレームの装備、作業中のシートベルトやヘルメットの装着等の安全対策を徹底するよう、地域の関係機関が連携して農業者に働きかけていくことが重要です。

　また、GAP[1]の取組では、一つ一つの作業工程のどこにリスクが潜んでいるかを検討し、そのリスクに対して、安全に作業するためのルールの策定や注意喚起の表示等、安全に作業できる環境づくりを行うことが求められます。このような取組は、発生し得るリスクを意識して作業することにつながることから、農作業事故の未然防止に寄与するものであり、その普及を推進しています。

　労災保険は労働者以外でも任意加入を認める特別加入制度を設けています。農業者については、特定の農作業に従事する者や指定農業機械を使用している者等、一定の要件を満たす場合には、作業中に事故に遭ったときに治療や休業補償等を受けられる労災保険に特別加入することができます。平成30（2018）年度からは、農産物を市場等まで運ぶ出荷作業、出荷作業後に行われる販売作業といった作業中の災害についても、業務災害として労災保険による給付を受けることができるようになりました。万が一の事故に備えて、特別加入の増加に向けた周知を図っていくこととしています。

（農作業中の熱中症による死亡者数は調査開始以来最多の43人）

　世界の年平均気温は長期的に上昇傾向にあり、近年、我が国では夏期の熱中症が大きな問題となっています。夏期に屋外で作業することが多い農業においても、農作業中の熱中

1　用語の解説3（2）を参照

症による死亡者数は毎年20人前後で推移しており、過去10年間では229人となっています（図表2-6-7）。特に、平成30（2018）年は、7月の月平均気温が昭和21（1946）年の気象庁の統計開始以来、東日本では第1位、西日本でも第2位の高温を記録したこともあり、死亡者数は平成16（2004）年の農林水産省の調査開始以来最多となる43人となりました。熱中症による死亡事故の発生は7から8月に集中しており、特に高齢農業者の割合が高く70歳代以上の発生件数が全体の8割以上を占めています[1]。農林水産省では、農作業中の熱中症対策や処置の方法について、関係団体と協力し、農業者に対して周知を図っています。

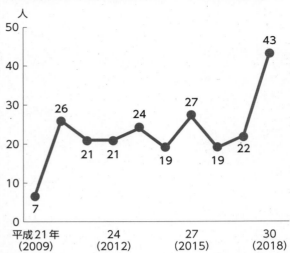

図表2-6-7　農作業中の熱中症による死亡者数

資料：厚生労働省「人口動態調査」を基に農林水産省作成

1　過去10年間の合計

気候変動への対応等の環境政策の推進

気候変動の影響は既に顕在化しており、今後、その影響が拡大することが予測されています。このため、温室効果ガス[1]の排出削減と吸収による緩和策と、その影響の回避、軽減による適応策を一体的に充実・強化することが重要です。また、農業・農村の発展や農産物の安定的な生産の基盤となる生物多様性の保全と持続可能な利用や、有機農業をはじめとする環境に配慮した持続可能な農業生産の推進が求められています。

（1）気候変動に対する緩和・適応策の推進等

（気候変動の影響による穀物価格の上昇をIPCCが報告）

令和元（2019）年8月のIPCC[2]総会において、陸の生態系から排出・吸収される温室効果ガス量についての最新の知見と、気候変動への緩和と適応、砂漠化・土壌劣化の防止と食料安全保障[3]に寄与する持続可能な土地管理についての科学的な知見を示した特別報告書[4]が承認・受諾され、公表されました。

同報告書では、気候変動により令和32（2050）年までに穀物価格が中央値で7.6%（範囲は1から23%）上昇し、食料価格の上昇や食料不足、飢餓のリスクをもたらすと予測されています。また、世界全体の人為的活動に起因する温室効果ガスの正味の総排出量のうち、農業や林業等の土地利用による温室効果ガスの排出量は約23%に相当し、更にグローバルフードシステム[5]における排出量も含んだ場合は、21から37%を占めるとされています。このようなことから、食品ロスや廃棄物の削減、食生活の改善に向けた対策等を含む、生産から消費に至るサプライチェーンにわたって運用される政策は、持続可能な土地管理や食料安全保障の強化、温室効果ガスの排出削減を図る上で重要な役割を担っているとされています。

（COP25では市場メカニズムの実施指針について完全合意に至らず）

平成27（2015）年に、地球温暖化対策の国際ルールとして、世界の平均気温の上昇を工業化以前に比べ2℃未満に抑えることを目指し、1.5℃を努力目標としたパリ協定が採択されました。

令和元（2019）年12月にスペインで開催された国連気候変動枠組条約第25回締約国会議（COP25）では、平成30（2018）年12月に開催されたCOP24において合意に至らなかった、パリ協定第6条に当たる市場メカニズムの実施指針の交渉が一つの焦点となりましたが、全ての論点について完全に合意するには至りませんでした（図表2-7-1）。農業分野については、平成29（2017）年のCOP23で決定された「農業に関するコロニビア共同作業[6]」に基づき、養分利用等をテーマとするワークショップが開催され、我が国は作物による窒素肥料の効率的な利用と温室効果ガスの排出削減につながる生物的硝化抑制技術等を紹介しました。

1、3　用語の解説3（1）を参照
2　気候変動に関する政府間パネル（Intergovernmental Panel on Climate Change）の略
4　正式名称は、「気候変動と土地：気候変動、砂漠化、土地の劣化、持続可能な土地管理、食料安全保障及び陸域生態系における温室効果ガスフラックスに関するIPCC特別報告書」
5　食料の生産、加工、流通、調理及び消費に関連するすべての要素（環境、人々、投入資源、プロセス、インフラ、組織等）及び活動、並びに世界レベルにおける社会経済的及び環境面の成果を含む、これらの活動の成果
6　気候変動枠組条約の下で農業の脆弱性や食料安全保障への具体的な対応を議論するワークショップや専門家会合

　温室効果ガスは、自動車、工場、火力発電所等における化石燃料の燃焼によってその多くが発生しています。農林水産業においても、燃料の燃焼、稲作、家畜排せつ物の管理といった営農活動により温室効果ガスが排出されており、我が国の農林水産分野における平成29（2017）年度の排出量は5,154万t（二酸化炭素換算）で、我が国の総排出量の4.0％を占めています（図表2-7-2）。引き続き、施設園芸の省エネルギー化、施肥の適正化等の排出削減に向けた取組を推進する必要があります。

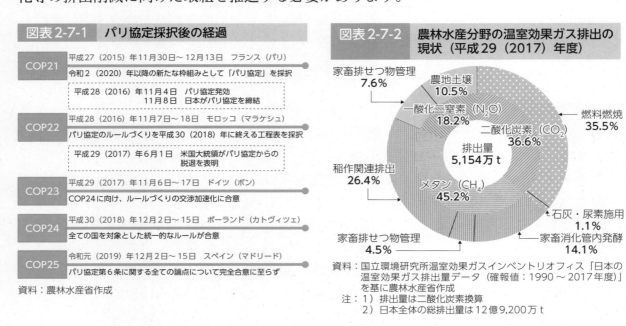

図表 2-7-1　パリ協定採択後の経過

COP21	平成27（2015）年11月30日〜12月13日　フランス（パリ） 令和2（2020）年以降の新たな枠組みとして「パリ協定」を採択
	平成28（2016）年11月4日　パリ協定発効 　　　　　　　　　　　11月8日　日本がパリ協定を締結
COP22	平成28（2016）年11月7日〜18日　モロッコ（マラケシュ） パリ協定のルールづくりを平成30（2018）年に終える工程表を採択
	平成29（2017）年6月1日　米国大統領がパリ協定からの 　　　　　　　　　　　　　脱退を表明
COP23	平成29（2017）年11月6日〜17日　ドイツ（ボン） COP24に向け、ルールづくりの交渉加速化に合意
COP24	平成30（2018）年12月2日〜15日　ポーランド（カトヴィツェ） 全ての国を対象とした統一的なルールが合意
COP25	令和元（2019）年12月2日〜15日　スペイン（マドリード） パリ協定第6条に関する全ての論点について完全合意に至らず

資料：農林水産省作成

図表 2-7-2　農林水産分野の温室効果ガス排出の現状（平成29（2017）年度）

家畜排せつ物管理　7.6％
農地土壌　10.5％
一酸化二窒素（N_2O）　18.2％
燃料燃焼　35.5％
二酸化炭素（CO_2）　36.6％
排出量　5,154万t
稲作関連排出　26.4％
メタン（CH_4）　45.2％
石灰・尿素施用　1.1％
家畜消化管内発酵　14.1％
家畜排せつ物管理　4.5％

資料：国立環境研究所温室効果ガスインベントリオフィス「日本の温室効果ガス排出量データ（確報値：1990〜2017年度）」を基に農林水産省作成
注：1）排出量は二酸化炭素換算
　　2）日本全体の総排出量は12億9,200万t

（「脱炭素化社会に向けた農林水産分野の基本的考え方」を取りまとめ）

　地球温暖化対策としては、温室効果ガスの排出削減と吸収により大気中の温室効果ガス濃度を安定させ、地球温暖化の進行を食い止める緩和策と、気候変動やそれに伴う気温や海水面の上昇等に対して人、社会、経済のシステムを調整することにより影響を回避・軽減する適応策の2つに分類することができます。

　我が国では、緩和策として、平成10（1998）年に地球温暖化対策推進法が施行され、これに基づいた地球温暖化対策計画が策定されています。また、適応策として、平成30（2018）年に気候変動適応法が施行され、新たに気候変動適応計画が策定されました。農林水産省においても、温室効果ガスの排出削減、森林や農地土壌による吸収等の地球温暖化の緩和策と、地球温暖化がもたらす悪影響を回避・軽減する適応策を一体的に推進しています（図表2-7-3）。

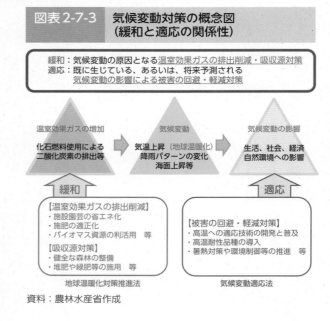

図表 2-7-3　気候変動対策の概念図（緩和と適応の関係性）

緩和：気候変動の原因となる温室効果ガスの排出削減・吸収源対策
適応：既に生じている、あるいは、将来予測される気候変動の影響による被害の回避・軽減対策

温室効果ガスの増加
化石燃料使用による二酸化炭素の排出等

気候変動
気温上昇（地球温暖化）
降雨パターンの変化
海面上昇等

気候変動の影響
生活、社会、経済
自然環境への影響

【緩和】
【温室効果ガスの排出削減】
・施設園芸の省エネ化
・施肥の適正化
・バイオマス資源の利活用　等
【吸収源対策】
・健全な森林の整備
・堆肥や緑肥等の施用　等
地球温暖化対策推進法

【適応】
【被害の回避・軽減対策】
・高温への適応技術の開発と普及
・高温耐性品種の導入
・暑熱対策や環境制御等の推進　等
気候変動適応法

資料：農林水産省作成

平成30（2018）年10月に公表されたIPCCの1.5℃特別報告書[1]によれば、将来の平均気温の上昇が1.5℃を大きく超えないようにするためには、世界の二酸化炭素排出量を令和32（2050）年前後に正味ゼロとする必要があり、これを達成するためには、エネルギー、土地、都市、インフラ等における急速かつ幅広い移行が必要とされています。

　そのため、我が国では令和元（2019）年6月に「パリ協定に基づく成長戦略としての長期戦略」（以下「長期戦略」という。）を策定し、最終到達点として掲げた脱炭素社会の実現に向け、令和32（2050）年までに80％の温室効果ガスの排出削減に取り組むこととしています。一方で、農林水産分野において、現行の温室効果ガス排出削減努力を続けた場合、平成25（2013）年度から令和32（2050）年度までの削減量は、13％にとどまるとされています（図表2-7-4）。これを踏まえて農林水産省では、平成31（2019）年4月に「脱炭素化社会に向けた農林水産分野の基本的考え方」を取りまとめ、柱となる4つの取組方針の下、農林水産業における排出削減や吸収源への対策に加え、農山漁村におけるバイオマス[2]資源の他地域や他産業への供給等を促進することにより、トータルとして我が国の温室効果ガスの大幅削減に貢献することを目指しています（図表2-7-5）。

　また、政府は、令和2（2020）年1月に長期戦略に基づく「革新的環境イノベーション戦略」を策定しました。このうち、農林水産分野では、最先端のバイオ技術等を活用した資源利用と農地土壌へのバイオ炭等の投入、早生樹[3]・エリートツリー[4]の開発・普及、ブルーカーボン[5]の増大等による農地・森林・海洋への二酸化炭素の吸収・固定、農畜産業から排出されるメタン・一酸化二窒素の削減、農林水産業における再生可能エネルギーの活用、燃料や資材の削減技術等を用いたスマート農林水産業等に取り組むこととしています。

1　正式名称は、「気候変動の脅威への世界的な対応の強化、持続可能な発展及び貧困撲滅の文脈において工業化以前の水準から1.5℃の気温上昇にかかる影響や関連する地球全体での温室効果ガス（GHG）排出経路に関する特別報告書」
2　用語の解説3（1）を参照
3　特に成長が早い広葉樹や外国樹種
4　成長や材質等の形質が良い精英樹同士の人工交配等により得られた次世代の個体の中から選抜される、成長等がより優れた精英樹のこと
5　海洋生態系によって隔離・貯留された炭素

図表 2-7-4　農林水産分野における令和32（2050）年に向けた温室効果ガス排出削減イメージ

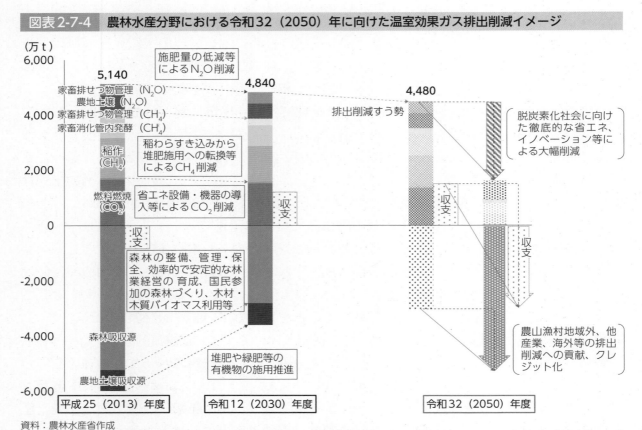

資料：農林水産省作成
注：1）令和12（2030）年度における温室効果ガス排出量は、現行の地球温暖化対策計画に基づく目標値、令和32（2050）年度は、脱炭素化社会に向けて新たな対策を講じた場合の推計値
　　2）排出量は二酸化炭素換算

図表 2-7-5　脱炭素化社会に向けた農林水産分野の基本的考え方（平成31（2019）年4月）

再生可能エネルギーのフル活用と生産プロセスの脱炭素化	炭素隔離・貯留の推進とバイオマス資源の活用
脱炭素化社会に向けた4つの取組方針	
農畜産業からの排出削減対策と温室効果ガス削減量の見える化等による消費者の理解増進	海外の農林水産業の温室効果ガス削減への貢献

資料：農林水産省作成

　平成31（2019）年4月、G20各国及び国際研究機関の連携を強化することを目的としたG20首席農業研究者会議（MACS）が初めて我が国で開催され、主要議題の一つとして「気候変動対応技術」が取り上げられました。本会議では、気候変動対応技術の開発と普及に関する経験と最新情報を共有し、研究連携を促進するため、我が国から令和元（2019）年にワークショップを開催することを提案し、支持されました。これを受けて、同年11月に我が国で開催された国際ワークショップでは、気候変動対応技術・農法の導入・拡大に関して各国と国際機関の経験を共有するとともに、気候変動への適応や農業からの温室効果ガスの排出削減に向けて、他国の経験から得られる教訓について議論を行いました。

コラム　気候変動に対応する農業技術国際シンポジウム

　令和元（2019）年5月に京都府で開催されたIPCC総会に併せ、5月13日から15日にかけて、気候変動に対応する農業技術国際シンポジウムが滋賀県にて開催されました。本シンポジウムは、気候変動に対応した農業技術に対する国内外の理解促進を通じ、気候変動の緩和・適応に貢献し得る環境に配慮した農業の取組を促進することを目的としており、気候変動と農業に関する各国の最新事情、最新の対応技術についての事例紹介や意見交換が行われました。

　本シンポジウムでは、気候変動への対応は農業者、政府、地域社会、研究者、フードシステムに関する事業者等の多様な関係者の連携が最も基本であること、農業者は気候変動の中心にあり、対応策の実施を拡大させることができる存在であるとともに、世界の食料安全保障と栄養を供給する役割を担っていることを、消費者を含めた全ての関係者が認識する必要があること等が強調されました。

　本シンポジウムには、2日目のフィールドツアー、3日目の土壌に関する農業者と研究者をつなぐワークショップまでの3日間を通じ、世界21か国から延べ約700人が参加しました。

農業技術国際シンポジウムの様子
資料：農林水産省

（顕在化しつつある気候変動の影響に適応するための品種や技術の開発を推進）

　農業生産は一般に気候変動の影響を受けやすく、各品目で生育障害や品質低下等の地球温暖化によると考えられる影響が現れており、この影響を回避・軽減するための品種や技術の開発・普及が進められています。水稲については、高温でも品質低下が起こりにくい高温耐性品種の導入が進められており、平成30（2018）年産における作付面積は、前年産に比べ3万2千ha増加し、12万6千haとなりました。ぶどうでは高温でも着色しやすい品種や着色不良等を抑制するための環状剝皮処理等の技術の導入、日本なしでは高温による花芽の枯死が起こりにくい品種の導入、うんしゅうみかんでは浮皮を抑制するためのジベレリン等の植物成長調整剤の散布等の技術の導入が、産地にて推進されています。

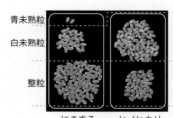

「ヒノヒカリ」（右）と
高温耐性品種「にこまる」（左）
「にこまる」は高温の年でも未熟粒
の発生が少ない

高温でも着色しやすいぶどうの品種
「グロースクローネ」

高温による花芽の枯死が
起こりにくいなしの品種「凜夏」

資料：農研機構

（2）生物多様性の保全と持続可能な利用の推進

（「農林水産省生物多様性戦略」の改定に向けた提言を取りまとめ）

　令和2（2020）年の秋以降に開催予定の生物多様性条約第15回締約国会議（COP15）において、今後10年間に達成すべき新たな世界目標が決定される予定です。それに伴い、各国は同目標の実施に向けて、次期国家戦略を策定することとなります。このため、農林水産省では現行の「農林水産省生物多様性戦略」（以下「戦略」という。）の見直しに向け、有識者による研究会を開催し、令和2（2020）年2月に戦略改定に向けた提言を取りまとめました（図表2-7-6）。

　また、令和2（2020）年2月には、生物多様性保全を重視した食農ビジネスの普及・啓発を推進することを目的として『SDGs×生物多様性シンポジウム「未来を創る食農ビジネス」』を開催し、同提言を発表するとともに、持続可能な生産・消費を実現するためのヒントとなる先進的な事例を紹介しました。

図表2-7-6　農林水産省生物多様性戦略の改定に向けた論点（有識者研究会による提言の概要）

【農林水産政策における生物多様性に関する基本的な方針】

農林水産省は、関係省庁・地方自治体・民間企業・NPO・研究機関等と連携し、環境と経済の両立に向けて「農林水産省生物多様性戦略」を各主体の本業において活用するように促す。

1．農林水産業や農山漁村が育む生物多様性

　農林水産業や農山漁村が、持続的な営みを通じて自然環境を形成し、生物多様性の保全に貢献していることについて国民の理解を深める。

2．持続可能な生産と消費の促進（つくる責任・つかう責任）

　海外の生産地を含むサプライチェーンを通じた生物多様性への影響について触れ、食料調達の確保と持続可能な農林水産業・農山漁村の両立の重要性や消費と生物多様性の関連性について普及・啓発を図る。

3．持続可能な開発目標（SDGs）

　農林水産省が実施している生物多様性に関連する施策とSDGsやポスト2020目標との関係性について整理する。

4．気候変動と生物多様性

　気候変動による生物多様性や農林水産業・農山漁村への影響について触れ、農林水産分野における気候変動適応策、緩和策と生物多様性保全との相乗効果やトレードオフの可能性について検討する。

5．実施体制の強化

　「農林水産省生物多様性戦略」の実効性を高め、現場での取組を着実に進めるために、多様な主体が連携しつつも、それぞれが主体性をもって活動できるように、実施体制を強化する。

豊岡市提供
「コウノトリ育むお米」の販売・流通

食品ロス削減　　プラスチック資源循環アクション宣言

生物多様性に関連した農林水産施策と関係するSDGs目標の参考例

生物多様性保全に寄与する気候変動緩和策
（左：有機農業、右：森林整備）

資料：農林水産省作成

（3）環境保全に配慮した農業の推進

（環境保全型農業等により高い生物多様性保全効果が期待）

　有機農業を始めとする環境保全に配慮した農業は、農業の自然循環機能を増進させるとともに、環境への負荷を低減させるものであり、生物多様性の保全等、生物の生育・生息環境の維持にも寄与しています。実際に、農研機構が実施した全国規模の野外調査によると、有機・農薬節減栽培の水田では慣行栽培よりも多くの動植物が確認できること、一部

236

の種については畦畔<ruby>畦畔<rt>けいはん</rt></ruby>の植生高や輪作等の管理法が個体数の増加につながることが分かりました[1]。

コラム　環境保全に配慮した農業に関する制度等

〈農産物及びその生産行程にかかる認証・表示に関する制度〉

○有機農産物の日本農林規格

　農業の自然循環機能の維持増進を図るため、化学的に合成された肥料及び農薬の使用を避けることを基本として、土壌の性質に由来する農地の生産力を発揮させるとともに、農業生産に由来する環境への負荷をできる限り低減した栽培管理方法を採用したほ場において生産された農産物を認証する制度です。認証された農産物には有機JASマークが付けられています。

○特別栽培農産物に係る表示ガイドライン

　地域の慣行レベルに比べ、化学的に合成された肥料及び農薬の使用回数が5割以下で栽培された農産物について、表示する際のガイドラインです。このガイドラインに基づき、都道府県等が独自の表示・認証制度を設けています。

〈農業者に関する制度〉

○エコファーマー

　持続性の高い農業生産方式の導入に関する法律に基づき、土づくり、化学的に合成された肥料及び農薬の使用を低減する技術の全てを用いて行う農業生産方式を導入する計画を作成し、都道府県知事の認定を受けた農業者の愛称です。

〈農業者が行う生産工程管理の取組〉

○GAP（Good Agricultural Practice）

　農業において、食品安全、環境保全、労働安全等の持続可能性を確保するための生産工程管理を行い、よりよい経営改善につなげる取組です。環境保全の項目には、適切な施肥、廃棄物の適正処理・利用等の取組が含まれています。

（我が国の有機農業取組面積は約10年間で4割拡大）

　世界の有機食品市場は、欧米を中心に拡大しており、これに対応する形で世界の有機農業の取組面積は、平成11（1999）年から平成30（2018）年の間に約7倍に拡大し、全耕地面積に対する有機農業取組面積割合は1.5%に達しています（図表2-7-7）。

1 Katayama, N. *et al.* (2019). Organic farming and associated management practices benefit multiple wildlife taxa：A large-scale field study in rice paddy landscapes. *Journal of Applied Ecology*, **56**, 1970-1981.

第2章

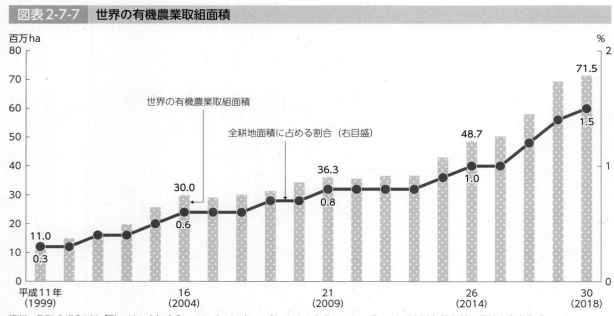

図表 2-7-7　世界の有機農業取組面積

資料：FiBL＆IFOAM「The World of Organic Agriculture Statistics & Emerging Trends 2020」等を基に農林水産省作成

　我が国においても有機食品の市場規模は拡大しており、平成21（2009）年の1,300億円から平成29（2017）年では1,850億円[1]と推計され、約10年間で1.4倍となっています。同じく、我が国の有機農業の取組面積も平成22（2010）年度から4割拡大し、平成29（2017）年度には2万4千haとなりましたが、全耕地面積に占める割合は、0.5％にとどまっています（図表2-7-8）。

図表 2-7-8　我が国の有機農業取組面積

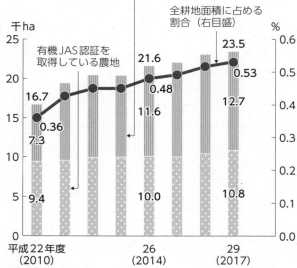

資料：農林水産省作成
注：1）有機JAS認証取得面積は、翌年4月1日時点の認定面積
　　2）有機JASを取得していない農地面積の調査・推計方法は平成27（2015）年度から異なる。また、都道府県ごとにも集計方法が異なる。

1　農林水産省「平成29年度有機食品マーケットに関する調査」を基に推計

（「有機農業の推進に関する基本的な方針」を見直し）

　農林水産省では、有機農業の推進に関する法律に基づく「有機農業の推進に関する基本的な方針」の見直しを行うため、平成30（2018）年12月から食料・農業・農村政策審議会に果樹・有機部会を設けて、議論を行い、令和2（2020）年3月に答申を受けました。同方針では、基本的な事項として、有機農業がSDGsの達成等農業施策の推進に貢献する特徴に鑑み、有機農業の生産拡大に向けた人材育成や産地づくり、有機食品の国産シェア拡大に向けた販売機会の多様化、消費者の理解の増進を推進することとし、有機農業の取組面積、有機農業者数、有機食品の国産シェア、週1回以上有機食品を利用する者の割合の目標を設定したところです（図表2-7-9）。

図表2-7-9　新たな有機農業の推進に関する基本的な方針の概要

基本的な事項

- 有機農業の取組拡大は、以下のような特徴から農業施策の推進に貢献
  - 農業の自然循環機能を大きく増進し、農業生産に由来する環境への負荷を低減、さらに生物多様性保全や地球温暖化防止等に高い効果を示すなど農業施策全体及び農村におけるSDGsの達成に貢献
  - 国内外での需要の拡大に対し国産による安定供給を図ることが、需要に応じた生産供給や輸出拡大推進に貢献
- 有機農業の拡大に向け、農業者その他の関係者の自主性を尊重しつつ、以下の取組を推進
  - 有機農業の生産拡大：有機農業者の人材育成、産地づくりを推進
  - 有機食品の国産シェア拡大：販売機会の多様化、消費者の理解の増進を推進

推進及び普及の目標

- 10年後（2030年）の国内外の有機食品の需要拡大を以下のように見通し
  - ＜国内の有機食品の需要＞　1,300億円（2009）→ 1,850億円（2017）→ 3,280億円（2030）
  - ＜有機食品の輸出額＞　17.5億円（2017）→ 210億円（2030）
- この需要に対応し、生産および消費の目標として、以下を設定

【有機農業の取組面積】	23.5千ha（2017）	→	63千ha（2030）
【有機農業者数】	11.8千人（2009）	→	36千人（2030）
【有機食品の国産シェア】	60%（2017）	→	84%（2030）
【週1回以上 有機食品を利用する消費者の割合】	17.5%（2017）	→	25%（2030）

資料：農林水産省作成

（各地の有機農業の取組を支援）

　農林水産省では、有機農産物の安定供給体制の構築を目指す各地の取組を支援しており、令和元（2019）年度は全国26地区で農業者のネットワークづくりや技術講習会等の取組を支援するとともに、全国の取組の事例集を作成し、周知しました。また、生産現場での雑草対策や流通分野の課題に対応する実証の取組も支援しています。

　また、農林水産省では、有機農業に地域で取り組むことを支える仕組みづくりの一環として、有機農業を活かして地域振興につなげている又はこれから取り組みたいと考える市町村や、このような市町村をサポートする都道府県、民間企業の情報交換等の場として、令和元（2019）年8月に「有機農業と地域振興を考える自治体ネットワーク」を立ち上げました。

| 事例 | 有機JASを取得し有機農産物の輸出に取組（兵庫県） |

　昭和46（1971）年に一度絶滅したコウノトリの最後の生息地である兵庫県豊岡市では、人工繁殖を経て現在100羽以上のコウノトリを飼育するなど、コウノトリの保護活動を行っています。

　市内のたじま農業協同組合では、生き物が生息しやすい環境づくりのために、コウノトリも住める豊かな文化・地域・環境づくりを目指す「コウノトリ育む農法」による米の栽培を推進しています。現在は472haの面積で、冬の田にも水を張る「冬期湛水」、育苗段階からの有機質肥料の使用、栽培期間中に農薬を使わない又は使用量を減らす取組が行われています。

オーストラリア向け
有機米のパッケージ

　また、同農協では有機JASの認証取得と輸出にも取り組んでいます。平成30（2018）年度には14haの水田で有機JAS認証を取得し、収穫した有機JAS米のオーストラリアへの輸出を実現しました。さらに、同年に全国の農協で初めてGLOBAL G.A.P.＊のグループ認証も取得し、シンガポールへの輸出も行いました。

＊ 用語の解説3（2）を参照

「コウノトリ育む農法」を行う
ほ場に飛来したコウノトリ
資料：たじま農業協同組合

有機農業の新ブランドで地域の農業者を育成（山形県）

「有機農業と地域振興を考える自治体ネットワーク」の会員である山形県鶴岡市では、農業の担い手不足が深刻な課題となっており、平成31（2019）年3月に鶴岡市農業人材育成・確保プロジェクトを設立しました。同プロジェクトでは産学官の連携によって、就農者が市内へ定着するよう人材の育成・確保のための仕組みづくりを進めています。

また、同プロジェクトの一環として、令和2（2020）年4月から、鶴岡市立農業経営者育成学校（SEADS）が開校します。ここでは、有機農業を中心とし、農業技術や、営農計画の策定から販路の開拓までの経営に必要な知識を座学と実践を通じて学ぶことができます。

SEADSのロゴマーク

また、ヤマガタデザイン株式会社は農協と連携し、有機農業を中心とした新ブランド「SHONAI ROOTS」を立ち上げ、同ブランドを通じた、有機農産物の販売体制の構築や販路拡大、新規就農者*の獲得、農業者の所得向上の実現を目指しています。鶴岡市もプロモーション支援等の協力を行い、販売収益の一部はSEADSに運営経費として還元する予定です。

鶴岡市では、これらの取組を通じて地域で農業人材を育成する循環を創り、有機農業等の更なる発展を目指しています。

* 用語の解説2（5）を参照

SHONAI ROOTS ブランドロゴのついた農産物
資料：鶴岡市

第2章

農業を支える農業関連団体

　農業者の取組を支援している各種農業関連団体は、農業者の減少と高齢化、農業法人の増加、農地面積の減少等の農業構造の変化に伴い各種制度が改正される中で、その役割も少しずつ見直されています。農協では農業者の所得向上を目的とした自己改革の取組が、農業委員会では農地利用の最適化に向けた取組が進められています。また、農業共済団体と土地改良区では、業務の効率化のための組織や運営体制の見直しが進められています。

（1）農業協同組合

（農協改革集中推進期間において自己改革の取組は進展）

　農協は協同組合の一つで、農業協同組合法に基づいて設立されています。農業者等の組合員により自主的に設立される相互扶助組織であり、農産物の販売や生産資材の供給、資金の貸付けや貯金の受入れ、共済、医療等の事業を行っています。

　総合農協[1]の組合員数の推移を見ると、平成30（2018）年度の組合数は平成29（2017）年度に比べ18組合減少し639組合となっている一方で、組合員数は2万人減少し1,049万人となっています（図表2-8-1）。組合員数の内訳を見ると、農業者である正組合員数は減少傾向で推移していますが、非農業者である准組合員数は増加傾向にあります。

図表2-8-1　農協（総合農協）の状況

（単位：組合、万人）

	平成26年度 (2014)	27 (2015)	28 (2016)	29 (2017)	30 (2018)
組合数	692	686	661	657	639
組合員数	1,027	1,037	1,044	1,051	1,049
正組合員	450	443	437	430	425
准組合員	577	594	608	621	624
職員数	21	20	20	20	20

資料：農林水産省「総合農協統計表」
注：1）組合数は「総合農協統計表」における集計組合数
　　2）各組合事業年度末時点

　平成28（2016）年4月に改正された農業協同組合法等に基づき、農協においては、農産物の有利販売や生産資材の有利調達等の農業者の所得向上を目的とした自己改革の取組が進められています。

　農林水産省が実施した令和元（2019）年度のアンケート調査によると、地域の農協が農業者の所得向上に向けた農産物販売事業や生産資材購買事業の見直しについて、「具体的取組を開始した」と回答した総合農協、農業者双方の割合は、農協改革集中推進期間において増加した一方で、総合農協と農業者の評価には一定の差があります（図表2-8-2）。また、農林水産省では、このような各地の農協で行われている農業者の所得向上に向けた具体的な取組をWebサイトで公表しています。

　農林水産省としては、農協改革集中推進期間において自己改革は進展したと評価しており、今後は信用事業等の農協を取り巻く環境が厳しさを増す中、農協経営の持続性をいか

1　農業協同組合法に基づき設立された農協のうち、販売事業、購買事業、信用事業、共済事業等を総合的に行う農協

に確保するかが課題となっています。引き続き、JAグループの自己改革の取組を促進していきます。

図表2-8-2　農協改革に関するアンケート

（単位：%）

区分	回答者	平成28年度 （2016）	29 （2017）	30 （2018）	令和元 （2019）
農産物販売事業の見直しについて、「具体的取組を開始した」と回答したもの	総合農協	68.0	87.7	93.8	91.4
	農業者	25.6	32.2	38.3	40.4
生産資材購買事業の見直しについて、「具体的取組を開始した」と回答したもの	総合農協	65.5	88.3	93.6	91.7
	農業者	24.0	34.1	42.1	43.7
農産物販売事業の進め方や役員の選び方等に関し、「組合員と徹底した話合いを進めている」と回答したもの	総合農協	48.9	76.6	90.2	86.3
	農業者	21.9	30.6	35.2	38.1

資料：農林水産省「農協の自己改革に関するアンケート調査」（令和元（2019）年9月公表）
注：1）総合農協の回答数は、平成28（2016）年度666組合、平成29（2017）年度658組合、平成30（2018）年度656組合、令和元（2019）年度626組合
　　2）農業者（認定農業者を基本として都道府県が選定した者）の回答数は、平成28（2016）年度10,442人、平成29（2017）年度10,882人、平成30（2018）年度10,503人、令和元（2019）年度10,671人

事例　小売店や食品事業者と連携したかんしょの有利販売（茨城県）

　茨城県神栖市（かみすし）にあるなめがたしおさい農業協同組合では、平成10（1998）年頃から家庭調理の減少等によるかんしょの消費が落ち込む中、青果用以外の売り方を考察し、平成15（2003）年から小売店と連携して、かんしょを高値で販売できる小売店舗内での焼きいも販売を開始しました。農協職員が小売店に出向いて店頭での焼きいも機設置を提案することから始め、おいしく焼くためのマニュアルの作成・配布、定温貯蔵庫の整備による食味の向上、通年での安定供給を実現しています。また、近年では、農業者が自ら店頭で直接消費者においしさの理由や品種の特徴等を説明し、販売促進を行っています。このような取組により、年々着実に販売金額を増加させています。

店頭での焼きいも販売の様子
資料：なめがたしおさい農業協同組合

　また、従来は青果用として需要が少なく、でん粉用として出荷していたサイズの大きいかんしょについて、低価格の輸入でん粉により価格安に拍車がかかる中、平成15（2003）年からかんしょを使用したお菓子等を製造する食品事業者に加工原料として販売することで、生産されたかんしょのロスを減らしています。

　さらに、農協・食品事業者・市が連携して、かんしょの加工工場見学や体験活動ができるミュージアム、農業体験ができる農園や地元食材を使用したレストラン等が併設された体験型農業テーマパークを開園して、かんしょの販売促進や地域活性化に取り組んでいます。

　このような取組により、同農協管内のかんしょの栽培面積当たりの収入が向上し、農業者の所得向上に貢献するとともに、農協の農業関連事業の収益を安定的に確保することで、持続可能な農協経営を実現しています。

（2）農業委員会

（新体制への移行を終え「人・農地プラン」の実質化が期待）

　農業委員会は、農地法に基づく売買・賃借の許可、農地転用案件への意見具申、遊休農地[1]の調査・指導等を中心に農地に関する事務を執行する行政委員会として市町村に設置されています。平成28（2016）年4月に改正された農業委員会等に関する法律（以下「改正農業委員会法」という。）により、農業委員会の業務の重点は農地利用の最適化の推進であるとされるとともに、農業委員とは別に、各地域において農地利用の最適化を推進する農地利用最適化推進委員（以下「推進委員」という。）が新設され、平成30（2018）年までに新体制への移行が行われました（図表2-8-3）。

図表2-8-3　農業委員会の状況

（単位：委員会、人）

	改正法施行前 （平成27（2015）年）		新制度移行後 （平成30（2018）年）	
		割合（%）		割合（%）
農業委員会数	1,707	－	1,703	－
農業委員数	35,488	－	23,187	－
女性	2,650	7.5	2,750	11.9
50歳未満	1,233	3.5	1,656	7.1
農地利用最適化推進委員数	－	－	17,823	－
農業委員数 農地利用最適化推進委員数合計	35,488	－	41,010	－

資料：農林水産省作成
注：改正法施行前の数字は平成28（2016）年4月の改正農業委員会法の施行前に設置されていた1,707委員会の平成27（2015）年10月1日時点、新制度移行後の数字は全ての農業委員会が改正農業委員会法に基づく新制度へ移行した平成30（2018）年10月1日時点（合併・廃止された委員会があるため、委員会数は一致しない。）

　令和元（2019）年5月に公布された「農地中間管理事業の推進に関する法律等の一部を改正する法律」では、農業委員と推進委員が「人・農地プラン」の実質化に向けた地域の話合いに出席し、情報提供等の必要な協力を行うことが明確化されるなど、農業委員会による各地域における農地利用の最適化の推進が求められています。これを受けて、各農業委員会においては「人・農地プラン」の実質化のための地域の話合いに必要な情報である農地の利用意向の調査を進めているところです。地域の話合いにおいて農業委員と推進委員が調査の結果を地図化して活用するなどの事例も出てきており、農地利用の最適化の取組の活発化が期待されます。

1　用語の解説3（1）を参照

モデル地区から波及する「人・農地プラン」の実質化の取組（長野県）

　長野県の松川町農業委員会では、平成30（2018）年6月に農業委員会内で検討を行い、モデル地区を選んで「人・農地プラン」の実質化を展開することを決めました。

　モデル地区となった増野地区では、まず平成30（2018）年8月に全戸アンケート調査を実施し、その結果を踏まえた座談会を同年9月から平成31（2019）年3月にかけて6回開催しました。

　座談会の進行役は農業委員が務め、地区内の20から80代の男女が参加しました。初回と2回目はアンケート結果を踏まえて色分けした地図を作成して地区内の現況把握をし、3回目以降はグループに分かれて地域の強みや弱み、将来目指すべき姿等のアイデアを出し合いました。

座談会の様子
資料：松川町農業委員会

　これらの取組の結果として、平成31（2019）年3月に実質化された「人・農地プラン」が策定されました。同地区の取組は町内の他地区にも波及し、大沢地区・部奈地区では同様の方法で座談会を開催するなど具体的な動きが出てきています。

（3）農業共済団体

（災害に備え農業保険への加入を促進）

　農業保険法の下、農業共済組合及び農業共済事業を実施する市町村（以下「農業共済組合等」という。）は、農業共済制度の実施に関する業務を行っています。近年、業務の効率化のため、農業共済組合等と農業共済組合連合会との統合を推進しており、平成31（2019）年4月1日時点で36の都府県で1県1組合化が実現しています（図表2-8-4）。

　また、平成30（2018）年4月に全国農業共済組合連合会が設立され、平成31（2019）年1月から始まった収入保険[1]の業務を実施しています。その業務の一部は、農業共済組合等又は農業共済組合連合会に委託されています。

　農業共済団体は、引き続き1県1組合化等による業務の効率化を進め、近年多発している災害への備えに万全を期すため、農業保険（収入保険・農業共済）への加入を促進していくこととしています。

1　第2章第2節（6）を参照

（単位：組織、人）

		平成27年 (2015)	28 (2016)	29 (2017)	30 (2018)	令和元 (2019)
農業共済組合連合会		26	24	17	15	12
農業共済組合等		189	178	140	123	109
	組合営	140	129	98	81	76
	市町村営	49	49	42	42	33
職員数		7,238	7,069	6,997	6,902	6,755
1県1組合となった都府県数		21	23	30	33	36

資料：農林水産省作成
注：各年4月1日時点

（4）土地改良区

（耕作者の意見が適切に反映される事業運営体制に移行）

　土地改良区は、ほ場整備等の土地改良事業を実施するとともに、農業水利施設[1]等の土地改良施設の維持・管理等の業務を行っており、平成30（2018）年度末時点で4,455地区となっています（図表2-8-5）。

　土地改良区の運営をめぐっては、組合員の高齢化による離農や農地集積の進展に伴い、組合員の中で土地持ち非農家[2]が増加しているなどの課題があります。今後も、土地持ち非農家の増加が続けば、土地改良施設の管理や更新等に関する土地改良区の意思決定が適切に行えなくなるおそれがあり、耕作者の意見が適切に反映される事業運営体制に移行していく必要があります。

　このため、平成31（2019）年4月に改正された土地改良法では、土地改良区の組合員資格の拡大、総代会の設置、土地改良区連合の設立に係る要件の緩和等の措置を講じたところであり、土地改良区の適正な事業運営を確保しつつ、更なる事務の効率化を図っていくこととしています。

（単位：地区、万人、万ha）

	平成26年度 (2014)	27 (2015)	28 (2016)	29 (2017)	30 (2018)
土地改良区数	4,730	4,646	4,585	4,504	4,455
土地改良区組合員数	367.5	363.9	359.2	356.9	353.4
面積	258.4	256.1	253.5	253.0	251.4

資料：農林水産省作成
注：各年度末時点

1　用語の解説3（1）を参照
2　用語の解説2（2）を参照

第3章

地域資源を活かした
農村の振興・活性化

農村の更なる人口減少、高齢化が進む一方で、都市部の若い世代を中心に「田園回帰」の動きが見られるようになっています。このような流れを活かし、関係府省とも連携し、第2期「まち・ひと・しごと創生総合戦略」についての施策を進め、農村の活性化を進めることが重要です。

（1）農村、集落の現状と将来予測

（農村の人口推移と将来予測）

我が国を農業地域類型区分[1]別に見ると、面積の分布は、平地農業地域[2]が537万ha、中間農業地域[3]が1,202万ha、山間農業地域[4]が1,539万haで、これらを合わせた面積は全体の9割を占めており、都市的地域[5]は1割となっています（図表3-1-1）。また、人口の分布は、平地農業地域が1,147万人、中間農業地域が1,069万人、山間農業地域が351万人となっている一方、都市的地域は1億143万人となっており、8割が都市的地域に集中しています。

| 図表3-1-1 | 農業地域類型区分とその面積・人口・農業集落数（平成27（2015）年） |

（面積・人口・農業集落数）

農業地域類型区分	面積（万ha）		人口（万人）		農業集落数	
都市的地域	441	(11.7%)	10,143	(79.8%)	29,782	(21.5%)
平地農業地域	537	(14.2%)	1,147	(9.0%)	34,715	(25.1%)
中間農業地域	1,202	(31.8%)	1,069	(8.4%)	47,137	(34.1%)
山間農業地域	1,539	(40.7%)	351	(2.8%)	26,622	(19.3%)
全　　　国	3,780	(100.0%)	12,709	(100.0%)	138,256	(100.0%)

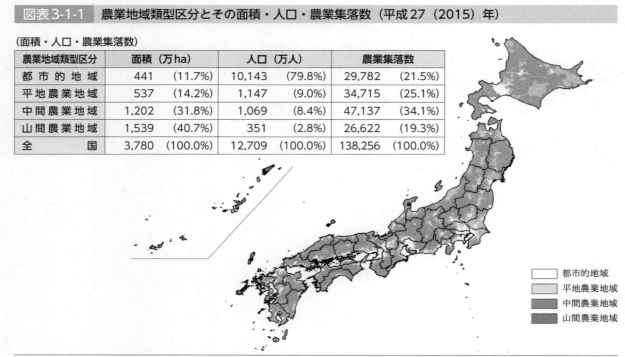

凡例：都市的地域／平地農業地域／中間農業地域／山間農業地域

資料：総務省「平成27年国勢調査」、農林水産省「2015年農林業センサス」、国土地理院「平成27年全国都道府県市区町村別面積調」を基に農林水産省作成

　注：1）農業地域類型区分は、平成29（2017）年12月改訂のもの
　　　2）農業地域類型区分別の面積は、農林業センサスの旧市区町村総土地面積を用いて算出しており、北方四島等や境界未定の面積を含まない。このため、その合計は全国の値に満たない。

農林水産政策研究所の分析[6]によると、人口減少は、農業地域類型区分間で大きな差が見られます。人口減少率が最も大きい山間農業地域では、昭和45（1970）年から一貫して減少が続いており、令和27（2045）年には、平成27（2015）年の人口の46%まで低下することが予測されています（図表3-1-2）。

1〜5　用語の解説2（6）を参照
6　農林水産政策研究所「農村地域人口と農業集落の将来予測－西暦2045年における農村構造－」

今後、令和27（2045）年までに、都市的地域や平地農業地域を含む全ての類型区分で人口が減少し、我が国全体として大幅な人口減少が見込まれています。

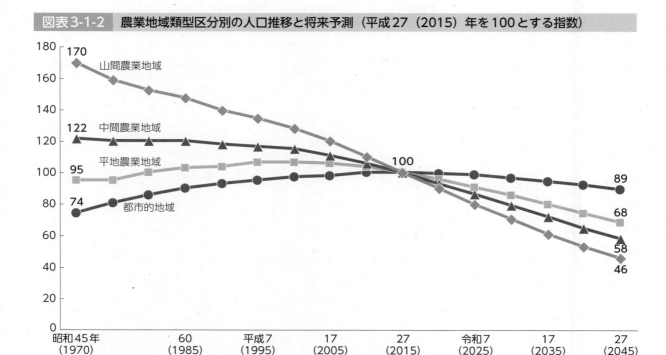

図表3-1-2　農業地域類型区分別の人口推移と将来予測（平成27（2015）年を100とする指数）

資料：農林水産政策研究所「農村地域人口と農業集落の将来予測－西暦2045年における農村構造－」
注：1）国勢調査の組替集計による。なお、令和2（2020）年以降はコーホート分析による推計値である。
　　2）農業地域類型区分は平成12（2000）年時点の市町村を基準とし、平成19（2007）年4月改定のコードを用いて集計した。

　また、農村では高齢化も進行しています。山間農業地域では、65歳以上の人口が総人口に占める割合である高齢化率が平成27（2015）年は38.5％となっており、令和27（2045）年には53.7％に上昇すると予測されています。比較的高齢化率が低い平地農業地域でも、令和27（2045）年には高齢化率が40％を超えることが見込まれています（図表3-1-3）。

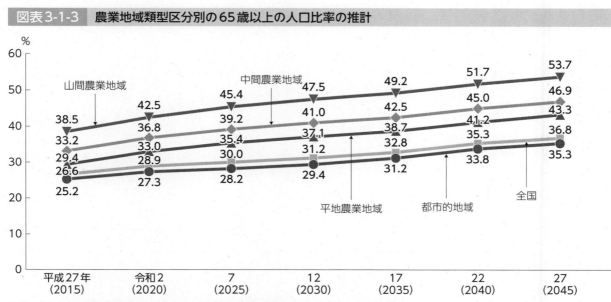

図表3-1-3　農業地域類型区分別の65歳以上の人口比率の推計

資料：農林水産政策研究所「農村地域人口と農業集落の将来予測－西暦2045年における農村構造－」
注：1）国勢調査の組替集計による。なお、令和2（2020）年以降はコーホート分析による推計値による。
　　2）農業地域類型区分は平成12（2000）年時点の市町村を基準とし、平成19（2007）年4月のコードを用いて集計した。

（農業集落の平均農家数が減少、存続危惧集落も増加する見込み）

　我が国の農業集落[1]は、農作業等を世帯間で助け合う生産補完機能、農道・水路・共有林等の保全といった地域資源の維持管理機能等、多様な機能を発揮しています。

　しかしながら、平成22（2010）年から平成27（2015）年までの農業集落の平均総戸数の変化を農業地域類型区分別にみると、都市的地域では増加しているものの、平地農業地域と中間農業地域では微増、山間農業地域では減少しています。また、平均農家数は全ての類型区分で減少しています（図表3-1-4）。

図表3-1-4　農業集落の平均総戸数と平均農家数

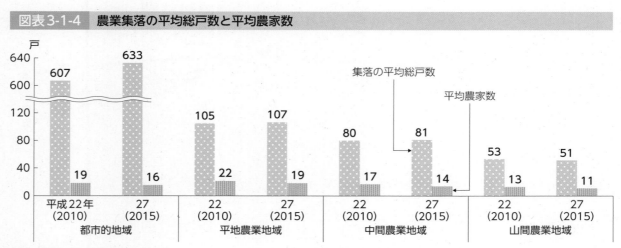

資料：農林水産省「農林業センサス」

　農林水産政策研究所の分析[2]によると、農業集落のうち、集落の存続が危惧される存続危惧集落[3]は、平成27（2015）年の2千集落から令和27（2045）年には1万集落へと4倍以上に増加すると予測されており、これら集落の9割が中山間地域[4]に所在する集落であるとされています（図表3-1-5）。

図表3-1-5　存続危惧集落数の推計

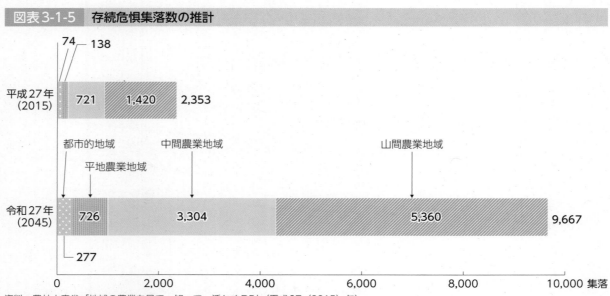

資料：農林水産省「地域の農業を見て・知って・活かすDB」（平成27（2015）年）
　注：集落ごとに行ったコーホート分析によって推計した年齢別の集落人口に基づく。

1　用語の解説3（1）を参照
2　農林水産政策研究所「農村地域人口と農業集落の将来予測－西暦2045年における農村構造－」
3　集落人口が9人以下でかつ高齢化率が50％以上の集落
4　中間農業地域と山間農業地域を合わせた地域

（2）田園回帰、移住・定住の動き

（農村の維持・活性化に向けて多様な人材を迎える必要）

　一方、自己実現の場や新しいビジネスモデルやイノベーションが生まれる課題先進地域として、農村に注目する若者が増えており、都市部から農山漁村へ移住しようとする流れが広がっています[1]。

　総務省の調査によると、「移住する予定がある」、「いずれ（ゆくゆく）は移住したい」、「条件が合えば移住してみてもよい」と回答した、農山漁村地域への移住に関心を示している割合は30.6％となっています。男女別では男性、年齢別に見ると若い世代の方が、移住に前向きな回答が多いことが特徴です（図表3-1-6）。

　人口減少、高齢化が先行する農村を維持・活性化するためには、こうした「田園回帰」の意識が高まっている若い世代を中心とした多様な人材を農村に迎え、地域の人々と共に、地域資源を活用した雇用の創出と所得の向上に、創意工夫を発揮してチャレンジしていく必要があります。

図表3-1-6　都市住民の農村への移住の意向

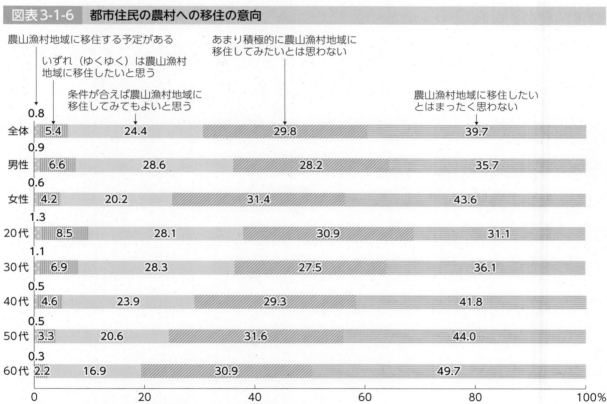

資料：総務省「「田園回帰」に関する調査研究報告書」を基に農林水産省作成
注：1）平成30（2018）年3月公表
　　2）東京都特別区及び政令市に居住する20歳から64歳までの3,116人を対象としたインターネットによるアンケート調査
　　3）回答者数は3,116人
　　4）本アンケートでは、「都市部から離れており、周辺に農地や森林、海岸等の自然豊かな環境が広がる地域」を農山漁村地域とした。

1　例えば、内閣府の平成17（2005）年と平成26（2014）年の世論調査を比較すると、都市住民の農山漁村への定住願望は11％増加

（地方暮らしやUIJターンの若者の相談件数が増加）

特定非営利活動法人ふるさと回帰支援センター（以下「ふるさと回帰支援センター」という。）では地方暮らしやUIJターンを希望する方のための移住相談を行っていますが、ふるさと回帰支援センターへの相談件数は、平成21（2009）年から令和元（2019）年までの10年間で10倍以上に増加しています（図表3-1-7）。

また、相談者の年代別内訳を見てみると、近年は20から30代までの若者からの問い合わせの割合が約半数で推移しており、若者の地方移住志向が高まってきています（図表3-1-8）。

図表3-1-7　ふるさと回帰支援センターへの来訪者・問い合わせ数（東京）

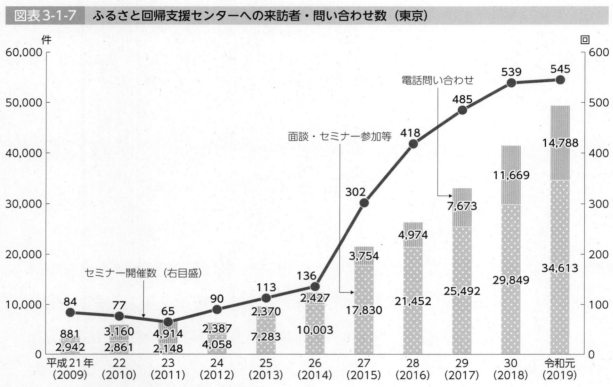

資料：ふるさと回帰支援センター資料を基に農林水産省作成

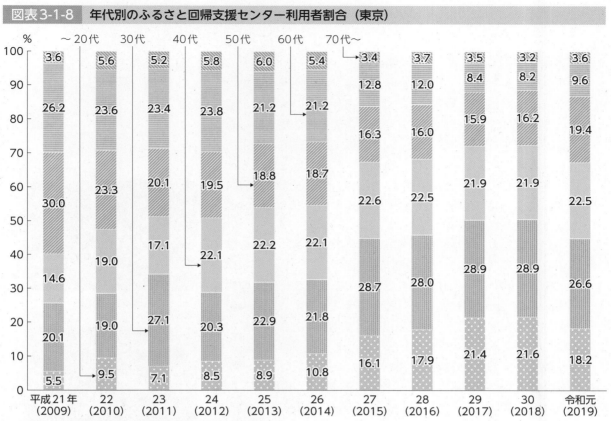

図表3-1-8　年代別のふるさと回帰支援センター利用者割合（東京）

| | ～20代 | 30代 | 40代 | 50代 | 60代 | 70代～ |

	平成21年(2009)	22(2010)	23(2011)	24(2012)	25(2013)	26(2014)	27(2015)	28(2016)	29(2017)	30(2018)	令和元(2019)
70代～	3.6	5.6	5.2	5.8	6.0	5.4	3.4	3.7	3.5	3.2	3.6
60代	26.2	23.6	23.4	23.8	21.2	21.2	12.8	12.0	8.4	8.2	9.6
50代	30.0	23.3	20.1	19.5	18.8	18.7	16.3	16.0	15.9	16.2	19.4
40代	14.6	19.0	17.1	22.1	22.2	22.1	22.6	22.5	21.9	21.9	22.5
30代	20.1	19.0	27.1	20.3	22.9	21.8	28.7	28.0	28.9	28.9	26.6
～20代	5.5	9.5	7.1	8.5	8.9	10.8	16.1	17.9	21.4	21.6	18.2

資料：ふるさと回帰支援センター資料を基に農林水産省作成

（地域おこし協力隊により地域の活性化や地域資源の再生が進行）

　地域おこし協力隊とは、都市地域から過疎地域等の条件不利地域に住民票とともに生活の拠点を移した者を、地方公共団体が「地域おこし協力隊員」として委嘱し、隊員は一定期間、地域に居住して、地域ブランドや地場産品の開発・販売PR等の地域おこしの支援や、農林水産業への従事、住民の生活支援等の「地域協力活動」を行いながら、その地域への定住・定着を図る取組です。平成21（2009）年度から活動しており、平成30（2018）年度には、隊員5,530人、1,061団体が取り組みました。

事例	地域おこし協力隊の活動をきっかけに棚田が再生（岡山県）

　かつては8,300枚の壮観な棚田を誇っていた岡山県美作市上山地区は、少子高齢化により、棚田の90%以上が荒れていましたが、一人の移住者が都市部に住む知人に声を掛け、NPO法人英田上山棚田団を結成し、棚田の再生活動が始まりました。その後、地域おこし協力隊を導入し、地域住民も含めた一般社団法人上山集楽が設立され、同法人によってこれまで復元された棚田の面積は20haとなっています。

棚田の再生活動
資料：美作市

　上山集楽は、収益性があって、社会的なインパクトを与えられるビジネスモデルの構築を目指しており、平成27（2015）年に、一般財団法人トヨタ・モビリティ基金の助成により、社会実験として、超小型モビリティ（電気自動車）を導入しました。平成28（2016）年度からは、にんにくや薬草、椎茸等の栽培、日本酒やビールの試験醸造、革製品や木工製品の製造、古民家カフェのリニューアル等、多岐にわたって取組を拡大し、平成29（2017）年度からは、これらのコンテンツを活かした農泊にも取り組んでいます。平成30（2018）年度の農山漁村体験者数は前年度の2.9倍に増加し、平成30（2018）年時点で人口155人のうち約40人が移住者となっています。今後も棚田再生エリアの拡大や上山集楽のブランド化等を進めていく予定です。

上山棚田
資料：美作市

（3）地方創生〜「まち・ひと・しごと創生総合戦略」第2期へ

（第1期「まち・ひと・しごと創生総合戦略」の総括）

　我が国における急速な少子高齢化の進展に的確に対応し、人口減少に歯止めをかけるとともに、東京圏[1]への人口の過度の集中を是正し、それぞれの地域で住みよい環境を確保するため、平成26（2014）年11月に「まち・ひと・しごと創生法」が施行されました。また、同年12月に中長期的な日本の人口の現状と将来の姿を示した「まち・ひと・しごと創生長期ビジョン」（以下「ビジョン」という。）と、5か年の目標や施策の基本的方向及び具体的施策をまとめた「まち・ひと・しごと創生総合戦略」（以下「総合戦略」という。）が策定されました。第1期総合戦略では、「地方にしごとをつくり、安心して働けるようにする」、「地方への新しいひとの流れをつくる」、「若い世代の結婚・出産・子育ての希望をかなえる」、「時代に合った地域をつくり、安心なくらしを守るとともに、地域と地域を連携する」を4つの基本目標とし、地方創生のための様々な取組が推進されてきました。

　これまでの地域経済の状況として、地方の若者の就業率や訪日外国人旅行者数、農林水産物・食品の輸出額は増加傾向にあるなど、しごとの創生に関しては一定の成果が見られ

1　東京都、埼玉県、千葉県及び神奈川県の一都三県を東京圏とする。

ます（図表3-1-9）。特に、農業の状況を見ると、生産農業所得[1]は東京圏、その他地域ともに増加しており、特にその他地域では、平成27（2015）年から平成30（2018）年までの間に、7.0%（2,089億円）増加しています。

　一方で、東京圏への転入超過数は、令和元（2019）年は14.9万人であり、依然として東京圏への一極集中の傾向が続いていることが分かります。

図表3-1-9　第1期「まち・ひと・しごと創生総合戦略」の成果

（地方の若者の就業率）

資料：総務省「労働力調査」を基に農林水産省作成

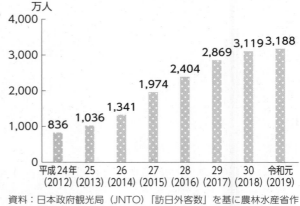

（訪日外国人旅行者数）

資料：日本政府観光局（JNTO）「訪日外客数」を基に農林水産省作成

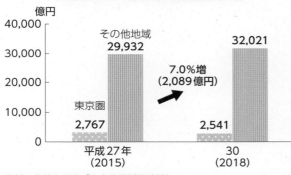

（東京圏とその他地域の生産農業所得）

資料：農林水産省「生産農業所得統計」

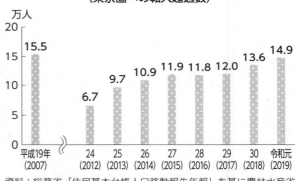

（東京圏への転入超過数）

資料：総務省「住民基本台帳人口移動報告年報」を基に農林水産省作成

（第2期「まち・ひと・しごと創生総合戦略」の策定）

　第1期総合戦略が令和元（2019）年度で最終年を迎えることを受け、これまでの成果と課題を踏まえた見直しとして、令和元（2019）年12月、ビジョンの改定と第2期総合戦略の策定が行われました。

　第2期総合戦略においては、第1期総合戦略の5年間で進められてきた施策の検証を行い、人口減少や東京圏への一極集中がもたらす危機を国と地方公共団体が共有した上で、関係省庁の連携を強め、地方創生の目指すべき将来に向けて取り組むこととしています。具体的には、将来にわたって活力ある地域社会の実現と、東京圏への一極集中の是正を目指し、4つの基本目標と2つの横断的な目標の下に、施策を展開してくこととしています（図表3-1-10）。

1　用語の解説1を参照

第3章

図表3-1-10　４つの基本目標と２つの横断的な目標

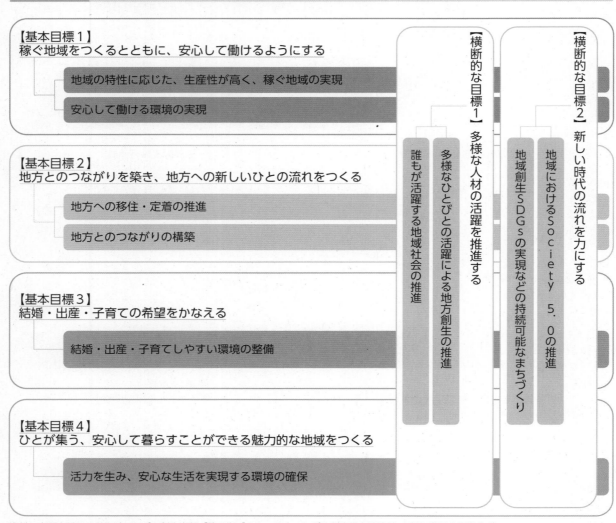

【基本目標１】
稼ぐ地域をつくるとともに、安心して働けるようにする
　地域の特性に応じた、生産性が高く、稼ぐ地域の実現
　安心して働ける環境の実現

【基本目標２】
地方とのつながりを築き、地方への新しいひとの流れをつくる
　地方への移住・定着の推進
　地方とのつながりの構築

【基本目標３】
結婚・出産・子育ての希望をかなえる
　結婚・出産・子育てしやすい環境の整備

【基本目標４】
ひとが集う、安心して暮らすことができる魅力的な地域をつくる
　活力を生み、安心な生活を実現する環境の確保

【横断的な目標１】　多様な人材の活躍を推進する
　誰もが活躍する地域社会の推進
　多様なひとびとの活躍による地方創生の推進

【横断的な目標２】　新しい時代の流れを力にする
　地域創生SDGsの実現などの持続可能なまちづくり
　地域におけるSociety 5.0の推進

資料：内閣官房まち・ひと・しごと創生本部「第２期「まち・ひと・しごと創生総合戦略」」を基に農林水産省作成

　農林水産省関連としては、例えば、基本目標１の「稼ぐ地域をつくるとともに、安心して働けるようにする」では、「農業生産基盤の強化」、「新規就農・就業者への総合支援」、「林業の成長産業化」、「漁業の持続的発展」及び「需要フロンティアの拡大（農林水産物・食品の輸出拡大）」についての施策を記載しています。基本目標４の「ひとが集う、安心して暮らすことができる魅力的な地域をつくる」では、「地域資源を活用した所得と雇用の機会の確保」、「中山間地域も含め農村に人が住み続けるための条件整備」及び「農村地域の魅力等の発揮と地域内外への情報発信等」についての施策を記載しています。また、横断的な目標２の「新しい時代の流れを力にする」では、「農林水産分野での未来技術の活用」についての施策を記載しています。

（「関係人口」の一層の増加に向けて）

　農村の人口減少の下、地域の社会的・経済的活力を維持するためには、ライフスタイルの多様化等を踏まえ、「関係人口」を増やすことが重要です。令和元（2019）年７月、国土交通省は、「ライフスタイルの多様化等に関する懇談会」を設置し、地域づくりを担う「関係人口」のあり方、その拡大に向けた施策の方向性を検討しています。「関係人口」とは長期的な定住人口でも短期的な交流人口でもない、地域や地域の人々と継続的に多様な

形で関わる者の総称であり、これからの地域づくりの担い手として注目されています。

また、地域への関心や地域との関わりを深める中で築いた地域との縁（関係）が地方移住を決めるきっかけとなることが多いことから、第2期総合戦略の基本目標2「地方とのつながりを築き、地方への新しいひとの流れをつくる」では、地方移住の裾野の拡大等に向けて、「関係人口」を地域の力として活用していく方針が示されました。

実際に、出身地や就学地、勤務地のほか、農泊で訪れた地域やボランティア活動を通じて縁のできた地域等、人々が想いを寄せる地域やそのきっかけは多様になっています。また、特定の地域に貢献するため、資金や知恵、労力を提供する取組も積極的に行われ始めています。

農林水産省は、「関係人口」の増加に向けて、農山漁村と都市の交流を契機として農山漁村地域に関心を持ってもらうため、農家民宿、古民家等の滞在施設の整備や地域資源を活用した食事や体験・交流プログラムの開発を支援するなど農泊を推進しています。また、都市住民の農業への理解を醸成するため、農業体験農園の取組の支援を行っています。さらに、子供の農山漁村体験の充実のため、農山漁村での受入体制の整備に向けて、体験プログラムの充実・強化、宿泊施設の整備を支援しています。

事例 **「お手伝い」を通じて地域のファンを創出**

株式会社おてつたびは「地域のファン＝ロイヤリティの高い関係人口」の創出を目指して、暮らすように地方部を「旅」したいとの思いを持つ若者と、短期的・季節的な「お手伝い」を探す地域を繋げるサービスを運営しています。

サービスを利用することで、大学生等の若年層はお手伝いに対する報酬を得ながら旅ができるので、交通費等の負担を感じることなく、地方を訪れることができ、さらに、

酒蔵でのお手伝いの様子

お手伝いや交流体験を通じて、通常の観光では知ることのできない地域の魅力を知ることができます。また、受入側にとっても、人手不足を解消できるだけでなく、利用者とのコミュニケーションを通じて、将来的に地域づくりに参画し得るような地域外の人との関係性が構築できるという利点があります。

実際に、利用者の地域への再訪率は6割となっています。この中には、祭りの時期になると受入地域を再訪するようになった利用者や、受入地域で地域づくりのイベントを開催し、都市部から多くの大学生を招き入れた利用者等もおり、関係人口の創出が見られるようになっています。

代表取締役CEOの永岡里菜さんは「おてつたびを通して、出身地や居住地以外にも特別な地域を誰もが持ち、人の対流が自然と生まれる社会にしたい」と語っています。

（「小さな拠点」の形成に向け関係省庁が連携して取組を推進）

「小さな拠点」づくりは、中山間地域等の集落生活圏[1]において、安心して生活できる環境を維持していくために、地域住民が地方公共団体や事業者、各種団体と協力・役割分担をしながら、各種生活支援機能を集約・確保、地域の資源を活用した仕事・収入の確保等を行う取組です。「小さな拠点」は、令和元（2019）年5月時点で、全国で1,181か所形成されています。

政府全体で小さな拠点・地域運営組織の形成に向けた地域支援に取り組む中で、関係省庁が連携し、全国フォーラムの開催や優良事例の紹介、地方創生カレッジ等を活用した人材育成等の支援を実施しています。また、農林水産省では、農山漁村振興交付金による地域の活動計画策定への支援を通じて、小さな拠点の形成に向けて、地域の特性を活かした農林水産物の生産や6次産業化[2]による高付加価値化、農協、郵便局等地域内外の多様な組織との連携を推進しています。

事例　地域マネジメント法人による農業の継続、「小さな拠点」の形成（新潟県）

数多くの棚田を有する新潟県十日町市（とおかまちし）は、魚沼産コシヒカリの産地として知られていますが、市内全体の平均積雪は2mを超える豪雪地でもあります。

平成13（2001）年に農業体験交流施設、農産物直売所等からなる道の駅「瀬替えの郷せんだ」（せがえのさときと）が整備されましたが、小学校の廃校や地区唯一の店舗が閉店になるなど、生活面において大きな問題が発生しました。

営農継続や地域コミュニティの維持に危機感を持った地域住民は、平成22（2010）年、地域住民が主体となり「株式会社あいポート仙田（せんだ）」を設立しました。「株式会社あいポート仙田」は、中山間地域等直接支払制度の協定の事務局機能のほか、営農の継続が困難になった農家からの農作業の受託、高齢者世帯の屋根の雪下ろし作業等を行っています。

棚田の風景
資料：株式会社あいポート仙田

平成24（2012）年には、市から「瀬替えの郷せんだ」の指定管理業務を受託し、農産物直売所兼日用品販売の店舗を開設し地域の無店舗状態を解消しました。法人の設立当初の総売上は2,000万円程度で、農業生産だけの収入でしたが、平成30（2018）年には直売所や食堂事業等の業務拡大により5,400万円と大幅に増加しました。道の駅は交流イベントの開催や高齢者の寄り合いの場としても活用され、生活支援の拠点となっています。

また、道の駅には、農業研修生や高齢者が宿泊・生活できる施設が併設され、農業技術の習得や冬季間の高齢者の生活を支えています。

このように、あいポート仙田が地域マネジメント法人として、農作業だけでなく、道の駅を拠点とした農産物や日用品の販売、交流イベントの開催や研修・宿泊施設との連携等により生活支援を行い、「小さな拠点」の形成に役立っています。

1　複数の集落を含む生活圏
2　用語の解説3（1）を参照

（特定地域づくり事業推進法により若者等の農村定住を推進）

　田園回帰に注目が集まりつつある中、特定地域づくり事業推進法[1]が令和元（2019）年12月に公布され、令和2（2020）年6月に施行されることとなりました。この法律により、地域人口の急減に直面している地域において、地域の様々な事業者が出資し、地域外の若者等を雇用する事業協同組合を設立した場合に、労働者派遣法の特例や組合の設立支援に係る経費について財政上の措置を受けられるようになります。組合設立に当たっては、農協等が農業者等の調整役を担うことが期待されています。事業協同組合は農林水産業等の地域の多様な仕事を組み合わせて年間を通じた雇用を創出し、国、地方公共団体は事業協同組合に情報提供や助言のほか、財政上の支援も行います。この制度を活用することにより、地域外の若者等が地域内に定住して働くことができるようになり、地域社会の維持及び地域経済の活性化が期待されます。

　例えば、播種や収穫等で忙しい時期が偏る農業や、海水浴やスキー等の人手が必要な時期が決まっている観光業等、単独の事業者では雇用を1年間継続することが難しい事業であっても、事業協同組合が事業者間の労働需要の季節変動を調整することによって、年間を通した労働力、雇用を確保することができます。

事例　集落活動センターによる地域の活性化（京都府）

　京都府南丹市美山町鶴ヶ岡地区は、南丹市中心部から北へ約35kmの場所にあり、人口673人、317世帯、高齢化率45％*の地区です。鶴ヶ岡地区から市中心部までは、バスを乗り換えて約1時間かかるうえに、バスの便数も僅かであるため、アクセスが悪い地区となっています。

　同地区では、住民が出資して「有限会社タナセン」を設立し、食料品や日用雑貨を扱う店舗として「ムラの駅たなせん」を運営しています。店舗周辺には郵便局、南丹市美山林業者等健康管理センター（診療所）等の各種生活サービス機能を集積させました。

ムラの駅たなせん
資料：南丹市

　また、自治会、村おこし推進委員会、地区公民館等が連携して「鶴ヶ岡振興会」を設立し、地域内無償移送サービスの提供や、スマホのアプリを活用した高齢者の安否の確認をしています。さらに、ジビエや旬の食材を活かした定期営業の食堂の開設によって、地域の活性化を図ったり、小中学校の農家宿泊体験学習の受入れによって地域の魅力を発信したりしています。

＊令和2（2020）年2月時点

1　正式名称は「地域人口の急減に対処するための特定地域づくり事業の推進に関する法律」

第2節　中山間地域の農業の振興

　中山間地域は、農業生産条件が不利である一方、農業生産活動を通じ、国土の保全、水源の涵養、自然環境の保全、良好な景観の形成、文化の伝承等、様々な機能を有しています。農林水産省では、施行された棚田地域振興法の枠組みによる取組を始め、中山間地域の振興に向けて必要な支援を進めています。

（地域資源を活かすことで収益力のある農業を実現）

　中山間地域は、我が国の人口の1割、総土地面積の7割、農地面積と農業産出額では4割を占めており、我が国の食料生産を担うとともに、豊かな自然や景観を有し、多面的機能の発揮の面でも重要な役割を担っています（図表3-2-1）。

　一方で、傾斜地が多く存在し、ほ場の大区画化や大型農業機械の導入、農地の集積・集約化[1]等が容易でないため、生産性の向上が平地に比べて難しく、人口減少、高齢化による担い手不足等とあいまって、営農条件面で不利な状況にあります。

　1経営体当たりの経営規模で見ると、経営耕地面積規模が1.0ha未満の経営体の割合は、平地農業地域[2]で4割であるのに対し、中山間地域では6割となっています（図表3-2-2）。

図表3-2-1　中山間地域の主要指標

（単位：万人、千ha、億円、％）

	全国	中山間地域	割合
総土地面積	37,797	27,409	72.5
人口	12,709	1,420	11.2
農地面積	4,496	1,841	40.9
農業産出額	88,631	36,138	40.8

資料：総務省「平成27年国勢調査」、農林水産省「2015年農林業センサス」、「平成27年耕地及び作付面積統計」、「平成27年生産農業所得統計」

注：1）農業地域類型区分は、平成29（2017）年12月改訂のものによる。
　　2）中山間地域の各種数値は、上記の資料を基に農林水産省作成
　　3）中山間地域の総土地面積は、旧市区町村別個票データから集計した値であり、北方四島等や境界未定の面積を含まない。

図表3-2-2　中山間地域の経営耕地面積規模別経営体数の割合（平成27（2015）年）

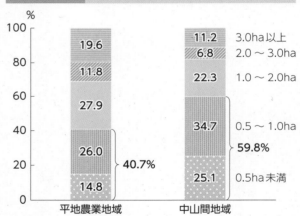

資料：農林水産省「2015年農林業センサス」
注：1）農業地域類型区分は、平成29（2017）年12月改訂のものによる。
　　2）中山間地域は、中間農業地域と山間農業地域の数値の合計
　　3）0.5ha未満には経営耕地面積がない経営体を含む。

　また、中山間地域は、野生鳥獣の生息地となる山林と農地が隣接することから、平地に比べて農作物の鳥獣被害を受けやすく、荒廃農地[3]が発生しやすい環境にあります。

　このような不利な営農条件下にあるものの、中山間地域特有の冷涼な気候や清らかな水を活かして良食味の米や伝統野菜を栽培するなど、地域資源を活かすことで収益力のある農業を実現する地域もあり、今後も特色ある農業や6次産業化[4]の取組が展開されることが期待されています。

1、3、4　用語の解説3（1）を参照
2　用語の解説2（6）を参照

事例	レタス等の高収益作物の生産と担い手の経営規模の拡大（群馬県）

　群馬県 昭 和村、沼田市ほかからなる赤城西麓地区は、地域の一部が特定農山村地域にも指定されています。同地区では降水量が少なく、常に干ばつ被害を受ける不安定な農業経営を余儀なくされていました。

　このような状況の中、昭和56（1981）年度から始まった国営かんがい排水事業等によって、頭首工や用水路の整備、農地の区画整理等が行われ、農業用水の安定的な供給が可能となるとともに、担い手への農地の集積や経営規模の拡大が進展しました。これにより、レタスやほうれんそうの作付面積が増加したほか、こんにゃく収穫量が全国シェアの上位を占めるようになり、高収益作物の生産拡大が進みました。

　その結果、昭和村における1戸当たりの農業所得は約2倍に増加しました。

根利川頭首工
資料：昭和村

（農業生産基盤強化プログラムにより中山間地域の基盤整備と活性化を推進）

　令和元（2019）年12月に農業生産基盤強化プログラムが策定され、棚田を含む中山間地域の基盤整備と活性化を推進することとされました。

　これを受けて、農林水産省では、中山間地域における所得向上に資する農産物の生産・販売等の促進、基盤整備と生産・販売施設等の整備の一体的な推進、棚田地域の景観修復等の棚田保全・振興の取組開始に必要な環境整備の推進により、令和6（2024）年度までに地域資源を活用した取組等を行う地区を250地区創出することとしています。

（山村地域の特性を活かした産業の育成による雇用と所得の増大）

　国土面積の47%を占める振興山村[1]は、国土の保全、水源の涵養、自然環境の保全、良好な景観の形成、文化の伝承等に重要な役割を担っていますが、人口減少、高齢化等が他の地域より進んでいることから、国民が将来にわたってそれらの恵沢を享受することができるよう、地域の特性を活かした産業の育成による就業機会の創出を図ることが重要です。

　このため、農林水産省は、農山漁村振興交付金の山村活性化対策により、振興山村の山菜やくり、ゆず、木工品等の特色ある地域資源を活かした新商品の開発や販路開拓等を支援し、地域の雇用と所得の増大を図っています。

第3章

1　山村振興法に基づき指定された地域

<table>
<tr><td>事例</td><td>6次産業化で中山間地域の課題解決に取り組む地域（福島県）</td></tr>
</table>

　福島県三島町大登地区は特定農山村地域、過疎地域、振興山村地域に指定される中山間地域で、鳥獣被害と耕作放棄地の発生に悩まされていましたが、これらの課題解決に取り組むため、町が出資し、農地所有適格法人桐の里産業株式会社を設立しました。町、桐の里産業、民間企業がコンソーシアムを形成し、農地中間管理事業を活用して、大規模農地を復元し、エゴマの栽培を開始することとなりました。エゴマは、必須脂肪酸であるα−リノレン酸を豊富に含んでおり、美肌、健康等に効果があることに加え、独特のにおいがあることから鳥獣の被害を受けにくいものです。また、生産したエゴマの搾油、瓶詰め等を行うことで、地域の雇用創出にも寄与しています。

　桐の里産業が販売するエゴマ油は、一般財団法人都市農山漁村交流活性化機構が運営する里の物語オンラインショップで1本（100g）2千円と高値で販売されています。スーパー等で低価格帯で販売されている外国産エゴマと異なり、良質な国産エゴマ油として、消費者から好評を博し、リピーターもついています。

　エゴマ油を販売した利益の一部は、地域の鳥獣被害対策のために用いられ、地域の課題解決に貢献しています。

6次産業化によるエゴマ油
資料：一般財団法人都市農山漁村交流活性化機構

（棚田保全に向けた動きと棚田地域振興法の施行）

　山の斜面や谷間の傾斜地に階段状に作られた水田のことを棚田といいます。棚田は、農産物の供給にとどまらず、国土の保全、水源の涵養、自然環境の保全、良好な景観の形成、文化の伝承等の多面的機能を有しています。しかし、地形的に条件が厳しい棚田の保全には多大なコストを要するのが実情であり、高齢化の進展等により、棚田が荒廃の危機に直面しています。

　一部の棚田地域では、棚田の美しい景観を活かした観光や、棚田オーナー制度、農泊や農業体験学習を通じた都市住民との交流、棚田米やその加工品の販売等、棚田の持つ多様な魅力を活かした取組が行われていますが、そのような地域は限定的です。また、棚田の保全や地域振興に活用できる各府省庁の既存の施策があるものの、十分に周知・活用されていないという状況があります。

　このような背景の下、令和元（2019）年8月、棚田地域振興法が施行され、市町村や都道府県、農業者、地域住民等の多様な主体が参画する地域協議会による棚田を核とした地域振興の取組を、関係府省庁横断で総合的に支援する枠組みが構築されました。新たな枠組みの中で、棚田地域の振興に関する事業を取りまとめて毎年度公表するとともに、関係府省庁の職員からなる棚田地域振興コンシェルジュが、地域協議会の体制づくりから活動の実施まで、幅広い相談に応じながら、様々な施策の活用促進を図っていくこととしています。

（棚田カードプロジェクトチームを立上げ）

　農林水産省では、棚田地域を盛り上げ、棚田の保全につなげる取組の第一歩として、都

道府県に呼びかけ、棚田カードプロジェクトチームを立ち上げました。棚田の持つ魅力と棚田で行われている保全活動の実態を知ってもらい、棚田に馴染みのない人でも棚田を訪れるきっかけになるよう棚田カードを作成し、令和元（2019）年7月からそれぞれの棚田地域で配布を開始しました。また、棚田地域全体を盛り上げるために「棚田に恋」をキャッチコピーとしたポスター等を作成し、棚田に関心を持ってもらえるよう情報発信を行っています（図表3-2-3）。

図表3-2-3 棚田カード、ポスター

資料：農林水産省作成

事例 **棚田を核に地域おこし（長崎県）**

　長崎県平戸市の春日集落は、平成22（2010）年に文化庁の重要文化的景観に選定されました。これをきっかけに、市の農業部局にとどまらず、文化財部局のサポートも得て、集落で議論を重ね、集落の全世帯（約20世帯）が参加した協議会「安満の里 春日講」が立ち上げられました。

　協議会では、文化庁事業も活用した歩道整備や案内看板の設置等、歴史や景観に配慮した環境整備のほか、石積みの修理、災害の復旧等の棚田の維持管理を行っています。また、耕作放棄地を活用した農業体験や棚田米を使った日本酒やお菓子の商品化等の取組を進めています。

　平成30（2018）年には、棚田を含む集落が世界文化遺産に登録されたこともあり、メディアの取材等が増加した結果、平成29（2017）年度まで年間1,500人だった観光客は、平成30（2018）年度には2万人にまで増加しました。

春日集落でのもてなし
資料：平戸市

　このような中、文化庁事業を活用して空き家を改修した集落拠点「かたりな」では、地域の高齢者がスタッフとして来訪者をもてなすことにより、住民と来訪者が相互に刺激を受ける、理想的な文化観光の形ができつつあります。

　今後、持続的な仕組みづくりと農泊や農家カフェ、6次産業化等に更に取り組むことにより、訪ねる人との交流を核とした経済活動を含む取組につなげていくこととしています。

　農泊とは、農山漁村において農家民宿や古民家等に滞在し、我が国ならではの伝統的な生活体験や農村の人々との交流を通じて、その土地の魅力を味わってもらう農山漁村滞在型旅行のことです（図表3-3-1）。農泊を通して、都市住民や訪日外国人旅行者等を農山漁村に呼び込み、宿泊してもらい、また地域の食材を活用した食事メニューや自然、伝統文化等の体験プログラム等を提供することにより、地域の所得向上や雇用の創出、さらには農業や農村への理解の促進が期待されます。

（農泊をビジネスとして実施できる体制を持った地域の創出）

　都市と農村の交流は、都市住民の農業・農村に対する関心を向上させるだけでなく、農村住民にとっても、地域の魅力を再発見し、生きがいと活性化をもたらす大きな役割を果たしています。

　このような中で、平成28（2016）年3月に閣議決定された「明日の日本を支える観光ビジョン」では、「日本ならではの伝統的な生活体験と非農家を含む農村の人々との交流を楽しむ農泊を推進する」とされ、これを受けて関係省庁が連携して農泊を積極的に推進しています。

　農泊は、観光立国推進基本計画[1]等の関係施策にも位置付けられ、令和2（2020）年までに、農泊を持続的なビジネスとして実施できる体制を持った地域を500地域創出することとされています。農林水産省では農山漁村振興交付金の農泊推進対策により、令和元（2019）年10月現在、全国で515地域を採択し、農泊の取組を支援しています（図表3-3-2）。

1　平成29（2017）年3月閣議決定

図表3-3-1 農泊のイメージ

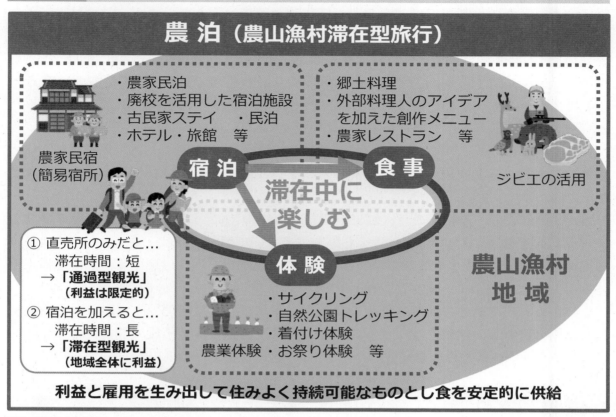

資料：農林水産省作成

図表3-3-2 農泊推進対策地域

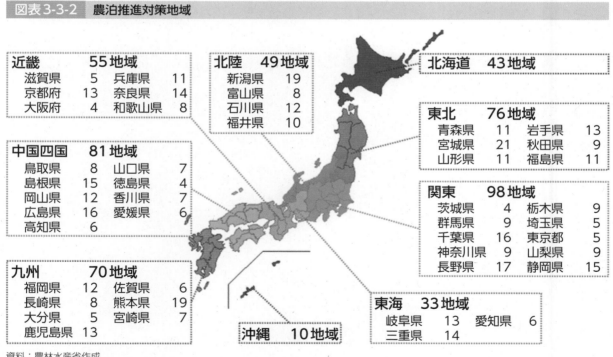

近畿	55地域		
滋賀県	5	兵庫県	11
京都府	13	奈良県	14
大阪府	4	和歌山県	8

北陸	49地域
新潟県	19
富山県	8
石川県	12
福井県	10

北海道	43地域

東北	76地域		
青森県	11	岩手県	13
宮城県	21	秋田県	9
山形県	11	福島県	11

中国四国	81地域		
鳥取県	8	山口県	7
島根県	15	徳島県	4
岡山県	12	香川県	7
広島県	16	愛媛県	6
高知県	6		

関東	98地域		
茨城県	4	栃木県	9
群馬県	9	埼玉県	5
千葉県	16	東京都	5
神奈川県	9	山梨県	9
長野県	17	静岡県	15

九州	70地域		
福岡県	12	佐賀県	6
長崎県	8	熊本県	19
大分県	5	宮崎県	7
鹿児島県	13		

東海	33地域		
岐阜県	13	愛知県	6
三重県	14		

沖縄	10地域

資料：農林水産省作成
注：1）令和元（2019）年10月時点
　　2）農山漁村振興交付金（農泊推進対策）において採択された515地域を示す。

（農泊の体制整備は進みつつあるものの一層の環境整備が必要）

　平成29（2017）年度から実施している農山漁村振興交付金の農泊推進対策により、宿

泊、食事、体験プログラム等を提供する地域の多様な関係者を構成員とする協議会や農泊実施の中心となる役割を担う法人の設立等体制の整備は進んでいます。その結果、平成30（2018）年度までに支援した349地域において、体験プログラム数は、支援前の平成28（2016）年度末の3,672件から平成30（2018）年度末には4,708件に増加しました（図表3-3-3）。また、延べ宿泊者数は平成28（2016）年度の288万人から平成30（2018）年度には366万人へと増加し、中でも訪日外国人旅行者の延べ宿泊者数は約12万人から2.3倍となる約28万人に増加しました（図表3-3-4）。

　一方、利用者のニーズに対応した農泊らしい地域を創出するためには、農家民宿、古民家等の魅力的な宿泊施設の整備、更なる食事メニューや体験プログラムの充実が課題となっています。

　また、訪日外国人旅行者の受入れに重要となる無線LAN、洋式トイレ、キャッシュレス決済、外国語に対応したWebサイト等を備えている農泊地域は、依然として少なく、例えば、外国語Webサイト等を提供している農泊地域は、349地域のうち149地域と全体の43％にとどまっています（図表3-3-5）。

　このため、引き続き、地域の資源を最大限活用し、ジビエ料理等の食事メニューや農業、文化、自然等の体験プログラムの開発、農家民宿等の宿泊施設の整備のほか、インターネット予約を含む外国語Webサイトの対応等の支援を行っています。

図表3-3-3　体験プログラム数

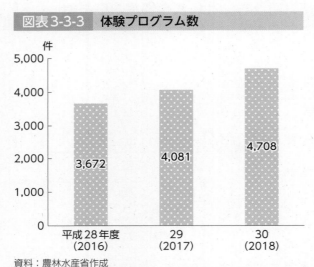

資料：農林水産省作成
　注：1）平成30（2018）年度までに支援した農泊地域349地域を対象
　　　2）平成31（2019）年4月時点

図表3-3-4　延べ宿泊者数

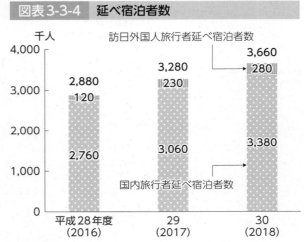

資料：農林水産省作成
　注：1）平成30（2018）年度までに支援した農泊地域349地域を対象
　　　2）平成31（2019）年4月時点

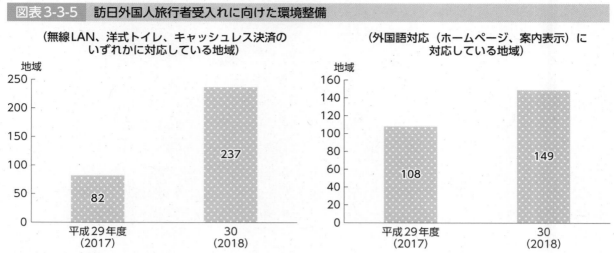

図表3-3-5　訪日外国人旅行者受入れに向けた環境整備

（無線LAN、洋式トイレ、キャッシュレス決済の
いずれかに対応している地域）

（外国語対応（ホームページ、案内表示）に
対応している地域）

資料：農林水産省作成
注：1）平成30（2018）年度までに支援した農泊地域349地域を対象に調査
　　2）平成31（2019）年4月時点

　また、内閣府の世論調査[1]では、半数以上が農泊の「意味を知らず、言葉を聞いたこと
もなかった」と回答しました。世代別で見ると、20代以下の層では特に認知度が低くなっ
ており、若い世代を中心に、農泊の周知に取り組むことが必要です（図表3-3-6）。

図表3-3-6　農泊の年齢別認知度

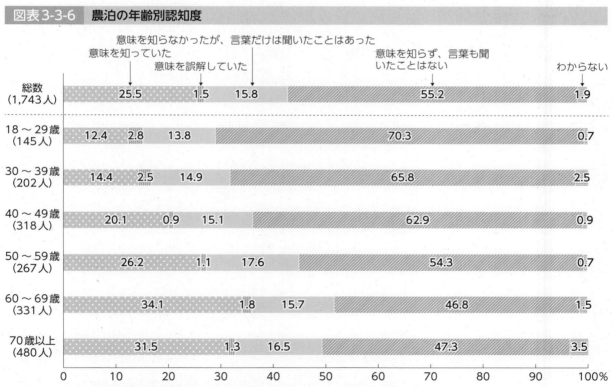

資料：内閣府「食と農林漁業に関する世論調査」（平成30（2018）年11月）を基に農林水産省作成
注：1）全国18歳以上の日本国籍を有する者3千人を対象
　　2）回答数1,743人、回答率58.1%

（地方部における外国人宿泊者数は増加）

　農泊は、都市住民だけでなく、訪日外国人旅行者にとっても、普段の生活では味わえな

1　内閣府「食と農林漁業に関する世論調査」（平成30（2018）年11月）

い我が国の魅力に触れられる貴重な機会です。

　日本政府観光局（JNTO）の調査[1]によれば、令和元（2019）年の訪日外国人旅行者数については3,188万人となり、前年と比べ2.2％増加し過去最高を記録しました。また、旅行消費額は4兆8,135億円[2]、地方部における延べ宿泊者数は3,921万人泊[3]となり、いずれも過去最高を記録しました。

　こうした訪日外国人旅行者の旅行消費額のうち、飲食費は1兆397億円[4]となっているほか、買物代のうち、菓子類、酒類、生鮮農産物等食料品の購入費は、3,268億円[5]となっています。これらの訪日外国人旅行者の日本食・食文化への需要を農山漁村に呼び込むことで、農山漁村地域の所得の向上等を図るとともに、訪日外国人旅行者数の更なる増加と我が国の農林水産物・食品の輸出拡大につなげるといった好循環を構築していくことが重要です。

　実際に、地方部に宿泊する外国人の割合は4割程度となっており、地方部への関心が高まっています（図表3-3-7）。また、都道府県別に過去5年間の外国人宿泊者数の増加率を見ると、青森県、宮城県、山形県、福島県、岡山県、香川県で4倍以上となっており、今後、地方部における農泊の取組が更に拡大されていくことが期待されます（図表3-3-8）。

図表3-3-7	外国人延べ宿泊者数と宿泊地に占める地方部の割合

資料：観光庁「宿泊旅行統計調査」を基に農林水産省作成
注：地方部は、三大都市圏（埼玉県、千葉県、東京都、神奈川県、愛知県、京都府、大阪府、兵庫県）以外の道県

図表3-3-8	都道府県別に見た外国人延べ宿泊者数の増加状況（過去5年間）

資料：観光庁「宿泊旅行統計調査」を基に農林水産省作成
注：平成26（2014）年の延べ宿泊者に対する令和元（2019）年の増加状況

（「SAVOR JAPAN」認定地域に6地域を追加）

　このように、地方部に宿泊する外国人が増え、本場の日本食を体験したいという外国人のニーズが高まっている中で、農林水産省は、地域の食・食文化や農林水産業を核に訪日外国人旅行者を中心とした観光客を誘致する地域を認定する取組「SAVOR JAPAN（農泊 食文化海外発信地域）」を始めました。SAVOR JAPANとして認定された地域は、前年度から6地域増え、令和元（2019）年度では全国で27地域となりました（図表3-3-9）。

1　JNTO「2019年訪日外客数」
2、4　観光庁「訪日外国人消費動向調査（令和元年年間値（確報））」
3　観光庁「宿泊旅行統計調査（令和元年年間値（速報））」
5　観光庁「訪日外国人消費動向調査（令和元年年間値（確報））」を基に農林水産省作成

図表3-3-9　SAVOR JAPAN認定地域一覧

①北海道　28年度
　十勝地域
　　　　　（チーズ）

②岩手県　28年度
　一関市・平泉町
　　　　（もち料理）

③秋田県　29年度
　大館地域
　　　　（きりたんぽ）

④山形県　28年度
　鶴岡市
　　　　（精進料理）

⑤福島県　29年度
　会津若松市
　　　　（こづゆ）

⑥埼玉県　30年度
　秩父地域
　　（ずりあげうどん）

⑦新潟県　29年度
　十日町市
　　　　（へぎそば）

⑧石川県　29年度
　小松市
　　　　（報恩講料理）

⑨福井県　29年度
　小浜市
　　　　（へしこ）

⑩長野県　元年度
　小諸市
　　　（おにかけそば）

⑪長野県　元年度
　山ノ内町
　　　（りんご、そば）

⑫長野県　30年度
　白馬村
　　　　（そば料理）

⑬岐阜県　28年度
　下呂市馬瀬地域
　　　　（鮎）

⑭静岡県　29年度
　浜松・浜名湖
　地域　（うなぎ）

⑮愛知県　元年度
　南知多町
　　　　（鯛料理）

⑯京都府　29年度
　京都府北部地域
　　（丹後ばら寿司）

⑰京都府　30年度
　森の京都地域
　（かしわのすき焼き）

⑱京都府　30年度
　京都山城地域
　　　　（宇治茶）

⑲和歌山県　29年度
　紀の川市
　　　（フルーツ料理）

⑳和歌山県　30年度
　湯浅町
　（醤油と海鮮料理）

㉑鳥取県・兵庫県　元年度
　因幡・但馬地域
　　　（牛すすぎ鍋）

㉒広島県　30年度
　尾道市
　　　　（法楽焼き）

㉓香川県　29年度
　さぬき地域
　　　（さぬきうどん）

㉔徳島県　28年度
　にし阿波地域
　　　（そば米雑炊）

㉕愛媛県　元年度
　八幡浜市
　　（柑橘とさつま汁）

㉖長崎県　元年度
　島原半島地域
　　（手延べそうめん）

㉗宮崎県　29年度
　高千穂郷・椎葉山
　地域　（神楽料理）

資料：農林水産省作成

事例　農泊により海外や都市との交流人口が増加（宮崎県）

宮崎県高千穂町、日之影町、五ヶ瀬町、諸塚村、椎葉村の5町村を対象とするフォレストピア高千穂郷ツーリズム協会は、平成24（2012）年に、交流人口の増加を図る取組として設立されました。

＊は高千穂町、日之影町、五ヶ瀬町、諸塚村、椎葉村

ゲストハウスや集落ボランティアセンターを中心として、フットパス＊、焼畑、山暮らし、藁・竹細工等の交流プログラムの体験に加え、神楽料理、焼畑料理といった地域の食の提供、農泊の推進、学校の教育旅行、一般旅行者の誘致を行い、高千穂地域の魅力を発信、地域活性化を図っています。

設立当初の受け入れ可能な家庭は、民宿も含め33戸でしたが、現在は65戸と増加したほか、中国や台湾の高校生の修学旅行も受け入れています。協会では、平成28（2016）年で千人であった外国人観光客を令和3（2021）年には3千人まで増やすことを目指しています。平成29（2017）年、九州では第1号となるSAVOR JAPANに認定されました。

＊　森林や田園地帯、古い町並み等地域に昔からあるありのままの風景を楽しみながら歩くことができる散歩道のこと。

古民家を改修した一棟貸しの農泊施設「corasita」（洋室（上）、和室（下））

（「子ども農山漁村交流プロジェクト」により都市農村交流を推進）

農山漁村体験は、子供が自然や歴史、文化等について学び、理解を深めることで、生命と自然を尊重する精神や環境保全に対する意識を養います。また、農林漁業の意義を理解させるとともに、それらを通じて人と人とのつながりの大切さを認識させることで、子供の生きる力を育むことができます。さらに、都市部の児童生徒が小中高の各段階において、地方へのUIJターン[1]の基礎を形成することも期待できるなど、一定期間農山漁村に滞在し、農山漁村体験を行うことの意味合いは大きいと考えられます。このため、農林水産省を含む関係省庁は、都市農村交流の一環として、子供が農山漁村に宿泊し、農林漁業の体験や自然体験活動等を行う「子ども農山漁村交流プロジェクト」を推進しています。

1　いったん大都市圏に流出した地方出身者が出身地へ帰住するUターン、地方出身者が出身地まで戻らず、近くの中核都市等で職を得て安住するJターン、都市圏出身者が地方に職を得て定住するIターンの総称

子供の農山漁村体験の効果

　子供の農山漁村体験は、その後の農業との関わりだけでなく、子供の生活面にも良い影響を与えることが期待されています。

　平成19（2007）年の国土交通省の調査によると、子供の頃に農作業体験に参加したことがある者の64％が「農産物直売所の利用や農地トラストに参加した」と回答し、同42％が、「農林業体験や市民農園等に参加した」と回答しています。これらは、子供の頃の農作業体験がない者に比べて高い割合となっており、子供の頃の農作業体験が、その後の農業への関わりに良い影響を与えていることが分かります。

　また、農山漁村体験の前後で、「身の回りの整理整頓をするようになった」、「自然にふれ合うようになった」、「ボランティアに参加することが大事と思うようになった」という問いに対し、肯定的に回答する割合が増加しており、子供の生活面や意識にも良い影響があることが分かります。

子供の農山漁村体験の農業面の効果

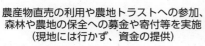
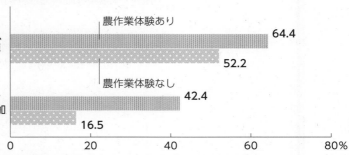

資料：国土交通省「国土の国民的経営の推進に係る基礎調査」（平成19（2007）年3月）を基に農林水産省作成
　注：1）インターネット調査会社に登録しているモニターを対象として実施したインターネット調査（回答総数3千人）
　　　2）調査対象は、20歳以上で農林漁業に従事（兼業を含む）していない都市住民（全国の30万人以上の都市及び東京23区居住者が基本。ただし、人口30万人以上の都市が存在しない県については県庁所在地、同一県内に30万人以上の都市が複数ある場合は一部対象外）

子供の農山漁村体験の農業以外の効果

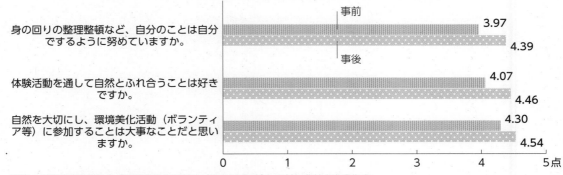

資料：千葉市教育委員会「体験学習の手引き（平成30年度）」を基に農林水産省作成
　注：1）農山漁村体験活動に参加した児童が、実施前後の2回に分けて回答
　　　2）回答の選択肢を「とてもよくあてはまる」、「わりとあてはまる」、「少しあてはまる」、「あまりあてはまらない」、「まったくあてはまらない」の5段階として肯定的な回答順に5から1点の点数をつけ、項目ごとに平均を求めた。

第3章

（「ディスカバー農山漁村の宝」に31地区と5人を選定）

　農林水産省と内閣官房は、平成26（2014）年度から、農山漁村の有するポテンシャルを引き出すことにより地域の活性化や所得向上に取り組んでいる優良な事例を「ディスカバー農山漁村の宝」として選定しています。こうした優良な事例を全国に発信することで横展開が図られること等が期待されます。

　令和元（2019）年6月には、それまでに選定された地区等が集まる「サミット」を開催し、選定後も意欲的に活動に取り組む最優良地区として和歌山県有田市の株式会社早和果樹園を選定・表彰したほか、選定地区の中から情報発信を行うアンバサダーを決定するなどのイベントを行いました。また、令和初となる第6回選定では31地区及び新設された個人部門で5人が選定されました。

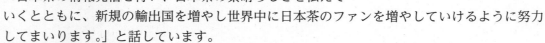

事例　茶・抹茶の海外展開で輸出売上を増加（静岡県）

　静岡県島田市にある杉本製茶株式会社は、ディスカバー農山漁村の宝（第6回選定）に選定されました。杉本製茶株式会社は、茶生産農家の所得向上や後継者確保のため、国内の中小製茶企業に先駆けて、輸出事業に着手し、海外展示会への出展や輸出向けの施設整備等に取り組みました。その結果、現在は茶・抹茶を22か国*へ輸出し、輸出売上高は平成26（2014）年の8,000万円から平成30（2018）年には5億円に増加しています。

　このほか、地元高校生による欧米の茶流通に関する研究の支援等にも取り組んでいます。

World Tea Expo 2017ラスベガス
における出展の様子

　ディスカバー農山漁村の宝では、これらの取組が評価され、ビジネス部門において準グランプリを受賞しました。

　杉本製茶代表取締役の杉本博行さんは「今後も世界各国へ日本茶の情報発信を行い、日本茶の素晴らしさを伝えていくとともに、新規の輸出国を増やし世界中に日本茶のファンを増やしていけるように努力してまいります。」と話しています。

＊令和2（2020）年3月時点

農村の人口減少、高齢化により、地域の共同活動等によって支えられている多面的機能の発揮に支障が生じつつあります。また、水路、農道等の地域資源の維持管理の負担が増大し、担い手による規模拡大が阻害されることが懸念される状況にあります。このため、国民の大切な財産である多面的機能が適切に発揮されるよう地域活動や営農の継続等に対して支援を行っていく必要があります。また、併せて国民の理解の促進を図る必要があります。

（農業・農村の多面的機能の効果）

国土の保全、水源の涵養、自然環境の保全、良好な景観の形成、文化の伝承等、農村で農業生産活動が行われることにより生まれる様々な機能を農業・農村の多面的機能といいます。多面的機能の効果は、農村の住民だけでなく国民の大切な財産であり、これを維持・発揮させるためにも農業を継続することが重要です。

近年、各地で記録的な降雨による洪水被害等が頻発していますが、農業・農村の様々な機能の一つに、ため池や水田、畑が雨水を一時的に貯留し洪水を軽減する役割があります。

三重県津市の安濃川流域において、10年に1回発生するような雨（3日間の連続雨量）を用いて行ったコンピュータによる洪水シミュレーションの結果では、「水田がある場合（現況）」と「水田がない場合（水田が全て宅地化されたと仮定）」とで下流の河川流量を比較した結果、水田があることにより降雨後の河川のピーク流量が低減され、ピーク時刻が遅くなることが確認されています（図表3-4-1）。

第3章

図表3-4-1　水田の有無における河川流量の違い（三重県津市安濃川流域）

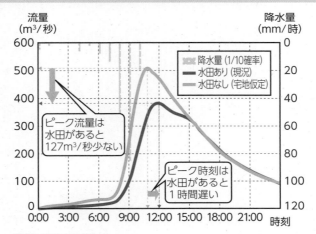

資料：農林水産省作成

（多面的機能に関する国民の意識）

令和元（2019）年8から9月にかけて農林水産省が行った多面的機能に関するWebアンケートでは、多面的機能の中で特に重要だと思う役割については、「雨水を一時的に貯めて洪水を防ぐ」と回答した割合が最も高く、次いで「田畑や水路が多様な生きものの

273

すみかになる」でした。

　一方、わかりにくいと思う役割については、「医療・介護・福祉の場となる」と回答した割合が最も高く、次いで「日々の作業を通じて土砂崩れを防ぐ」の順でした（図表3-4-2）。

　引き続き、多面的機能の内容や重要性に関する国民の理解を広げるために、パンフレットの作成等や全国各地のイベント等における普及・啓発活動により、多面的機能に関する分かりやすい情報提供に努めていくこととしています。

図表3-4-2　農業・農村の多面的機能の中で特に重要だと思う役割、わかりにくいと思う役割

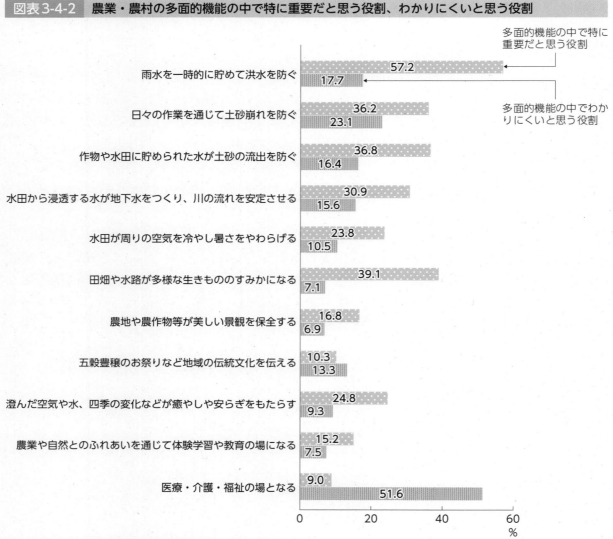

資料：農林水産省「農業・農村の多面的機能及び棚田に関する意向調査」
　注：1）令和元（2019）年10月公表
　　　2）インターネット調査会社に登録している全国の20歳以上の者を対象としたWebアンケート調査
　　　3）回答数は1,102人

（多面的機能の保全に対する価値評価）

　平成13（2001）年の日本学術会議の答申時には価値評価が行われていなかった機能を中心とした5つの役割を対象として、Webアンケートにより多面的機能の保全に対する価値評価を行いました。

　アンケートでは、何もしなければ今後20年間で5つの役割が約10％失われるため、これらの役割を守るために農業生産活動の継続を支援する基金を設立することを仮想状況と

し、基金に対する募金額を質問しました。

　アンケート結果を基にそれぞれの役割に対する1世帯当たりの平均支払意思額を算出した結果、「生きもののすみかになる役割」、「農村の景観を保全する役割」の保全に対する支払意思額が高い結果となりました（図表3-4-3）。

図表3-4-3　多面的機能の保全に対する支払意思額

（単位：円／世帯／年）

役割	1世帯当たりの平均支払意思額
生きもののすみかになる役割	5,619
農村の景観を保全する役割	2,385
地域の文化を伝承する役割	1,640
癒しや安らぎをもたらす役割	1,753
体験学習や教育の場となる役割	1,014

資料：農林水産省「令和元年度農業・農村の多面的機能の経済価値に係る分析等業務」
注：1）令和2（2020）年1月調査
　　2）20歳以上を対象とし、我が国の人口構成（男女比、年齢構成）や都道府県別の人口分布と整合するように回答者を割り振ったアンケート調査（経済価値の推計は、CVM及びコンジョイント分析を併用）
　　3）回答数は2,000件（有効回答数は、CVM：1,499件、コンジョイント分析：1,549件）

（多面的機能の維持・発揮を図るため日本型直接支払制度を推進）

　農林水産省では、農業・農村の多面的機能の維持・発揮を図るため、平成26（2014）年度に日本型直接支払制度を創設し、平成27（2015）年度から、「農業の有する多面的機能の発揮の促進に関する法律」に基づく制度として、地域の共同活動や中山間地域等における農業生産活動、自然環境の保全に資する農業生産活動を支援しています（図表3-4-4）。

図表3-4-4　日本型直接支払制度の概要

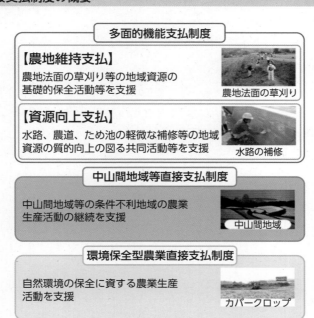

資料：農林水産省作成

第3章

275

事例　日本型直接支払制度の3つの支払制度の連携（新潟県）

　新潟県糸魚川市では、制度創設時から中山間地域等直接支払制度、農地・水・環境保全向上対策＊に取り組み、地域の農業と農村環境の維持・向上を図っています。取組組織数の増加に伴い、地域の組織と市の事務負担が増大したため、段階的に組織を統合し、広域化を図ってきました。

　市の呼びかけによって、平成27（2015）年度から日本型直接支払制度（多面的機能支払制度、中山間地域等直接支払制度、環境保全型農業直接支払制度）の事務支援を行う「糸魚川市日本型直接支払運営委員会」を設置し、個別相談や現地指導、書類提出のサポートを一元的に行っています。

　組織の広域化と運営委員会の設置によって、市の事務作業が大幅に軽減されるとともに、運営委員会が一元的な相談窓口となることにより、組織に対してきめ細かな指導を行うことが可能となり、3つの支払制度がより効率的かつ効果的に活用できるようになっています。

＊多面的機能支払制度と環境保全型農業直接支払制度の前身事業（平成19（2007）年から平成22（2010）年度）

糸魚川市日本型直接支払
運営委員会
資料：糸魚川市

糸魚川市の全景
資料：糸魚川市

（多面的機能支払制度により242万人・団体が活動）

　多面的機能支払制度は、農地や水路等の保全管理により農業・農村の有する多面的機能を維持・発揮することを目的とし、平成19（2007）年に始まりました。現在は日本型直接支払制度の一つとして実施しています。

　多面的機能支払制度によって、農地、水路、農道等の地域資源の基礎的保全活動等の共同活動を支援したこと等により、平成30（2018）年度には、その活動組織数が2万8千となり、取組面積も前年度に比べて2万7千ha（1.2％）増加の229万haとなりました。また、非農業者等の共同活動への参画が拡大し、平成30（2018）年度には242万人・団体が活動するとともに、農業水利施設[1]等の適切な保全管理等、多様な効果が発現しました。

　農林水産省は、令和元（2019）年11月に全国各地の先進的な活動事例を紹介する全国研究会を開催し、活動組織や推進組織、地方公共団体職員等から500人が参加しました。本研究会では、平成30（2018）年度末に公表した施策評価の報告や消費者団体代表による講演、女性が活躍している組織や土地改良区と連携した組織による活動事例発表のほ

1　用語の解説3（1）を参照

か、「女性の活躍による地域コミュニティの活性化」をテーマにパネルディスカッションが行われました。

（中山間地域等直接支払制度により7.5万haの農用地の減少が防止）

中山間地域等直接支払制度は、平地に比べ自然的・経済的・社会的に不利な営農条件下にある中山間地域等での農業生産活動を継続することを目的として平成12（2000）年度に始まり、現在は日本型直接支払制度の一つとして実施されています。

具体的には、集落等ごとに、耕作放棄の防止活動や水路・農道等の管理、機械・農作業の共同化、高付加価値型農業の実践等についての目標等を定めた協定を締結し、これらを実践する場合に、面積に応じて一定額を交付する仕組みです。

平成30（2018）年度における中山間地域等直接支払制度の協定の数は2万6千協定となり、交付面積は、前年度に比べ2千ha（0.3%）増加の66万4千haとなりました。

令和元（2019）年8月に公表した「中山間地域等直接支払制度（第4期対策）の最終評価」では、平成27（2015）年から平成31（2019）年までに、7.5万haの農用地の減少が防止されたと推計し、中山間地域等直接支払制度が農業・農村の持つ多面的機能の維持・発揮に重要な役割を果たしているとされています（図表3-4-5）。

また、本最終評価によると、ほぼ全ての地方公共団体が本制度を前向きに評価するなど、中山間地域等の農業・農村を維持・発展させていく上で必要な制度として高い評価を得ています。人口減少や高齢化といった課題の中、人材の確保、集落間や多様な組織との連携、事務の簡素化等について見直しを図りつつ、今後も中山間地域等直接支払制度を継続していくことが必要です。

図表3-4-5　中山間地域等直接支払制度（第4期対策）の最終評価の概要

協定数	2.6万協定（集落協定2万5千、個別協定6百） 60万人の協定参加者により、66万haの農地が維持管理
農用地の減少防止効果	3.9万haの耕作放棄の発生防止を含む7.5万haの農用地の減少が防止
都道府県及び市町村による評価	○全ての都道府県が本制度を「評価できる」とした ○99%の市町村が本制度を「評価できる」とした ○耕作放棄地の発生防止や水路・農道等の維持・管理、農業生産活動など様々な効果を発揮
今後進めていくべき取組	○後継者の育成や外部人材の確保、関係人口の増加などの取組を促進 ○集落機能を強化し、持続的安定的な体制を構築 ○生産性や付加価値を向上する取組を促進 ○事務負担の軽減や交付金返還措置の見直し

資料：農林水産省作成

（環境保全型農業直接支払制度により温室効果ガスが年間14万t削減）

環境保全型農業直接支払制度は、多面的機能支払制度と同様に平成19（2007）年度に農地・水・環境保全向上対策として始まり、現在は日本型直接支払制度の一つとして実施されています。

環境保全型農業直接支払制度では、化学肥料、化学合成農薬の使用を慣行レベルから原則5割以上低減させるとともに、地球温暖化防止や生物多様性保全に効果の高い営農活動を実施する農業者団体等を支援しています。具体的には、全国共通取組であるカバークロップ（緑肥）の作付け、堆肥の施用、有機農業のほか、地域特認取組として、地域の環境や農業の実態等を勘案した上で、地域を限定して取り組むことができる取組も支援しています。平成30（2018）年度における実施市町村数は885市町村、実施件数は3,609件、

実施面積は7万9,465haとなりました。

　農林水産省は、令和元（2019）年8月に、「環境保全型農業直接支払交付金最終評価」において、平成27（2015）年度から令和元（2019）年度までの実施期間の施策の点検と効果の評価の結果を公表しました。この中で、地球温暖化防止効果については、有機農業、カバークロップ等の取組について評価したところ、温室効果ガス[1]削減量の合計は、年間で14万3,393tとなりました（図表3-4-6）。また、生物多様性保全効果については、有機農業、冬期湛水管理等の取組について評価したところ、ほとんどの取組において「効果が高い」という結果になりました（図表3-4-7）。

　今後は、事務手続の負担軽減等の諸課題を踏まえた見直しを行い、取組全体の質の向上と面的な広がりを目指すこととしています。

図表3-4-6　環境保全型農業直接支払制度の取組による地球温暖化防止効果の調査結果

	対象取組の種類	調査件数	単位当たり 温室効果ガス削減量 (tCO$_2$/ha/年)		実施面積（ha） 平成30（2018）年度 実績	（参考試算） 温室効果ガス削減量 (tCO$_2$/年)
全国共通	有機農業	48	0.93		13,471	12,528
	カバークロップ	465	1.77		18,833	33,334
	堆肥の施用	385	2.26		18,316	41,394
地域特認取組	リビングマルチ	34	1.02		1,561	1,592
	草生栽培	30	1.09		141	154
	敷草用半自然草地の育成管理	1	1.72		3	5
	省耕起（不耕起）播種	1	1.00		21	21
	緩効性肥料×長期中干し	3	（緩効性肥料）	0.01	5,936	59
			（長期中干し）	2.19		13,000
	緩効性肥料×省耕起	2	（緩効性肥料）	0.31	333	103
			（省耕起）	1.00		333
	緩効性肥料×深耕	1	（緩効性肥料）	0.72	1	1
			（深耕）	非評価		－
	IPM×長期中干し	3	3.87		6,523	25,244
	IPM×秋耕	7	6.85		2,281	15,625
合計温室効果ガス削減量		－	－		－	143,393

資料：農林水産省「環境保全型農業直接支払交付金最終評価」を基に作成
注：1）調査は、平成29（2017）年度、平成30（2018）年度に実施
　　2）農研機構が開発した「土壌のCO$_2$吸収「見える化」サイト」の活用が可能な取組については同サイトを用いて、それ以外の取組については、専門家の意見を踏まえた計算式を用いて調査
　　3）複数の取組を組み合わせ、それぞれに地球温暖化防止効果がある場合は、それぞれの取組ごとの効果を評価
　　4）IPMとは、病虫害の発生状況に応じて、天敵（生物的防除）や粘着板（物理的防除）等の防除方法を適切に組み合わせ、環境への負荷を低減しつつ、病虫害の発生を抑制する防除技術

1　用語の解説3（1）を参照

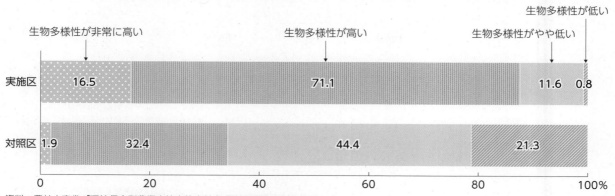

図表3-4-7　環境保全型農業直接支払制度の取組による生物多様性保全効果の調査結果

資料：農林水産省「環境保全型農業直接支払交付金 最終評価」を基に作成

注：1）調査は、平成29（2017）年度から令和元（2019）年度に実施

　　2）サンプル数は取組実施区で121、対照区で108

　　3）農林水産省の委託プロジェクト研究により開発された「農業に有用な生物多様性の指標生物調査・評価マニュアル」（以下「マニュアル」という。）の活用が可能な取組についてはマニュアルを用いて調査し、それ以外の取組については、専門家の意見を踏まえてマニュアル以外の方法により調査

　　4）マニュアルを用いた調査では、地域や作目ごとに選定された数種類の指標生物を調査し、得られた個体数を基準として評価

　　5）対照区では、実施区の近隣において通常の栽培管理を実施

（農業遺産等を活用した地域活性化の取組と多面的機能に関する国民の理解を促進）

　世界農業遺産は、社会や環境に適応しながら何世代にもわたり継承されてきた独自性ある伝統的な農林水産業システムをFAO（国際連合食糧農業機関）が認定する制度です（図表3-4-8）。令和2（2020）年3月時点で、世界で22か国59地域が認定されており、そのうち我が国は11地域を占めています（図表3-4-9）。

　また、日本農業遺産は、我が国において重要かつ伝統的な農林水産業を営む地域を農林水産大臣が認定する制度で、令和2（2020）年3月時点で15地域が認定されています（図表3-4-10）。

第3章

279

図表3-4-8　世界農業遺産、日本農業遺産と世界かんがい施設遺産の概要

	世界農業遺産	日本農業遺産	世界かんがい施設遺産
認定対象	世界において重要かつ伝統的な農林水産業システム	日本において重要かつ伝統的な農林水産業システム	建設から100年以上経過した施設であるダム（かんがいが主目的）、ため池等の貯留施設、堰・分水施設、水路等
認定基準等	○食料及び生計の保障 ○農業生物多様性 ○地域の伝統的な知識システム ○文化、価値観及び社会組織 ○ランドスケープ及びシースケープの特徴	○食料及び生計の保障 ○農業生物多様性 ○地域の伝統的な知識システム ○文化、価値観及び社会組織 ○ランドスケープ及びシースケープの特徴 ○変化に対する強靱性 ○多様な主体の参画 ○6次産業化の推進	○認定に当たっては、以下の基準のうち1つ以上を満たすこと ・かんがい農業の画期的な発展、農家の経済状況改善、食料増産への寄与が明確 ・構想、設計、施工、規模等が最先端、卓越的であった ・設計、建設における環境配慮の模範 ・伝統文化または過去の文明の痕跡を有する 等
認定者	国連食糧農業機関（FAO）	農林水産大臣	国際かんがい排水委員会（ICID）
審査組織	【申請承認のための審査】 世界農業遺産等専門家会議（事務局：農林水産省） 【認定のための審査】 世界農業遺産科学助言グループ（事務局：FAO）	世界農業遺産等専門家会議（事務局：農林水産省）	【申請承認のための審査】 ICID日本国内委員会（事務局：農林水産省） 【認定のための審査】 ICID本部
国内認定数	11 （世界で22か国59地域が認定）	15 （うち3は世界農業遺産認定）	39 （世界で15か国91地域が認定）

資料：農林水産省作成
注：1）国内認定数は令和2（2020）年3月時点
　　2）ICIDは78の国と地域が加盟する非営利・非政府国際機関

図表3-4-9　日本における世界農業遺産認定地域

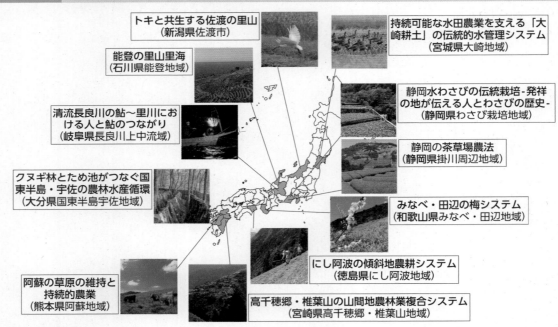

トキと共生する佐渡の里山
（新潟県佐渡市）

能登の里山里海
（石川県能登地域）

持続可能な水田農業を支える「大崎耕土」の伝統的水管理システム
（宮城県大崎地域）

清流長良川の鮎〜里川における人と鮎のつながり
（岐阜県長良川上中流域）

静岡水わさびの伝統栽培-発祥の地が伝える人とわさびの歴史-
（静岡県わさび栽培地域）

静岡の茶草場農法
（静岡県掛川周辺地域）

クヌギ林とため池がつなぐ国東半島・宇佐の農林水産循環
（大分県国東半島宇佐地域）

みなべ・田辺の梅システム
（和歌山県みなべ・田辺地域）

にし阿波の傾斜地農耕システム
（徳島県にし阿波地域）

阿蘇の草原の維持と持続的農業
（熊本県阿蘇地域）

高千穂郷・椎葉山の山間地農林業複合システム
（宮崎県高千穂郷・椎葉山地域）

資料：農林水産省作成
注：1）令和2（2020）年3月時点
　　2）宮城県大崎地域、静岡県わさび栽培地域及び徳島県にし阿波地域は、日本農業遺産にも認定されている。

図表3-4-10　日本農業遺産認定地域

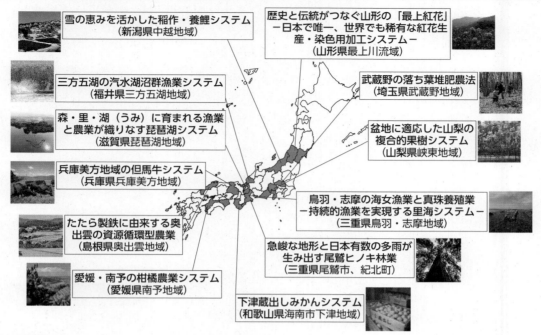

雪の恵みを活かした稲作・養鯉システム
（新潟県中越地域）

歴史と伝統がつなぐ山形の「最上紅花」
－日本で唯一、世界でも稀有な紅花生
産・染色用加工システム－
（山形県最上川流域）

武蔵野の落ち葉堆肥農法
（埼玉県武蔵野地域）

三方五湖の汽水湖沼群漁業システム
（福井県三方五湖地域）

森・里・湖（うみ）に育まれる漁業
と農業が織りなす琵琶湖システム
（滋賀県琵琶湖地域）

盆地に適応した山梨の
複合的果樹システム
（山梨県峡東地域）

兵庫美方地域の但馬牛システム
（兵庫県兵庫美方地域）

鳥羽・志摩の海女漁業と真珠養殖業
－持続的漁業を実現する里海システム－
（三重県鳥羽・志摩地域）

たたら製鉄に由来する奥
出雲の資源循環型農業
（島根県奥出雲地域）

急峻な地形と日本有数の多雨が
生み出す尾鷲ヒノキ林業
（三重県尾鷲市、紀北町）

愛媛・南予の柑橘農業システム
（愛媛県南予地域）

下津蔵出しみかんシステム
（和歌山県海南市下津地域）

資料：農林水産省作成
　注：世界農業遺産にも認定されている宮城県大崎地域、静岡県わさび栽培地域及び徳島県にし阿波地域を除く。

　さらに、世界かんがい施設遺産は、歴史的・社会的・技術的価値を有し、かんがい農業の画期的な発展や食料増産に貢献してきたかんがい施設を国際かんがい排水委員会（ICID）が認定する制度です。令和2（2020）年3月時点で、世界で15か国91施設が認定されており、そのうち我が国における認定施設は39施設に上ります。

第3章

菊池のかんがい用水群が世界かんがい施設遺産に認定（熊本県）

　令和元（2019）年９月、十石堀（茨城県）、見沼代用水（埼玉県）、倉安川・百間川かんがい排水施設群（岡山県）、菊池のかんがい用水群（熊本県）の４施設が新たに世界かんがい施設遺産として認定されました。

　このうち、菊池のかんがい用水群は、1615年の「築地井手」の建造に始まり、４つの井手や隧道から構成される菊池川を水源とした施設群です。これらの施設は水田開発や山間部における飲料水の安定的な確保を可能とし、地域住民による適切な維持管理により数百年経った今も機能を低下させることなく約615haの水田を潤しています。現在では、井手を下る「イデベンチャー」や宝永隧道内の小学生向け見学会等の施設を活用した地域活性化の取組も展開されています。

　また、令和３（2021）年に熊本市で開催される予定のアジア・太平洋水サミットでは、世界かんがい施設遺産をテーマとしたシンポジウムや熊本県内の４つの世界かんがい施設遺産を舞台とした体験型視察が実施される予定です。これを契機に、熊本県内のかんがい施設の重要性が広く国内外に情報発信されることが期待されます。

「菊池川全図」
資料：菊池市土地改良区

井手下り「イデベンチャー」
資料：菊池市土地改良区

　認定された農業遺産やかんがい施設遺産を将来にわたって継承していくためには、これらを地域資源として活用し、地域の活性化と多面的機能に関する国民の理解の促進につなげていくことが重要です。このため、各認定地域や認定施設では、認定を契機とした農産物のブランド化や観光客の増加、教育活動等に積極的に取り組んでいます（図表3-4-11）。

　農林水産省では、認定地域や認定施設における取組の効果をより大きくするため、地域や施設で構成する全国ネットワーク等を活用した地域活性化等の更なる展開に取り組むとともに、首都圏の電車内や駅構内における動画の紹介、イベントの開催・出展、SNSを活用した情報発信等を通じて、制度に対する国民の理解と認知度の向上に取り組んでいます。

図表3-4-11 世界農業遺産の認定を契機としたブランド化の取組

静岡県掛川周辺地域 緑茶ポップコーン
資料：菊川市

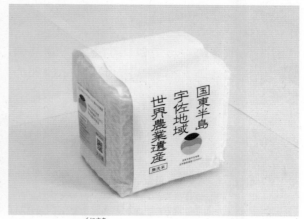

大分県国東半島宇佐地域 ブランド認証米
資料：国東半島宇佐地域世界農業遺産推進協議会

事例 ラグビーワールドカップ開催期間の成田空港での情報発信（石川県）

　石川県能登地域では、ラグビーワールドカップで来日した外国人旅行者に、世界農業遺産に認定された「能登の里山里海」の魅力を知ってもらうため、令和元（2019）年9月17日から21日までの間、成田空港において、地域工芸品の制作体験や、農泊施設等旅行先の紹介を行いました。

　訪日外国人旅行者からは「ラグビー観戦で来日したが、滞在期間中にレンタカーで能登に行ってみたい」、「景観が良く、日本酒も飲んでみたい」と好意的な声が聞かれました。

能登4市5町*

石川県　富山県

＊能登4市5町は
七尾市、輪島市、
珠洲市、羽咋市、
志賀町、宝達志
水町、中能登町、
穴水町、能登町

外国人観光客に世界農業遺産を
紹介
資料：「能登の里山里海」世界農業遺産
活用実行委員会

第5節　鳥獣被害とジビエ

　野生鳥獣をめぐっては、生息数の増加等により深刻な農作物被害が全国的に発生しており、また、車両との衝突事故や住宅地への侵入等の被害も問題となっています。一方で、捕獲した有害鳥獣をジビエ[1]として利用していくことで農山村における所得向上等が期待されており、マイナスの存在であった有害鳥獣をプラスの存在に変えていく取組が進められています。

（1）鳥獣被害の現状と対策

（野生鳥獣による農作物被害額は158億円）

　平成30（2018）年度の野生鳥獣による農作物被害額は158億円で、多いものから、シカ、イノシシ、鳥類、サルによるものとなっています（図表3-5-1）。また、その推移を見ると、被害防止対策の推進等により、年々減少傾向が続いています。しかしながら、野生鳥獣による被害は営農意欲の減退をもたらし、耕作放棄や離農の要因になることから、数字として表れる以上に農山村に深刻な影響を及ぼしています。

（ICTを利用した「スマート捕獲」の展開）

　野生鳥獣による被害防止のため、鳥獣被害防止特措法[2]に基づき、平成31（2019）年4月末時点で1,489市町村が鳥獣被害防止計画を策定しています。そのうち1,198市町村が鳥獣被害対策実施隊[3]を設置しており、各市町村において様々な対策が行われています（図表3-5-2）。

　このような中、近年では、ICT[4]を利用した「スマート捕獲」が注目されています。例えば、わなにカメラを取り付け、その映像をパソコンやスマートフォンで確認することにより、わなの見回り労力の軽減につなげています。また、わなに取り付けたセンサーによって頭数や獣種を判別することにより、狙った獲物だけを捕獲することが可能となります。これにより、1頭よりも複数頭を、幼獣よりも成獣を捕獲することができるようになることから、作業効率が向上しています。

図表3-5-1　野生鳥獣による農作物被害額

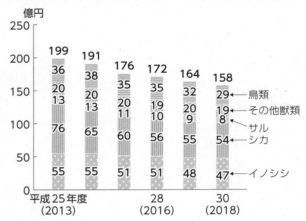

資料：農林水産省作成

図表3-5-2　鳥獣被害防止計画の策定と鳥獣被害対策実施隊の設置の状況

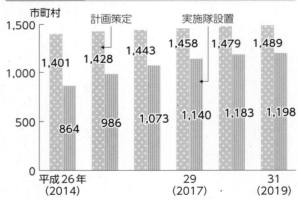

資料：農林水産省作成
注：各年4月末時点

1　フランス語で野生鳥獣肉のこと
2　正式名称は「鳥獣による農林水産業等に係る被害の防止のための特別措置に関する法律」
3　市町村長が任命または指名した隊員で構成され、鳥獣被害防止計画に基づく捕獲、防護柵の設置等の実践的活動を実施する組織
4　用語の解説3（2）を参照

シカとイノシシの捕獲頭数は平成20（2008）年度からの10年間で2倍に増加しており、特に被害防止等を目的とした市町村長等の許可に基づく捕獲が増えています（図表3-5-3）。継続的な対策により、全体として被害金額は減少傾向にあるものの、被害金額を地域別に見ると、鳥獣の生息域の拡大や地域における対策の取組状況等により、被害が増加している地域もあることから、引き続き、地域の実情に合わせた対策が必要となっています（図表3-5-4）。

図表3-5-3　シカ、イノシシの捕獲頭数

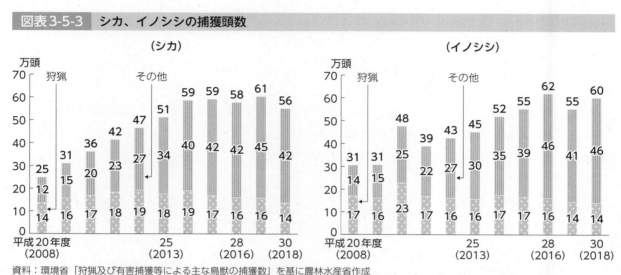

資料：環境省「狩猟及び有害捕獲等による主な鳥獣の捕獲数」を基に農林水産省作成
注：1）「その他」は、環境大臣、都道府県知事、市町村長による鳥獣捕獲許可の中の「被害防止」、「第二種特定鳥獣管理計画に基づく鳥獣の数の調整」、「指定管理鳥獣捕獲等事業」
　　2）平成30（2018）年度は速報値

図表3-5-4　野生鳥獣による地域別農作物被害金額

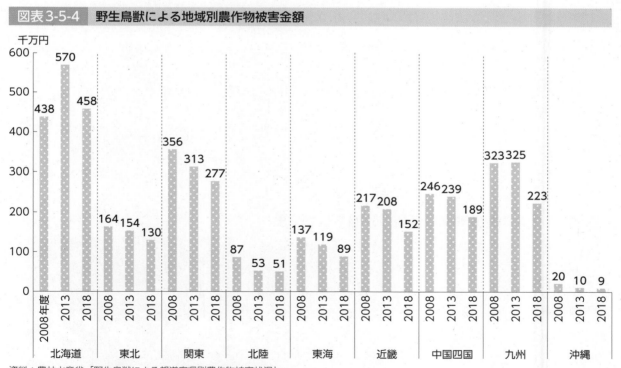

資料：農林水産省「野生鳥獣による都道府県別農作物被害状況」
注：都道府県の報告による（都道府県は、市町村からの報告を基に把握を行っている。）。

（2）消費の広がるジビエ

（ジビエ利用量は前年度から15.8％増加）

　捕獲した有害鳥獣を地域資源と捉え、ジビエとして有効活用することで、農山村の所得が増加するとともに、捕獲意欲が向上し、農作物被害や生活環境被害の低減につながることが期待できます。

　平成30（2018）年度に食肉処理施設において処理された野生鳥獣のジビエ利用量は、前年度に比べ15.8％増加の1,887 t となりました（図表3-5-5）。

　一方で、ジビエ利用率[1]は、年々増加傾向にあるものの、平成30（2018）年度はシカで13％、イノシシで6％となっており、依然として低い水準にとどまっています（図表3-5-6）。

　また、野生イノシシのCSF[2]感染が確認されている地域ではジビエ利用ができなくなっていることにより、食肉処理施設への影響も生じているため、シカの利用への転換等の対策を進めるほか、野生イノシシにおける感染拡大防止の取組を進めています。

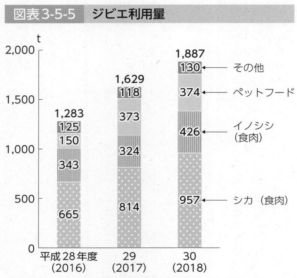

図表3-5-5　ジビエ利用量

資料：農林水産省「野生鳥獣資源利用実態調査」
注：「その他」は、シカ・イノシシ以外の鳥獣の食肉、自家消費向け等

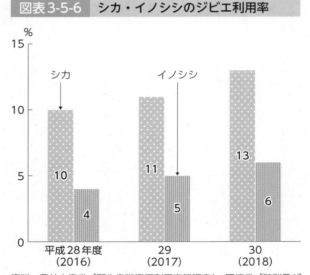

図表3-5-6　シカ・イノシシのジビエ利用率

資料：農林水産省「野生鳥獣資源利用実態調査」、環境省「狩猟及び有害捕獲等による主な鳥獣の捕獲数」を基に農林水産省作成
注：捕獲数は、平成30（2018）年度は令和元（2019）年10月時点の速報値（環境省調査）

（処理加工体制の整備や関係者間の情報共有が重要）

　ジビエ利用量を増加させるためには、食肉処理施設の増設による受入れや処理加工能力の拡大のほか、車内で一次処理を行うことができ、遠方でも肉質を落とさずに搬入できるジビエカーの導入、捕獲・搬送段階で適切な衛生処理ができる捕獲者の育成等が重要です。また、未利用部位の活用や、ペットフード等の食肉用途以外の活用の推進等によって、新たな需要が生まれることや処分コストが

ジビエ利用拡大フォーラムの様子

1　捕獲頭数全体に占める、ジビエ利用のために食肉処理施設で処理された野生鳥獣頭数の割合（シカ、イノシシ）
2　用語の解説3（2）を参照

低減されることが期待されています。

　また、ジビエは畜産物とは異なり、供給量や品質が安定しないことから、需要者が希望するロットを確保できない場合もあるなど、その不安定さが流通の阻害要因となることがあります。このため、捕獲、受入れ、処理加工、販売の各段階の情報を関係者が共有できるシステムを構築することにより、円滑な流通の実現を図る必要があります。例えば、長野県長野市の長野市ジビエ加工センターでは、ICTを活用し、識別番号による個体管理を行うシステムによって、受入れ、処理加工、販売までのトレーサビリティの確保と在庫管理を実現しています。

　農林水産省では、ジビエ利用を更に拡大させるため、令和元（2019）年10月にジビエ利用拡大フォーラム及びジビエペットフードシンポジウムを開催し、ジビエ利用モデル地区における我が国の先導的モデルや、ジビエのペットフード利用に取り組む事業者等の優良事例を行政機関や食肉処理施設、ペットフード業界等の関係者に広く紹介しました。

（消費者の安心確保に向けた国産ジビエ認証制度の運用）

　ジビエの安全性の向上と透明性の確保を通じて、ジビエに対する消費者の安心と信頼を確保するため、農林水産省は平成30（2018）年5月に、国産ジビエ認証制度を開始しました。

　同制度は、厚生労働省が定める「野生鳥獣肉の衛生管理に関する指針（ガイドライン）」に基づく衛生管理の遵守や、流通のための規格・表示の

ジビエ認証マークとジビエ商品（イノシシ）
資料：京丹波自然工房

統一を図る食肉処理施設を認証するもので、認証された食肉処理施設は、生産したジビエ製品等に認証マークを表示して安全性をアピールすることができます。令和元（2019）年度末時点では、14施設が認証を取得しており、更なる拡大が期待されます。

（需要拡大に向けてジビエプロモーションを展開）

　シカ肉は低カロリーかつ高栄養価の食材として注目されており、アスリート食としての消費の拡大も期待されています。

　農林水産省は、ジビエの全国的な需要拡大に向けたプロモーションとして、ジビエを提供している飲食店やイベント情報、国内消費者やインバウンド向け動画等の様々な情報をWebサイト「ジビエト」で紹介しています（図表3-5-7）。

　また、消費者がジビエ料理を食べる機会を創出するため、前年度に引き続き、令和元（2019）年度も、全国の飲食店等でジビエメニューを提供する全国ジビエフェアを実施しました（図表3-5-8）。

第3章

図表3-5-7	ジビエ需要拡大のプロモーション動画の例

資料：株式会社テレビ東京コミュニケーションズ

図表3-5-8	全国ジビエフェアで提供されたジビエ料理の例

鹿肉バーガー
資料：株式会社ロッテリア

鹿肉のロースト
資料：株式会社レインズインターナショナル

事例　ジビエを地域の特産品に（石川県）

　捕獲したイノシシを処分するだけではなく、収入につなげられないかとの思いから、石川県羽咋市（はくいし）では、平成27（2015）年に食肉処理施設を整備し、捕獲したイノシシを地域資源として活用する「のとしし大作戦」を開始しました。平成29（2017）年には合同会社のとしし団（だん）を設立し、ジビエの本格的な生産が始まりました。

　ジビエを地域の特産品にするという目標の下、精力的な営業により、地域の飲食店やスーパーといった通年の出荷先を確保しているほか、同社によるぼたん鍋用の精肉はふるさと納税返礼品として登録され、好評を博しています。このような活動が評価され、平成30（2018）年度には「ディスカバー農山漁村（むら）の宝」のジビエグルメ賞を受賞しました。

「ディスカバー農山漁村（むら）の宝」で「ジビエグルメ賞」を受賞

野生鳥獣の全頭搬入を目指して（鳥取県）

鳥取県若桜町の食肉処理施設わかさ29工房は、地域で捕獲された野生鳥獣の全頭搬入を目指しており、捕獲者の研修や山中への保冷車での集荷に取り組んでいます。全国の食肉処理施設の9割では、シカの年間処理頭数が500頭以下にとどまっていますが、平成30（2018）年度には、同施設では約2,300頭の処理を実現しています。

また、鳥取県内のジビエの食肉処理施設として、平成29（2017）年6月には、初めて鳥取県HACCP*適合施設の認定を受け、令和元（2019）年7月には国産ジビエ認証を受けるなど、施設の衛生管理の高度化を図っています。さらに、新たにジビエに取り組む食肉処理施設担当者に対し、解体処理の研修を実施するなど、食肉処理施設をけん引する存在として期待されています。

解体処理の研修の様子
資料：鳥取県若桜町

＊鳥取県食品衛生条例に基づくHACCPによる工程管理を行う施設、食品を認定する制度。HACCPは用語の解説3（2）を参照

第3章

289

再生可能エネルギーの活用

　太陽光、水力、バイオマス[1]、風力等の再生可能エネルギーは、永続的な利用が可能であるとともに、発電時や熱利用時に地球温暖化の原因となる温室効果ガス[2]の排出を削減するという優れた特徴を有し、我が国の農山漁村に豊富に存在しています。地域に新たな収益や雇用をもたらし、農山漁村の活性化につなげるためにも、このような再生可能エネルギーを最大限に活用していくことが必要です。

（再生可能エネルギー発電量の割合は16.9%に上昇）

　エネルギー基本計画[3]を踏まえた長期エネルギー需給見通し[4]では、総発電電力量に占める再生可能エネルギーの割合を令和12（2030）年度までに22から24%にする目標が示されており、平成30（2018）年度は前年度から0.9ポイント上昇の16.9%となりました（図表3-6-1）。また、その内訳を見ると、水力発電が810億kWh、太陽光発電が627億kWh、バイオマス発電が236億kWh、風力・地熱発電が100億kWhとなっています。

図表3-6-1　再生可能エネルギー発電の発電電力量と総発電電力量に占める割合

資料：経済産業省資源エネルギー庁「総合エネルギー統計」を基に農林水産省作成

（農山漁村再生可能エネルギー法に基づく基本計画を策定した市町村は61に増加）

　再生可能エネルギーの活用に当たっては、農山漁村が持つ食料供給機能や国土保全機能の発揮に支障を来さないよう、農林地等の利用調整を適切に行うとともに、地域の農林漁業の健全な発展につながる取組とすることが必要です。このため、農林水産省では、農山漁村再生可能エネルギー法[5]に基づき、市町村、発電事業者、農業者等の地域の関係者が主体となって協議会を設立し、地域主導で再生可能エネルギー導入に取り組むことを促進

1、2　用語の解説3（1）を参照
3　エネルギーの需給に関する施策の長期的、総合的かつ計画的な推進を図るため、エネルギー政策基本法に基づいて策定された計画
4　エネルギー基本計画を踏まえた政策の基本的な方向性に基づいて施策を講じたときに実現されるであろう将来のエネルギー需給構造の見通し。平成27（2015）年7月経済産業省策定
5　正式名称は「農林漁業の健全な発展と調和のとれた再生可能エネルギー電気の発電の促進に関する法律」

しています。

　平成30（2018）年度末時点で、同法に基づく基本計画を作成し、再生可能エネルギーの導入に取り組む市町村は、前年度に比べ14市町村増加の61市町村、発電設備の整備や発電事業を実施している地区は12地区増加の67地区となりました。67地区の内訳を見ると、バイオマス発電を行っている地区が27地区、太陽光発電を行っている地区が24地区、風力発電を行っている地区が15地区となっています。

（農業水利施設を活用した発電により農業者の負担軽減を推進）

　農業水利施設[1]の敷地等を活用した太陽光発電施設、風力発電施設、農業用ダムや水路を活用した小水力発電施設については、農業農村整備事業等により国、地方公共団体、土地改良区が実施主体となって整備を進めています。平成30（2018）年度末時点で、太陽光発電施設は117施設、風力発電施設は4施設、小水力発電施設は135施設が整備されています。これらの発電により得られた電気を自らの農業水利施設で利用することで、施設の稼働に要する電気代が節約でき、農業者の負担軽減につながっています。

（営農型太陽光発電の導入が進展）

　農地に支柱を立て上部空間に太陽光発電施設を設置し、営農を継続しながら発電を行う営農型太陽光発電の取組は年々増加しています。平成30（2018）年5月には促進策[2]を定め、更なる推進に努めています（図表3-6-2）。

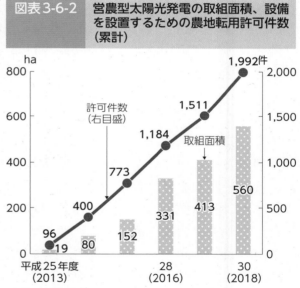

図表3-6-2　営農型太陽光発電の取組面積、設備を設置するための農地転用許可件数（累計）

資料：農林水産省作成
注：取組面積は、営農型太陽光発電設備の下部での営農面積

1　用語の解説3（1）を参照
2　下部農地で担い手が営農する場合や荒廃農地を活用する場合等の一時転用許可期間を、3年以内から10年以内に延長

事例　営農型太陽光発電の取組により電気代を削減（宮城県）

　宮城県気仙沼市でトマトを栽培している株式会社サンフレッシュ小泉農園では、ハウス内の暖房のために使用する重油や電気に掛かる経費の高騰が課題となっていたことから、ハウス脇の未利用農地でばれいしょの栽培を行い、その上部に太陽光パネルを設置することで、営農型太陽光発電の取組を始めました。

　本取組で得られた電気はハウス内の暖房に利用されており、年間600万円ほどの電気代削減につながっています。

電気代の削減が可能な
営農型太陽光発電設備

（農山漁村再生可能エネルギー法に基づく基本方針を見直し）

　農山漁村再生可能エネルギー法が施行後5年となることから、農林水産省は、同法の附則に基づき、令和元（2019）年7月に「農林漁業の健全な発展と調和のとれた再生可能エネルギー電気の発電の促進による農山漁村の活性化に関する基本的な方針」の見直しを行いました。

　新たな方針では、SDGs[1]やパリ協定といった国際的な状況や、平成30（2018）年に自然災害が多発したことを踏まえ、非常時に備えた農林漁業、食料産業や農山漁村におけるエネルギー源の多層化の手段として、分散型エネルギーシステムの構築が重要としています。また、営農型太陽光発電や木質バイオマス発電とそれに伴って発生する熱の利用等の農山漁村固有の資源を活用した再生可能エネルギーの導入を促進することとしています。さらに、農林水産省を始めとした関係府省は、農山漁村等の地域に合わせたエネルギーマネジメントシステム（VEMS）等、地域経済循環につながる地産地消[2]モデルの普及を進めることとしています（図表3-6-3）。あわせて、これまでの地区数による目標設定を経済規模による目標設定に改め、再生可能エネルギー発電を利用して地域の農林漁業の発展を図る取組を行う地区の再生可能エネルギー電気・熱に係る収入等の経済規模を令和5（2023）年度において、600億円にすることを目指していくこととしています。

1　用語の解説3（2）を参照
2　用語の解説3（1）を参照

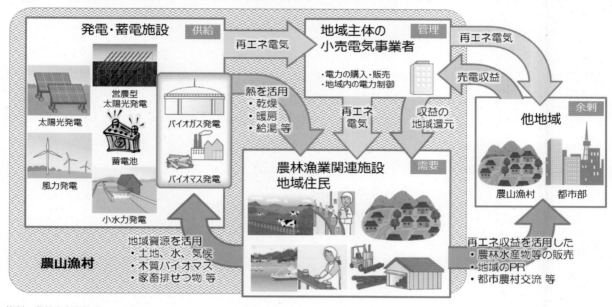

資料：農林水産省作成

事例　エネルギーと食料の地産地消による資源循環のまちづくり（福岡県）

　福岡県みやま市では、廃棄物を資源として活用することで、地域でエネルギーを作り出し、地域で消費するという、地産地消型の資源循環のまちづくりを進めています。

　平成30（2018）年に稼働を開始した同市のバイオマスセンター「ルフラン」では、家庭や食品工場等から排出された生ごみやし尿、汚泥等をメタン発酵させ、得られた電力や熱を施設内で活用する取組を行っています。また、発酵の際に残る消化液を液肥として地域の水稲、麦、菜種等の栽培に利用し、液肥で育てた農産物を道の駅等で販売することで、資源循環のわができています。さらに、施設の敷地内にある廃校となった小学校を活用し、カフェや食品加工施設、シェアオフィスを運営することで市民の集まる場を提供しています。

　これらの取組は地域における先進的な事例として注目を集めており、今後全国に波及していくことが期待されています。

みやま市バイオマスセンター
「ルフラン」
資料：みやま市

（バイオマス産業都市に7市町村を追加）

　地域に存在するバイオマスを活用して、地域が主体となった事業を創出し、農林漁業の振興や地域への利益還元による活性化につなげていくため、関係府省が連携して、地方公共団体等による計画策定や施設整備等の取組を支援しています。

　また、関係府省は、経済性が確保された一貫システムの下、地域の特色を活かしたバイオマス産業を軸に、環境にやさしく災害に強いまち・むらづくりを目指す地域をバイオマス産業都市として選定しています。令和元（2019）年度は7市町村が選定され、バイオ

293

マス産業都市は全国で90市町村となりました。

（新たなバイオマス利用技術の開発が期待）

バイオマスを活用するためには、熱、ガス、燃料、化学品等に変換し、利用する技術が必要です。このようなバイオマス利用技術については、平成24（2012）年に関係府省で構成されるバイオマス活用推進会議で決定された「バイオマス利用技術の現状とロードマップについて」の中で、その到達レベルを整理しています。令和元（2019）年5月にはロードマップの見直しが行われ、7件の技術が新たに追加され、31件の技術が更新又は見直しとなりました。本ロードマップに掲載された技術について、産学官における更なる研究の推進、早期の実用化が期待されています。

事例　**亜臨界水処理技術を利用し木質バイオマスから飼料を製造（北海道）**

北海道北見市の株式会社エース・クリーンは、新たなバイオマス利用技術の一つである亜臨界水処理技術を利用し、地域の林業者から有償で仕入れたシラカバ等の残材から、肉用牛向けの粗飼料である木質蒸煮飼料を製造・販売しています。

亜臨界水処理技術とは、高温・高圧に保たれた容器内で撹拌処理することで、有機物を効率的に分解する技術です。一般的に木質バイオマスは、電気や熱を生み出すための燃料として利用されますが、この場合、原料の含水率が歩留まりに大きく影響します。一方で、本技術は、原料の含水率にかかわらず、画一的に処理することが可能であることから、残材のような含水率にばらつきの大きい原料であっても効率的に利用することができます。

亜臨界水反応装置
資料：株式会社エース・クリーン

今後同社では、本技術を用いて地域に豊富に賦存する未利用資源を有効活用し、食料の供給と林業の活性化、環境保全等、複数の視点から有益なビジネスモデルを確立することを目指しています。

（畜産バイオマスの地産地消を推進）

家畜排せつ物をエネルギー利用する取組は、家畜排せつ物処理の円滑化や高度利用を通じて、酪農・畜産における収益力強化につながることが期待されます。このため、畜産バイオマス地産地消緊急対策事業において、バイオガスプラント導入等の支援により、エネルギーの地産地消の実現や、副産物を肥料等として複合的に利用する新たな経営モデルの確立を推進しています。

都市農業は、都市に近接した立地条件を活かした新鮮な農産物の供給、農業体験・学習の場の提供、災害時の防災空間の確保、国土・環境の保全等、多様な役割を有しています。意欲ある農業者等による農業経営の拡大や市民農園の開設等による都市農地の有効活用を促すことで、その振興を図っていくことが重要です。

（多様な機能を有する都市農業）

都市農業は、都市という消費地に近接しており、その特徴を活かした新鮮な農産物の供給はもとより、農業体験・学習の場や災害時の避難場所の提供、住民生活への安らぎの提供等の多様な機能を有しています。

都市農業が主に行われている市街化区域内の農地は、我が国の農地全体の2％と割合は極めて低いものの、都市農家の戸数と販売金額はそれぞれ全体の11％と8％を占めています[1]。

また、近年、緑地として良好な生活環境を提供する機能や、東日本大震災を契機とした防災の観点等から、都市農業に対する都市住民の評価が高まっています。このような背景から、平成27（2015）年4月に都市農業振興基本法が施行され、同法に基づき策定された都市農業振興基本計画において、都市農地の位置付けが「宅地化すべきもの」から「都市にあるべきもの」へと転換されました。農林水産省の調査によると、都市農業・都市農地を残していくべきと回答した都市住民は7割を占めています（図表3-7-1）。

（都市農地における貸借が進展）

生産緑地制度は、良好な都市環境の形成を図るため、市街化区域内の農地の計画的な保全を図るものです。生産緑地地区内の農地の所有者は税制上の軽減措置を受けることができる一方、自らによる耕作が要件とされていました。市街化区域内の農地面積が一貫して減少する中、生産緑地地区の面積はほぼ横ばいで推移しています（図表3-7-2）。

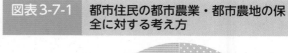

図表3-7-1　都市住民の都市農業・都市農地の保全に対する考え方

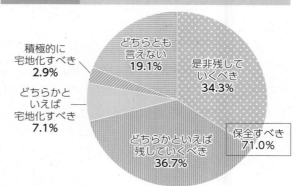

資料：農林水産省「都市農業に関する意向調査」
注：1）令和元（2019）年5月調査
　　2）三大都市圏特定市の住民を対象に実施したWebアンケート調査
　　3）回答数は2,000人

図表3-7-2　市街化区域内農地面積

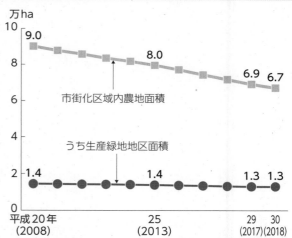

資料：総務省「固定資産の価格等の概要調書」、国土交通省「都市計画現況調査」を基に農林水産省作成

1　農林水産省「平成27年農林業センサス」、総務省「平成29年固定資産の価格等の概要調書」等を基に農林水産省作成

　しかしながら、農業者の減少や高齢化が進行する中、都市に存在する農地についても、所有者自らによる営農が困難な状況も生じてきています。このため、平成30（2018）年9月に施行された「都市農地の貸借の円滑化に関する法律」では、都市農地（以下「生産緑地地区内の農地」をいう。）の所有者自らが営農を続ける代わりに、意欲ある農業者等へ農地の貸付けが安心して行えるようになりました。また、これまでは企業やNPO[1]等が都市農地において市民農園の開設を希望する場合には、地方公共団体等を経由して農地を借り受ける必要がありましたが、同法により都市農地所有者から直接農地を借り受けることができるようになりました。

　平成30（2018）年度末時点で、これらの制度の活用状況を見ると、貸借による耕作の事業に関する計画については、4都府県で計22件、4万9千m^{2}の農地について認定が、市民農園開設については、7都府県で計20件、3万3千m^{2}の農地について承認が行われています[2]。

　また、生産緑地は生産緑地地区の指定から30年を経過すると市町村に買取り申出ができることとされています。令和4（2022）年には全国で指定された生産緑地地区の8割が指定後30年を迎えますが、引き続き都市における農地を保全するため、平成30（2018）年4月に生産緑地法が改正され、買取りの申出期間を10年延長できる特定生産緑地制度が創設されました。

　これらの法制度の創設により、税制上の軽減措置を維持しつつ、営農や農地の活用が可能となることから、国と地方公共団体では、都市農地所有者に対し制度の認知向上を図るための説明会等を行っています。

住宅街での田植えの風景（東京都町田市）
資料：東京都農業協同組合中央会

1　用語の解説3（2）を参照
2　農林水産省調べ

　近年、農業分野と福祉分野が連携して、障害者や生活困窮者、高齢者等の農業分野への雇用・就労を促進する農福連携の取組が各地で盛んになっています。農福連携は、障害者等の自信や生きがいを創出するとともに、農業分野においても働き手の確保のみならず、生産の効率化や高品質な農産物生産につながる効果が期待される、両分野にとって利点のある取組です（図表3-8-1）。

（農福連携は農業者の収益性向上や障害者の工賃向上に効果）

　農福連携により、障害者等の農業分野への雇用・就労を通じて、障害者等の活躍の場が拡大し、農産物の付加価値の向上、障害者等の自立支援にもつながります。

　一般社団法人日本基金の調査によれば、障害者を受け入れた農業者の78％は5年前と比較して年間売上額が上がったと回答しています（図表3-8-2）。また、障害者が人材として貴重な戦力となっていること、営業等に充てる時間の増加、作業の見直しによる効率向上といった副次的な効果があると回答しています（図表3-8-3）。

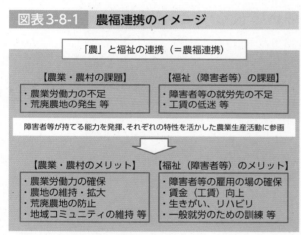

図表3-8-1　農福連携のイメージ

資料：農林水産省作成

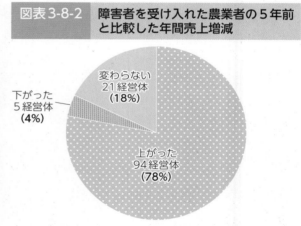

図表3-8-2　障害者を受け入れた農業者の5年前と比較した年間売上増減

資料：一般社団法人日本基金「平成30年度農福連携の効果と課題に関する調査結果」を基に農林水産省作成
注：1）障害者を雇用または福祉事業所等に農作業を委託している350農家等を対象
　　2）回答数は120経営体

第3章

297

図表3-8-3　障害者を受け入れることによる効果

（単位：人、％）

障害者を受け入れることによる効果	回答者数	回答者に占める割合
人材として貴重な戦力	83	76
農作業の労働力確保によって営業等の時間が増えた	62	57
作業の見直しによる効率向上	46	42
経営規模の拡大	30	28
適期作業による品質の向上	27	25
人員の確保が容易になった	24	22
新たな農作物の栽培にチャレンジできるように	20	18
組織体制の見直しによる組織力向上	19	17
継続して農業を行っていく動機になった	19	17
従業員の士気向上	17	16
新たな販路開拓等につながった	12	11
人手の増加による作物の病気の早期発見、鳥獣害被害の防止	7	6
防除回数、防除にかかる経費の削減	6	6
その他	12	11

資料：一般社団法人日本基金「平成30年度農福連携の効果と課題に関する調査結果」を基に農林水産省作成
注：1）平成30（2018）年11月に、障害者を雇用または福祉事業所等に農作業を委託している350農家等を対象に実施
　　2）回答数は109経営体

　また、農業に取り組んだ福祉事業所の89％は農業への取組によるプラスの効果があったと回答し、58％が農産物（加工品）の年間売上高が5年前と比較して上がったと回答しています（図表3-8-4、図表3-8-5）。また、79％が体力がついた、62％が表情が明るくなったと回答しており、精神面、身体面への効果もうかがえます。さらに、過去5年間の障害者の賃金・工賃についても、「増えてきている」と回答している事業所が全体の7割以上を占めていることから、農業に参入することが障害者の工賃向上の一助になっていることがうかがえます（図表3-8-6）。

　このように、働き手の不足に悩む農業者側と、安定した雇用の場や、それに伴う賃金や生活の質の向上を求める障害者側のニーズが一致し、農業生産・農業経営の効率化が可能となり、収益の向上につながっていると言えます。

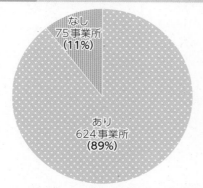

図表3-8-4　農業に取り組んだ福祉事業所の農業への取組によるプラスの効果

なし
75事業所
（11%）

あり
624事業所
（89%）

資料：一般社団法人日本基金「平成30年度農福連携の効果と課題に
　　　関する調査結果」を基に農林水産省作成
　注：1）平成30（2018）年11月に、農福連携に取り組んでいる
　　　　全国の1,911事業所を対象
　　　2）回答数は699事業所

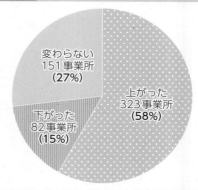

図表3-8-5　農業に取り組んだ福祉事業所の5年前と比較した年間売上増減

変わらない
151事業所
（27%）

上がった
323事業所
（58%）

下がった
82事業所
（15%）

資料：一般社団法人日本基金「平成30年度農福連携の効果と課題に
　　　関する調査結果」を基に農林水産省作成
　注：1）平成30（2018）年11月に、事業者自ら農業に取り組む
　　　　606の福祉事業所等を対象
　　　2）回答数は556事業所

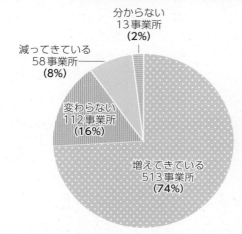

図表3-8-6　過去5年間の障害者の賃金・工賃増減

分からない
13事業所
（2%）

減ってきている
58事業所
（8%）

変わらない
112事業所
（16%）

増えてきている
513事業所
（74%）

資料：一般社団法人日本基金「平成30年度農福連携の効果と課題に
　　　関する調査結果」を基に農林水産省作成
　注：1）平成30（2018）年11月に、農福連携に取り組んでいる
　　　　全国の1,911事業所を対象
　　　2）回答数は696事業所

（障害者とのコミュニケーションや作業時間の調整に課題）

　一方で、障害者を雇用している農業者のうち、63%が障害者とのコミュニケーションに課題があると回答していますが、その課題に対して、多くの農業者が、関係者からの情報収集が重要である、日々障害者と接する中で徐々に理解が深まると回答しています（図表3-8-7）。また、農閑期は作業が少なく、安定的な通年雇用にも課題が見られますが、作業工程の細分化や販売・加工等への事業拡大等によって通年で作業を確保するなどの取組が行われています。

　さらに、福祉事業所に農作業を委託している農業者のうち67%は、農作業の時間と福祉側の時間が合わない、福祉側が急な仕事に対応できないなど、スケジュール調整や人手の確保に関して課題を感じていると回答しており、福祉事業所と直接相談し調整することで課題解決に取り組んでいます（図表3-8-8）。

図表3-8-7	障害者とのコミュニケーションに対する課題の有無

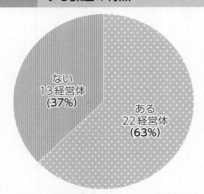

資料：一般社団法人日本基金「平成30年度農福連携の効果と課題に関する調査結果」を基に農林水産省作成
注：1）平成30（2018）年11月に、障害者を直接雇用している48農家等を対象
　　2）回答数は35経営体

図表3-8-8	スケジュール調整、人手の確保に関する課題の有無

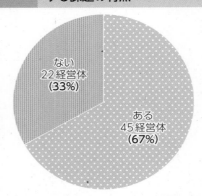

資料：一般社団法人日本基金「平成30年度農福連携の効果と課題に関する調査結果」を基に農林水産省作成
注：1）平成30（2018）年11月に、福祉事業所等に農作業を委託している80農家等を対象
　　2）回答数は67経営体

（農福連携に取り組む農業者には拡大の意向あり）

　このような課題はあるものの、全体として効果が大きいことから、障害者を雇用している農業者の59%が雇用を拡大したいという意向を持っており、また、福祉事業所に農作業を委託している農業者の63%が委託を拡大したいという意向を持っています（図表3-8-9、図表3-8-10）。

図表3-8-9	障害者の雇用に対する今後の意向

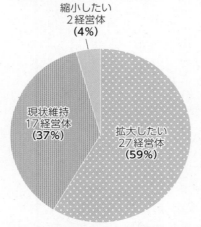

資料：一般社団法人日本基金「平成30年度農福連携の効果と課題に関する調査結果」を基に農林水産省作成
注：1）平成30（2018）年11月に、障害者を直接雇用している48農家等を対象
　　2）回答数は46経営体

図表3-8-10	福祉事業所への委託に対する今後の意向

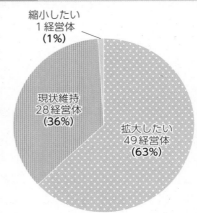

資料：一般社団法人日本基金「平成30年度農福連携の効果と課題に関する調査結果」を基に農林水産省作成
注：1）平成30（2018）年11月に、福祉事業所等に農作業を委託している80農家等を対象
　　2）回答数は78経営体

（農福連携等推進ビジョンを決定）

　平成31（2019）年4月、議長を内閣官房長官、副議長を厚生労働大臣、農林水産大臣とし、構成員として、法務省、文部科学省、厚生労働省、農林水産省の関係局長等、また有識者として、先進的に農福連携に取り組まれている方、経済団体、農業団体、歌手グループのTOKIOの城島茂さんも出席する農福連携等推進会議の第1回会議を開催しました。この会議では、農福連携による農山漁村の再生への取組推進について、実効性のある方策を検討しました。

令和元（2019）年6月に開催された第2回会議では、農福連携等推進ビジョンを決定しました。このビジョンでは、農福連携を全国的に広く展開するため、農林水産省を始めとする関係省庁等の連携の下、定量的なデータ収集・解析による農福連携のメリットの客観的な提示、国民全体に訴え掛ける戦略的プロモーション、ワンストップで相談できる窓口体制の整備、農業経営体と障害者就労施設のニーズ

官邸に設置された
農福連携等推進会議

をつなぐマッチングの仕組みの構築、障害者が働きやすい環境の整備と専門人材の育成、各界の関係者が参加するコンソーシアムの設置等の取組を促進することとしています。また、令和6（2024）年度までに農福連携に取り組む主体を新たに3千主体創出することを目標としています。これを踏まえ、経済団体等、幅広い関係者が参加する「農福連携等応援コンソーシアム」が令和2（2020）年3月に設立され、今後、優良事例の表彰、横展開等を推進していく予定です。

（農福連携推進に向けた政府等の取組）

このように、農福連携の取組への関心が高まる中、農林水産省及び厚生労働省 では、平成31（2019）年3月に農業側と福祉側のマッチングをテーマとした農福連携推進フォーラムを開催しました。また、一般社団法人日本農福連携協会は、令和元（2019）年9月、持続可能な共生社会の実現に向けて、多分野の関係者を招き、基調講演、プレゼンテーション、トークセッションを行うノウフクフォーラム2019を開催しました。こうした機会は、農福連携に関心のある農業者や、これから農福連携に取り組みたい事業者にとって、農福連携の現状や課題を知る場となり、農福連携の更なる推進が期待されます。

また、農林水産省では、農山漁村振興交付金の農福連携対策により、障害者等の雇用・就労を目的とした農業用ハウスや加工施設の整備、障害者を受け入れる際に必要となる休憩所や手すり等の安全施設の整備等、農福連携のために必要となる環境整備の取組を支援しています。

さらに、地域活性化に取り組む多様な方々に農福連携の価値を知っていただき、地域の方々がつながる場として農福連携推進ブロックセミナーを全国7か所で開催しました。

コラム　農福連携の推進の鍵となる専門人材

　障害者が農作業を円滑に行うためには、障害者の特性を理解した上で、作業指示を分かりやすく障害者に伝えることが必要です。

　そのため、農業者、福祉事業所の指導員、障害者の間を取り持ち、障害者への分かりやすい指示の方法を農業者に助言するとともに、農業者に代わって障害者に具体的に作業指示を行うことにより、障害者の職場定着を支援する専門人材の育成が重要です。

農業ジョブトレーナー実地研修
資料：三重県

　農林水産省では、令和2（2020）年度からそのような専門人材を農福連携技術支援者と呼び、育成のためのガイドラインを設け、農林水産研修所水戸ほ場等で育成研修を実施することとしています。

　また、農山漁村振興交付金（農福連携対策）により、都道府県による農福連携技術支援者の育成等の取組に対して支援をしています。

　三重県では、一般社団法人と連携し、障害者が農園で働けるよう支援する専門人材を農業ジョブトレーナーと称して、養成研修を実施し、農業者へのトレーナーの派遣等の取組を展開しています。

ノウフクJASの認証

　平成31（2019）年3月に、障害者が主要な生産行程に携わって生産した農林水産物及びこれらを原材料とした加工食品について、その生産方法及び表示の基準を規格化した「ノウフクJAS」が制定されました。

　ノウフクJASは、障害者が携わった食品への信頼性を高め、人や社会・環境に配慮した消費行動を望む購買層に訴求するとともに、「農福連携（ノウフク）」の普及を後押しすることで、農業・福祉双方の課題解決のツールになるものです。

　令和元（2019）年11月1日、登録認証機関（一般社団法人日本基金）により、「ノウフクJAS」第1号として4事業者が認証され、その後、令和2（2020）年3月までに10事業者が認証されました。

ノウフクJAS認証第1号

ノウフクJASマーク

事業者名	府県市町名	事業内容
株式会社ウィズファーム	長野県松川町	りんごやりんごジュース等の生産加工
株式会社ひだまり	長野県松川町	りんごやりんごジュース等の生産加工
山城就労支援事業所「さんさん山城」	京都府京田辺市	お茶やえび芋等の生産加工
特定非営利活動法人すまいる	愛知県春日井市	なすやオクラ等の生産
株式会社いずみエコロジーファーム	大阪府和泉市	こまつなやきゅうり等の生産
株式会社サニーリーフ	滋賀県彦根市	ねぎやレタス等の生産
株式会社CoCoRoファーム	宮崎県西都市	ズッキーニやミニトマト等の生産
はーとふる川内株式会社	徳島県阿波市	トマトの生産
株式会社アグリーンハート	青森県黒石市	水稲、にんにく等の生産
社会福祉法人パステル多機能型事業所 CSWおとめ	栃木県小山市	桑茶や桑うどんの加工

第4章

災害からの復旧・復興と
防災・減災、国土強靱化等

第1節　令和元年度の災害からの復旧・復興

　令和元（2019）年度も自然災害により我が国の農業基盤を揺るがす甚大な被害が発生しました。発生した災害への対応として、令和元年房総半島台風（台風第15号）、令和元年東日本台風（台風第19号）等では、早期に広い範囲で激甚災害に指定されることで、被災農業者等の負担軽減が図られました。また、被災農業者が営農を継続するために必要なきめ細かい支援対策を迅速に決定するとともに、査定前着工制度の活用促進や被災した地方公共団体等への国の技術系職員（MAFF-SAT）の派遣等により、被災地の早期復旧を全力で支援しました。

（1）近年多発する自然災害と農林水産業への被害状況

（農林水産関係の被害額は近年増加傾向）

　近年、日本各地で地震や異常気象に伴う大規模な自然災害が頻発しています。令和元年房総半島台風及び令和元年東日本台風は強い勢力を保ったまま本州に上陸し、農林水産業に甚大な被害をもたらしました（図表4-1-1）。また、1時間降水量80mm以上の「猛烈な雨」の発生回数も近年増加しています（図表4-1-2）。

　これらに伴い、農林水産関係の被害額は近年増加傾向となっています。令和元（2019）年は、全国で4,883億円の被害が発生し、平成30（2018）年に引き続き、東日本大震災（2兆3,841億円）のあった平成23（2011）年を除くと過去10年で最大級の被害額となりました（図表4-1-3）。

図表4-1-1　令和元年房総半島台風と令和元年東日本台風の台風経路図

（令和元年房総半島台風）　　　　　　　　　　　　　（令和元年東日本台風）

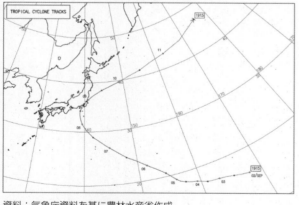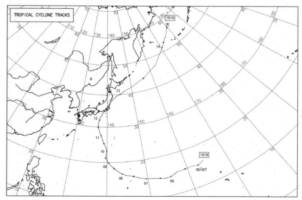

資料：気象庁資料を基に農林水産省作成

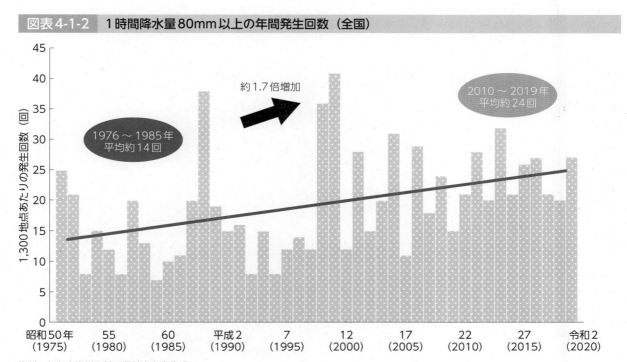

図表4-1-2　1時間降水量80mm以上の年間発生回数（全国）

約1.7倍増加

1976〜1985年
平均約14回

2010〜2019年
平均約24回

資料：気象庁資料を基に農林水産省作成

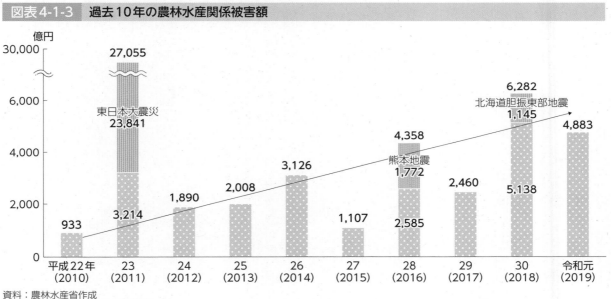

図表4-1-3　過去10年の農林水産関係被害額

億円

東日本大震災
23,841

27,055

北海道胆振東部地震
1,145

6,282

4,358

熊本地震
1,772

3,126

2,008

1,890

933

3,214

2,585

1,107

2,460

5,138

4,883

資料：農林水産省作成
注：令和2（2020）年4月末時点

（2）令和元年度発生災害による農林水産関係の被害状況

　令和元（2019）年度においては、特に、6月下旬からの大雨、8月の前線に伴う大雨、9月の房総半島台風、10月の東日本台風等において、農作物、農林水産関係施設等に大きな被害が生じました（図表4-1-4、図表4-1-5）。

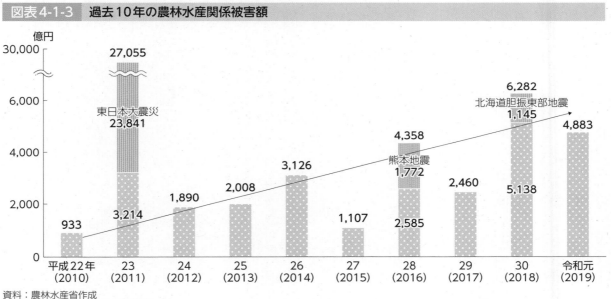

第
4
章

図表4-1-4　令和元（2019）年度の主な自然災害による農林水産関係の被害額

（単位：億円）

	農業関係			林野関係	水産関係	合計
		農作物等	農地・農業用施設関係			
6月下旬からの大雨	66.6	1.8	64.8	25.5	0.6	92.8
8月の前線に伴う大雨	171.3	47.8	123.5	53.2	0.3	224.8
令和元年房総半島台風	764.7	745.3	19.4	31.6	18.4	814.8
令和元年東日本台風等	2,505.6	404.4	2,101.3	806.7	133.8	3,446.2

資料：農林水産省作成
注：6月下旬からの大雨は令和元（2019）年9月20日現在、8月の前線に伴う大雨は令和元（2019）年12月5日現在、令和元年房総半島台風は令和元（2019）年12月5日現在、令和元年東日本台風等は令和2（2020）年4月10日現在

図表4-1-5　令和元（2019）年度の主な自然災害による農林水産関係の被害状況

	時期	地域	主な特徴と被害
6月下旬からの大雨	6月28日から7月5日	北陸・東海・九州地方を中心とした全国各地	・九州南部地方を中心に一部地域では総降水量が1,000mmを超えるなど記録的な大雨 ・各地で法面崩れ等の被害 ・水稲、大豆、農業用ハウスの冠水等の被害
8月の前線に伴う大雨	8月26日から8月29日	九州北部地方	・九州北部地方を中心に一部地域では総降水量が600mmを超えるなど記録的な大雨 ・佐賀の六角川水系の浸水に伴い周辺地域で水稲や大豆等の冠水・水没等の被害 ・鉄工所からの油の流出に伴う農作物等への被害
令和元年房総半島台風	9月9日	千葉県・茨城県	・強い勢力で千葉県に上陸し、瞬間最大風速57メートルという猛烈な風を伴い、9日の未明から朝にかけて千葉県・茨城県を北上 ・農業用ハウスの倒壊、果実の落果、露地野菜、水稲の被害、風倒木等が発生し、被害額は815億円 ・主に千葉県内において、大規模かつ約1か月にも及ぶ長期間の停電が発生し、生乳の廃棄や暑熱による家畜の死亡等、酪農・畜産農家を中心に二次被害も発生
令和元年東日本台風等	10月12日から26日	関東・東北・北陸・東海地方を中心とした全国各地	・大型で強い勢力を保ったまま伊豆半島に上陸し、そのまま関東地方を通過した後、東北地方の東海上へ ・数百キロにも及ぶ広い範囲で暴風雨が吹き、記録的な大雨が関東・東北・北陸・東海地方を中心として各地を襲う ・記録的な大雨により7都県の47河川が氾濫し、66か所において決壊が発生 ・河川決壊に伴う、農地や果樹園への流出土砂の堆積、ほ場等への稲わらの堆積、農業用機械の損壊や果樹・水稲の冠水・水没、収穫物への浸水等の被害が発生し、被害額は2,506億円 ・各地で山腹崩壊等の山地災害が多数発生し、被害額は807億円

資料：農林水産省作成

流出した油が付着した稲（８月の前線に伴う大雨）

浸水したキュウリ（８月の前線に伴う大雨）

被災したガラスハウス（令和元年房総半島台風）

強風のため倒伏した水稲（令和元年房総半島台風）

冠水したりんご（令和元年東日本台風等）

堆積した稲わら（令和元年東日本台風等）

（3）令和元年度発生災害への対応

（迅速な被害把握に向けた人的支援）

　近年、自然災害の多発と被害の甚大化に、被災地方公共団体の深刻な人員不足等もあいまって、迅速な被害の把握や被災地の早期復旧に支障が生じている場合があります。

　このため、農林水産省では、災害発生後に被災地方公共団体等へ速やかにリエゾンを派遣し、迅速な被害の把握に努めています（図表4-1-6）。

　令和元年房総半島台風では、台風上陸の翌日には、国の職員を被災地へ派遣したほか、令和元年東日本台風等では、被災地方公共団体に延べ871人日のリエゾンを派遣しました。

図表4-1-6　被災地方公共団体への人的支援の取組（令和元年東日本台風等）

人的支援

被災地方公共団体に対し、迅速な被害の把握のため、地方農政局及び森林管理局からリエゾン派遣を実施
令和元（2019）年10月12日（台風上陸前）から令和2（2020）年1月21日までの間に、被災地方公共団体の状況に応じて、延べ871名の職員を派遣

10月12日時点 （台風上陸前）	延べ人数	台風上陸	10月13日時点 （台風上陸後）	延べ人数		1月21日時点	延べ人数
都道府県	8名		都道府県	55名		都道府県	489名
区市町村	0名		区市町村	95名		区市町村	382名
計	8名		計	150名		計	871名

資料：農林水産省作成

（プッシュ型による食料支援）

　政府は、8月の前線に伴う大雨、令和元年房総半島台風及び令和元年東日本台風に関し、発災当初から、必要な食料等の物資が避難所等の被災者に速やかに行き届くようにするため、佐賀県、福島県、茨城県、栃木県、埼玉県、千葉県、長野県の7県に対し地域の実情に応じてプッシュ型支援を行いました。

　政府が支援した物資のうち食料及び飲料は、令和元年房総半島台風では、食料約30万食、飲料約25万本となり、令和元年東日本台風では、食料約18万点、飲料約36万本となりました。

（早期かつ広い範囲で激甚災害を指定）

　被災地方公共団体等からは、復旧・復興に迅速に取り組むため、激甚災害の指定が強く望まれています。

　このため、令和元（2019）年は、8月から9月の前線に伴う大雨[1]、令和元年東日本台風等について広い範囲で激甚災害に指定されました。また、被災地方公共団体等からは激甚災害指定の早期化も強く望まれていたことから、平成30（2018）年では事前公表まで1週間から2週間程度要していたところ、令和元年東日本台風では、発災から4日後に激甚災害指定見込みの事前公表が行われました（図表4-1-7）。

　これにより、被災地方公共団体等は財政面での不安なく、迅速に復旧・復興に取り組むことが可能になるとともに、農業関係では、農地・農業用施設、農林水産業共同利用施設の災害復旧事業について、被災農業者等の負担軽減が図られました。

1　台風第10号、第13号、第15号及び第17号の暴風雨を含む。

平成30（2018）年度、令和元（2019）年度発生災害における激甚災害指定

発生年度	災害名	発生日	激甚指定		事前公表	閣議決定	公布・施行
			区分*1	対象	（発災からの日数）		
平成30年度（2018）	梅雨前線豪雨等（うち平成30年7月豪雨）	5.20〜7.10（6.28〜7.8）	本激	農地・農業用施設、林道農林水産業共同利用施設公共土木施設	7.15（7日間）	7.24（16日間）	7.27（19日間）
	台風第19・20・21号	8.20〜9.5	早局	農地・農業用施設、林道（6市町村）農林水産業共同利用施設（1町）公共土木施設（3町村）	9.21（16日間）	9.28（23日間）	10.1（26日間）
	北海道胆振東部地震	9.6	本激	農地・農業用施設、林道農林水産業共同利用施設公共土木施設（※9.13時点では早局）	9.13※（7日間）9.21（15日間）	9.28（22日間）	10.1（25日間）
	台風第24号*2	9.28〜10.1	本激	農地・農業用施設、林道農林水産業共同利用施設	11.15（45日間）	11.30（60日間）	12.5（65日間）
			早局	公共土木施設（1町）			
令和元年度（2019）	梅雨前線豪雨等（台風第3号、第5号含む）	6.6〜7.24	本激	農地・農業用施設、林道	8.22（29日間）	9.6（44日間）	9.11（49日間）
	8月から9月の前線に伴う大雨（台風第10号、第13号、房総半島台風含む）	8.13〜9.9	本激	農地・農業用施設、林道（※9.6時点では早局）農林水産業共同利用施設	9.6※（7日間）9.20（11日間）	–	–
	8月から9月の前線に伴う大雨（台風第10号、第13号、房総半島台風、第17号含む）	8.13〜9.24	本激	農地・農業用施設、林道農林水産業共同利用施設	10.1（7日間）	10.11（17日間）	10.17（23日間）
	東日本台風	10.11〜14	本激	農地・農業用施設、林道農林水産業共同利用施設公共土木施設	10.18（4日間）	10.29（15日間）	11.1（18日間）
	東日本台風、第20号、第21号	10.11〜26	本激	農地・農業用施設、林道農林水産業共同利用施設公共土木施設湛水排除事業	11.19（24日間）	11.29（34日間）	12.5（39日間）

資料：農林水産省作成
注：＊1 本激は、対象区域を全国として指定するもの。早期局地激甚災害（早局）は、対象区域を市町村単位で指定する局地激甚災害（局激）のうち、査定見込額が明らかに指定基準を超えるもの。局激は通常年度末にまとめて指定される。本激と早局は災害発生後早期に指定される。
　　＊2 台風第24号は、被害が特定の地域に集中せず、全国各地で中小規模の災害が発生しており、小さな被害の積上げに時間を要し、ほぼ被害額が確定した時点で指定基準を超える結果となった。

（農林水産省緊急自然災害対策本部の設置）

　令和元年東日本台風等の特に甚大な被害が発生した災害では、発災前から農林水産大臣を本部長とする「農林水産省緊急自然災害対策本部」を開催し、テレビ会議システムを通じて地方農政局長等から被害状況の情報を収集するとともに、発災後は、プッシュ型支援や人的支援等に最優先に取り組みながら、現地調査、必要な対策について迅速に取りまとめました。

（「被災者の生活と生業の再建に向けた対策パッケージ」の取りまとめ）

　令和元年房総半島台風及び令和元年東日本台風等による被害を受けて、被災地のニーズや地域ごとの特性を踏まえつつ、被災者の生活・生業の再建に向け、令和元（2019）年11月7日に緊急に対応すべき施策として「被災者の生活と生業の再建に向けた対策パッケージ」が政府（被災者生活支援チーム）で取りまとめられました（図表4-1-8）。この

パッケージに基づき、被災農林漁業者の安心感を確保し、被災地方公共団体が安心して復旧・復興に取り組めるよう、切れ目なく、予備費等の財政措置が講じられました。

図表4-1-8　対策パッケージの主なポイント

	主な支援内容
被災した果樹農家への支援	被害果樹の植替えや幼木の管理、果実が実るまでの期間の収入を確保するための代替農地での営農等を支援
被災した稲作農家への支援	保管していた米の浸水被害や稲わらの堆積、大規模なほ場の浸水被害を踏まえ、稲作農家の次期作への営農再開に向けた特別対策を実施
農業用機械等の復旧支援	被災した農業用ハウス、農業用機械等の再建・修繕を支援 特定非常災害に指定された令和元年東日本台風災害については、園芸施設共済対象外の農業用機械等の補助率を引上げ
グループ補助金の活用	農林水産省が中小企業庁と連携し、福島県、宮城県、栃木県、長野県の4県においては、農業分野でのグループ補助金の活用も可能

資料：農林水産省作成

（「農林水産関係被害への支援対策」を迅速に決定し早期復旧を支援）

　農林水産省では、令和元（2019）年度に発生した自然災害のうち、被害が甚大であった山形県沖の地震については令和元（2019）年7月に、8月から9月の前線に伴う大雨と令和元年東日本台風等については10月に、被災状況や現場の要望等を踏まえながら、営農を継続するために必要な「農林水産関係被害への支援対策」を迅速に決定しました。これらの支援対策は、激甚災害指定の範囲に合わせる形で広い範囲の大雨や台風が対象になっているほか、各災害による被害の特徴等を踏まえ、支援内容の充実が図られました。

水稲の生産者（千葉県佐倉市）から、周辺ほ場から流れてきた稲わらの堆積状況について説明を受ける農林水産大臣（中央）

　支援対策決定後は、被災地に担当職員を派遣して、地方公共団体や農協等の関係者を対象に説明会を開催するとともに、被災した農林漁業者を積極的に訪問して相談に乗るなど、支援対策の周知を図りました。

　また、被災した地方公共団体等への国の技術系職員（MAFF－SAT）の派遣や地方公共団体間の職員派遣の促進、民間コンサルタントの確保に向けた調整を行うなど、被災地の早期復旧を人的・技術的な面から支援しました（図表4-1-9）。なお、令和元年東日本台風等では、災害復旧事業の技術指導等を支援するため、国の技術系職員（MAFF－SAT）を被災県へ延べ1,677人日派遣しました（図表4-1-10）。

　さらに災害復旧事業では、被災した農地、農業用水路等の農業用施設の早期復旧を支援するため、復旧を急げば次の作付けに間に合う場合等には、災害査定を待たずに復旧工事に着手できる査定前着工制度の活用を促進しました。

① 農林水産省の職員派遣

MAFF-SAT
（農林水産省・サポート・アドバイスチーム）

派遣 →

被災地方公共団体等
被災状況の迅速な把握、被害の発生及び拡大防止、被災地の早期復旧、その他災害応急対策に対する支援

② 地方公共団体間の職員派遣の促進

〔総務省による派遣スキーム（災害時）〕

被災市町村 → 被災都道府県 → 総務省 → （全国）都道府県・市町村　総務部局　林野・農業土木部局

連携

農林水産省依頼
（派遣実績を把握・公表等）

財政措置：派遣先地方公共団体が負担（地方自治法）
⇒実績額（給料、手当、旅費等）の8割を特別交付税で措置

③ 大規模災害時の民間コンサルタント確保に向けた対応

○○県知事要請書
△△市長要請書
・広域協力の依頼
・追加経費への配慮等

要請 → 農林水産省 → 契約 → コンサルタント協会等 → 個別のコンサルタント
周知・指導 ←

迅速な査定準備の実現

資料：農林水産省作成

図表4-1-10　被災地方公共団体への技術的支援等の取組（令和元年東日本台風等）

技術的支援

　被害を受けた農地・農業用施設、森林・林業施設、水産関係施設等の早期復旧のため、国の職員を派遣し、技術的助言や指導等を実施
　特に、水田や樹園地への流入土砂の撤去に係る、災害復旧事業の技術的指導のため、農業土木技術者を派遣（令和元（2019）年11月6日以降、平均17名／日の技術者を派遣）

11月6日時点	延べ人数
農村振興局	276名
林野庁	108名
水産庁	35名
計	419名

11月26日時点	延べ人数
農村振興局	851名
林野庁	168名
水産庁	35名
計	1,054名

1月21日時点	延べ人数
農村振興局	1,418名
林野庁	224名
水産庁	35名
計	1,677名

資料：農林水産省作成

（4）令和元年度発生災害の復旧状況

（令和元年房総半島台風からの復旧・復興は着実に進展）

　令和元年房総半島台風で被災した農業用ハウスについては、強い農業・担い手づくり総合支援交付金の被災農業者支援型等により、早期の営農再開に向け、各地で事前着工が進められました。

　酪農・畜産関係については、台風に伴い発生した停電、道路交通事情の悪化等に伴い、生乳廃棄が発生しましたが、生産者団体が中心となり、稼働している乳業工場への生乳の配送調整を実施したほか、経済産業省の協力により電源車を配備したクーラーステーション1か所も復電しました。乳業工場では順次停電が解消し、稼働を再開しました。

　このように、令和元年房総半島台風から、復旧・復興は着実に進展しています。農林水産省では、被災した農業者の速やかな経営再開に向け、補正予算等を活用して支援を行いました。

（令和元年東日本台風等からの復旧・復興は着実に進展）

　令和元年東日本台風等により土砂流入等があった水田のうち、土砂の流入量が多く災害復旧事業を必要とする水田約2,100haについては、人的・技術的支援を行いながら、令

第4章

313

和2（2020）年1月末までに災害査定が完了し、順次工事の発注が行われています。その他の水田約15,600haについては、農家の自力復旧や堆積した稲わらの撤去、土づくり等を実施しました。

果樹の浸水被害については、土砂が多く堆積した園地において、水田と同様に令和2（2020）年1月末までに災害査定が完了し、災害復旧事業等による土砂撤去が進められたほか、長野県や福島県等では、令和2（2020）年3月中旬までに、樹勢回復に向けた泥やごみの撤去、剪定等の作業が樹体を維持する全ての被災園地で実施されました。

稲わらの除去の様子（令和元年東日本台風等）

このように、令和元年東日本台風等からの復旧・復興は着実に進展しています。農林水産省では、被災した農業者の速やかな経営再開に向け、補正予算等を活用して支援を行いました。

自然災害が頻発化・激甚化する中、今後も発生しうる災害に備えるため、農業・農村の防災・減災、国土 強 靭化対策の推進が喫緊の課題となっています。

農林水産省においては、「防災・減災、国土強靭化のための3か年緊急対策」等に基づき、農業水利施設[1]、ため池等に係る強靭化対策を推進するとともに、農業保険への加入等農業者自身が行うべき災害への備え等を行うよう取り組んでいます。

（1）防災・減災、国土強靭化対策の推進

（「防災・減災、国土強靭化のための3か年緊急対策」等の推進）

頻発化・激甚化する自然災害への対応として、平成30（2018）年12月14日に閣議決定された「防災・減災、国土強靭化のための3か年緊急対策」に基づき、農業水利施設の耐震化やため池の改修・統廃合、農業用ハウスの補強、治山施設の設置、路網整備や間伐等の森林整備、漁港施設の地震・津波対策等による災害に強い農山漁村の創造を強力に推進しています。

また、「国土強靭化基本計画」等に基づく強靭化対策を推進する上で必要となる予算の確保にも努めており、農林水産省における令和元（2019）年度の国土強靭化関係予算（当初）として、臨時・特別の措置1,207億円を含む6,392億円を確保しました（図表4-2-1）。

図表4-2-1　農林水産省の国土強靭化関連予算（当初）

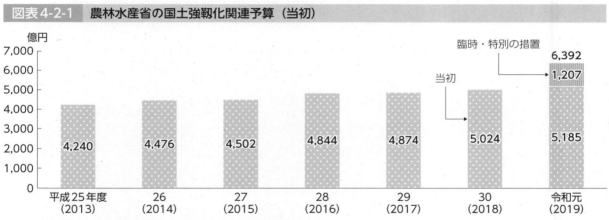

資料：内閣官房国土強靭化推進室公表データを基に農林水産省作成

（農業水利施設に関する緊急対策の実施）

農業用ダム、頭首工、排水機場等の基幹的農業水利施設を対象に、平成30（2018）年度に緊急点検を実施し、災害発生時等の非常時に機能が失われるおそれがある施設について、平成30（2018）年補正予算から緊急対策に着手しました。

令和元（2019）年度は、前年度に引き続き、施設の耐震化、管理設備・電源設備等の整備、耐水対策等の緊急対策を実施しました。

1　用語の解説3（1）を参照

（ため池に関する緊急対策の実施）

　平成30（2018）年7月豪雨において、多くのため池が被災したことを受け、平成30（2018）年7から8月にかけて全国のため池を対象に緊急点検を実施しました。この点検結果を踏まえ、令和2（2020）年度までに、対策の優先度が高い防災重点ため池約千か所において、非常時にも機能や安全性を確保するために必要な堤体の改修等の緊急対策を実施することとし、令和元（2019）年度においても対策を推進しました。

（防災重点ため池を再選定しため池対策を推進）

　上述の全国ため池緊急点検の実施と併せて、ため池対策検討チームを立ち上げ、防災重点ため池の新たな選定基準として、「決壊した場合の浸水区域に家屋や公共施設等が存在し、人的被害を与えるおそれのあるため池」（平成30（2018）年11月13日公表）を定め、令和元（2019）年5月末に63,722か所の防災重点ため池が再選定されました（図表4-2-2）。

　今後のため池対策としては、全ての防災重点ため池において、ため池マップ、緊急連絡体制及び浸水想定区域図を令和2（2020）年度内を目途に整備するとともに、決壊した場合に影響度が大きい防災重点ため池から、避難場所や避難経路を示したハザードマップの作成、堤体の改修やため池の統廃合等を進めることとしています（図表4-2-3）。

図表4-2-2　新たな防災重点ため池の選定基準

【防災重点ため池の選定基準】
　決壊した場合の浸水区域（以下「浸水区域」という。）に家屋や公共施設等が存在し、人的被害を与えるおそれのあるため池

＜具体的な基準＞
①　ため池から100m未満の浸水区域内に家屋、公共施設等がある
②　ため池から100～500mの浸水区域内に家屋、公共施設等があり、かつ貯水量1,000m³以上
③　ため池から500m以上の浸水区域内に家屋、公共施設等があり、かつ貯水量5,000m³以上
④　地形条件、家屋等との位置関係、維持管理の状況等から都道府県及び市町村が必要と認めるもの

資料：農林水産省作成

図表4-2-3　今後のため池対策

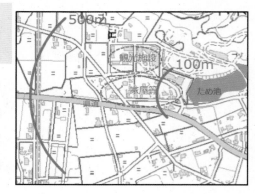

緊急時の迅速な避難行動につなげる対策		施設機能の適切な維持、補強に向けた対策
ため池マップの作成	ため池データベースの充実	保全管理体制の強化
緊急連絡体制の整備	ため池防災支援システムの活用	補強対策【総合的な整備】耐震対策　豪雨対策
浸水想定区域図の作成	水位計等による監視体制の整備	
ハザードマップの作成	地域防災計画等への位置付け	統廃合・容量縮小

資料：農林水産省作成

（「農業用ため池の管理及び保全に関する法律」が施行）

　農業用ため池については、築造年代が古く、豪雨や地震時に被災する例が多発していま

す。また、権利者の世代交代が進み、権利関係が不明確かつ複雑になる事例や、管理組織が弱体化している事例等から、日常の維持管理が適正に行われなくなることが懸念されています。このため、所有者等や行政機関の役割分担を明らかにし、農業用ため池の適正な管理及び保全が行われる体制を整備することを目的として、「農業用ため池の管理及び保全に関する法律」が令和元（2019）年7月1日に施行されました。

この法律では農業用ため池の所有者等に対し、農業用ため池の設置又は廃止の都道府県への届出を義務付けるとともに、都道府県は農業用ため池に関するデータベースを整備し、公表することとしています。また、都道府県は、決壊した時に周辺の区域に被害を及ぼすおそれのある農業用ため池を「特定農業用ため池[1]」に指定し、必要な防災工事の施行命令や代執行を行うことができることとするほか、所有者が不明で適正な管理が困難な農業用ため池については、市町村が管理権を取得できることとしています。

（2）災害への備え

（農業者自身が行うべき災害への備え）

自然災害等の農業経営のリスクに備えるため、異常気象にも対応した品種や栽培技術の導入、農業用ハウスの保守管理、農業保険等の利用等に農業者自身が取り組んでいくことが必要です。

農林水産省では、台風、大雪等により園芸施設の倒壊等の被害が多発している状況に鑑み、台風や積雪による被害の防止に向けた技術指導のほか、園芸施設共済及び収

図表4-2-4	農業者自身が行うべき災害への備えの例

- 異常気象にも対応した品種や栽培技術の導入
- 農業用ハウスの保守管理や補強
- 低コスト耐候性ハウスの導入
- 農業保険等への加入
- 非常用電源の確保
- 事業継続計画（BCP）の策定
- 都道府県病害虫防除所から発表される発生予察情報に基づいた病害虫対策の実施
- 台風接近等の場合は事前に農業用ハウスの被覆資材を撤去・切断

資料：農林水産省作成

入保険への加入促進を重点的に行うなど、農業者自身が災害への備えを行うよう取り組んでいます（図表4-2-4、図表4-2-5）。また、園芸施設共済への一層の加入を進めるため、集団での加入、小規模被害や耐用年数を大幅に超過した施設の補償範囲からの除外等により、共済掛金を大幅に割引くパッケージを新たに導入し、加入者の掛金の負担軽減を図りました。さらに、国からの補助を受ける場合は、共済加入を要件とするなど加入促進に向けた取組を行っています。

第4章

1　特定農業用ため池の指定要件は、防災重点ため池の選定基準と同じであるが、国又は地方公共団体が所有するものは指定の対象外である。

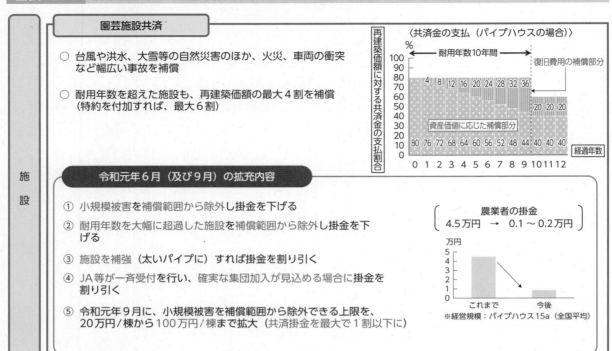

図表4-2-5　施設園芸における園芸施設共済及び収入保険への加入促進

資料：農林水産省作成

（家庭で行う災害への備え）

　家庭では、大規模な自然災害等の発生に備え、自身の身を守る上で当面必要となる食料や飲料水を用意しておくことが重要です。家庭における備蓄量は、最低3日分から1週間分の食品を人数分備蓄しておくことが望ましいと言われています。

　住友生命保険相互会社が令和2（2020）年3月に公表したアンケートによると、非常用飲料水又は食品を備蓄している人のうち、3日から6日分と回答した人が飲料水にあっては52.9％、食

東海農政局「災害時の備蓄食品を活用したレシピ開発（第3回）親子クッキングin愛知学院大学」の様子

品にあっては54.4％となりました。また、7日分以上と回答した人は、飲料水にあっては27.1％、食品にあっては25.2％となりました（図表4-2-6）。一方、防災対策を実施していない人は29.7％に達しています。その理由は、「特になし」が45.5％、「何をしたらよいかわからない」が26.3％、「つい先延ばしにしてしまう」が24.9％となっており、備蓄への関心が低い層も存在します。

　このため、農林水産省では、ローリングストック[1]等、平素から食料の家庭備蓄を実践しやすくする方法や、要配慮者を持つ家庭の実践方法をまとめた「災害時に備えた食品ストックガイド」と「要配慮者のための災害時に備えた食品ストックガイド」を作成し、家

1　普段の食品を少し多めに買い置きしておき、賞味期限を考えて古いものから消費し、消費した分を買い足すことで常に一定量の食品が家庭で備蓄されている状態を保つための方法

庭備蓄の定着に取り組んでいます（図表4-2-7）。また、東海農政局ではローリングストックの浸透に向け、「災害時の備蓄食品を活用したレシピ開発（第3回）親子クッキングin愛知学院大学」を開催しました。

図表4-2-6	家庭における非常用飲料水、非常用食品の日数別備蓄量の割合（令和元（2019）年）

（単位：%）

	1～2日間分	3～6日間分	7日間分以上
非常用飲料水	20.0	52.9	27.1
非常用食品	20.4	54.4	25.2

資料：住友生命保険相互会社「スミセイ「わが家の防災」アンケート2020」を基に農林水産省作成
注：1）1,000人（全国の男女各500人）を対象に、令和元（2019）年12月9日から10日までの間で実施したWebアンケート
　　2）質問3－1「この一年間で、ご家庭の防災対策で新たに実施したことは何ですか。」及び3－2「一年以上前から、ご家庭の防災対策で実施していることは何ですか。」において、非常用飲料水の備蓄・非常用食品の備蓄と回答した者への設問

図表4-2-7	農林水産省「災害時に備えた食品ストックガイド」で紹介されている家庭での備蓄例

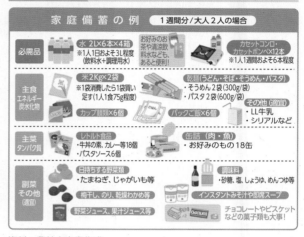

資料：農林水産省作成

第3節　東日本大震災からの復旧・復興

　平成23（2011）年3月11日に発生した東日本大震災では、岩手県、宮城県、福島県の3県を中心とした東日本の広い地域に東京電力 福島第一原子力発電所（以下「東電福島第一原発」という。）の事故の影響を含む甚大な被害が生じました。

　政府は平成23（2011）年7月に策定した「東日本大震災からの復興の基本方針」において、復興期間を令和2（2020）年度までの10年間と定め、被災地の復興に向けて取り組んできました。取組により、復興は大きく前進し、地震・津波被災地域では、農林水産関係インフラについて、復旧はおおむね完了し、復興の総仕上げの段階に入っています。他方で、原子力災害被災地域においても、復興・再生が本格的に始まっていますが、避難指示等の解除の状況等により、被災地域ごとの再建の状況は様々であり、復興の進展に伴い、引き続き対応が必要となる事業や新たな課題も明らかになっています。令和元（2019）年12月に閣議決定した「「復興・創生期間」後における東日本大震災からの復興の基本方針」において、復興・創生期間後も被災地の復興に向けて取り組むこととしています。

（1）地震・津波による被害と復旧・復興

ア　農地の復旧・復興
（営農再開が可能な農地は93％に）

　東日本大震災による農業関係の被害額は9,049億円となっています（図表4-3-1）。津波により被災した農地2万1,480haから公共用地等への転用が見込まれるものを除いた復旧対象農地1万9,760haについては、除塩や畦畔の修復等の復旧が進められており、令和2（2020）年1月末時点では93％で営農再開が可能となりました（図表4-3-2）。

図表4-3-1　農林水産関係の被害の状況

区分		被害額（億円）	主な被害
農業関係		9,049	
	農地・農業用施設等	8,414	農地、水路、揚水機、集落排水施設等
	農作物等	635	農作物、家畜、農業倉庫、ハウス、畜舎、堆肥舎等
林野関係		2,155	林地、治山施設、林道施設等
水産関係		12,637	漁船、漁港施設、共同利用施設等
合計		23,841	

資料：農林水産省作成

図表4-3-2　農地・農業用施設等の復旧状況

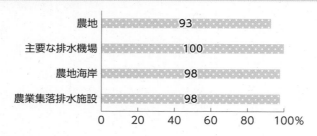

資料：農林水産省作成
注：1）令和2（2020）年1月末時点
　　2）農地は、農地転用が行われたもの（見込みを含む。）を除いた津波被災農地19,760haに対するもの（岩手県100％、宮城県99％、福島県71％）
　　3）主要な排水機場は、復旧が必要な96箇所に対するもの（復旧事業実施中も含む。）
　　4）農地海岸は、復旧が必要な125地区に対するもの（復旧事業実施中も含む。）
　　5）農業集落排水施設は、被災した401地区に対するもの（復旧事業実施中も含む。）

避難指示が解除された区域内の農地やまちづくり等の他の復旧・復興事業との工程調整が必要な残りの農地についても、早期復旧に向けた取組が進められています。

（農地の復旧に併せたほ場の大区画化が進展）

岩手県、宮城県、福島県の３県では、地域の意向を踏まえ、復旧に併せた農地の大区画化（整備計画面積8,230ha[1]）に取り組んでおり、令和元（2019）年度末時点で8,090haの大区画化が完了し、地域農業の復興基盤の整備が着実に進展しています。

農地整備事業の区域内に、防災集団移転促進事業により市町村が買い上げた住宅等の移転元地が点在する場合、土地改良法の換地[2]制度を活用することで、移転元地と農地をそれぞれ集団化することが可能となります。これにより、事業期間の短縮と効率的な土地利用を実現できます。防災集団移転促進事業と連携した農地整備事業は令和元（2019）年度末時点で、宮城県と福島県の10市町15地区で進められています。

イ　農業の復興

（先端的農業技術の現地実証研究、情報発信等を実施）

被災地域を新たな食料生産基地として再生するため、岩手県、宮城県、福島県の３県において、平成23（2011）年度から平成29（2017）年度にかけて、産学官連携の下、34課題の農業・農村分野に関わる先端的で大規模な実証研究が行われました。

平成30（2018）年度からは、岩手県、福島県において新たな７課題の農業分野に関わる現地実証研究を行うとともに、岩手県、宮城県、福島県の３県に、これまでの実証研究で得られた成果を現場に定着させるための拠点を設置しました（図表4-3-3）。各拠点では、それぞれオープンラボや展示ほ場を設置し、情報発信、技術指導等を行っています。

図表4-3-3　現地実証研究の例

研究課題	概要	
花きの計画生産・出荷管理システムの実証研究（福島県）	○ICTを活用した安定生産および開発技術の現地実証 ○キク類の温湯処理技術や気象環境データ等に基づく適期病害防除技術の開発	トルコギキョウの安定生産
原発事故からの復興のための放射性物質対策に関する実証研究（福島県）	○除染後農地における生産力の回復・向上、セシウム吸収抑制対策等に係る適切なカリ水準の設定 ○農地の省力的な維持管理技術の開発	緑肥作物のすき込み
きゅうり産地の復興に向けた低コスト安定生産流通技術体系の実証研究（岩手県）	○小規模施設や地域ニーズに対応した、施設栽培における低コスト環境制御システムの開発 ○きゅうりの障害果（フケ果）の発生予測技術及び発生低減技術の確立	キュウリの障害果

資料：農林水産省作成

1　整備計画面積は、大区画化に取り組む地区の計画面積の総計であり、大区画化の取組を行わない農地（端部の狭小農地等）も一部含まれている。
2　用語の解説3（1）を参照

（「新しい東北」の創造に向けた取組を推進）

　被災地域では、東日本大震災発生前から人口減少や高齢化、産業の空洞化等、全国の地域が抱える課題が顕著に現れていました。このため、復興庁では、復旧・復興に取り組むに当たり、単なる原状回復にとどめるのではなく、地方公共団体、企業、大学、NPO[1]等がこれまでの手法や発想にとらわれない新しい挑戦に取り組み、地域の諸課題の解決を進める、「新しい東北」の創造に向けた取組を推進しています。

　平成26（2014）年度から「新しい東北」復興ビジネスコンテストを開催し、被災地域における地域産業の復興や地域振興に資する事業の表彰を行っています。令和元（2019）年度においては、農業関係では、「地域を次の世代につなぐ」ことを理念として、地元小学生向けの米作り体験活動に関与し、そのお米でできた焼酎を小学生が20歳になった時に渡すなどの活動を実施している合同会社ねっか（福島県只見町）が大賞を受賞しました（図表4-3-4）。また、「もったいない」「残る果物」をきっかけとしてSDGsや持続性を目指したテーマを追求し、地域企業との連携等の6次産業化[2]を実現している株式会社やまがたさくらんぼファーム（山形県天童市）が優秀賞を受賞しました。そのほか、農業関係では4つの取組が企業賞を受賞しました。

　さらに、平成28（2016）年度から、被災地域で進む「新しい東北」の実現に大きな貢献をしている個人や団体を顕彰する、「新しい東北」復興・創生顕彰を実施しています。令和元（2019）年顕彰においては、農業関係では、「顔の見える関係に風評被害はなし」との考えの下、農業支援の仲立ちを行うとともに、相互の情報交換、助け合い、全国の消費者との交流の促進や、放射能対策を知る農業体験等の活動を行ってきた特定非営利活動法人がんばろう福島、農業者等の会が選定されました。

1　用語の解説3（2）を参照
2　用語の解説3（1）を参照

団体名	事業概要
大賞 合同会社ねっか （福島県只見町）	「田園風景を次世代に。米農家がつくる世界一和食に合う米焼酎」 福島県が誇る日本酒の醸造技術を活用して香り高い米焼酎を製造販売する事業。お酒の全量を自社米のみで作る点が特徴であり、JGAPの認証も取得。「地域を次の世代につなぐ」ことを理念として、地元只見町の小学生向けの米作り体験活動に関与し、そのお米でできた焼酎を小学生が20歳になったときに渡すなどの活動を実施。地産地消、地域貢献、将来への継承といったストーリー性がわかりやすいこと、和食にあう品質の追求やメディア展開等の戦略的な販売計画等の検討により、将来的に更に魅力ある事業として成立する可能性を高く評価された。
優秀賞 株式会社やまがたさくらんぼファーム （山形県天童市）	「もったいないを6次産業化と観光農業で解決！収益力カイゼン事業」 6次産業化と観光農業を組合わせた様々な体験プランを企画し、相乗効果により収益を改善する事業。収穫されずに廃棄されるさくらんぼの果汁を利用してソフトクリームやパフェ、リキュール等に商品化。来園者に収穫体験を行ってもらうことで、後継者不在の農地活用を可能としている。明確な意思を持って「もったいない」「残る果物」をきっかけとして事業化している点や、SDGsや持続性を目指したテーマを追求している、地域企業との連携や地元貢献を実現している点、アグリツーリズム等各種の新しい事業展開を積極的に実行している点が高く評価された。
企業賞 ふくしま農家の夢ワイン株式会社 （福島県二本松市）	「ワイナリーから始まる食・人・農のあるまちづくり事業」 阿武隈山地の地の利を活かし、ツアー受け入れやイベント開催等を通じて活気のあるまちづくりを目指す事業。ワイナリー、ブドウ栽培農家、有機野菜栽培農家、農家民宿、道の駅等全てが繋がり、人が流れるまちづくりを展望
企業賞 有限会社柏崎青果 （青森県おいらせ町）	「世界へ羽ばたく「青森の黒ニンニク®」～海外20カ国への展開と復興～」 青森県の主力野菜であるニンニクを黒にんにくへ加工し、国内及び海外向けに販売する事業。同業者10社で青森県黒にんにく協会を組織し、世界黒にんにくサミットを開催。効果として、全米450店超を含め、海外20カ国への輸出に成功
企業賞 有限会社大島屋 （福島県白河市）	「福島から「幻の蒟蒻芋」復活・コラボレーションプロジェクト」 在来種のこんにゃく芋「和玉」で昔ながらの製法で生蒟蒻を作ることを通じて、絶滅寸前の在来こんにゃくの存在とその品質の高さを伝える事業。白河実業高校農業科と連携し、学生の製造・販売体験を通した教育実習に貢献し、人材育成の一端を担う取り組みを開始
企業賞 株式会社富久栄商会 （福島県郡山市）	「日本の誇る福島県の米、日本酒、山塩を使った自家製ビーントゥバーチョコレートの開発」 珈琲で培った焙煎技術を応用し、生カカオからビーントゥバーチョコレートを自社で一貫製造する事業。福島県郡山市のウイスキーメーカーとコラボしたウイスキーボンボンチョコレートにより、地元ウイスキーの存在を大きくPR。福島県の米、日本酒、山塩等の商品とのコラボレーションも展開中

資料：復興庁「「新しい東北」復興ビジネスコンテスト2019受賞一覧」を基に農林水産省作成

（2）東京電力福島第一原子力発電所事故の影響と復旧・復興

ア 原子力被災12市町村の復興

（原子力被災12市町村の営農再開等の状況）

　農林水産省は、福島県の農業の再生に向けて、福島相双復興官民合同チームの営農再開グループに参加し、地域農業の将来像の策定を支援しています。平成29（2017）年4月からは、農業者訪問による要望調査や支援策の説明を行っています。要望調査の結果、アンケートに回答した原子力被災12市町村[1]の農業者のうち、認定農業者[2]では62％が営農再開済となり、23％が営農再開を希望すると回答しており、営農再開への意欲が高い状況となっています。一方、主に認定農業者以外の農業者を対象とした個別訪問においては、57％が営農再開未定又は再開意向なしと回答しており、担い手の確保が重要な課題となっています（図表4-3-5）。

---

1 田村市、南相馬市、川俣町、広野町、楢葉町、富岡町、川内村、大熊町、双葉町、浪江町、葛尾村、飯舘村
2 用語の解説3（1）を参照

図表4-3-5　原子力被災12市町村の農業者の営農再開状況及び意向

認定農業者の 回答状況	回答あり 73.7%（522者）		未回答 26.3% （186者）	合計 708者

回答者の 意向	営農再開済 61.7%（322者）	営農再開を希望 23.4%（122者）	再開未定又は 再開意向なし 14.9%（78者）	合計 522者

個別訪問農家 の回答状況	回答あり 17.0% （1,774者）	未回答 83.0%（約8千者）	合計

回答者の 意向	営農再開済 29.2%（518者）	営農再開を希望 13.9% （247者）	再開未定又は再開意向なし 56.9%（1,009者）	合計 1,774者

表　個別訪問農家のうち再開未定又は再開意向なしの農業者（1,009者）の農地の活用意向

課題（理由）	者数	割合
既に出し手となっている	85者	8%
出し手となる意向あり	739者	73%
出し手となる意向なし	72者	7%
耕作予定のない農地なし	75者	7%

資料：農林水産省作成
注：福島相双復興官民合同チーム営農再開グループにおいて、平成29（2017）年4月から令和元（2019）年12月までに農業者1,774者を訪問（再訪問を含む）

　また、原子力被災12市町村間でも避難指示解除の時期により営農再開率に差が生まれ、二極化が進んでいます。営農再開割合の高い市町村は、「人・農地プラン」の作成や農業委員会の活動が進んでいる一方、営農再開割合の低い市町村はそれらの活動が停滞しており、集中的に対策を講じる必要があります。

　さらに、農地については、営農休止面積1万7,298haから、帰還困難区域（2,040ha）と農地転用等（1,440ha）を除いた1万4千haのうち、6,590haは農地復旧・整備が実施・検討されていますが、検討中の地域においては、帰還率が低く、農地復旧・整備の実施に向けた調整が課題となっています。

　残りの7,230haについては、基盤整備が未実施の条件の悪い農地で不在地主化が進んでいること、整備済みの農地であっても将来の営農展開に合わせた再整備が必要となることといった新たな課題が見えてきました（図表4-3-6）。

図表4-3-6　原子力被災12市町村の農地の整備状況

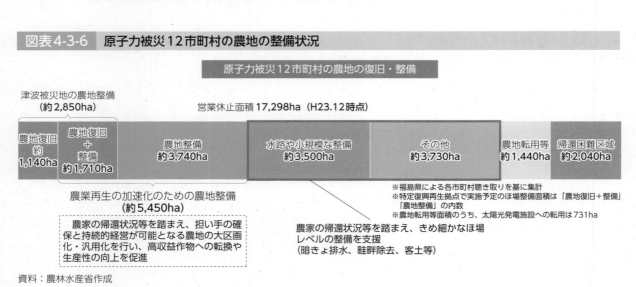

資料：農林水産省作成

（大規模で労働生産性の著しく高い農業経営の展開へ）

　このような課題の解決に向けて、これまで行ってきた被災農業者への支援を引き続き継続して営農再開を促進しつつ、大規模で労働生産性が著しく高い農業経営（土地利用型農業、管理型農業）の展開を図る必要があります（図表4-3-7）。このため、将来の担い手の確保、関係機関が連携した営農再開推進チームの編成、市町村を越えた広域的な高付加価値化が可能な産地の将来像の策定を進めています。また、このような農業経営の展開に向けては、一筆ごとの土地利用調整が必要であるため、令和2（2020）年度からは、農林水産省から常駐職員を原子力被災12市町村へ派遣した上で、農林水産省、福島県、市町村、福島相双復興推進機構、農協が連携し、市町村が行う営農ビジョンの策定から具体化までの支援を進めていくこととしています。さらに、営農再開の加速化に向け、農地の利用集積の促進、6次産業化施設の整備の促進、農業委員会の事務の特例等の措置を講じることとする福島復興再生特別措置法の改正を含む、復興庁設置法等の一部を改正する法律案が令和2（2020）年3月に国会に提出されました。

図表4-3-7　大規模で労働生産性の著しく高い農業経営の展開

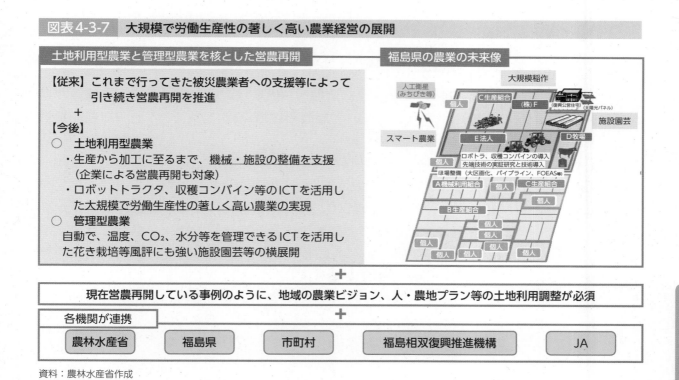

資料：農林水産省作成

（令和元年度は4つの研究開発を実施）

　東日本大震災、東電福島第一原発の事故によって多大な影響を受けた福島県浜通り地域においてイノベーションによる産業基盤の再構築を目指す「福島・国際研究産業都市（イノベーション・コースト）構想研究会報告書」が平成26（2014）年6月に取りまとめられました。本報告書では、革新的な先端農林水産業を全国に先駆けて実施することを通じて、地域の農林水産業の復興・再生を実現することとされています。

　これを受けて、農林水産省では福島イノベーション・コースト構想に基づく先端農林業ロボット研究開発事業を平成28（2016）年度から実施しており、これまでロボットトラクタ、アシストスーツ等の研究開発を行ってきました。令和元（2019）年度は、ブロッコリー自動選別収穫機、高品質米生産管理技術、農地地力の見える化技術、ICT活用に

よる和牛肥育管理技術の研究開発が行われました（図表4-3-8）。

図表4-3-8　令和元（2019）年度「福島イノベーション・コースト構想に基づく先端農林業ロボット研究開発事業」の研究開発例

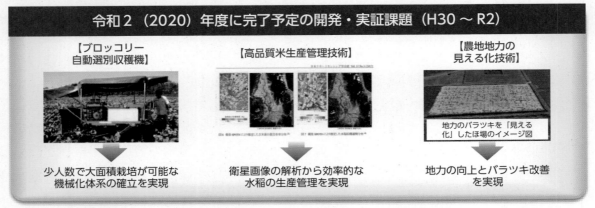

令和2（2020）年度に完了予定の開発・実証課題（H30～R2）

【ブロッコリー自動選別収穫機】
少人数で大面積栽培が可能な機械化体系の確立を実現

【高品質米生産管理技術】
衛星画像の解析から効率的な水稲の生産管理を実現

【農地地力の見える化技術】
地力のバラツキを「見える化」したほ場のイメージ図
地力の向上とバラツキ改善を実現

資料：農林水産省作成

（「特定復興再生拠点区域」の状況）

　東電福島第一原発の事故に伴い設定された避難指示区域は、除染やインフラ整備等が進んだ結果、令和2（2020）年3月までに、帰還困難区域を除いた全ての地域で避難指示が解除されました（図表4-3-9）。

　また、平成29（2017）年5月に改正された福島復興再生特別措置法において、5年を目途に避難指示を解除し、住民の帰還を目指す「特定復興再生拠点区域」の復興・再生を推進するための計画制度が創設され、平成30（2018）年5月までに、帰還困難区域が存在する全6町村[1]が認定されました。全ての復興再生計画で農業の再生を目指した区域が設定されており、今後、本計画に基づき、インフラの復旧、生活環境の整備、産業の復興・再生、除染・家屋解体等が進められていきます。

1　双葉町、大熊町、浪江町、富岡町、飯舘村、葛尾村

図表4-3-9　避難指示区域の解除の状況

平成25（2013）年8月（区域設定時）

令和2（2020）年3月時点

凡例
帰還困難区域
居住制限区域
避難指示解除準備区域

凡例
帰還困難区域
旧居住制限区域
旧避難指示解除準備区域
━ JR常磐線（2020年3月14日全線開通）
※JR常磐線の線路、双葉駅（双葉町）、大野駅（大熊町）、夜ノ森駅（富岡町）の駅舎及び周辺の道路等は避難指示を解除

資料：原子力災害対策本部資料を基に農林水産省作成

イ　風評の払拭に向けた取組等
（農畜産物の安全確保の取組）

　市場で放射性物質の基準値を下回る農畜産物のみが流通するように、生産現場では放射性物質の吸収抑制対策、暫定許容値以下の飼料の使用等、それぞれの品目に合わせた取組が行われています。このような生産現場における努力の結果、基準値超過が検出された割合は、全ての品目で平成23（2011）年以降低下しており、令和元（2019）年度では、全ての農畜産物において基準値超過はありませんでした。

　福島県では、作付制限、放射性物質の吸収抑制、抽出検査等の対策とともに、米については全域で全袋検査が実施されています（図表4-3-10）。

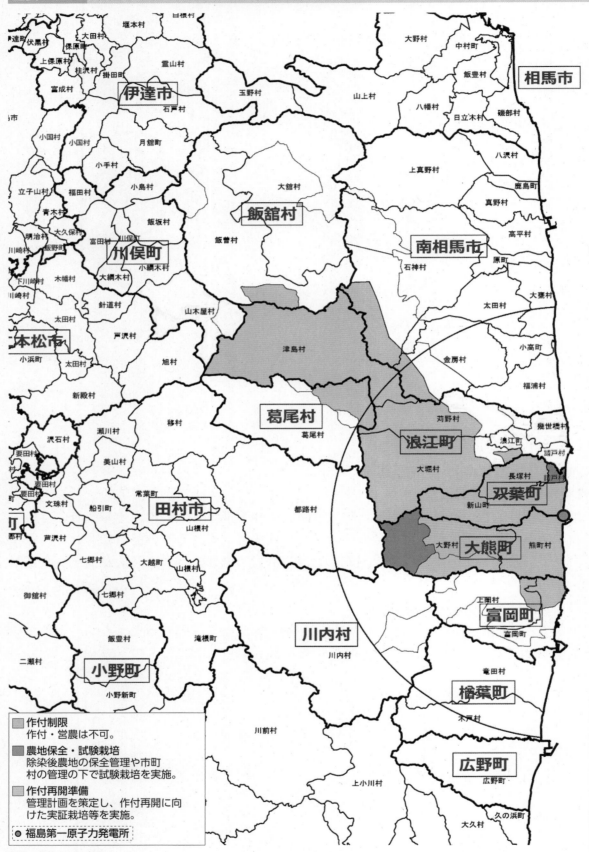

図表4-3-10　令和元（2019）年産米の作付制限等の対象地域

凡例

- 作付制限
  作付・営農は不可。
- 農地保全・試験栽培
  除染後農地の保全管理や市町村の管理の下で試験栽培を実施。
- 作付再開準備
  管理計画を策定し、作付再開に向けた実証栽培等を実施。
- 福島第一原子力発電所

資料：農林水産省作成

（「風評払拭・リスクコミュニケーション強化戦略」に基づく取組のフォローアップを実施）

　福島県産の食品は放射性物質検査の徹底により安全が確保されています。また、風評の払拭と信頼される産地づくりに向け、第三者認証GAP[1]の取得を進めています。福島県と福島県農業協同組合中央会は平成29（2017）年5月に、GAP認証の取得日本一を目指す「ふくしま。GAPチャレンジ宣言」を行っており、福島県の発表によれば、令和元（2019）年度末時点で、GLOBALG.A.P.[2]27件、ASIAGAP[3]7件、JGAP[4]162件及びFGAP[5]73件となっています。

　他方、消費者庁が令和2（2020）年3月に公表した消費者の意識調査[6]によると、放射性物質を理由に福島県産品の購入をためらう人の割合は10.7%となり、調査開始以来最低の水準となったものの、依然として一定数の方が購入をためらうと回答しています。

　復興庁及び関係府省庁は、平成31（2019）年4月及び令和元（2019）年11月に「原子力災害による風評被害を含む影響への対策タスクフォース」を開催し、平成29（2017）年12月に取りまとめた「風評払拭・リスクコミュニケーション強化戦略」に基づく取組状況のフォローアップを行い、今後の方向性について検討しました（**図表4-3-11**）。これを受け、「知ってもらう」、「食べてもらう」、「来てもらう」の3つを柱にそれぞれの観点から、関係省庁において工夫を凝らした情報発信を実施しています。

　農林水産省では、福島復興再生特別措置法に基づき、関係省庁と協力し、平成29（2017）年度から福島県産農産物等の販売不振の要因と実態を明らかにするための流通実態調査と、当該調査に基づく指導・助言等を行っています。平成30（2018）年度調査の結果、福島県産農産物等の生産・販売は依然、震災前の水準まで回復していませんが、福島県産農産物等と他県産農産物等の流通段階ごとの価格形成に明確な違いはなく、買いたたきは確認されませんでした。一方、納入事業者（卸売業者、仲卸業者等）が納入先（小売業者、外食業者等）の福島県産品に対する取扱姿勢を実態よりも後ろ向きに評価していること等が明らかになりました。この結果を踏まえ、平成31（2019）年4月に、関係省庁と連名で、関係事業者に対し、福島県産農産物と他県産農産物とを対等に比較して取扱商品を選択するよう指導するとともに、生産者団体に対し、GAP等の実施により福島県産農産物等のイメージアップを図ることが重要と助言しました。

　また、「食べて応援しよう！」のキャッチフレーズの下、農業者、消費者等の団体や食品事業者等、多様な関係者の協力を得て、被災地産食品の販売フェアや社内食堂等での積極的利用を進めています。

1〜5　用語の解説3（2）を参照
6　消費者庁「風評被害に関する消費者意識の実態調査（第13回）」（令和2（2020）年3月公表）

第4章

329

図表4-3-11　「風評払拭・リスクコミュニケーション強化戦略」に基づく取組の今後の方向性

○2019年4月12日に開催した「原子力災害による風評被害を含む影響への対策タスクフォース」において、以下の取組を復興大臣から各府省庁に指示

知ってもらう
①福島の復興の現状や放射線に関する基本的な知識について国民の理解を促進
②学校における授業での放射線副読本の活用促進のための教職員セミナー等の全国的実施

来てもらう
①インフルエンサーを活用した東北の魅力発信等により、福島へのインバウンドを促進
②教育旅行の回復に向けたホープツーリズムをさらに推進

食べてもらう
①流通段階ごとの取扱姿勢に対する認識の齟齬の解消、ブランド力向上、販路拡大・開拓
②福島県産品の積極的利用・販売、魅力・安全等について強力に発信

○2019年11月1日に開催した「原子力災害による風評被害を含む影響への対策タスクフォース」において、復興大臣から各府省庁に対し、海外及び国内に向けた取組の強化を指示

資料：復興庁資料を基に農林水産省作成

コラム　被災地産の花でビクトリーブーケ

　大会組織委員会は、令和元（2019）年11月、東京2020大会のメダリストに副賞として授与するブーケのデザインを公表しました。ビクトリーブーケは、リオデジャネイロ大会以降、3大会ぶりの復活となります。

　ブーケのデザインは、日本花き振興協議会*が提案。花材には、福島県産トルコギキョウ等、東日本大震災の被災地で生産されている花を活用し、制作・提供することとしており、震災に際して世界から寄せられた支援に対する感謝の気持ちを伝えるとともに、復興の進展を表すシンボルになるようにとの思いが込められています。

*花きの生産、流通、販売、文化にかかわる業界9団体が大同団結し、平成29（2017）年5月に発足

ビクトリーブーケのイメージ
Photo by Tokyo 2020 / Shugo TAKEMI

（放射性物質による輸入規制措置の撤廃・緩和）

　東電福島第一原発の事故に伴い、多くの国・地域において、日本産農林水産物・食品の輸入停止や放射性物質の検査証明書等の要求・検査の強化といった輸入規制措置が実施されています（図表4-3-12）。

図表4-3-12　東電福島第一原発事故による主な輸出先国・地域の輸入停止措置の例

国・地域	対象県	主な輸入停止対象品目	農林水産物・食品の輸出額
香港	福島県	野菜、果物、牛乳、乳飲料、粉乳	2,037億円
中国	宮城県、福島県、茨城県、栃木県、群馬県、埼玉県、千葉県、東京都、長野県	全ての食品、飼料	1,537億円
	新潟県	米を除く食品、飼料	
台湾	福島県、茨城県、栃木県、群馬県、千葉県	全ての食品（酒類を除く。）	904億円
韓国	日本国内で出荷制限措置がとられた県	日本国内で出荷制限措置がとられた品目	501億円
	青森県、岩手県、宮城県、福島県、茨城県、栃木県、群馬県、千葉県	水産物	
マカオ	福島県	野菜、果物、乳製品、食肉・食肉加工品、卵、水産物・水産加工品	40億円

資料：農林水産省作成
注：1）令和元（2019）年度末時点。輸出額は、令和元（2019）年（財務省「貿易統計」）
　　2）上記5か国・地域のほか、米国は日本での出荷制限品目を県単位で輸入停止、フィリピンは福島県産の一部の魚種を輸入停止
　　3）中国は、「10都県以外」の「野菜、果実、乳、茶葉等（これらの加工品を含む。）」について、放射性物質検査証明書の添付を求めているが、放射性物質の検査項目が合意されていないため、実質上輸入が認められていない状況

　これらの輸入規制を実施している国・地域に対し、我が国が実施している安全確保のための措置やモニタリング結果等の科学的データ等の情報提供を行ってきた結果、令和元（2019）年度において、コンゴ民主共和国、ブルネイ、フィリピン等で輸入規制措置の撤廃・緩和の動きが見られました（図表4-3-13）。

　この結果、輸入規制措置を設けた54か国・地域のうち、34か国・地域で輸入規制措置が撤廃されました。

図表4-3-13　東電福島第一原発事故による主な輸出先国・地域の輸入規制措置の撤廃・緩和の動き（令和元（2019）年度）

年月	国・地域	概要
平成31年（2019）4月	米国	輸入停止（岩手県産及び栃木県産牛の肉、福島県産ウミタナゴ、クロダイ、ヌマガレイ、宮城県産牛の肉、クロダイ）→解除
令和元年（2019）5月	フィリピン	輸入停止（福島県産ヤマメ、アユ、ウグイ、イカナゴ）→解除（放射性物質検査報告書の添付）
6月	コンゴ民主共和国	規制撤廃
7月	UAE	検査報告書の対象品目の縮小（福島県産の全ての食品、飼料→水産物、野生鳥獣肉のみに）
9月	米国	輸入停止（福島県産ムラソイ、カサゴ）→解除
10月	マカオ	輸入停止（宮城県産等9都県産の野菜、果物、乳製品）→商工会議所のサイン証明で輸入可能に 放射性物質検査報告書（9都県産の食肉、卵、水産物等）→商工会議所のサイン証明に変更 放射性物質検査報告書（山形県産及び山梨県産の野菜、果物、乳製品等）→不要に
	ブルネイ	規制撤廃
11月	EU*	検査証明書及び産地証明書の対象地域及び対象品目が縮小 （福島県産の大豆、6県産の水産物を検査証明対象から除外　等）
	米国	輸入停止（宮城県産アユ）→解除
令和2年（2020）1月	フィリピン	規制撤廃
	シンガポール	輸入停止（福島県産の林産物、水産物、福島県7市町村産の全食品）→産地証明及び放射性物質検査報告書の添付を条件に解除
	インドネシア	放射性物質検査証明書（47都道府県産の水産物、養殖用薬品、えさ）→不要に 放射性物質検査報告書（7県産（宮城県等）以外の加工食品）→不要に
	米国	輸入停止（岩手県産クロダイ、福島県産ビノスガイ）→解除
2月	インドネシア	放射性物質検査報告書（7県産（宮城県等）以外の農産物）→令和2（2020）年5月20日から不要に

資料：農林水産省作成
注：＊）スイス、ノルウェー、アイスランド、リヒテンシュタイン（EFTA加盟国）もEUに準拠した規制緩和を実施

（東京電力による農林水産業関係者への損害賠償支払）

原子力損害の賠償に関する法律の規定により、東電福島第一原発の事故の損害賠償責任は東京電力ホールディングス株式会社（以下「東京電力」という。）が負っています。

東京電力によるこれまでの農林水産業関係者への損害賠償支払累計額は、令和元（2019）年度末時点で9,264億円[1]となっています。

1　農林漁業者等の請求・支払状況について、関係団体等からの聴取りから把握できたもの

平成28（2016）年４月に発生した熊本地震では、熊本県を始めとする九州各県で大きな被害が生じました。熊本県では、「熊本復旧・復興４カ年戦略」に基づき着実に復旧・復興の歩みを進めてきました。

（営農再開はほぼ達成）

熊本地震による農林水産関係の被害額は1,826億円であり、このうち農業関係の被害額は1,353億円となりました。農地では、11,172か所で亀裂、沈下、法面崩壊等の被害が、ため池、農道、用排水路等の農業用施設では、4,970か所で破損等の被害が発生しました[1]。

熊本県では平成28（2016）年８月に、令和元（2019）年度までの復旧・復興の道筋を示す「平成28年熊本地震からの復旧・復興プラン」と、主な取組のロードマップをまとめました。12月には「平成28年熊本地震からの復旧・復興プラン」と「熊本県まち・ひと・しごと創生総合戦略」を包含する「熊本復旧・復興４カ年戦略」を策定しました。平成29（2017）年３月には、復旧・復興全体の進捗を加速化させるため、28項目から成るロードマップの中から重点的に進捗の把握を行うものとして、10項目を選定し、進捗状況を公表してきました。このうち、農林水産分野では、農地及び営農施設の復旧等による「被災農家の営農再開100％」を目標とし、着実に取組が進められ、令和元（2019）年度末時点で営農再開を目指す農家は、ほぼ全て再開される見込みとなりました。

（創造的復興の取組として農地の大区画化の実施や大切畑ダムの本体工事に着手）

大規模な地表面の亀裂やずれによる被害が発生した農地や農業用施設については、創造的復興の取組として、単に元の姿に戻すだけでなく、担い手への農地集積を図るために大区画化等の基盤整備を行いました。具体的には、熊本市と益城町にまたがる秋津地区、阿蘇市の阿蘇谷地区、南阿蘇村の乙ヶ瀬地区の３地区を対象に復旧・復興を進め、全ての地域で営農を再開しました（図表4-4-1）。

また、熊本県西原村の大切畑ため池（通称、大切畑ダム）とパイプラインが被災し、周辺の農家では農業用水を安定的に確保できない状態が発生しました。このような事態を受け、熊本県では益城町の２か所に深井戸ポンプを設置、地元での話合いに基づく暫定的な水利用計画により、営農が行われています。なお、大切畑ダムの復旧については、令和元（2019）年度に本体工事に着手し、令和５（2023）年度までの５年間で工事完了を目指しています。

1　熊本県「平成28年熊本地震による農林水産関係被害」（平成30（2018）年３月13日公表）

図表4-4-1　秋津・阿蘇谷・乙ヶ瀬の復旧状況

地区名	取組概要	進捗状況
秋津 （熊本市・益城町）	沈下等被災した農地の復旧と併せた大区画化（地区面積：172ha）	工事が完了した農地から順次営農（畑作）を再開しつつ、暗渠排水工事等を推進（工事期間中の耕地利用率は131%）
阿蘇谷 （阿蘇市）	地割れ等被災した農地の復旧と併せた大区画化（地区面積：63ha）	工事が完了し、営農再開済み（阿蘇大橋周辺復旧に伴う搬出土砂5万m³を受入れ）
乙ヶ瀬 （南阿蘇村）	被災農地を含めた農地の大区画化（ほ場整備）（地区面積：26ha）	工事が完了した農地から順次営農（畑作）を推進しつつ、令和2（2020）年の水稲の作付けに向けて、用排水路や農道等の整備を推進

資料：熊本県農林水産部調べ

　令和元（2019）年12月に中国で確認された新型コロナウイルスは、世界各地に拡大しました。

　国内における感染拡大を踏まえた小中学校等の臨時休業やイベント等の自粛、入国制限等により、国産農林水産物の需要減少や生産現場における労働力不足等、我が国の農林水産業・食品産業にも様々な影響が発生しています。

　このため、政府は、農林漁業者等の資金繰り支援や学校給食の休止への対応等を含めた緊急対応策を打ち出すとともに、農林水産省では、国民への食料の安定供給を確保する観点から、生産者や食品産業事業者等の事業継続に関するガイドラインの策定、食料品の供給状況等に関する国民への情報発信等を実施しました。また、緊急経済対策の中で、生産基盤の維持・継続と需要の喚起のための対策を盛り込みました。

（1）農林水産業・食品産業への影響

　令和元（2019）年12月に中国武漢市で確認された新型コロナウイルスの感染は、世界各地に拡大しました（図表4-5-1）。

　令和2（2020）年3月末時点で202か国・地域で75万人の感染、3万6千人の死亡[1]が確認されています。我が国においても新型コロナウイルスの感染が拡大しており、感染拡大を踏まえた全国の小中学校等の臨時休業やイベント等の自粛、外国からの渡航者に対する入国制限等により、我が国の農林水産業・食品産業は、深刻な需要減少や人手不足等の課題に直面しています。

第4章

1　WHO「Coronavirus disease 2019 (COVID-19)Situation Report -71」、10:00 CET 31 March 2020

図表4-5-1　新型コロナウイルスに関する動き

令和元(2019)年12月		中国武漢市において、原因となる病原体が特定されていない肺炎の発生が複数報告
令和2 (2020)年 1月	15日	国内において新型コロナウイルス感染者を初めて確認
	21日	新型コロナウイルスに関連した感染症対策に関する関係閣僚会議開催
	29日	中国からのチャーター機第1便が東京に到着
	30日	・政府「新型コロナウイルス感染症対策本部」設置 ・「新型コロナウイルスに関する農林水産省対策本部」設置
	31日	ＷＨＯ「国際的に懸念される公衆衛生上の緊急事態」に該当すると発表
2月	13日	政府対策本部「新型コロナウイルス感染症に関する緊急対応策」取りまとめ
	25日	政府対策本部「新型コロナウイルス感染症対策の基本方針」決定
	26日	政府対策本部「多くの方が集まるような全国的なスポーツ、文化イベント等は今後2週間中止、延期、規模縮小等」を要請
	27日	政府対策本部「全国の小中高校、特別支援学校の2日から春休みまでの臨時休業」を要請
3月	6日	各地方農政局等に相談窓口を設置
	10日	政府対策本部「新型コロナウイルス感染症に関する緊急対応策―第2弾―」取りまとめ
	13日	農林水産省所管業種における新型コロナウイルス感染者が発生した時の対応及び事業継続に関する基本的なガイドライン取りまとめ・公表
	14日	「新型インフルエンザ等対策特別措置法の一部を改正する法律」施行
	19日	農林水産省新型インフルエンザ等対応業務継続計画を改正
	28日	・総理会見において「緊急経済対策の策定とその実行のための補正予算を、今後10日間程度のうちに取りまとめる」ことを発表 ・政府対策本部「基本的対処方針」決定
	31日	新型コロナウイルス感染症の農林水産業への影響に関するヒアリングを実施

資料：農林水産省作成
注：ＷＨＯによる発表は、日本時間で記載

（小中学校等の臨時休業やイベント等の自粛、外食・観光需要の減少による影響）

　新型コロナウイルスの感染拡大を踏まえた全国の小中学校等の臨時休業により、野菜や果物、牛乳・乳製品等に関して、給食向け食材の注文のキャンセル等が発生しました。また、卒業式やイベント等の中止・規模縮小により、花きの需要が減退し、価格が下落しました。さらに、インバウンドを含めた外食・観光需要の減少により、団体の宴会予約のキャンセル等の発生や、牛肉や高級果物、土産菓子等の販売の減少、農泊地域における宿泊・食事・体験活動のキャンセル等が発生しました。

　また、小中学校等の臨時休業により、保護者が出勤できなくなり、農業法人等における雇用にも影響が生じました。

（入国の制限、航空便の減少による影響）

　外国からの渡航者に対する入国制限等により、各国からの外国人技能実習生等の受入れの見通しが立たなくなったり、春節（旧正月）時に一時帰国したまま、日本に戻れずにいる実習生が発生し、農業経営への影響を懸念する声が生じました。また、日本における実習の修了後に、帰国の見通しが立たない実習生も発生しました。

　さらに、旅客便の大幅な減便のあおりを受けた輸出向け生鮮物流の停滞や、輸出事業者の商談機会の逸失等により、香港、中国等を中心に各国への輸出が減少しました。

（2）影響を受ける産業等への緊急対応

（第1弾対策における農林水産省の取組）

　政府は、国内での感染拡大による影響を踏まえ、令和2（2020）年2月13日に「新型コロナウイルス感染症に関する緊急対応策」を決定しました。これを受け、農林水産省

は、農林漁業者向けの資金繰り支援として、公庫等による農林漁業セーフティネット資金を措置するとともに、全国の農泊地域に対する新型コロナウイルスに関する予防対策等の情報提供を実施しました。

（第2弾対策における更なる資金繰り支援）

　政府は、令和2（2020）年2月27日に、全国全ての小中学校等について臨時休業を行うよう要請し、これを受け、3月10日に、学校の臨時休業、事業活動の縮小等への対策を取りまとめた「新型コロナウイルス感染症に関する緊急対応策（第2弾）」（以下「第2弾対策」という。）を決定しました（図表4-5-2）。このうち、農林水産省は、農林漁業者への資金繰り支援として、農林漁業セーフティネット資金の貸付限度額の引上げや、同資金を始めとする各種制度資金等について、貸付当初5年間実質無利子化、実質無担保等での貸付けや債務保証の引受け、債務保証料の5年間免除等を措置しました。

　また、関係金融機関に対して、新規融資の円滑な融通・既往融資に係る償還猶予が適切に行われるよう要請しました（図表4-5-3）。

　さらに、雇用維持のための雇用調整助成金による従業員への休業手当等の助成が措置され、これらが最大限活用されるよう、各業界に周知を徹底しました。

図表4-5-2　新型コロナウイルス感染症に関する緊急対応策（第2弾）の概要

> ➢ 国内の感染拡大を防止するとともに、現下の諸課題に適切に対処するため、政府として万全の対応を行う（財政措置約0.4兆円、金融措置総額1.6兆円）。

（1）感染拡大防止策と医療提供体制の整備
- 感染拡大防止策
- 需給両面からの総合的なマスク対策
- PCR検査体制の強化
- 医療提供体制の整備と治療薬等の開発加速
- 症状がある方への対応
- 情報発信の充実

（3）事業活動の縮小や雇用への対応
- 雇用調整助成金の特例措置の拡大
- 強力な資金繰り対策
- サプライチェーン毀損への対応
- 観光業への対応
- 生活困窮者自立支援制度の利用促進等による包括的支援の強化

（2）学校の臨時休業に伴って生じる課題への対応
- 保護者の休暇取得支援等
- 個人向け緊急小口資金等の特例
- 放課後児童クラブ等の体制強化等
- 学校給食休止への対応
- テレワーク等の推進

（4）事態の変化に即応した緊急措置等
- 新たな法整備（令和2（2020）年3月10日閣議決定）
- 水際対策における迅速かつ機動的な対応
- 行政手続、公共調達等に係る臨時措置等
- 国際連携の強化
- 地方公共団体における取組への財政支援

資料：内閣官房資料を基に農林水産省作成

図表4-5-3　農林漁業者への資金繰り支援策

支援内容	支援の内容・対応事業等
貸付限度額の引上げ	■農林漁業セーフティネット資金 　600万円又は年間経営費等の12分の6　→　1,200万円又は年間経営費等の12分の12
貸付利子の5年間実質無利子化	■農林漁業セーフティネット資金、スーパーL資金、経営体育成強化資金、農業近代化資金、漁業近代化資金 　**貸付当初5年間実質無利子化** ※1 林業者については、貸付当初10年間無利子化 ※2 漁業近代化資金は、5号資金（種苗・育成費）に限る。
実質無担保化	■農林漁業セーフティネット資金、スーパーL資金、経営体育成強化資金 　**実質無担保等での貸付け** ■農業近代化資金、漁業近代化資金、その他民間資金 　農業信用基金協会等の**実質無担保等での債務保証**引き受け ※民間資金は、林業者等・漁業者向けに限る。
保証料の5年間免除	■農業近代化資金、漁業近代化資金、その他民間資金 　農業信用基金協会等による債務保証の**当初5年間の保証料免除** ※民間資金は、林業者等・漁業者向けに限る。
関係金融機関への要請	■新規融資に係る円滑な融通・既往融資に係る償還猶予

資料：農林水産省作成

（学校給食の休止への対応）

　小中学校等に対する臨時休業要請に伴う学校給食休止への対応については、第2弾対策において、臨時休業期間中の学校給食費の保護者への返還要請やそれにより学校設置者が負う負担に対する国による補助、給食調理業者、食品納入業者、酪農家等へのきめ細かい各種支援等を行うことが決定されました（図表4-5-4）。農林水産省は、学校給食の休止に伴う未利用農産物等の代替販路の確保に向けたマッチング等の支援として、食品の通販サイトを通じた未利用食材の販売支援キャンペーン、フードバンク等への寄付のための輸送費等の支援、学校給食向け生乳を脱脂粉乳、バター等の加工用へ用途変更することに伴う価格差支援等を行いました。

　また、学校給食に納入を予定していた学校給食調理の受託事業者の業績悪化対応のため、従業員への休業手当の助成を行うとともに、文部科学省と連携し、教育委員会等と調理業務等受託者の契約に基づく協議を促しました。

学校給食休止への対応

・　臨時休業期間中の学校給食費（食材費）について、保護者の負担とならないよう、返還等を行うことを学校設置者に要請。臨時休業及び上記要請の実施に伴い、地方公共団体等の学校設置者の負担となる学校給食費に相当する費用について支援（補助率：公立3／4等）

・　給食調理業者（パン、米飯、めんの最終加工・納品業者を含む。）に対する、今後の給食再開に向けた新型コロナウイルス感染症も踏まえた衛生管理の徹底・改善を図るための職員研修や設備等の購入の支援（定額（全額公費負担））

・　食品納入業者・生産者等に対する、学校給食用に納入を予定していた野菜・果実等についての、代替販路の確保に向けたマッチング等の支援及び販路が確保できない場合の慈善団体等への寄付のための輸送費等の支援（定額（全額国庫負担））

・　酪農家に対する、学校給食用のために納入を予定していた生乳をバター・脱脂粉乳等の乳製品向けに販売する場合の、既存の加工原料乳生産者補給金制度を活用してもなお生じる価格差の支援及び加工施設への輸送費の支援（定額（全額国庫負担））

・　乳業メーカーに対する、脱脂粉乳の保管余力がないために既存在庫を飼料用に用途変更して販路を拡大する場合に要する経費の支援及び既に生産してしまった学校給食用牛乳をやむを得ず廃棄した場合の処分費用の支援（定額（全額国庫負担））

資料：農林水産省作成

（3）国民への安定的な食料供給に向けた取組

（食料のサプライチェーン全般にわたる事業継続のためのガイドラインを策定）

　農林水産省は、国民への食料の供給を継続的に行うため、令和2（2020）年3月13日に、農業者、畜産事業者、食品産業事業者、木材産業事業者、林業経営体及び漁業者において新型コロナウイルス感染者が発生した際の事業継続に関するガイドラインを策定しました（図表4-5-5）。これらのガイドラインでは、新型コロナウイルス感染症の予防対策を提示し、その徹底を要請するとともに、感染者や濃厚接触者が出た際の具体的な対応のポイントを提示しています。

　農林水産省では、農業者、食品産業事業者等に対し、これらのガイドラインに則して、感染者が発生した場合を想定し、業務継続のための支援体制の構築や業務マニュアル作成等を呼びかけました。

第4章

339

図表4-5-5　農業者向けの事業継続に関するガイドライン（PR版）

農業関係者のみなさまへ　　新型コロナウイルス対策に関する農林水産省対策本部

水田・畑作・施設園芸等の農業者や集出荷施設等の従業員のみなさまは、国民への食料の安定供給等に重要な役割を担っています。
みなさまの中で新型コロナウイルス感染症の患者が発生した時に、業務継続を図る際の基本的なポイントをまとめました。　　（令和2年5月8日までの知見に基づき作成）

※「農業における新型コロナウイルス感染者が発生した時の対応及び事業継続に関する基本的なガイドライン」<https://www.maff.go.jp/j/saigai/n_coronavirus/pdf/gl_nou.pdf>

1　予防対策の徹底

厚生労働省等の情報に基づいて、徹底した対策をお願いします。

○農業者・従業員等に感染予防策を要請します。
　①体温の測定と記録
　②発熱などの症状がある場合、陽性とされた者との濃厚接触がある場合等は、関係者への連絡と自宅待機
　③息苦しさ、強いだるさ、高熱等の症状や比較的軽い風邪症状が続く場合（4日以上）には、すぐに関係者に連絡の上、保健所に問い合わせ
　④屋内で作業をする場合はマスクを着用し、人との間隔はできるだけ2mを目安に（最低1m）適切な距離を確保
　　多人数で行う場合等は、状況に応じて換気を行う
　⑤集出荷施設等への入退場時には手洗い、手指の消毒
　⑥ドアノブ、手すり等人がよく触れるところは、拭き取り清掃

○会議・行事等の開催の必要性を検討し、開催する場合には、換気、人と人との間隔をとるなど、「三つの密」※を避けてください。
※①密閉空間（換気の悪い密閉空間である）、②密集場所（多くの人が密集している）、③密接場面（互いに手を伸ばしたら届く距離での会話や発声が行われる）

2　患者発生時の患者、濃厚接触者への対応

患者が発生した場合は、保健所の指示に従い対応してください。

○患者が確認された場合には、関係者に周知するとともに、保健所に報告し、対応について指導を受けてください。
○保健所の調査に協力し、濃厚接触者の確定を受けます。
○濃厚接触者と確定された農業関係者には、14日間の自宅待機及び健康観察を実施してください。
○濃厚接触者と確定された農業関係者は、発熱又は呼吸器症状を呈した場合は、保健所に連絡し、行政検査を受検します。

3　生産施設等の消毒の実施

○保健所の指示に従って、感染者が作業に従事した区域※1の消毒を実施します。
　緊急を要し、自ら行う場合には、感染者が作業に従事した区域のうち、頻繁に手指が触れる箇所※2を中心に、アルコール※3で拭き取り等を実施してください。　※1　生産施設、集出荷施設、事務室等
　※2　机、ドアノブ、スイッチ類、手すり等
　※3　アルコール（エタノール又はイソプロパノール）（70%）、又は次亜塩素酸ナトリウム（0.05%以上）
　　　※アルコールが入手できない場合はエタノール（60%台）でも可

○一般的な衛生管理が実施されていれば、感染者が発生した施設等は出荷停止や農産物廃棄などの対応をとる必要はありません。

4　業務の継続

あらかじめ地域の関係者が連携する体制の検討をお願いします。

＜想定される連携体制＞
・JA等の生産部会　　・農業法人のグループ
・集出荷事業者等を共有する集団　　・集落

＜検討事項（イメージ）＞
・連絡窓口、連絡網の作成　　・消毒資材、消毒要員の確保
・農作業代替要員のリスト作成
・代行する作業の明確化、優先順位付け、作業方法
・代替要員が確保できない場合の最低限の維持管理方法など

例えば

| 支援内容 | 耕起作業や播種・移植作業、水やり作業など当面の営農活動継続のために支援を必要とする作業を検討し、作業の優先順位付けを行います。 |
| 支援要員 | 周辺農業者や受託組織の活用など、あらかじめ①　誰（どの機関）が②　どの作業を支援するか役割を明確化します。 |

※　労働力の確保状況を踏まえながら、優先順位に基づき、作業を実施しましょう。

※　必要に応じて市町村等の関係機関に相談しましょう。

農林水産省は、みなさまの業務が継続できるように全面的に協力いたしますので、ガイドラインを参考に対応していただきますようよろしくお願いいたします。

農林水産省

資料：農林水産省作成
注：1）令和2（2020）年5月22日に改定されたガイドライン
　　2）農業者以外にも業種ごとにガイドラインを策定し、農林水産省Webサイトに掲載

（国民への分かりやすい情報発信と相談窓口の設置）

　農林水産省では、農林漁業者や食品産業事業者等に対し、新型コロナウイルス感染症に関する緊急対応策等の支援策や事業継続ガイドライン等の内容を周知するとともに、国民に対し、食料品の供給状況等の情報を提供するため、農林水産省Webサイトに特設ページを開設したほか、SNSや動画共有サービス等を活用して、分かりやすい情報発信を行いました。また、地方農政局等に新型コロナウイルスに関する相談窓口を設置しました。

（国民に買いだめをしないよう呼びかけるとともに、調査・監視を実施）

　令和2（2020）年3月下旬、東京都知事による外出自粛要請を受け、一部の小売店において食料品の欠品や品薄状況が発生しました。これに対し、農林水産省は、食品産業事業者等に対し、円滑な食品の供給を要請するとともに、国民に対し、食料品は十分な供給量、供給体制を確保し、在庫も十分にあることから、過度な買いだめや買い急ぎをしないよう落ち着いた行動を呼びかけました。

農林水産省Webサイト等で
国民へメッセージを発信する農林水産大臣

　また、食料の買占め及び売惜しみが生じないよう、調査・監視をしました。

（花きの消費拡大に向け「花いっぱいプロジェクト」を開始）

　卒業式の中止やイベントの自粛等の影響を受け、3月が最盛期となる花きの需要が減少しました。このため、農林水産省は、「花いっぱいプロジェクト」を立ち上げ、家庭や職場に春の花を飾って楽しんでもらうよう、地方公共団体や関係団体に協力を募りました。この一環として、ホワイトデーに花を贈る呼びかけを行う取組や、胸ポケットに生花のコサージュを挿す取組等を展開し、花きの消費拡大に取り組みました。

「花いっぱいプロジェクト」
× BUZZ MAFF

「花いっぱいプロジェクト」
に取り組む地方公共団体
資料：千葉県

PRポスター
資料：花の国日本協議会

農林水産省正面玄関前に
飾られた花々

生花のコサージュ

（国産食材の消費拡大に向け「国産食材モリモリキャンペーン」を開始）

　また、学校給食の休止やイベントの自粛等の影響を受け、需要減退に直面している野菜、食肉、水産物、果実、牛乳、きのこ等の国産農林水産物の消費拡大に向け、農林水産省では、フード・アクション・ニッポンの取組の一環として、農協、民間企業等と連携し、「国産食材モリモリキャンペーン」を開始しました。このキャンペーンは、国産農林水産物の魅力を発信している著名人の「FAN[1]バサダー」の活動等と連携して

キャンペーンロゴ

1　国産農林水産物の消費拡大に取り組むフード・アクション・ニッポン（FAN）

取り組んでいます。

コラム　FANバサダー芸人が国産食材の活用を動画で発信

　「国産食材モリモリキャンペーン」の第1弾として、令和2（2020）年3月18日に、野菜等をテーマとした歌で子供たちに人気のお笑い芸人の小島よしおさんと、料理芸人であるクック井上。さんをFANバサダー芸人に任命し、農林水産副大臣から任命状を授与しました。

　FANバサダー芸人と、FANバサダーゴールドである「笑味ちゃん」を有するJAグループの協力を得て、国産食材を活用して手軽に作れるメニューや国産農林水産物の良さ等を消費者に伝える動画を制作しました。

「FANバサダー芸人」の任命

（4）緊急経済対策の決定

（生産基盤の維持・継続と需要の喚起のための対策を決定）

　以上のように、新型コロナウイルス感染症とそれに伴う経済環境の悪化、外国からの入国制限等により、我が国の農林水産業・食品産業は、需要減少や人手不足等の課題に直面しています。将来にわたって国民が必要とする食料の安定供給を確保するためにも、この状況を速やかに解消し、生産基盤・経営の安定を図ることが重要です。

　こうした状況の下、令和2（2020）年4月には、新型コロナウイルスの感染拡大の防止とその後の経済回復を図るため、ⅰ感染拡大防止策と医療提供体制の整備及び治療薬の開発、ⅱ雇用の維持と事業の継続、ⅲ次の段階としての官民を挙げた経済活動の回復、ⅳ強靭な経済構造の構築、ⅴ今後への備え、を5つの柱とする「新型コロナウイルス感染症緊急経済対策」が閣議決定されました。

　このうち、農林水産分野の緊急経済対策として、農林漁業者、外食事業者、食品流通事業者の事業継続のための資金繰り支援に加え、労働力確保のための支援や農林水産業の経営不安に対処する支援、生産・供給体制を維持するための販売促進等の取組の支援、飲食業を対象とする官民一体型の需要喚起キャンペーン等が盛り込まれています。

　今後も、各地域での状況の推移を見つつ、機動的に対応することとしています。

災害は忘れる前にやってくる
～国はリスクに対して様々な支援を用意～

　令和元（2019）年度は、新型コロナウイルス以外にも、令和元年房総半島台風や令和元年東日本台風等の自然災害、平成30（2018）年９月から続くCSF（豚熱）等様々な災害への対応に追われた１年でした。

　こうした自然災害、家畜伝染病等の様々なリスクに対して、国は、現場の要望等を聴きながら、きめ細かな支援策を措置し、農業者の１日も早い経営再開に向けて対応しています。

　今後も起こり得る様々なリスクに対し、平時から、農業者自身が農業用ハウス等の点検・補強や、農業保険等への加入、飼養衛生管理基準の遵守等、取り組むべきことには取り組み、リスクに備えることが重要です。国としても、そうした農業者の営農継続の努力に対して全面的に協力していきます。

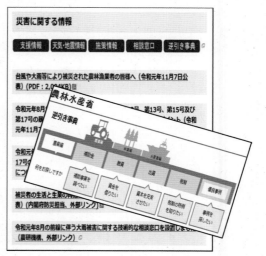

農林水産省Webサイトの
「災害に関する情報」や「逆引き辞典」から
防災・減災に関する支援策をチェック

農業・農村の活性化を目指して
－令和元（2019）年度農林水産祭天皇杯等受賞者事例紹介－

農林水産業者の技術改善・経営発展の意欲の高揚を図るため、効率的な農業経営や地域住民によるむらづくり等を行っている事例のうち、その内容が優れており、広く社会の称賛に値するものについては、毎年度、秋に開催される農林水産祭式典において天皇杯等が授与されています[1]。ここでは、令和元（2019）年度の天皇杯等の受賞者を紹介します。

農林水産祭天皇杯受賞者

令和元（2019）年度農林水産祭天皇杯受賞者

水稲・大豆を主とした多収、高品質生産による高収益、家族複合経営の実践

○農産・蚕糸部門　○経営（水稲）　○富山県 入善町
○有限会社アグリゴールド矢木（代表　矢木　龍一さん）

有限会社アグリゴールド矢木は、従業員10人、160haの規模で、水稲と大豆を主体に白ねぎ等の園芸作物を含めた複合経営を行っています。栽培管理や収穫後の調整等を徹底的かつ確実に行うことで、1等品質がほぼ100%の水稲で県平均を60kg上回る収量を確保しており、大豆の品質も地域の平均以上の品質となっています。

また、水稲直播栽培の導入等による省力化や、きめ細かなメンテナンスや作業計画による少ない機械台数での運用により低コスト化を実現させ、高収益経営を実践しています。

部会一丸となって規模拡大、高品質・長期安定出荷を実現

○園芸部門　○経営（ブロッコリー）　○長崎県雲仙市
○島原雲仙農協雲仙ブロッコリー部会（代表　本多　幸成さん）

島原雲仙農協ブロッコリー部会では部会員52人のうち、30人がほぼブロッコリーの専作経営を行っています。平成9（1997）年の基盤整備事業の開始とともに、機械化体系の確立、全量共同選別出荷体制の整備等の取組により、一戸当たりの平均作付面積を1.2haから3.2haまで急速に拡大させました。さらに、品種や栽培技術の検討等により作型分散、周年栽培体系を確立し、長期安定出荷（10月から6月）を実現しました。

また、部会員の技術講習等の部会活動への参加率は高く、特に平均年齢34.5歳の24人からなる若手後継者会による栽培試験等の自主的な活動は、同部会の発展に大きく貢献しています。

1　天皇杯等三賞の選賞は、過去1年間（平成30（2018）年8月から令和元（2019）年6月）の農林水産祭参加表彰行事において農林水産大臣賞を受賞した466点の中から決定。選賞部門は、掲載5部門のほか、林産部門、水産部門を加えた7部門

国産飼料に立脚したゆとりの有機牛乳生産

○畜産部門　○技術・ほ場（飼料作物（単年生））　○北海道津別町
○有限会社石川ファーム（代表　石川　賢一さん）

　平成12（2000）年、石川ファームは、町内酪農家と共に津別町有機酪農研究会を設立し、地域の多くの関係者の協力の下、有機飼料の栽培技術を確立、平成17（2005）年に完全有機栽培に転換しました。あわせて、有機畑作農家が栽培した飼料用とうもろこしを利用し、飼料自給率は北海道の平均である58％と比べ、78％という高い水準を達成しています。

　平成18（2006）年には、同研究会が牛乳での有機JAS認証を我が国で初めて取得し、その製品は通常より高いプレミアム価格で販売されています。

経営理念「笑顔創造」がつくりだす「ユニバーサル農業」

○多角化経営部門　○経営（芽ねぎ、ミニちんげん菜、ミニみつば）
○静岡県浜松市　○京丸園株式会社（代表　鈴木　厚志さん）

　京丸園株式会社では、多様な人たちが活躍できる「ユニバーサル農業」を推進しています。100人の従業員のうち25％が障がい者で、年齢層も幅広く、10代から80代となっています。障がい者や高齢者も働くことができるように、定植、収穫、洗浄等の各工程における作業機械を自社開発するなど、作業環境の整備を行うことで省力化や効率化を図っています。

　また、同社では付加価値の高い独自の商品開発を行うことで、収益性の確保やオリジナルブランドの確立を実現しています。

進取の精神で取り組むむらづくり

○むらづくり部門　○沖縄県伊江村
○伊江村字西江上区（代表　知念　邦夫さん）

　昭和50年代、伊江村字西江上区では、過疎化が急速に進行する中で、もうかる農業、若者に魅力ある農業を目指し、区民一丸となってかんがい農業の導入を推進しました。その取組等の結果、現在は担い手が増え、村内の農産物による6次産業化にもつながっており、若い農業者が中心となり伊江村青年農業交流会や、女性の経営参画促進を目的とした農業簿記経営講座等を開催し、更なる担い手育成に取り組んでいます。

　また、地域を挙げての環境保全活動や子供たちの農業体験活動等、農業農村の保全活動を行っています。さらに、修学旅行生の受入れも行うなど、都市と村の交流により農村の魅力を発信しています。

令和元（2019）年度農林水産祭内閣総理大臣賞受賞者

部門	出品財	住所	氏名等
農産・蚕糸	技術・ほ場 （こんにゃく）	群馬県 昭和村	狩野 和紀さん　狩野 郁江さん
園芸	経営 （ブロッコリー）	石川県白山市	有限会社安井ファーム （代表 安井 善成さん）
畜産	経営（養豚）	愛知県幸田 町	稲吉 克仁さん　稲吉 幹子さん
多角化経営	経営（かき）	長野県飯田市	みなみ信州農業協同組合柿部会 （代表 常盤 昌昭さん）
むらづくり	むらづくり活動	福井県坂井市	一般社団法人竹田文化共栄会 （代表 廣瀬 哲夫さん）

令和元（2019）年度農林水産祭日本農林漁業振興会会長賞受賞者

部門	出品財	住所	氏名等
農産・蚕糸	産物（小豆）	北海道更別村	渡 基文さん
園芸	経営 （りんご、おうとう、ぶどう）	北海道壮瞥 町	藤盛 元さん　藤盛 ひとみさん
畜産	経営（肉用鶏）	山形県鮭川村	株式会社アイオイ（代表 五十嵐 忠一さん）
多角化経営	経営（酪農・水稲等）	山口県山口市	有限会社船方総合農場 （代表 坂本 賢一さん）
むらづくり	むらづくり活動	山形県鶴岡市	由良地域協議会「ゆらまちっく戦略会議」 （代表 齋藤 勝三さん）

令和元（2019）年度農林水産祭内閣総理大臣賞受賞者（女性の活躍）

部門	出品財	住所	氏名等
畜産	女性の活躍	熊本県菊陽町	那須 眞理子さん

令和元（2019）年度農林水産祭日本農林漁業振興会会長賞受賞者（女性の活躍）

部門	出品財	住所	氏名等
多角化経営	女性の活躍	栃木県下野市	企業組合らんどまあむ（代表 大越 歌子さん）

用語の解説

目次

用語の解説

1．紛らわしい用語について

紛らわしい用語について

生産額・所得

目的	用語	統計値〈出典〉
国内で生産された農産物の売上げ相当額の総額を知りたいとき	農業総産出額	9.1兆円（平成30年）〈生産農業所得統計〉
国内で生産された農産物の売上げ相当額の総額から物的経費を引いた付加価値額を知りたいとき	生産農業所得	3.5兆円（平成30年）〈生産農業所得統計〉
GDP（国内総生産）のうち、農業が生み出した付加価値額を、他産業や外国と比較するとき	農業総生産	5.7兆円（平成30年）〈国民経済計算〉

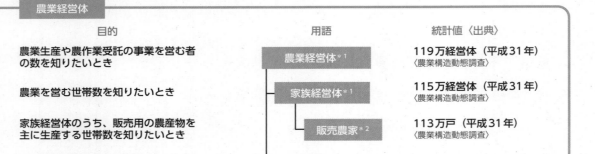

- 農業総産出額　9.1兆円

最終生産物の生産量×価格

- 生産農業所得　3.5兆円

| 経常補助金 | | 間接税 | 減価償却費 | 資材費等（肥料、農薬、光熱費等） |

物的経費

- 農業総生産　5.7兆円

資材費等（肥料、農薬、光熱費等）

農業総産出額＋中間生産物（種子、飼料作物等）＋農業サービス（選果場等）

農業経営体

目的	用語	統計値〈出典〉
農業生産や農作業受託の事業を営む者の数を知りたいとき	農業経営体[1]	119万経営体（平成31年）〈農業構造動態調査〉
農業を営む世帯数を知りたいとき	家族経営体[1]	115万経営体（平成31年）〈農業構造動態調査〉
家族経営体のうち、販売用の農産物を主に生産する世帯数を知りたいとき	販売農家[2]	113万戸（平成31年）〈農業構造動態調査〉
農業を営む会社や集落営農等の数を知りたいとき	組織経営体[1]	4万経営体（平成31年）〈農業構造動態調査〉

＊1：用語の解説2（1）を参照
＊2：用語の解説2（2）を参照

農家（世帯）

目的	用語	統計値〈出典〉
自家消費用も含めて農業を行っている全ての世帯数を知りたいとき	農家*1	216万戸（平成27年）〈2015年農林業センサス〉
販売用の農産物を主に生産する世帯数を知りたいとき	販売農家*1	113万戸（平成31年）〈農業構造動態調査〉
農業による所得が主である65歳未満の世帯員がいる世帯数を知りたいとき	主業農家*1	24万戸（平成31年）〈農業構造動態調査〉
農業以外の兼業者がいない（年齢制限なし）世帯数を知りたいとき	専業農家*1	37万戸（平成31年）〈農業構造動態調査〉
農業以外の兼業者がいる世帯数（年齢制限なし）を知りたいとき	兼業農家*1	76万戸（平成31年）〈農業構造動態調査〉
自家消費用の農産物を主に生産する世帯数を知りたいとき	自給的農家*1	83万戸（平成27年）〈2015年農林業センサス〉

販売農家の世帯員

目的	用語	統計値〈出典〉
年間1日以上自営農業に従事した世帯員数を知りたいとき	農業従事者*2	276万人（平成31年）〈農業構造動態調査〉
主に自営農業に従事した世帯員数を知りたいとき（家事や育児が主体の主婦や学生等も含む）	農業就業人口*2	168万人（平成31年）〈農業構造動態調査〉
ふだん仕事として、主に自営農業に従事した世帯員数を知りたいとき（家事や育児が主体の主婦や学生等は含まない）	基幹的農業従事者*2	140万人（平成31年）〈農業構造動態調査〉

農業における被雇用者

目的	用語	統計値〈出典〉
長期（7か月以上）で雇われた人数を知りたいとき	常雇い*2	24万人（平成31年）〈農業構造動態調査〉
短期（臨時）で雇われた人数を知りたいとき	臨時雇い*2	235万人（平成31年）〈農業構造動態調査〉

＊1：用語の解説2（2）を参照
＊2：用語の解説2（4）を参照

用語の解説

349

2．基本統計用語の定義

（1）農業経営体分類関係（2005年農林業センサス以降の定義）

用　　語	定　　義
農業経営体	農産物の生産を行うか又は委託を受けて農作業を行い、（1）経営耕地面積が30a以上、（2）農作物の作付面積又は栽培面積、家畜の飼養頭羽数又は出荷羽数等、一定の外形基準以上の規模（露地野菜15a、施設野菜350m²、搾乳牛1頭等）、（3）農作業の受託を実施、のいずれかに該当するもの（1990年、1995年、2000年センサスでは、販売農家、農家以外の農業事業体及び農業サービス事業体を合わせたものに相当する。）
家族経営体	農業経営体のうち個人経営体（農家）及び1戸1法人（農家であって農業経営を法人化している者）
組織経営体	農業経営体のうち家族経営体に該当しない者
単一経営経営体	農産物販売金額のうち、主位部門の販売金額が8割以上の経営体
準単一複合経営経営体	単一経営経営体以外で、農産物販売金額のうち、主位部門の販売金額が6割以上8割未満の経営体
複合経営経営体	単一経営経営体以外で、農産物販売金額のうち、主位部門の販売金額が6割未満（販売のなかった経営体を除く。）の経営体

（2）農家等分類関係（1990年世界農林業センサス以降の定義）

用　　語	定　　義
農家	経営耕地面積が10a以上の農業を営む世帯又は農産物販売金額が年間15万円以上ある世帯
販売農家	経営耕地面積30a以上又は農産物販売金額が年間50万円以上の農家
主業農家	農業所得が主（農家所得の50％以上が農業所得）で、1年間に60日以上自営農業に従事している65歳未満の世帯員がいる農家
準主業農家	農外所得が主（農家所得の50％未満が農業所得）で、1年間に60日以上自営農業に従事している65歳未満の世帯員がいる農家
副業的農家	1年間に60日以上自営農業に従事している65歳未満の世帯員がいない農家（主業農家及び準主業農家以外の農家）
専業農家	世帯員の中に兼業従事者が1人もいない農家
兼業農家	世帯員の中に兼業従事者が1人以上いる農家
第1種兼業農家	農業所得の方が兼業所得よりも多い兼業農家
第2種兼業農家	兼業所得の方が農業所得よりも多い兼業農家
自給的農家	経営耕地面積が30a未満かつ農産物販売金額が年間50万円未満の農家
農家以外の農業事業体	経営耕地面積が10a以上又は農産物販売金額が年間15万円以上の農業を営む世帯（農家）以外の事業体
農業サービス事業体	委託を受けて農作業を行う事業所（農業事業体を除き、専ら苗の生産及び販売を行う事業所を含む。）
土地持ち非農家	農家以外で耕地及び耕作放棄地を5a以上所有している世帯

（3）農家経済関係

用　語	定　義
総所得	農業所得＋農業生産関連事業所得＋農外所得＋年金等の収入
農業所得	農業粗収益（農業経営によって得られた総収益額）－農業経営費（農業経営に要した一切の経費）
農業生産関連事業所得	農業生産関連事業収入（農業経営関与者が経営する農産加工、農家民宿、農家レストラン、観光農園等の農業に関連する事業の収入）－農業生産関連事業支出（同事業に要した雇用労賃、物財費等の支出）
農外所得	農外収入（農業経営関与者の自営兼業収入、給料・俸給）－農外支出（農業経営関与者の自営兼業支出、通勤定期代等）
生産費	農産物を生産するために消費した費用合計（物財費と労働費）から副産物価額を控除したもの
物財費	農産物を生産するために消費した流動財費（種苗費、肥料費、農業薬剤費、光熱動力費、その他の諸材料費等）＋固定財（建物、自動車、農機具、生産管理機器の償却資産）の減価償却費
家族労働費	家族労働時間に「毎月勤労統計調査」（厚生労働省）の「建設業」、「製造業」及び「運輸業、郵便業」に属する5人から29人規模の事業所における賃金データ（都道府県単位）を基に算出した単価を乗じて評価したもの
自己資本利子	総資本額から借入資本額を差し引いた自己資本額に年利4％を乗じて算出したもの
自作地地代	その地方の類地（調査対象作物の作付地と地力等が類似している作付地）の小作料で評価したもの

（４）農家世帯員の農業労働力関係

		農業との関わり				世帯員
		農業にのみ従事	農業とその他の両方に従事		農業には従事していない	原則として住居と生計を共にする者
			農業が主	その他が主		

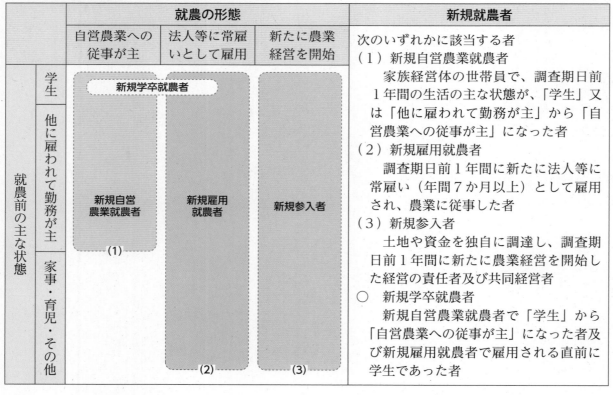

世帯員欄テキスト：

原則として住居と生計を共にする者
（１）基幹的農業従事者
　　　自営農業に主として従事した世帯員（農業就業人口）のうち、ふだんの主な状態が「主に仕事（農業）」である者
（２）農業就業人口
　　　自営農業のみに従事した者又は自営農業以外の仕事に従事していても年間労働日数で自営農業が多い者
（３）農業従事者
　　　15歳以上の世帯員で年間１日以上自営農業に従事した者
○　農業専従者
　　　農業従事者のうち自営農業に従事した日数が150日以上の者

左側の図（ふだんの主な状態／農業との関わり）：
- ふだんの主な状態：主に仕事／その他（家事、通学等）
- 基幹的農業従事者（1）
- 農業従事者（2）（3）
- 農業就業人口

常雇い	主として農業経営のために雇った人で、雇用契約（口頭の契約でもかまわない。）に際し、あらかじめ７か月以上の期間を定めて雇った人（期間を定めずに雇った人を含む。）のことをいう。
臨時雇い	日雇い、季節雇い等農業経営のために臨時雇いした人で、手間替え・ゆい（労働交換）、手伝い（金品の授受を伴わない無償の受入れ労働）を含む。 　なお、農作業を委託した場合の労働は含まない。 　また、主に農業経営以外の仕事のために雇っている人が農繁期等に農業経営のための農作業に従事した場合や、７か月以上の契約で雇った人がそれ未満で辞めた場合を含む。

（５）新規就農者関係（新規就農者調査の定義）

		就農の形態			新規就農者
		自営農業への従事が主	法人等に常雇いとして雇用	新たに農業経営を開始	
就農前の主な状態	学生	新規学卒就農者			次のいずれかに該当する者
	他に雇われて勤務が主	新規自営農業就農者（1）	新規雇用就農者（2）	新規参入者（3）	
	家事・育児・その他				

新規就農者欄テキスト：

次のいずれかに該当する者
（１）新規自営農業就農者
　　　家族経営体の世帯員で、調査期日前１年間の生活の主な状態が、「学生」又は「他に雇われて勤務が主」から「自営農業への従事が主」になった者
（２）新規雇用就農者
　　　調査期日前１年間に新たに法人等に常雇い（年間７か月以上）として雇用され、農業に従事した者
（３）新規参入者
　　　土地や資金を独自に調達し、調査期日前１年間に新たに農業経営を開始した経営の責任者及び共同経営者
○　新規学卒就農者
　　　新規自営農業就農者で「学生」から「自営農業への従事が主」になった者及び新規雇用就農者で雇用される直前に学生であった者

（6）農業地域類型区分

用　語	定　義
農業地域類型区分	地域農業の構造を規定する基盤的な条件（耕地や林野面積の割合、農地の傾斜度等）に基づき市区町村及び旧市区町村を区分したもの
区分	基準指標（下記のいずれかに該当するもの）
都市的地域	○　可住地に占めるDID面積が5％以上で、人口密度500人／km²以上又はDID人口2万人以上の市区町村及び旧市区町村 ○　可住地に占める宅地等率が60％以上で、人口密度500人／km²以上の市区町村及び旧市区町村。ただし、林野率80％以上のものは除く。
平地農業地域	○　耕地率20％以上かつ林野率50％未満の市区町村及び旧市区町村。ただし、傾斜20分の1以上の田と傾斜8度以上の畑との合計面積の割合が90％以上のものを除く。 ○　耕地率20％以上かつ林野率50％以上で、傾斜20分の1以上の田と傾斜8度以上の畑の合計面積の割合が10％未満の市区町村及び旧市区町村
中間農業地域	○　耕地率が20％未満で、都市的地域及び山間農業地域以外の市区町村及び旧市区町村 ○　耕地率が20％以上で、都市的地域及び平地農業地域以外の市区町村及び旧市区町村
山間農業地域	○　林野率80％以上かつ耕地率10％未満の市区町村及び旧市区町村

注：1）　決定順位：都市的地域→山間農業地域→平地農業地域・中間農業地域
　　2）　DIDとはDensely Inhabited Districtの略で人口集中地区のこと。原則として人口密度が4千人／km²以上の国勢調査基本単位区等が市区町村内で互いに隣接して、それらの隣接した地域の人口が5千人以上を有する地区をいう。
　　3）　傾斜は1筆ごとの耕作面の傾斜ではなく、団地としての地形上の主傾斜をいう。
　　4）　農業地域類型区分の中間農業地域と山間農業地域を合わせた地域を中山間地域という。
　　5）　旧市区町村とは、昭和25（1950）年2月1日時点での市区町村をいう。

（7）全国農業地域区分

全国農業地域名	所属都道府県名	全国農業地域名	所属都道府県名
北　海　道	北海道	近　　　畿	滋賀、京都、大阪、兵庫、奈良、和歌山
東　　　北	青森、岩手、宮城、秋田、山形、福島	中　　　国 　山　陰 　山　陽	鳥取、島根 岡山、広島、山口
北　　　陸	新潟、富山、石川、福井	四　　　国	徳島、香川、愛媛、高知
関　東・東　山 　北　関　東 　南　関　東 　東　山	茨城、栃木、群馬 埼玉、千葉、東京、神奈川 山梨、長野	九　　　州 　北　九　州 　南　九　州	福岡、佐賀、長崎、熊本、大分 宮崎、鹿児島
東　　　海	岐阜、静岡、愛知、三重	沖　　　縄	沖縄

3. 五十音順・アルファベット順

（1）五十音順

あ	
アフリカ豚熱	ASFウイルスによって引き起こされる豚やイノシシの伝染病であり、発熱や全身の出血性病変を特徴とする致死率の高い伝染病。有効なワクチン及び治療法はない。本病はアフリカでは常在しており、ロシア及びその周辺諸国でも発生が確認されている。平成30（2018）年8月には、中国においてアジアでは初となる発生が確認されて以降、アジアで発生が拡大した。我が国では、これまで本病の発生は確認されていない。なお、ASFウイルスは人に感染することはない。
遺伝資源	植物・動物・微生物等あらゆる生物に由来する素材であって、現実の、又は潜在的な価値を有するもの。例えば、植物では品種改良の素材として活用される作物（最新の品種のみならず、古い品種や有用性がはっきりしないが潜在的に利用可能と思われるものも含む。）
エコフィード（ecofeed）	食品残さ等を有効活用した飼料のこと。環境にやさしい（ecological）や節約する（economical）等を意味するエコ（eco）と飼料を意味するフィード（feed）を併せた造語
温室効果ガス	地面から放射された赤外線の一部を吸収・放射することにより地表を暖める働きがあるとされるもの。京都議定書では、二酸化炭素（CO_2）、メタン（CH_4、水田や廃棄物最終処分場等から発生）、一酸化二窒素（N_2O、一部の化学製品原料製造の過程や家畜排せつ物等から発生）、ハイドロフルオロカーボン類（HFCs、空調機器の冷媒等に使用）、パーフルオロカーボン類（PFCs、半導体の製造工程等で使用）、六フッ化硫黄（SF_6、半導体の製造工程等で使用）、三フッ化窒素（NF_3、半導体の製造工程等で使用。第二約束期間から追加）を温室効果ガスとして削減の対象としている。

か	
家族経営協定	家族で営農を行っている農業経営において、家族間の話合いを基に経営計画、各世帯員の役割、就業条件等を文書にして取り決めたものをいう。この協定により、女性や後継者等の農業に従事する世帯員の役割が明確化され、農業者年金の保険料の優遇措置の対象となるほか、認定農業者制度の共同申請等が可能となる。
換地	区画整理や農用地の造成等の農用地の区画形質を変更する事業の実施に伴い、換地処分により、工事前の土地（従前の土地）とみなされる土地として定められる土地をいう。換地処分とは、区画整理、農用地の造成等の実施による農用地の区画形質の変更に伴い、工事前の土地（従前の土地）に対しその土地に代わる工事後の新たな土地（換地）を定め、一定の法手続を経た後、当該換地を工事前の土地（従前の土地）とみなす行政処分をいう。
供給熱量（摂取熱量）	食料における供給熱量とは、国民に対して供給される総熱量をいい、摂取熱量とは、国民に実際に摂取された総熱量をいう。一般には、前者は農林水産省「食料需給表」、後者は厚生労働省「国民健康・栄養調査」の数値が用いられる。両者の算出方法は全く異なり、供給熱量には、食品産業において加工工程でやむを得ず発生する食品残さや家庭での食べ残し等が含まれていることに留意が必要
ゲノム編集	「はさみ」となる酵素等を用い、ゲノム上の狙った箇所を切断すること等を通じて、ある生物がもともと持っている遺伝子を効率的に変化させる技術
荒廃農地	現に耕作に供されておらず、耕作の放棄により荒廃し、通常の農作業では作物の栽培が客観的に不可能となっている農地

354

高病原性鳥イン フルエンザ	鳥インフルエンザのうち、家きんを高い確率で致死させるもの。家きんがこのウイルスに感染すると、神経症状、呼吸器症状、消化器症状等全身症状をおこし、大量に死ぬ。なお、我が国ではこれまで、鶏卵、鶏肉を食べることにより人が感染した例は報告されていない。
コーデックス委 員会	消費者の健康の保護、食品の公正な貿易の確保等を目的として、昭和38（1963）年にFAO（国連食糧農業機関）及びWHO（世界保健機関）により設置された国際的な政府間機関。国際食品規格の策定等を行っている。我が国は昭和41（1966）年から同委員会に加盟
さ	
作況指数	米の作柄の良否を表す指標で、その年の10a当たり平年収量に対する10a当たり（予想）収量の比率で表す。10a当たり平年収量は、作物の栽培を開始する以前に、その年の気象の推移や被害の発生状況等を平年並とみなし、最近の栽培技術の進歩の度合いや作付変動等を考慮し、実収量のすう勢を基に作成したその年に予想される10a当たり収量をいう。
集落営農	集落等地縁的にまとまりのある一定の地域内の農家が農業生産を共同して行う営農活動をいう。転作田の団地化、共同購入した機械の共同利用、担い手が中心となって取り組む生産から販売までの共同化等、地域の実情に応じてその形態や取組内容は多様である。
食の外部化	共働き世帯や単身世帯の増加、高齢化の進行、生活スタイルの多様化等を背景に、家庭内で行われていた調理や食事を家庭外に依存する状況が見られる。これに伴い、食品産業においても、食料消費形態の変化に対応した調理食品、総菜、弁当といった「中食」の提供や市場開拓等に進展が見られている。こういった動向を総称して「食の外部化」という。→「中食」を参照
食料安全保障	我が国における食料安全保障については、食料・農業・農村基本法において、「国民が最低限度必要とする食料は、凶作、輸入の途絶等の不測の要因により国内における需給が相当の期間著しく逼迫し、又は逼迫するおそれがある場合においても、国民生活の安定及び国民経済の円滑な運営に著しい支障を生じないよう、供給の確保が図られなければならない。」とされている。 　他方、世界における食料安全保障（Food Security）については、FAO（国連食糧農業機関）で、全ての人が、いかなる時にも、活動的で健康的な生活に必要な食生活上のニーズと嗜好を満たすために、十分で安全かつ栄養ある食料を、物理的にも社会的にも経済的にも入手可能であるときに達成されるとされている。また、食料安全保障には4つの要素があり、適切な品質の食料が十分に供給されているか（供給面）、栄養ある食料を入手するための合法的、政治的、経済的、社会的な権利を持ちうるか（アクセス面）、安全で栄養価の高い食料を摂取できるか（利用面）、いつ何時でも適切な食料を入手できる安定性があるか（安定面）とされている。
食料国産率	国内に供給される食料に対する国内生産の割合であり、飼料が国産か輸入かにかかわらず、畜産業の活動を反映し、国内生産の状況を評価する指標。輸入した飼料を使って国内で生産した分も国産に算入して計算

食料自給率	我が国の食料全体の供給に対する国内生産の割合を示す指標 ○　品目別自給率：以下の算定式により、各品目における自給率を重量ベースで算出 ┌ 食料自給率の算定式 ───── $$品目別自給率＝\frac{国内生産量}{国内消費仕向量}＝\frac{国内生産量}{国内生産量＋輸入量－輸出量±在庫増減}$$ ○　総合食料自給率：食料全体における自給率を示す指標として、供給熱量（カロリー）ベース、生産額ベースの2通りの方法で算出。畜産物については、輸入した飼料を使って国内で生産した分は、国産には算入していない。 ・　供給熱量（カロリー）ベースの総合食料自給率：分子を1人・1日当たり国産供給熱量、分母を1人・1日当たり供給熱量として計算。供給熱量の算出にあたっては、「日本食品標準成分表2015年版（七訂）」に基づき、品目ごとに重量を供給熱量に換算した上で、各品目の供給熱量を合計。 ・　生産額ベースの総合食料自給率：分子を食料の国内生産額、分母を食料の国内消費仕向額として計算。金額の算出に当たっては、生産農業所得統計の農家庭先価格等に基づき、重量を金額に換算した上で、各品目の金額を合計。 ○　飼料自給率：畜産物を生産する際に家畜に給与される飼料のうち、国産（輸入原料を利用して生産された分は除く）でどの程度賄われているかを示す指標。「日本標準飼料成分表（2009年版）」等に基づき、TDN（可消化養分総量）に換算し算出
食料自給力	国内農林水産業生産による食料の潜在生産能力を示す概念。その構成要素は、農産物は農地・農業用水等の農業資源、農業技術、農業就業者、水産物は潜在的生産量と漁業就業者 ○　食料自給力指標 　我が国の農地等の農業資源、農業者、農業技術といった潜在生産能力をフル活用することにより得られる食料の供給熱量を示す指標 　生産を以下の2パターンに分け、それぞれの熱量効率が最大化された場合の国内農林水産業生産による1人・1日当たり供給可能熱量により示す。加えて、各パターンの生産に必要な労働時間に対する現有労働力の延べ労働時間の充足率（労働充足率）を反映した供給可能熱量も示す。 ①　栄養バランスを考慮しつつ、米・小麦を中心に熱量効率を最大化して作付け ②　栄養バランスを考慮しつつ、いも類を中心に熱量効率を最大化して作付け
総合化事業計画	「地域資源を活用した農林漁業者等による新事業の創出等及び地域の農林水産物の利用促進に関する法律」（六次産業化・地産地消法）に基づき、農林漁業経営の改善を図るため、農林漁業者等が農林水産物や副産物（バイオマス等）の生産とその加工又は販売を一体的に行う事業活動に関する計画
た	
地産地消	国内の地域で生産された農林水産物（食用に供されるものに限る。）を、その生産された地域内において消費する取組。食料自給率の向上に加え、直売所や加工の取組等を通じて、6次産業化にもつながるもの
直播栽培（水稲）	稲の種もみを直接田に播種する栽培方法で、慣行栽培（移植栽培）で必要な育苗や移植の作業を省略できる。播種の仕方等により様々な方法があるが、大別すると、耕起・代かき後の水を張った水田に播種する湛水直播栽培と、水を張っていない状態の田に播種する乾田直播栽培がある。

中食	レストラン等へ出かけて食事をする「外食」と、家庭内で手づくり料理を食べる「内食」の中間にあって、市販の弁当や総菜、家庭外で調理・加工された食品を家庭や職場・学校等で、そのまま（調理加熱することなく）食べること。これら食品（日持ちしない食品）の総称としても用いられる。
認定農業者（制度）	農業経営基盤強化促進法に基づき、市町村が地域の実情に即して効率的・安定的な農業経営の目標等を内容とする基本構想を策定し、この目標を目指して農業者が作成した農業経営改善計画を認定する制度。認定農業者に対しては、スーパーL資金等の低利融資制度、農地流動化対策、担い手を支援するための基盤整備事業等の各種施策を実施
農業集落	市町村の区域の一部において、農作業や農業用水の利用を中心に、家と家とが地縁的、血縁的に結び付いた社会生活の基礎的な地域単位のこと。農業水利施設の維持管理、農機具等の利用、農産物の共同出荷等の農業生産面ばかりでなく、集落共同施設の利用、冠婚葬祭、その他生活面に及ぶ密接な結び付きの下、様々な慣習が形成されており、自治及び行政の単位としても機能している。
農業水利施設	農地へのかんがい用水の供給を目的とするかんがい施設と、農地における過剰な地表水及び土壌水の排除を目的とする排水施設に大別される。かんがい施設には、ダム等の貯水施設や、取水堰等の取水施設、用水路、揚水機場、分水工、ファームポンド等の送水・配水施設があり、排水施設には、排水路、排水機場等がある。このほか、かんがい施設や排水施設の監視や制御・操作を行う水管理施設がある。
農地の集積・集約化	農地の集積とは、農地を所有し、又は借り入れること等により、利用する農地面積を拡大することをいう。農地の集約化とは、農地の利用権を交換すること等により、農地の分散を解消することで農作業を連続的に支障なく行えるようにすることをいう。

バイオマス	動植物に由来する有機性資源で、化石資源を除いたものをいう。バイオマスは、地球に降り注ぐ太陽のエネルギーを使って、無機物である水と二酸化炭素から、生物が光合成によって生成した有機物であり、ライフサイクルの中で、生命と太陽エネルギーがある限り持続的に再生可能な資源である。
バリューチェーン	生産から加工、流通、販売に至るまで、各事業が有機的につながり、それぞれの工程で付加価値を生み出していくプロセスのこと
ビッグデータ	ボリュームが膨大でかつ構造が複雑であるが、そのデータ間の関係性等を分析することで新たな価値を生み出す可能性のあるデータ群のこと
豚熱	CSFウイルスによって引き起こされる豚やイノシシの伝染病であり、発熱、食欲不振、元気消失等の症状を示し、強い伝播力と高い致死率が特徴。アジアを含め世界では本病の発生が依然として認められる。我が国は、平成19（2007）年に清浄化を達成したが、平成30（2018）年9月に26年ぶりに発生した。なお、豚、イノシシの病気であり、人に感染することはない。

遊休農地	農地法第32条第1項各号のいずれかに該当するもので、「現に耕作の目的に供されておらず、かつ、引き続き耕作の目的に供されないと見込まれる農地（第1号）」、「その農業上の利用の程度がその周辺の地域における農地の利用の程度に比し著しく劣っていると認められる農地（第2号）」

用語の解説

357

ら	
６次産業化	農林漁業者等が必要に応じて農林漁業者等以外の者の協力を得て主体的に行う、１次産業としての農林漁業と、２次産業としての製造業、３次産業としての小売業等の事業との総合的かつ一体的な推進を図り、地域資源を活用した新たな付加価値を生み出す取組
わ	
「和食；日本人の伝統的な食文化」	平成25（2013）年12月に、「和食；日本人の伝統的な食文化」がユネスコ無形文化遺産に登録された。この「和食」は、「自然を尊重する」というこころに基づいた日本人の食慣習であり、①多様で新鮮な食材とその持ち味の尊重、②健康的な食生活を支える栄養バランス、③自然の美しさや季節のうつろいの表現、④正月等の年中行事との密接な関わり、という特徴を持つ。

（2）アルファベット順

A

AI	Artificial Intelligenceの略で、人工知能のこと。学習・推論・判断といった人間の知能の持つ機能を備えたコンピュータシステム
ASEAN （アセアン）	Association of South-East Asian Nationsの略で、東南アジア諸国連合のこと。昭和42（1967）年、東南アジアにおける経済成長や社会・文化的発展の促進、政治・経済的安定の確保、その他諸問題に関する協力を目的として、タイのバンコクにおいて設立された。設立当初は、インドネシア、マレーシア、フィリピン、シンガポール、タイの5か国が加盟、その後、ブルネイ（昭和59（1984）年加盟）、ベトナム（平成7（1995）年加盟）、ラオス、ミャンマー（平成9（1997）年加盟）、カンボジア（平成11（1999）年加盟）が加わり、10か国となっている。また、平成9（1997）年のアジア通貨危機を契機に、我が国、中国、韓国の3か国が加わり、東アジアで地域協力をする「ASEAN＋3」の枠組みも進められている。
ASF	African Swine Feverの略で、アフリカ豚熱の呼称。詳細は、アフリカ豚熱を参照
ASIAGAP （アジアギャップ）	JGAP/ASIAGAPを参照

B

BCP	Business Continuity Planの略で、災害等のリスクが発生したときに重要業務が中断しないための計画のこと。また、万一、事業活動が中断した場合でも、目標復旧時間内に重要な機能を再開させ、業務中断に伴うリスクを最低限にするために、平時から事業継続について戦略的に準備しておく計画

C.

CSF	Classical Swine Feverの略で、豚熱の呼称。詳細は、豚熱を参照

E

EPA/FTA	EPAはEconomic Partnership Agreementの略で、経済連携協定、FTAはFree Trade Agreementの略で、自由貿易協定のこと。物品の関税やサービス貿易の障壁等を削減・撤廃することを目的として特定国・地域の間で締結される協定をFTAという。FTAの内容に加え、投資ルールや知的財産の保護等も盛り込み、より幅広い経済関係の強化を目指す協定をEPAという。「関税及び貿易に関する一般協定」（GATT）等においては、最恵国待遇の例外として、一定の要件（（1）「実質上のすべての貿易」について「関税その他の制限的通商規則を廃止」すること、（2）廃止は、妥当な期間内（原則10年以内）に行うこと、（3）域外国に対して関税その他の通商障壁を高めないこと等）の下、特定の国々の間でのみ貿易の自由化を行うことも認められている（「関税及び貿易に関する一般協定」（GATT）第24条他）。

F

FGAP （エフギャップ）	FGAP（ふくしま県GAP）は福島県が策定している制度であり、農林水産省の「農業生産工程管理（GAP）の共通基盤に関するガイドライン」に準拠している。また、福島県独自の基準として、放射性物質対策を詳細に規定している。

G

GAP （ギャップ）	Good Agricultural Practiceの略で、農業において、食品安全、環境保全、労働安全等の持続可能性を確保するための生産工程管理の取組のこと

GFSI	Global Food Safety Initiative の略で、世界食品安全イニシアティブのこと。グローバルに展開する食品事業者が集まり、食品安全の向上と消費者の信頼強化に向け様々な取組を行う機関。平成12（2000）年5月に、The Consumer Goods Forum（CGF：世界70か国、約400社のメーカー、小売事業者、サービス・プロバイダーによる国際的な組織。）の下部組織として発足
グローバルギャップ GLOBALG.A.P.	ドイツのFood PLUS GmbHが策定した第三者認証のGAP。青果物及び水産養殖に関してGFSI承認を受けており、主に欧州で普及
GNSS/GPS	GNSSとは、Global Navigation Satellite System の略で、人工衛星からの信号を受信することにより、世界のどこにいても現在位置を正確に割り出すことができる測位システムのこと。GPSとは、Global Positioning System の略でGNSSの一つ
H	
ハサップ HACCP	Hazard Analysis and Critical Control Point の略で、危害要因分析・重要管理点のこと。原料受入れから最終製品までの各工程で、微生物による汚染、金属の混入等の危害の要因を予測（危害要因分析：Hazard Analysis）した上で、危害の防止につながる特に重要な工程（重要管理点：Critical Control Point、例えば加熱・殺菌、金属探知機による異物の検出等の工程）を継続的に監視・記録する工程管理のシステム
I	
ICT	Information and Communication Technology の略。情報や通信に関する技術の総称
IoT	Internet of Things の略で、モノのインターネットのこと。世の中に存在する様々なモノがインターネットに接続され、相互に情報をやり取りして、自動認識や自動制御、遠隔操作等を行うこと
J	
JFS	一般財団法人食品安全マネジメント協会が策定した第三者認証の食品安全管理規格。なお、JFSは、平成30（2018）年10月に、GFSIの承認を取得
ジェイギャップ ＪＧＡＰ/ アジアギャップ ASIAGAP	一般財団法人日本GAP協会が策定した第三者認証のGAP。JGAPの対象は青果物、穀物、茶、家畜・畜産物。ASIAGAPの対象は青果物、穀物、茶。なお、ASIAGAPは、平成30（2018）年10月に、GFSIの承認を取得
N	
NPO/NPO法人	Non Profit Organization の略で、非営利団体のこと。様々な社会貢献活動を行い、団体構成員に対し収益を分配することを目的としない団体の総称である。様々な分野（福祉、教育・文化、まちづくり、環境、国際協力等）で、社会の多様化したニーズに応える重要な役割を果たすことが期待されている。NPOのうち、特定非営利活動促進法に基づき法人格を取得したものを特定非営利活動法人といい、銀行口座の開設や事務所の賃借等を法人名で行うことができる。
O	
OIE	国際獣疫事務局の発足当時の名称である Office International des Epizooties（フランス語）の略。現在の名称は World Organisation for Animal Health。大正13（1924）年に発足した動物衛生の向上を目的とした政府間機関で、182の国と地域が加盟（令和元（2019）年5月末時点）。我が国は昭和5（1930）年に加盟。主に、ASF等の動物疾病防疫や薬剤耐性対策等への技術的支援、動物・畜産物貿易、アニマルウェルフェア等に関する国際基準の策定等の活動を行っている。

S	
SDGs（持続可能な開発目標）	平成27（2015）年9月の国連サミットにおいて全会一致で採択された、令和12（2030）年を期限とする国際社会全体の開発目標。飢餓や貧困の撲滅、経済成長と雇用、気候変動対策等包括的な17の目標を設定。法的な拘束力はなく、各国の状況に応じた自主的な対応が求められる。 　我が国では、平成28（2016）年5月に、SDGsの実施のために閣議決定で「持続可能な開発目標（SDGs）推進本部」を設置。同年12月にSDGs実施のための我が国のビジョンや優先課題等を掲げた「持続可能な開発目標（SDGs）実施指針」を、平成29（2017）年12月には我が国のSDGsモデルの発信に向けた方向性や主要な取組を盛り込んだ「SDGsアクションプラン2018」を同本部で決定。SDGsはSustainable Development Goalsの略
W	
WCS用稲	WCSはWhole Crop Silageの略で、実と茎葉を一体的に収穫し、乳酸発酵させた飼料のこと。WCS用稲は、WCSとして家畜に給与する目的で栽培する稲のことで、水田の有効活用と飼料自給率の向上に資する。
WTO	World Trade Organization の略で、世界貿易機関のこと。ウルグアイ・ラウンド合意を受け、「関税及び貿易に関する一般協定」（GATT）の枠組みを発展させるものとして、平成7（1995）年1月に発足した国際機関。本部はスイスのジュネーブにあり、貿易障壁の除去による自由貿易推進を目的とし、多角的貿易交渉の場を提供するとともに、国際貿易紛争を処理する。

用語の解説

361

4．農業・森林・水産業の多面的機能

（1）農業

雨水の保水・貯留による洪水防止機能	畦畔（けいはん）に囲まれている水田や、耕された畑の土壌に雨水を一時的に貯留することで洪水を防止・軽減する機能
土砂崩壊防止機能	傾斜地農地において、農業の生産活動を通じて農地の崩壊を初期段階で発見し補修することにより、斜面の崩壊を未然に防ぐ機能。また、田畑を耕作することで、雨水を地下にゆっくりと浸透させ、地下水位が急上昇することを抑え、地すべりを防止する機能
土壌侵食防止機能	水田に水が張られたり、田畑の作物の葉や茎により雨水や風による土壌の侵食を防いだりする機能
水源涵養（かんよう）機能	水田で利用される農業用水や雨水が地下に浸透し、時間をかけて河川に還元されるとともに、より深く地下に浸透した水が流域の地下水を涵養（かんよう）する機能
水質浄化機能	水田や畑の水中や土中の微生物が水中の有機物を分解し、作物が窒素を吸収するほか、微生物の働きにより窒素分を取り除き、水質を浄化する機能
有機性廃棄物分解機能	水田や畑の土の中で、バクテリア等の微生物が家畜排せつ物や生ごみ等から作った堆肥を更に分解し、再び農作物が養分として吸収する機能
気候緩和機能	農地で栽培される作物の蒸発散によって熱を吸収し気温を下げることや水田の水面からの蒸発により気温が低下する機能
生物多様性保全機能	水田・畑等が適切かつ持続的に管理されることによって、植物や昆虫、動物等の豊かな生態系を持つ二次的な自然が形成・維持され、生物の多様性が確保される機能
良好な景観の形成機能	農業の営みを通じ、農地と農家の家屋、その周辺の水辺や里山等が一体となった良好な農村の景観を形成する機能
文化の伝承機能	我が国の年中行事や祭事の多くは、豊作を祈る祭事等に由来しており、このような行事や地域独自の祭り等の文化を、農業活動を通じて伝承する機能

（2）森林

生物多様性保全機能	多くの野生動植物が生息・生育するなど、遺伝子や生物種、生態系の多様性を保全する機能
地球環境保全機能	温暖化の原因である二酸化炭素の吸収や蒸発散作用により、地球規模で自然環境を調節する機能
土砂災害防止機能／土壌保全機能	森林の下層植生や落枝落葉が地表の侵食を抑制するとともに、森林の樹木が根を張りめぐらすことによって土砂の崩壊を防止する機能
水源涵養（かんよう）機能	森林の土壌が雨水を貯留し、河川へ流れ込む水の量を平準化して洪水を緩和するとともに、川の流量を安定させる機能
快適環境形成機能	蒸発散作用等による気候緩和や、防風や防音、樹木の樹冠による塵埃（じんあい）の吸着、ヒートアイランド現象の緩和等により、快適な環境を形成する機能
保健・レクリエーション機能	フィトンチッドに代表される樹木からの揮発性物質により直接的な健康増進効果や、行楽やスポーツの場を提供する機能
文化機能	森林景観が、伝統文化伝承の基盤として日本人の自然観の形成に大きく関わるとともに、森林環境教育や体験学習の場を提供する機能

物質生産機能	木材のほか、各種の抽出成分、きのこ等を生産する機能

（3）水産業

漁獲によるチッソ・リン循環の補完機能	適度な漁獲によって、食物連鎖によって海の生物に取り込まれたチッソ、リンを陸上へと回収し、チッソ・リンの循環を補完する機能
海域環境の保全機能	カキやアサリ等の二枚貝類が、海水をろ過し、プランクトンや有機懸濁物を餌とすることで海水を浄化するなど、海域環境を保全する機能
水質浄化機能	干潟、藻場及びそこに生育・生息する動植物が、水中の有機物を分解し、栄養塩類や炭酸ガスを吸収し、酸素を供給するなど海水を浄化する機能
生態系保全機能	適切な水産業の営みにより多くの水生生物に生息・生育の場を提供する干潟や藻場等の生態系が保全される機能
伝統漁法等の伝統的文化を継承する機能	漁村の人々の営みを通じて、伝統漁法等の伝統的文化を継承する機能
海難救助機能	沈没・転覆・座礁・漂流・衝突・火災等船が航海中に起こる海難事故の発生時に、漁業者が行う救助活動
災害救援機能	震災やタンカー事故等災害時の、漁業者が行う物資輸送や流出油の回収等の救援機能
海域環境モニタリング機能	赤潮・青潮やクラゲの大量発生等の漁業者による早期発見等、海域環境の異変の監視機能
国境監視機能	貴重な水産資源の密漁監視活動を通じて、密輸や密入国の防止等国益を守る機能
交流等の場を提供する機能	海洋性レクリエーション等のリフレッシュの場、自然の大切さを学べる交流の場を提供する機能

巻末付録　平成30年間の主な動きと指標

平成30年間の主な動き

	社会・経済	食料・農業・農村の動向と主な施策
平成元年 (1989)	消費税スタート	農業協同組合合併助成法改正 (農協の合併による事業の能率化や近代化の促進) 農用地利用増進法改正 (農用地の利用調整のための仕組みの追加) 特定農産加工業経営改善臨時措置法制定 (かんきつ類や馬鈴しょ等輸入により著しい影響を受ける加工業種等の支援)
平成2年 (1990)	東西ドイツ統一	市民農園整備促進法制定 (市民農園の整備の円滑化) 自主流通米価格形成機構における米の入札取引開始
平成3年 (1991)	湾岸戦争 ソ連崩壊 バブル経済崩壊	イネゲノム解析プロジェクトの開始 食品流通構造改善促進法制定 (食品の流通機構の合理化と流通機能の高度化の支援)
平成4年 (1992)	地球環境サミット	「新しい食料・農業・農村政策の方向」の決定 ・食料のもつ意味や農業・農村の役割の明確化、地球環境問題への配慮 ・効率的かつ安定的な経営体が生産の大宗を担う農業構造の実現 ・自主性と創意工夫を活かした地域づくり
平成5年 (1993)	戦後最悪の米の不作 (作況指数74) EU(欧州連合)誕生	農用地利用増進法[1]改正 (認定農業者制度の創設等) 特定農山村法[2]制定 (特定農山村地域の特性に即した農林業の振興) 米の緊急輸入 ガット・ウルグアイ・ラウンド農業合意 (米以外の輸入数量制限等を行っているすべての農産物の関税化や米のミニマム・アクセス設定等)
平成6年 (1994)		農山漁村余暇法[3]制定 (農林漁業体験民宿業の登録制度等) 食糧法[4]制定 (食糧管理法廃止、備蓄のための政府買入れに限定、計画流通制度への移行等)
平成7年 (1995)	WTO発足 阪神・淡路大震災	青年就農促進法[5]制定 (就農準備資金等の貸付け) 農業経営基盤強化促進法改正 (農地保有合理化法人に対する支援の強化) ミニマム・アクセス米輸入開始
平成8年 (1996)	病原性大腸菌O157による集団食中毒発生	植物防疫法改正 (有害動植物の危険度に応じた検疫措置の実施) 農業協同組合法等改正 (農協系統の業務執行・監査体制の強化、経営合理化等)

1　「農業経営基盤強化促進法」に名称変更
2　正式名称「特定農山村地域における農林業等の活性化のための基盤整備の促進に関する法律」
3　正式名称「農山漁村滞在型余暇活動のための基盤整備の促進に関する法律」
4　正式名称「主要食糧の需給及び価格の安定に関する法律」
5　正式名称「青年の就農促進のための資金の貸付け等に関する特別措置法」

	社会・経済	食料・農業・農村の動向と主な施策
平成9年 (1997)	財政構造改革法制定 地球温暖化防止京都会議	**家畜伝染病予防法改正** (BSE[1]等の家畜伝染病への認定、国内防疫体制の整備等) **新たな米政策大綱決定** (生産調整推進対策、稲作経営安定対策、計画流通制度の運営改善)
平成10年 (1998)	「21世紀の国土のグランドデザイン（多軸型国土構造)」策定	**農地法改正** (2 ha超4 ha以下の農地転用の権限を都道府県知事に移譲) **HACCP手法支援法[2]制定** (食品の製造過程の管理の高度化計画の認定等) **種苗法制定** (品種登録制度の整備等)
平成11年 (1999)	男女共同参画社会基本法制定	**米の関税化** **食料・農業・農村基本法制定** (食料の安定供給確保、多面的機能の発揮、農業の持続的な発展、農村地域の振興という4つの理念の提示、食料自給率目標の設定) **JAS法[3]改正** (飲食料品に関して横断的な品質表示基準の制定等) **持続農業法[4]制定** (土づくり及び化学肥料・農薬低減技術の導入の促進等) **肥料取締法改正** (堆肥等の品質表示の義務化等) **家畜排せつ物法[5]制定** (野積みや素掘りの解消による管理の適正化等)
平成12年 (2000)	循環型社会形成推進基本法制定 加工乳等による食中毒事故発生	**食料・農業・農村基本計画策定** ・食料自給率目標の設定（供給熱量ベース） ・不測時における食料安全保障マニュアルの策定 ・価格政策から所得政策への転換 ・中山間地域等の振興 **中山間地域等直接支払制度導入** (農業生産条件の不利性を補正) **加工原料乳生産者補給金等暫定措置法等改正** (不足払いを廃止し固定払いに変更) **食品リサイクル法[6]制定** (再生利用量に関する数値目標の設定等) **農地法改正** (農業生産法人の一形態として株式会社を位置付け)
平成13年 (2001)	中央省庁再編 米国同時多発テロ発生 BSE感染牛発生 WTOドーハ・ラウンド交渉開始	**農業協同組合法等改正** (農協系統信用事業の確立) **土地改良法改正** (環境との調和への配慮、国県営施設更新事業の拡充等) **農業及び森林の多面的機能の評価について日本学術会議答申**

---

1 正式名称「牛海綿状脳症」
2 正式名称「食品の製造過程の管理の高度化に関する臨時措置法」
3 正式名称「農林物資の規格化及び品質表示の適正化に関する法律」
4 正式名称「持続性の高い農業生産方式の導入の促進に関する法律」
5 正式名称「家畜排せつ物の管理の適正化及び利用の促進に関する法律」
6 正式名称「食品循環資源の再生利用等の促進に関する法律」

	社会・経済	食料・農業・農村の動向と主な施策
平成14年 (2002)	食品偽装表示事件の多発 新型肺炎SARS発生	「食」と「農」の再生プラン (消費者に軸足をおいた農政展開) JAS法改正 (違反業者名公表の迅速化、罰則の強化等) 米政策改革大綱決定 (需要に応じた米生産の推進等) 農薬取締法改正 (無登録農薬の使用規制の創設等) 構造改革特別区域法制定 (リース方式での一般法人の農業参入)
平成15年 (2003)	カルタヘナ議定書発効	食品安全基本法制定 (農林水産省に「消費・安全局」を設置) 牛トレーサビリティ法[1]制定 (牛の個体識別情報の伝達の義務化) カルタヘナ法[2]制定 (未承認の遺伝子組換え生物等の使用を規制等) 食糧法改正 (計画流通制度の廃止、生産調整等の見直し等)
平成16年 (2004)	鳥インフルエンザ発生 (79年ぶり) 新潟県中越地震	青年就農促進法改正 (就農支援資金の貸付対象を拡大等) 家畜伝染病予防法改正 (届出義務違反に関する制裁措置の強化、助成措置の制度化) 農業協同組合法等改正 (合併及び信用事業譲渡の手続きの簡素化等)
平成17年 (2005)	京都議定書発効 愛知万博	食料・農業・農村基本計画策定 ・食料自給率目標の設定（生産額ベースを追加) ・食の安全と消費者の信頼の確保 ・品目横断的政策への転換 ・農地・水・環境保全向上対策の導入 農業経営基盤強化促進法改正 (リース方式による農業参入の全国展開) 食育基本法制定 (国民運動として食育を推進)
平成18年 (2006)		食育推進基本計画作成 (食育の推進の目標設定) バイオマス・ニッポン総合戦略策定 (バイオマスの利活用の推進等) 食糧法改正 (国産麦の政府無制限買入制度の廃止等)

---

1 正式名称「牛の個体識別のための情報の管理及び伝達に関する特別措置法」
2 正式名称「遺伝子組換え生物等の使用等の規制による生物の多様性の確保に関する法律」

	社会・経済	食料・農業・農村の動向と主な施策
平成19年 (2007)	新潟県中越沖地震	農政改革三対策の導入 ・品目横断的経営安定対策 　(地域農業の担い手の確保、土地利用型農業の体質強化) ・米政策改革推進対策 　(消費者ニーズに応じた米生産の推進等) ・農地・水・環境保全向上対策 　(農地・農業用水等を適切に保全管理する取組を支援) 農山漁村活性化法[1]制定 (地方公共団体の活性化計画への交付金の交付)
平成20年 (2008)	北海道洞爺湖サミット 開催 リーマンショック 事故米穀の不正規流通 問題	子ども農山漁村交流プロジェクト (子どもが農山漁村に宿泊して行う体験活動を推進) 農商工等連携促進法[2]制定 (農林漁業者と食品産業等の中小企業者の連携による新事業の展開を支援)
平成21年 (2009)	新型インフルエンザの 世界的流行 消費者庁設立	米粉・エサ米法[3]制定 (米・出荷販売業者が守るべきルールの整備等) 米トレーサビリティ法[4]制定 (米の産地情報の伝達の義務化等) 食糧法改正 (加工用、飼料用等の用途以外の使用の禁止等) 農地法改正 (農地の許可基準の見直し等による農地の有効利用)
平成22年 (2010)	口蹄疫発生 2010年日本APEC首 脳会談開催	食料・農業・農村基本計画策定 ・食料自給率目標を50%に引上げ ・食の安全と消費者の信頼の確保 ・戸別所得補償制度の創設等 ・農業・農村の6次産業化 戸別所得補償モデル対策 (米の生産費と販売価格の差額を交付) APEC食料安全保障担当大臣会合開催 六次産業化・地産地消法[5]制定 (地域資源を活用した新事業の創出や地域の農林水産物の利用の促進)
平成23年 (2011)	東日本大震災 東日本大震災復興特別 区域法制定	第2次食育推進基本計画作成 (重点課題の設定、食育の推進の目標見直し) 農業者戸別所得補償制度 (対象作物の生産費と販売価格の差額を交付) 農業・農村の復興マスタープラン策定 (農地の復旧のスケジュールの明確化等)
平成24年 (2012)		株式会社農林漁業成長産業化支援機構法制定 (農林漁業者が主体となって新たな事業分野を開拓する事業活動等に対する 　出融資や経営支援)

1　正式名称「農山漁村の活性化のための定住等及び地域間交流の促進に関する法律」
2　正式名称「中小企業者と農林漁業者との連携による事業活動の促進に関する法律」
3　正式名称「米穀の新用途への利用の促進に関する法律」
4　正式名称「米穀等の取引等に係る情報の記録及び産地情報の伝達に関する法律」
5　正式名称「地域資源を活用した農林漁業者等による新事業の創出等及び地域の農林水産物の利用促進に関する法律」

	社会・経済	食料・農業・農村の動向と主な施策
平成25年 (2013)		農林水産業・地域の活力創造本部設置 食品表示法制定 (食品表示に関して、食品衛生法、JAS法及び健康増進法の一元化) 農山漁村再生可能エネルギー法[1]制定 (農林漁業の健全な発展と調和のとれた再生可能エネルギー電気の発電の促進) 「和食」ユネスコ無形文化遺産登録 農林水産業・地域の活力創造プラン決定 (農地中間管理機構の創設、経営所得安定対策の見直し、日本型直接支払制度の創設、米政策の見直し) 農地中間管理事業の推進に関する法律制定 (農地中間管理機構の創設)
平成26年 (2014)		農業の有する多面的機能の発揮の促進に関する法律制定 (農業の多面的機能の維持・発揮のための地域活動や営農活動を支援) 農林水産業・地域の活力創造プラン改訂 (農協・農業委員会・農業生産法人改革の推進) 地理的表示法[2]制定 (地域ならではの特徴的な産品の名称を知的財産として保護)
平成27年 (2015)	ミラノ国際博覧会 SDGs採択 TPP大筋合意	食料・農業・農村基本計画策定 ・食料自給力指標の公表 ・国産農産物の消費拡大や「和食」の保護・継承 ・農地中間管理機構のフル活用 ・米政策改革の着実な推進 ・多面的機能支払制度の着実な実施 ・東日本大震災からの復旧・復興 都市農業振興基本法制定 (国・地方公共団体の責務の明確化、都市農業振興基本計画の策定) 農業協同組合法改正 (株式会社等への組織変更の可能化、農協中央会の廃止等) 総合的なTPP関連政策大綱決定 (体質強化対策と経営安定対策)
平成28年 (2016)	熊本地震 伊勢志摩サミット開催 パリ協定発効	第3次食育推進基本計画作成 (重点課題の見直し、食育の推進の目標見直し) G7新潟農業大臣会合開催 農林水産業・地域の活力創造プラン改訂 (農業競争力強化プログラム、農林水産物輸出インフラ整備プログラムの策定)

1 　正式名称「農林漁業の健全な発展と調和のとれた再生可能エネルギー電気の発電の促進に関する法律」
2 　正式名称「特定農林水産物等の名称の保護に関する法律」

	社会・経済	食料・農業・農村の動向と主な施策
平成29年 (2017)	日EU・EPA大枠合意 TPP11大筋合意	農業競争力強化支援法制定 (農業生産に関連する事業の再編等) 土地改良法改正 (農地中間管理機構と連携した都道府県営事業の創設等) 畜産経営安定法等改正 (生産者補給金制度の恒久化、集送乳調整金の交付等) 農業災害補償法[1]改正 (収入保険の創設、農業共済の見直し等) 総合的なTPP等関連政策大綱決定 (チーズ等の乳製品の競争力強化、小麦のマークアップの実質的撤廃等) 農林水産業・地域の活力創造プラン改訂 (卸売市場を含めた食品流通構造改革、新たなニーズに対応した農地制度の 見直し)
平成30年 (2018)	CSF発生(26年ぶり) 築地市場閉場 TPP11発効	米政策改革 (生産調整の数量目標配分を廃止) 農業経営基盤強化促進法改正 (所有者不明農地等の利用の促進等) 農薬取締法改正 (再評価制度の導入、農薬の登録審査の見直し等) 都市農地の貸借の円滑化に関する法律制定 (生産緑地の貸借をしやすくする仕組みを整備) 農林水産業・地域の活力創造プラン改訂 (農地中間管理機構法施行後5年見直し、スマート農業の現場実装の推進、 農林水産業の輸出力の強化) 食品衛生法・食品表示法改正 (HACCP義務化、食品リコール制度の導入等)
平成31年 (2019)	日EU・EPA発効	収入保険開始(青色申告者を対象)

1 「農業保険法」に名称変更

平成30年間の主な指標（全体）

		（単位）	昭和60年 （1985）	平成2年 （1990）	平成12年 （2000）	平成22年 （2010）	平成31年 （2019）
全体	人口	百万人	121	124	127	128	126*
	国内総生産（名目）[1]（年度）	10億円	338,999	462,964	528,447	499,429	550,308*
	1人当たりのGDP（名目）[2]（年度）	千円	2,731	3,655	4,165	3,901	4,337*
	貿易収支	億円	108,707	76,017	107,158	66,347	− 16,678
	為替レート（1ドル）[3]	円	238.5	144.8	107.7	87.8	109.0
	国の一般歳出予算[4]（年度）	億円	325,854	366,731	480,914	534,542	599,359
	農林水産関係予算（年度）	億円	33,008	31,221	34,279	24,517	23,108
	国の一般歳出予算額に占める農林水産関係予算の割合（年度）	%	10.1	8.5	7.1	4.6	3.9

資料：総務省「人口推計」、内閣府「国民経済計算」、財務省「貿易統計」、日本銀行「主要時系列統計データ表」を基に農林水産省作成
注：＊マークがあるものについては、平成30年（度）の数値である。
1）国内総生産は、昭和60年度と平成2年度は「支出側GDP系列簡易遡及（2011年基準・08SNA）」、平成12年度以降は「2019年1－3月期四半期別GDP速報（2次速報値）」による。
2）1人当たりGDPは、昭和60年度と平成2年度は「平成21年度国民経済計算（2000年基準・93SNA）」、平成12年度以降は「平成29年度国民経済計算（2011年基準・08SNA）」による。
3）為替レートは、東京市場　ドル・円　スポット17時時点／月中平均より1年間の平均値を計算し算出
4）国の一般歳出予算は、国の一般会計歳出予算から国債費、地方交付税交付金等を除いたもの。

平成30年間の主な指標（食料・農業・農村関係）

			（単位）	昭和60年 （1985）	平成2年 （1990）	平成12年 （2000）	平成22年 （2010）	平成31年 （2019）
自給率	食料自給率[1]（年度）	供給熱量ベース	%	53	48	40	39	37*
		生産額ベース	%	82	75	71	70	66*
	飼料自給率[1]（年度）		%	27	26	26	25	25*
国際	農林水産物輸入額		億円	62,884	72,806	69,140	71,194	95,198
	農林水産物輸出額		億円	4,895	3,536	3,149	4,920	9,121
食料消費・食生活等	1人1年当たり供給純食料[2]（年度）	米	kg	74.6	70.0	64.6	59.5	53.8*
		小麦	kg	31.7	31.7	32.6	32.7	32.4*
		野菜	kg	111.7	108.4	102.4	88.1	89.9*
		果実	kg	38.2	38.8	41.5	36.6	35.6*
		肉類	kg	22.9	26.0	28.8	29.1	33.5*
		牛乳・乳製品	kg	70.6	83.2	94.2	86.4	95.7*
		魚介類	kg	35.3	37.5	37.2	29.4	23.9*
		油脂類	kg	14.0	14.2	15.1	13.5	14.2*
	消費者物価指数（食料）		2015年=100	81.4	86.5	92.3	93.9	104.3
生産額	農業総産出額		億円	116,295	114,927	91,295	81,214	90,558*
	生産農業所得		億円	43,800	48,172	35,562	28,395	34,873*
	農林漁業の国内総生産		兆円	9.4	9.7	7.0	5.3	6.0*
	食品産業の国内総生産		兆円	30.8	38.4	46.5	40.2	47.2*

		(単位)	昭和60年 (1985)	平成2年 (1990)	平成12年 (2000)	平成22年 (2010)	平成31年 (2019)
生産額	農産物価格指数[3]	2015年 =100	105.2	108.0	91.4	92.9	111.8*
	農業生産資材価格指数[3]	2015年 =100	80.8	78.7	80.1	90.4	100.7*
農家	販売農家数	万戸	331	297	234	163	113
	主業農家数	万戸	–	82	50	36	24
農業労働力	基幹的農業従事者数	万人	346	293	240	205	140
	平均年齢 歳		–	–	62.2	66.1	66.8
	65歳以上 の割合 %		19.5	26.8	51.2	61.1	69.7
	新規就農者数[4]	万人	–	1.6	7.7	5.5	5.6*
	うち49歳 以下 万人		–	0.5	1.8	1.8	1.9*
	認定農業者数[5]（年度）	万経営体	–	–	15.0	24.6	23.9*
	集落営農数	千組織	–	–	–	13.6	14.9
	農地所有適格法人数	法人	3,168	3,816	5,889	11,829	19,213
	水稲（10a当たり）の 直接労働時間	時間	54.5	43.8	33.0	25.1	22.4*
農地	耕地面積	万ha	538	524	483	459	440
	荒廃農地[6]	万ha	–	–	–	29.2	28.0*
	作付延べ面積[7]	万ha	566	535	456	423	405*
	耕地利用率[8]	%	105.1	102.0	94.5	92.2	91.6*
	販売農家1戸当たりの 経営耕地面積[9] 全国	ha	1.33	1.41	1.60	1.96	2.50
	北海道	ha	10.11	11.88	15.98	21.48	25.36
	都府県	ha	1.05	1.10	1.21	1.42	1.77
農村	農村人口[10]	万人	4,770	4,546	4,412	4,194	–
	対総人口比 %		39	37	35	33	–
	65歳以 上の割合 %		13	15	21	27	–
	農業集落数	万集落	–	14.0	13.5	13.9	–
	農業集落排水施設の整 備率[11]（年度）	%	–	–	27.5	73.2	94.5*

資料：農林水産省「農林業センサス」、「農業構造動態調査」、「農業、食料関連産業の経済計算」、「食料需給表」、「生産農業所得統計」、「農家就業動向調査」、「新規就農者調査」、「集落営農実態調査」、「農業物価統計」、「耕地及び作付面積統計」、「荒廃農地の発生・解消状況に関する調査」、「農業経営統計調査農産物生産費統計」、総務省「国勢調査」、「消費者物価指数」、財務省「貿易統計」を基に農林水産省作成
注：＊マークがあるものについては、平成30年（度）の数値である。
　1）平成30年度の数値は概算値である。
　2）1人1年当たり供給純食料については、平成30年度の数値は概算値である。また、米については、国内生産と国産米在庫の取崩しで国内需要に対応している実態を踏まえ、平成10年度から国内生産量に国産米在庫取崩し量を加えた数量を用いて算出している。
　3）平成7年基準改定時に年度指数から暦年指数に変更
　4）平成12年以前の新規就農者数は新規自営農業就農者のみ、平成22年以降は新規雇用就農者と新規参入者を含んだ値である。
　5）認定農業者数は、年度末時点の数値である。平成22年以降は特定農業法人で認定農業者とみなされている法人を含んだ値である。
　6）平成22年の荒廃農地面積は、推計値（「実績値」と調査できなかった区域内の「推計値」の合計）である。
　7）農作物作付（栽培）延べ面積とは、農林水産省統計部で収穫量調査を行わない作物を含む全作物の作付（栽培）面積の合計である。平成29年から、一部品目（陸稲、かんしょ、小豆、いんげん、らっかせい、野菜、果樹、茶、飼料作物）において、調査の範囲を全国から主産県に変更したことから、算出方法を変更している。
　8）耕地利用率とは、耕地面積を「100」とした作付（栽培）延べ面積の割合である。
　9）販売農家1戸当たりの経営耕地面積について、平成2年以前については、経営耕地のない販売農家を含んだ販売農家全体の数値を基に、平成12年以降については、経営耕地のない販売農家を控除した数値を基に算出した値である。
　10）国勢調査における人口集中都市を都市、それ以外を農村とした。
　11）農業集落の排水施設の整備率は、年度末時点の数値であり、当該年度の都道府県構想人口を分母としている。なお、東日本大震災の影響により調査不能な市町村があったため、平成22年度は岩手県、宮城県及び福島県を除いた数値である。

第2部

令和元年度
食料・農業・農村施策

概説

1 施策の重点

食料自給率・食料自給力の維持向上に向けた施策、食料の安定供給の確保に関する施策、農業の持続的な発展に関する施策、農村の振興に関する施策及び食料・農業・農村に横断的に関係する施策等を総合的かつ計画的に展開しました。

また、これまでの農政全般にわたる改革に加えて、新たに生産基盤の強化を目的とする政策パッケージとして「農業生産基盤強化プログラム」を取りまとめ、これを「農林水産業・地域の活力創造プラン」(令和元年12月改訂)に新たに位置付けたことを踏まえ、強い農業・農村を構築し、農業者の所得向上を実現するための施策を展開しました。

さらに、TPP11、日EU・EPAに続く日米貿易協定により、我が国が新たな国際環境に入ったことを踏まえ、令和元(2019)年12月に改訂された「総合的なTPP等関連政策大綱」に基づき、強い農林水産業の構築、経営安定・安定供給の備えに資する施策等を推進しました。また、東日本大震災及び東京電力福島第一原子力発電所(以下「東電福島第一原発」という。)事故からの復旧・復興に関係省庁が連携しながら取り組みました。

2 財政措置

(1)令和元(2019)年度農林水産関係予算額は、2兆3,108億円(このほか臨時・特別の措置1,207億円)を計上しました。本予算は、「農林水産業・地域の活力創造プラン」等に基づき、農林水産業の成長産業化に向けて、「強い農林水産業」と「美しく活力ある農山漁村」を実現していくための施策として措置しました。具体的には、①担い手への農地集積・集約化等による構造改革の推進、②水田フル活用と経営所得安定対策の着実な実施、③強い農林水産業のための基盤づくりと「スマート農業」の実現、

④農林水産業の輸出力強化と農林水産物・食品の高付加価値化、⑤食の安全・消費者の信頼確保、⑥農山漁村の活性化、⑦林業の成長産業化と生産流通構造改革の推進、⑧水産改革を推進する新たな資源管理と水産業の成長産業化、⑨重要インフラの緊急点検等を踏まえた防災・減災、国土強靱化のための緊急対策を推進しました。

また、令和元(2019)年度農林水産関係補正予算額は、5,849億円を計上しました。

(2)令和元(2019)年度の農林水産関連の財政投融資計画額は、5,379億円を計上しました。このうち主要なものは、株式会社日本政策金融公庫への5,300億円となりました。

3 立法措置

第198回国会、第200回国会及び第201回国会において以下の法律が成立しました。
・「農業用ため池の管理及び保全に関する法律」(平成31年法律第17号)
・「農地中間管理事業の推進に関する法律等の一部を改正する法律」(令和元年法律第12号)
・「特定農産加工業経営改善臨時措置法の一部を改正する法律」(令和元年法律第22号)
・「農林水産物及び食品の輸出の促進に関する法律」(令和元年法律第57号)
・「肥料取締法の一部を改正する法律」(令和元年法律第62号)
・「家畜伝染病予防法の一部を改正する法律」(令和2年法律第16号)

また、令和元(2019)年度において、以下の法律が施行されました。
・「土地改良法の一部を改正する法律」(平成31年4月施行)
・「特定農産加工業経営改善臨時措置法の一部を改正する法律」(令和元年6月施行)
・「農業用ため池の管理及び保全に関する法律」(令和元年7月施行)
・「農地中間管理事業の推進に関する法律等の一部を改正する法律」(令和元年11月施行)

4　税制上の措置

施策の総合的な推進を図るため、以下を始めとする税制措置を講じました。

（1）一定の事項が定められた農用地利用規程に基づき行われる農用地利用改善事業の実施区域内にある農用地が、当該農用地の所有者の申出に基づき一定の農地中間管理機構に買い取られる場合を2,000万円特別控除の適用対象に追加しました（所得税・法人税）。

（2）「特定農産加工業経営改善臨時措置法」（平成元年法律第65号）に規定する承認計画に係る施設に対する事業所税の課税標準の特例措置について、菓子製造業、パスタ製造業及び砂糖製造業を適用対象に加えた上、適用期限を1年9月（個人は2年）延長しました（事業所税）。

（3）「農業競争力強化支援法」（平成29年法律第35号）に基づく事業再編計画の認定を受けた場合の事業再編促進機械等の割増償却等の特例措置を2年延長しました（所得税・法人税、登録免許税）。

（4）利用権設定等促進事業により農用地等を取得した場合の所有権の移転登記の税率の軽減措置等を2年延長しました（登録免許税・不動産取得税）。

5　金融措置

政策と一体となった長期・低利資金等の融通による担い手の育成・確保等の観点から、農業経営の特性に応じた資金調達の円滑化を図るための支援措置である農業制度金融の充実を図りました。

（1）株式会社日本政策金融公庫の融資

ア　農業の成長産業化に向けて、民間金融機関と連携を強化し、農業者等への円滑な資金供給に取り組みました。

イ　農業経営基盤強化資金（スーパーL資金）については、実質化された「人・農地プラン」の中心経営体として位置付けられたなどの認定農業者を対象に貸付当初5年間実質無利子化する措置を講じました。

（2）民間金融機関の融資

ア　民間金融機関の更なる農業融資拡大に向けて株式会社日本政策金融公庫との業務連携・協調融資等の取組を強化しました。

イ　認定農業者が借り入れる農業近代化資金については、貸付利率をスーパーL資金の水準と同一にする金利負担軽減措置を実施しました。

ウ　農業経営改善促進資金（スーパーS資金）を低利で融通できるよう、都道府県農業信用基金協会が民間金融機関に貸付原資を低利預託するために借り入れた借入金に対し利子補給金を交付しました。

（3）農業法人への出資

意欲のある農業法人の財務基盤の強化や経営展開を支援するため、「農業法人に対する投資の円滑化に関する特別措置法」（平成14年法律第52号）に基づき、農業法人に対する投資育成事業を行う株式会社又は投資事業有限責任組合の出資原資を株式会社日本政策金融公庫から出資しました。

（4）農業信用保証保険

農業者等の信用力を補完し、円滑な資金供給が行われるようにするため、農業信用保証保険制度に基づき、都道府県農業信用基金協会による債務保証及び当該保証に対し独立行政法人農林漁業信用基金が行う保証保険により補完等を行いました。

（5）被災農業者等支援対策

ア　甚大な自然災害により被害を受けた農業者等が借り入れる災害関連資金について、貸付当初5年間実質無利子化する措置を講じました。

イ　甚大な自然災害により被害を受けた農業経営の再建に必要となる農業近代化資金の借入れについて、都道府県農業信用基金協会の債務保証に係る保証料を保証当初5年間免除するために必要な補助金を交付しました。

ウ　新型コロナウイルス感染症の影響を受けた農業者等に対して、農林漁業セーフティネット資金の貸付限度額の引上げ、貸付当

初５年間実質無利子化するなどの資金繰り
支援策を講じました。

6 政策評価

効果的かつ効率的な行政の推進、行政の説明責任の徹底を図る観点から、「行政機関が行う政策の評価に関する法律」（平成13年法律第86号）に基づき、「政策評価基本計画」（平成27年３月策定）及び毎年度定める実施計画により、事前評価（政策を決定する前に行う政策評価）、事後評価（政策を決定した後に行う政策評価）を実施しました。

I 食料自給率・食料自給力の維持向上に向けた施策

1 食料自給率・食料自給力の維持向上に向けた取組

食料自給率・食料自給力の維持向上に向けて、以下の取組を重点的に推進しました。

（1）食料消費

ア 国内外での国産農林水産物の需要拡大

地産地消等国産農林水産物の消費拡大に向けた取組や、国産農林水産物を求める食品産業事業者と生産現場との連携等を推進するとともに、日本食・食文化に関する情報発信と併せ、農林水産物・食品の輸出を促進しました。

イ 食育の推進

農林漁業体験や郷土料理の調理体験の機会の提供、「日本型食生活」の普及・啓発等、我が国の食や農林漁業に対する消費者の理解や関心を高めるための食育活動を推進しました。

ウ 食品に対する消費者の信頼の確保

食品の品質管理、消費者対応等の取組について、食品の生産から加工・流通、消費に至るまでの各段階の関係者が連携し、情報共有を通じた取組の向上と標準化等を図りました。

（2）農業生産

ア 優良農地の確保と担い手への農地集積・集約化

優良農地を確保するとともに、農業水利施設の適切な保全管理等による農業用水の持続的な活用を推進しました。

また、農地中間管理機構の取組を更に加速化させ、地域の話合いにより作成する「人・農地プラン」の実質化等を進めることにより担い手への農地集積・集約化を推進する「農地中間管理事業の推進に関する法律等の一部を改正する法律」が第198回国会で成立しました。

さらに、相続未登記農地等についても農地中間管理機構を活用して集積・集約化に向けた取組を進めました。

イ 担い手の育成・確保

農業者の経営課題に対し適切にアドバイスする相談体制を整備するとともに、新規就農相談や雇用就農者の定着に向けた雇用就農者向けの研修会の開催等を支援しました。

ウ 農業の技術革新や食品産業事業者との連携等による生産・供給体制の構築等の実現

生産コストの低減を図るための省力栽培技術・新品種の導入等や、次世代施設園芸の取組拡大等を推進するとともに、食品産業事業者との連携等を通じて、需要構造等の変化に対応した生産・供給体制の構築等を推進しました。

2 主要品目ごとの生産努力目標の実現に向けた施策

（1）米

ア 水田活用の直接支払交付金により、水田フル活用を推進しました。

イ 中食・外食向け米や輸出用米等の多収品種や新たな輪作体系の導入実証、担い手向けの革新的な低コスト生産技術の導入支援、カドミウム低吸収性品種等の実証を推進しました。

ウ 輸出用米等の増産等に対応するため、乾燥調製施設等の再編整備等を推進しました。

エ　米穀の需給及び価格の安定を図るため、「米穀の需給及び価格の安定に関する基本指針」を策定し公表しました。

オ　経営所得安定対策を円滑に実施し、米粉用米、飼料用米等の用途外への流通を防止することが必要であることから、「主要食糧の需給及び価格の安定に関する法律」（平成6年法律第113号）に基づき、適切な保管及び販売を徹底しました。

カ　生産者や集荷業者・団体が主体的な経営判断や販売戦略等に基づき、需要に応じた米の生産・販売に取り組めるよう、きめ細かい需給・価格情報、販売進捗・在庫情報等を毎月公表しました。

（2）麦

ア　日本麺用、パン・中華麺用等の需要に応じた麦品種の生産拡大を推進しました。

イ　経営所得安定対策による支援を行うとともに、水田の高度利用（二毛作）に資する作付体系への転換、収量性や加工適性に優れた新品種、単収・品質向上技術等の導入の支援により、小麦、大麦、はだか麦の作付拡大を推進しました。

ウ　麦の生産拡大に対応するため、乾燥調製施設等の再編整備や高性能農業機械の導入等を推進しました。

（3）大豆

ア　経営所得安定対策や強い農業・担い手づくり総合支援交付金等の補助事業による支援を行うとともに、生産性向上に資する耕うん同時畦立て播種栽培等の大豆300A技術の導入や適正な輪作体系の構築等に取り組みました。

イ　実需者ニーズに対応した新品種や栽培技術の導入により、実需者の求める大豆の安定生産を支援し、国産大豆の需要拡大を推進しました。

ウ　「播種前入札取引」の適切な運用等により、国産大豆の安定取引を推進しました。

（4）そば

ア　需要に応じた生産拡大を図るとともに、国産そばの需要拡大に向けて、実需者への安定的な供給を図るため、排水対策等の基本技術の徹底、湿害回避技術の普及等を推進しました。

イ　高品質なそばの安定供給に向けた生産体制の強化に必要となる乾燥調製施設の整備等を支援しました。

ウ　国産そばを取り扱う製粉業者と農業者の連携を推進しました。

（5）かんしょ・ばれいしょ

ア　かんしょについては、生産コストの低減や品質の向上を図るため、機械化一貫体系の確立等への取組を支援しました。特に、でん粉原料用かんしょについては、生産性の向上を図るため、多収新品種への転換や生分解性マルチの導入等の取組を支援しました。

　　また、鹿児島県及び宮崎県で発生した「サツマイモ基腐病」については、土壌消毒、健全な苗の調達等次期作への影響を最小限にするための取組を支援しました。

　　さらに、新たなかんしょ病害防除技術の研究開発を支援しました。

イ　ばれいしょについては、生産コストの低減、品質の向上、労働力の軽減やジャガイモシストセンチュウの発生・まん延の防止を図るための共同利用施設の整備等を推進しました。

　　また、安定生産に向けた作業の共同化やコントラクター等の育成による作業の外部化、加工食品用途への供給拡大に必要なソイルコンディショニング技術（畦から土塊・礫を取り除くことにより、ばれいしょの高品質化、収量向上及び収穫作業の効率化を可能にする技術）を導入した省力的な機械化栽培体系の確立等への取組を支援しました。

ウ　ジャガイモシストセンチュウ抵抗性を有する新品種の普及を促進しました。

エ　国内産いもでん粉の加工食品用途等への販路拡大や収益性の向上を図るため、いもでん粉の高品質化に向けた品質管理の高度化等を支援しました。

オ　糖価調整制度に基づく交付金により、国内産いもでん粉の安定供給を推進しました。

（6）なたね

ア　良質ななたねの安定供給を図るため、播種前契約の実施による国産なたねを取り扱う搾油事業者と農業者の連携を推進しました。

イ　なたねのダブルロー品種（食用に適さない脂肪酸であるエルシン酸と家畜等に甲状腺障害をもたらすグルコシノレートの含有量がともに低い品種）の普及を推進しました。

（7）野菜

ア　野菜の生産・出荷の安定と消費者への安定供給を図るため、価格低落時における生産者補給交付金の交付等により、野菜価格安定対策を的確かつ円滑に実施しました。

イ　加工・業務用野菜への転換に取り組む産地に対し、加工・業務用野菜の安定生産に必要な作柄安定技術の導入を支援するとともに、水田地帯における水稲から野菜等の園芸作物への転換を支援しました。あわせて、加工・業務用需要に対応したサプライチェーンの構築に加えて、加工・業務用野菜の生産を加速化するための新技術・機械化の導入等について支援しました。

ウ　青果物流通の合理化・効率化を推進するため、物流業界との連携による新たな輸送システムの構築に向けた取組を支援しました。

エ　次世代施設園芸の取組を拡大するため、次世代施設園芸への転換に必要な技術について、習得のための実証・研修を支援するとともに、技術習得に必要な実証温室や次世代型大規模園芸施設の整備とその成果やノウハウの分析・情報発信を支援しました。

オ　農業用ハウスの災害被害を軽減するため、都道府県が策定した被害防止計画に基づき実施する農業用ハウスの補強や防風ネットの設置等を支援しました。

（8）果樹

ア　果樹の生産・供給体制を強化するため、農地中間管理機構の活用等による担い手への園地集約・集積の推進、優良品目・品種への改植やそれに伴う未収益期間に対する支援とともに、労働生産性の向上に向けた取組等への支援を行いました。

また、省力樹形の導入とそれに必要となる苗木生産体制の構築のための取組を支援しました。

イ　計画生産・出荷の推進や需給安定対策、契約取引の強化や加工原料供給の安定化を図るための加工流通対策を総合的に行いました。

（9）甘味資源作物

ア　てんさいについては、労働力不足に対応するため、省力化や作業の共同化、労働力の外部化や直播栽培体系の確立・普及等を推進しました。

イ　さとうきびについては、自然災害からの回復に向けた取組を支援するとともに、地域ごとの「さとうきび増産計画」に定めた、地力の増進や新品種の導入、機械化一貫体系の確立等特に重要な取組を推進しました。

また、分みつ糖工場における「働き方改革」への対応に向けて、工場診断や人員配置の改善の検討、施設整備等労働効率を高める取組を支援しました。

ウ　糖価調整制度に基づく交付金により、国内産糖の安定供給を推進しました。

（10）茶

産地の生産性向上と収益力の強化を図るため、改植等による優良品種等への転換や茶園の若返り、有機栽培への転換、玉露やてん茶（抹茶の原料）栽培に適した棚施設を利用した栽培法への転換やてん茶生産のための直接被覆栽培への転換、担い手への集積等に伴う茶園整理（茶樹の抜根）、荒茶加工施設の整備を推進しました。

また、海外ニーズに応じた茶の生産・加工技術や低コスト生産・加工技術の導入、新たな抹茶加工技術の実証や、緑茶生産において使用される主要な農薬について輸出相手国・地域に対し我が国と同等の基準を新たに設定申請する取組を支援しました。

（11）畜産物

　　需要に即した畜産物の生産のため、多様な経営の育成・確保や生乳需給の安定、多様な和牛肉の生産、家畜の改良増殖、生産性向上に向けた省力化推進の取組等を推進しました。

　　また、我が国畜産の競争力強化のため、地域ぐるみでの生産性向上等を進めることにより、収益性向上を図る取組に対して支援しました。

（12）飼料作物等

　　輸入飼料に過度に依存した畜産から国産飼料生産基盤に立脚した畜産に転換するため、不安定な気象に対応したリスク分散の取組等による生産性の高い草地への改良、国産濃厚飼料（子実用とうもろこし等）の増産、ICT等を活用した飼料生産組織の作業の効率化、放牧を活用した肉用牛・酪農基盤強化、飼料用米等の利活用の取組等を推進しました。

（13）その他地域特産物等

ア　こんにゃくいも等の特産農産物については、付加価値の創出、新規用途開拓、機械化・省力作業体系の導入等を推進するとともに、新たな需要の創出・拡大を図るため、生産者、実需者等が一体となって取り組む、安定的な生産に向けた体制の整備等を支援しました。

イ　繭・生糸については、蚕糸業の再生と持続的発展を図るため、養蚕・製糸業と絹織物業者等が提携して取り組む、輸入品と差別化された高品質な純国産絹製品づくり・ブランド化を推進するとともに、新たな需要の創出・拡大を図るため、生産者、実需者等が一体となって取り組む、安定的な生産に向けた体制の整備等を支援しました。

ウ　葉たばこについては、葉たばこ審議会の意見を尊重した種類別・品種別価格により、日本たばこ産業株式会社（JT）が買い入れました。

エ　いぐさについては、輸入品との差別化・ブランド化に取り組むいぐさ生産者の経営安定を図るため、国産畳表の価格下落影響緩和対策の実施、実需者や消費者のニーズを踏まえた、産地の課題を解決するための技術実証等の取組を支援しました。

Ⅱ　食料の安定供給の確保に関する施策

1　国際的な動向等に対応した食品の安全確保と消費者の信頼の確保

　　リスクアナリシスに基づいた食品の安全確保としては、科学的知見に基づき、客観的かつ中立公正に食品健康影響評価（リスク評価）を実施しました。

　　リスクコミュニケーションの推進としては、食品の安全に関するリスク評価や施策等について、国民の意見を反映し、その過程の公正性及び透明性を確保するとともに、消費者、事業者、生産者等の関係者による情報や意見の交換の促進を図るため、関係府省や地方公共団体、消費者団体等と連携した意見交換会、施策の実施状況の公表、Webサイト等を通じた分かりやすく効果的な情報発信、意見・情報の募集等を実施しました。

（1）科学の進展等を踏まえた食品の安全確保の取組の強化

a　食品安全に関するリスク管理を一貫した考え方で行うための標準手順書に基づき、農畜水産物や加工食品、飼料中の有害化学物質・有害微生物の調査や安全性向上対策の策定に向けた試験研究を実施しました。

b　試験研究や調査結果の科学的解析に基づき、施策・措置に関する企画や立案を行い、生産者・食品事業者に普及するとともに、その効果を検証し、必要に応じて見直しました。

c　情報の受け手を意識して、食品安全に関する施策の情報を発信しました。

d　食品中に残留する農薬等に関するポジティブリスト制度導入時に残留基準を設定した農薬等や新たに登録等の申請が

あった農薬等について、食品健康影響評価結果を踏まえた残留基準の設定、見直しを推進しました。

e 食品の安全性等に関する国際基準の策定作業への積極的な参画や国際基準の策定等の過程に参画できる人材の育成、国内における情報提供や意見交換を実施しました。

ア 生産段階における取組

（ア）生産資材の適正な使用

生産資材（肥料、飼料・飼料添加物、農薬、動物用医薬品）の適正使用を推進するとともに、科学的データに基づく生産資材の使用基準、有害物質等の基準値の設定・見直し、薬剤耐性菌のモニタリングに基づくリスク低減措置等を行い、安全な農畜水産物の安定供給を確保しました。

肥料については、堆肥と化学肥料の配合を可能とする配合規制の緩和や原料管理制度の導入等を措置する「肥料取締法の一部を改正する法律」が第200回国会で成立し、改正法の内容に関する周知と具体的な運用ルールの検討を行いました。

農薬については、平成30（2018）年に改正された「農薬取締法」（昭和23年法律第82号）に基づき、農薬の安全性に関する審査の充実を図ることとしており、令和元（2019）年6月に、農薬の使用者や蜜蜂への影響についての新たな評価に関するガイドラインを公表しました。

また、蜜蜂の被害件数及び都道府県による被害軽減対策等を把握するとともに、国内外の知見を収集し、これらに基づき必要な措置を検討しました。

（イ）GAP（農業生産工程管理）の推進

農産物においては、令和元（2019）年度末までにGAP認証取得経営体数を平成29（2017）年4月の3倍以上（13,500経営体）にすることを目指し、各種政策を通じてGAPの取組拡大を推進するとともに、ほぼ全ての国内の産地における国際水準のGAPの実施を目指し、令和2（2020）年度中に「GAP共通基盤ガイドライン」を国際水準に改訂するために必要な取組を実施しました。

畜産物においては、JGAP家畜・畜産物やGLOBALG.A.P.の認証取得、GAPの認証取得に向けたステップアップを目指す「GAP取得チャレンジシステム」の取組拡大を図りました。

イ 製造段階における取組

（ア）HACCP（危害要因分析・重要管理点）に沿った衛生管理が制度化されることを踏まえ、中小規模の食品等事業者が円滑に対応できるよう、HACCPの知識を普及する研修、業界団体等によるHACCP導入の手引書作成、施設整備に対して「食品の製造過程の管理の高度化に関する臨時措置法」（平成10年法律第59号）による金融措置等の支援を実施しました。

（イ）食品等事業者に対する監視指導や事業者による自主的な衛生管理を推進しました。

（ウ）食品衛生監視員の資質向上や検査施設の充実等を推進しました。

（エ）長い食経験を考慮し使用が認められている既存添加物については、毒性試験等を実施し、安全性の検討を推進しました。

（オ）国際的に安全性が確認され、かつ、汎用されている食品添加物については、国が主体的に指定に向けて検討しました。

（カ）保健機能食品（特定保健用食品、栄養機能食品及び機能性表示食品）を始めとした健康食品について、事業者の安全性の確保の取組を推進するとともに、保健機能食品制度の普及・啓発に取り組みました。

（キ）SRM（特定危険部位）の除去・焼却、BSE（牛海綿状脳症）検査の実施等により、食肉の安全を確保しました。

ウ 危機管理等に関する取組

（ア）食品関係事業者のコンプライアンス確

立のための取組

食品関係事業者の自主的な企業行動規範等の策定を促すなど食品関係事業者のコンプライアンス（法令の遵守及び倫理の保持等）確立のための各種取組を促進しました。

（イ）危機管理体制の整備

a　食品の摂取による人の健康への重大な被害が拡大することを防止するため、関係府省庁の消費者安全情報総括官等による情報の集約及び共有を図りました。

b　食品安全に関する緊急事態等における対応体制を点検・強化しました。

c　2020年東京オリンピック競技大会・東京パラリンピック競技大会等における食品への意図的な毒物等の混入を防止するため、食品防御対策の構築に取り組みました。

エ　輸入に関する取組

輸出国政府との二国間協議や在外公館を通じた現地調査等の実施、情報等を入手するための関係府省の連携の推進、監視体制の強化等により、輸入食品の安全性の確保を図りました。

（2）食品表示情報の充実や適切な表示等を通じた食品に対する消費者の信頼の確保

ア　食品表示の適正化の推進

（ア）食品表示に関する規定を一元化した「食品表示法」（平成25年法律第70号）の下、関係府省の連携を強化して立入検査等の監視業務を実施するとともに、科学的な分析手法の活用等により、効果的・効率的な監視を実施しました。

また、「不当景品類及び不当表示防止法」（昭和37年法律第134号）に基づき、関係府省が連携した監視体制の下、外食メニュー等の適切な表示を推進しました。

（イ）輸入品以外の全ての加工食品に対して、原料原産地表示を行うことが義務付けられた新たな原料原産地表示制度については、消費者、事業者等への普及・啓発を行い、理解促進を図りました。

（ウ）米穀等については、「米穀等の取引等に係る情報の記録及び産地情報の伝達に関する法律」（平成21年法律第26号。以下「米トレーサビリティ法」という。）により産地情報伝達の徹底を図りました。

（エ）新型コロナウイルス感染症の拡大に伴う中国産輸入原材料の供給不足を受け、中国産として表示を行っている商品について、制度を弾力的に運用する通知を消費者庁と連名で発出しました（食品表示法及び米トレーサビリティ法）。

イ　流通段階における取組

（ア）食品事故等発生時の原因究明や商品回収等の円滑化に資するため、食品のトレーサビリティに関し、「実践的なマニュアル」の活用及びフードチェーンを通じた具体的な取組モデルの提供等新たな推進方策の策定等により、その普及・啓発に取り組みました。

（イ）米穀等については、米トレーサビリティ法に基づき、制度の適正な運用に努めました。

（ウ）国産牛肉については、「牛の個体識別のための情報の管理及び伝達に関する特別措置法」（平成15年法律第72号）による制度の適正な実施が確保されるようDNA分析技術を活用した監視等を実施しました。

ウ　フード・コミュニケーション・プロジェクトの推進

消費者の「食」に対する信頼向上に向けた食品関係事業者の主体的な活動を促すため、フードチェーンの各段階で事業者間のコミュニケーションを円滑に行い、食品関係事業者の取組を消費者まで伝えていくためのツールの普及等を進めました。

エ　消費者への情報提供

「消費者の部屋」等において、消費者からの相談を受け付けるとともに、特別展示等を開催し、農林水産行政や食生活に関する情報を幅広く提供しました。

2　幅広い関係者による食育の推進と国産農産物の消費拡大、和食文化の保護・継承

（1）食育の推進と国産農産物の消費拡大

ア　国民運動としての食育の推進

（ア）「第3次食育推進基本計画」（平成28年3月策定）等に基づき、関係府省庁が連携しつつ、様々な分野において国民運動として食育を推進しました。

（イ）朝ごはんを食べること等、子供の基本的な生活習慣を育成するための「早寝早起き朝ごはん」国民運動を推進しました。

（ウ）国民運動として食育を推進するため、食育推進全国大会や食育活動表彰を実施するとともに、「第3次食育推進基本計画」の主要課題の解決に向けた実態調査や事例調査等を実施しました。

イ　地域における食育の推進

郷土料理等地域の食文化の継承や農林漁業体験機会の提供、和食給食の普及、共食機会の提供、地域で食育を推進するリーダーの育成等、地域で取り組む食育活動を支援しました。

ウ　学校における食育の推進

家庭や地域との連携を図るとともに、学校給食を活用しつつ、学区の教育活動全体を通じて学校における食育の推進を図りました。

エ　国産農産物の消費拡大の促進

（ア）食品関連事業者と生産者団体、国が一体となって、食品関連事業者等における国産農産物の利用促進の取組等を後押しするなど、国産農産物の消費拡大に向けた取組を実施しました。

（イ）消費者と生産者の結び付きを強化し、我が国の「食」と「農林漁業」についてのすばらしい価値を国内外にアピールする取組を支援しました。

（ウ）地域の生産者等と協働し、日本産食材の利用拡大や日本食文化の海外への普及等に貢献した料理人を顕彰する制度である「料理マスターズ」を実施しました。

（エ）生産者と実需者のマッチング支援を通じて、中食・外食向けの米の安定取引の推進を図りました。

また、ごはん食推進の普及・啓発に加え、米の消費拡大に資する飲食店情報の提供や、消費拡大に取り組む企業・団体の応援等、業界による主体的取組を応援する運動「やっぱりごはんでしょ！」の充実を図りました。

（オ）ノングルテン米粉や用途別基準に適合する高品質な日本産米粉の流通を契機として、国産米粉の優位性の分析やノングルテン米粉の製造手法マニュアルの作成等、国産米粉の需要拡大に向けた取組や輸出拡大の取組を支援しました。

（カ）「米穀の新用途への利用の促進に関する法律」（平成21年法律第25号）に基づき、米粉用米、飼料用米の利用促進を図るため、米粉用米、飼料用米の生産・利用拡大や必要な機械・施設の整備等を総合的に支援しました。

（キ）麦や大豆等の生産拡大を図るため、需要に応じた品種の作付けや、実需者等と産地が連携した特色のある製品づくりを推進し、需要の拡大を図りました。

（ク）飼料用米を活用した豚肉、鶏卵等のブランド化を推進するための付加価値の向上等に向けた新たな取組を支援しました。

（ケ）生産者等と中食・外食・加工業者等のマッチング及び新商品開発・プロモーションの支援を通じて、砂糖の需要拡大の推進を図りました。

また、砂糖に関する正しい知識の普及・啓発に加え、砂糖の需要拡大に資するスイーツ店情報の提供や、需要拡大に取り組む企業・団体の応援等、業界による主体的取組を応援する運動「ありが糖運動」の充実を図りました。

（コ）新型コロナウイルス感染症の拡大により、学校給食の停止やイベント自粛により国産農林水産物の需要が減少していることから、国産食材の消費拡大を目指す「フード・アクション・ニッポン」の取

組の一環として、「国産食材モリモリキャンペーン」を開始しました。

オ　地産地消の推進

地産地消の中核的施設である農産物直売所の運営体制強化のための検討会の開催及び観光需要向けの商品開発や農林水産物の加工・販売のための機械・施設等の整備を支援するとともに、学校給食等の食材として地場産農産物を安定的に生産・供給する体制の構築に向けた取組やメニュー開発等の取組を支援しました。

（2）和食文化の保護と次世代への継承

ユネスコ無形文化遺産に登録された和食文化を国民全体で保護・継承するため、地域固有の多様な食文化を地域で保護・継承していくための体制を各都道府県に構築し、各地域が選定した郷土料理の調査・データベース化及び普及等を行いました。

また、子供及びその保護者に対して和食文化の普及活動を行う中核的な人材を育成するとともに、子供たちを対象とした和食文化普及のための取組を通じて和食文化の次世代への継承を図りました。

さらに、味覚が形成される子供のうちに身近・手軽に健康的な「和ごはん」を食べる機会を増やしてもらうため、官民協働の「Let's！和ごはんプロジェクト」の取組を推進しました。

3　生産・加工・流通過程を通じた新たな価値の創出による需要の開拓

（1）6次産業化等の取組の質の向上と拡大に向けた戦略的推進

ア　6次産業化等の推進

都道府県及び市町村段階に、行政、農林漁業、商工、金融機関等の関係機関で構成される6次産業化・地産地消推進協議会を設置し、6次産業化等戦略を策定する取組を支援しました。

また、6次産業化等に取り組む農林漁業者等に対するサポート体制を整備するとともに、農林漁業者等が多様な事業者とネッ

トワークを構築して行う新商品開発・販路開拓の取組、「地域資源を活用した農林漁業者等による新事業の創出等及び地域の農林水産物の利用促進に関する法律」（平成22年法律第67号）等に基づき認定された農林漁業者等が農林水産物を加工・販売するための機械・施設の整備等を支援しました。

さらに、市町村の6次産業化等に関する戦略に沿って、市町村が地域ぐるみで行う6次産業化の取組を支援しました。

イ　農林漁業成長産業化ファンドの積極的活用

農林漁業成長産業化ファンドを通じて、農林漁業者が主体となった6次産業化の取組や、農業生産関連事業者による生産資材価格の引下げや農産物の流通・加工構造の改革に向けた取組等に対し、資本の提供と経営支援を一体的に実施しました。

また、最近の出資状況、過去の投資実績等を踏まえ、農林漁業成長産業化ファンドに対し、令和3（2021）年度以降、新たな出資の決定を行わないなどの方向で、投資計画を見直すよう指示しました。

（2）食品産業の競争力の強化

ア　新たな市場を創出するための環境づくり

（ア）介護食品に関する普及

パンフレットや映像等の教育ツールを用いてスマイルケア食の普及を図りました。

（イ）「強み」のアピールにつながるJAS等の検討

産品の品質や特色、事業者の技術や取組について、説明・証明、信頼の獲得を容易にし、取引の円滑化に資するよう、訴求力の高いJASの制定・活用等を進めました。

また、これを足掛かりとしたJASの国際化を推進しました。

イ　食品流通の効率化や高度化等

（ア）流通・加工の業界構造の見直し

「農業競争力強化支援法」に基づき、農産物流通・加工の合理化を図るため、流通・加工業界の再編に係る取組の支援等を実施しました。

（イ）卸売市場を含めた食品流通構造改革

　　平成30（2018）年10月に改正された「食品等の流通の合理化と取引の適正化に関する法律」（平成3年法律第59号）に基づき、食品等の流通の合理化を図る取組を支援するとともに、食品等の取引の適正化のため、取引状況に関する調査を行いました。

　　また、令和2（2020）年6月の「卸売市場法」（昭和46年法律第35号）の改正に向け、卸売市場における取引ルール等の議論を促進しました。

（ウ）商品先物市場の活性化

a　商品先物市場の健全な運営を確保するため、商品先物市場の監視を行うとともに、外国規制当局と協力しつつ適切な市場管理を行いました。

b　顧客の保護及び取引の適正化を図るため、「商品先物取引法」（昭和25年法律第239号）の迅速かつ適正な執行をしました。

ウ　生産性向上等の取組

　　ロボット・AI・IoT技術の活用実証や、食品事業者の生産性向上に対する意識改革を目的とした研修会の開催等により、食品産業におけるイノベーションを創出し、食品製造業から外食・中食産業に至る食品産業全体の生産性向上を支援しました。

　　また、生産性向上等に向けた民間の気運を醸成する表彰事業を通じて、外食産業の振興に取り組みました。

エ　環境問題等の社会的な課題への対応

（ア）食品ロスの削減に向けた取組

　　SDGs（持続可能な開発目標）を踏まえ、令和元（2019）年7月に策定した「食品循環資源の再生利用等の促進に関する法律」（平成12年法律第116号。以下「食品リサイクル法」という。）に基づく新たな基本方針において、食品関連事業者から発生する食品ロスを2000年度比で2030年度までに半減させる目標を設定しました。

　　また、令和元（2019）年10月には「食品ロスの削減の推進に関する法律」（令和元年法律第19号）が施行され、同法に基づき食品ロス削減推進会議において、食品ロスの削減の推進に関する基本的な方針について検討し、令和2（2020）年3月に閣議決定しました。

　　事業系食品ロスの削減に向け、フードチェーン全体での商慣習の見直しに向けた取組や、フードバンク活動団体の人材育成等を支援しました。令和元（2019）年10月の「食品ロス削減月間」には、食品小売業者の消費者向け啓発活動の取組状況、飲食店における食品提供・食材使いきりの工夫等の事例集等について公表しました。

　　また、令和2（2020）年2月の恵方巻きシーズンには、需要に見合った販売に取り組む食品小売業者の公表や消費者向け情報発信資材の提供を行いました。

（イ）食品産業における環境負荷の低減及び資源の有効利用

a　食品循環資源有効利用促進対策

　　令和元（2019）年7月に策定した食品リサイクル法に基づく新たな基本方針において、食品循環資源の再生利用等の実施状況を踏まえ、発生抑制及び再生利用等の実施率に係る目標の見直しを行いました。

　　食品流通の川下における食品循環資源の再生利用等を促進するため、農業者やメタン発酵事業者等の関係者で構成される協議会等の設立・運営や消化液等の肥料利用に関する調査・実証等の取組を通じて、メタン発酵消化液等の肥料利用を行うための取組を支援しました。

b　容器包装リサイクル促進対策

　　「容器包装に係る分別収集及び再商品化の促進等に関する法律」（平成7年法律第112号）に基づく、義務履行の促進、容器包装廃棄物の排出抑制のための取組として、食品関連事業者への点検指

導、食品小売事業者からの定期報告の提出の促進等を実施しました。

　また、食品産業等から募集したプラスチック資源循環に資する自主的取組である「プラスチック資源循環アクション宣言」を広く発信するなど、農林水産・食品産業で利活用されるプラスチック資源の循環を促進しました。

　さらに、レジ袋の有料化を義務付けることについて、食品関連企業・業界団体と意見交換を行いながら検討を進めるとともに、その在り方を周知・啓発しました。

c　CO_2排出削減対策

　食品産業の持続可能な発展に寄与する地球温暖化防止・省エネルギー等の優れた取組を表彰するとともに、低炭素社会実行計画の進捗状況の点検等を実施しました。

（ウ）高齢化の進展等に対応した食料提供等

　食料品の購入や飲食に不便や苦労を感じる「食料品アクセス問題」に対する市町村等の取組事例を公表しました。

（エ）労働力不足への対応

　食品産業の現場で特定技能制度による外国人材を円滑に受け入れるため、飲食料品製造分野及び外食業分野において制度の周知を目的とした説明会の開催や外国人材の技能を評価する試験の実施等を行いました。

4　グローバルマーケットの戦略的な開拓

（1）官民一体となった農林水産物・食品の輸出促進

ア　オールジャパンでの輸出促進体制の整備

　令和元（2019）年に輸出額を1兆円とする目標の達成に向けて官民一体となって「農林水産業の輸出力強化戦略」（平成28年5月策定。以下「輸出力強化戦略」という。）の着実な実行のため、以下の取組を行いました。

（ア）GFP（農林水産物・食品輸出プロジェ

クト）のコミュニティサイトを通じ、農林水産省が輸出の可能性を診断する輸出診断や、輸出に向けた情報の提供、登録者同士の交流イベントの開催等を行いました。

　また、輸出先国のニーズや規制等に対応した「グローバル産地」の形成を進めるために、産地づくりの計画策定、計画実行に向けた体制整備、生産・加工体制の構築等を支援しました。

（イ）水産物、米・米加工品、林産物、花き、青果物、畜産物、茶及び加工食品（菓子）の品目別輸出団体が、オールジャパンで取り組む日本産品の情報発信や販路開拓の取組を支援しました。

（ウ）日本食品海外プロモーションセンター（JFOODO）による新たな海外市場の開拓・拡大のための戦略的プロモーション等を実施しました。

　また、独立行政法人日本貿易振興機構（JETRO）への予算措置を通じて、輸出相談窓口のワンストップ対応、専門家による支援、セミナーの開催、国内外での商談、見本市への出展、様々な国内支援機関が参画する新輸出大国コンソーシアムによる支援等、輸出に取り組む事業者を継続的にかつ一貫して支援しました。

イ　輸出阻害要因の解消等による輸出環境の整備

（ア）農産物等輸出促進

a　東電福島第一原発事故を受けて、諸外国・地域において日本産食品に対する輸入規制が行われていることから、関係省庁が協力し、各種資料・データを提供しつつ輸入規制の撤廃・緩和に向けた働き掛けを実施しました。

b　日本産食品等の安全性や魅力に関する情報を諸外国・地域に発信するほか、海外におけるプロモーション活動の実施により、日本産食品等の輸出回復に取り組みました。

c　「輸出力強化戦略」に基づく輸出環境

整備に向けた取組として、放射性物質に
係る諸外国の輸入規制の撤廃・緩和等の
政府間交渉に必要となる科学的データの
収集や、現行では輸出先国で使用が認め
られていない既存添加物の登録申請等に
取り組む民間団体等への支援、EU加盟
国への輸出が可能となる環境整備等を行
いました。

d 農林水産省に設置される農林水産物・
食品輸出本部の下で関係省庁が一丸と
なって、放射性物質に係る輸入規制の撤
廃・緩和を始めとした輸出先国との協
議、輸出証明書発行、施設認定等の手続
を円滑化するための環境整備等を図るこ
とを内容とする「農林水産物及び食品の
輸出の促進に関する法律」が第200回
国会で成立しました。

e 輸出先となる事業者等から求められる
HACCP、GAP等の認証取得を促進し
ました。

また、国際的な取引にも通用する
HACCPをベースとした食品安全管理に
関する規格・認証の仕組みであるJFS
（日本発の食品安全管理規格）を充実さ
せ、その国際標準化に向けた取組を支援
しました。

さらに、GFSI（世界食品安全イニシ
アティブ）の承認を受け、国際的に認め
られたJFS及びASIAGAPの国内外への
普及を図りました。

f 輸出先国・地域における農薬の残留基
準に対応するための防除マニュアルにつ
いて、普及指導員等を通じて生産現場へ
の普及を進めるとともに、防除マニュア
ル活用の優良事例を広く公表することに
より、輸出に向けた取組の円滑化を図り
ました。

また、ニーズに応じた専門家を産地に
派遣し、輸出先国・地域の残留基準や植
物防疫条件を満たす栽培方法や選果等の
技術的指導を行うなど、輸出に取り組も
うとする産地を支援しました。

（イ）輸出検疫
a 輸出植物解禁協議を迅速化するため、
技術的データ等の蓄積を都道府県等との
連携の下で集中的、体系的に進めるとと
もに、国際基準の策定に向けて、害虫の
殺虫効果に関するデータを蓄積して検疫
処理技術を確立する取組を推進しまし
た。

また、畜産物の輸出先国が求める家畜
衛生上の要件に対応するため、EBL（牛
白血病）等の家畜の伝染性疾病対策を支
援するとともに、野生動物を対象とした
CSF（豚熱）等の伝染性疾病の検査を行
いました。

b 輸出先国の検疫条件に則した防除体
系、栽培方法、選果等の技術を確立する
ことや訪日外国人旅行者による携帯品
（お土産）の持ち帰りを普及するための
サポート体制を整備するとともに、卸売
市場や集荷地等での輸出検査を行うこと
により、産地等の輸出への取組を支援し
ました。

c 輸出解禁協議については、国、地域別
の「輸出力強化戦略」に位置付けられた
国や品目について、重点的かつ戦略的に
二国間協議を行いました。

d 輸出検疫の円滑化、輸出可能品目の訪
日外国人旅行者への情報提供、訪日外国
人旅行者が直売所等で購入した農畜産物
を動植物検疫を経て空港等で受け取るこ
とができる体制の整備、整備された検疫
受検方法の周知等により、お土産として
の農畜産物の持ち帰りを推進しました。

（ウ）フードバリューチェーンの構築
「グローバル・フードバリューチェー
ン戦略」（平成26年6月策定）に基づき、
官民協議会や二国間政策対話等を活用し
て、開発途上国等において、我が国食産
業の海外展開と経済協力の連携による
フードバリューチェーン構築の取組を推
進しました。

また、令和元（2019）年12月には、

今後の我が国食産業の海外展開の取組方針である「グローバル・フードバリューチェーン構築推進プラン」を策定しました。

ウ　輸出促進等に向けた日本食・食文化の海外展開

海外の市場拡大を目指して日本食・食文化の魅力を適切かつ効果的に発信する取組を推進しました。

（ア）日本食・食文化の魅力発信による農林水産物・食品の輸出促進を加速化するため、米国、TPP11及び日EU・EPAの対象国を中心に、外国人料理人に対する日本料理講習会や日本料理コンテスト等に「日本食普及の親善大使」等を派遣するとともに、日本産食材の発信拠点となる日本産食材サポーター店における日本産食材の取扱いの増加を図るなどの取組を実施しました。

（イ）日本食・食文化の普及を担う海外人材の育成、日本食レストランの海外出店をサポートするための取組や海外の飲食店等へ向けた日本産食材供給体制を強化する取組等を支援しました。

（ウ）増大する訪日外国人旅行者を国産農林水産物・食品の需要拡大や農山漁村の活性化につなげていくため、農泊と連携しながら、地域の「食」や農林水産業、景観等の観光資源を活用して訪日外国人旅行者をもてなす取組を「SAVOR JAPAN」として認定し、一体的に海外に発信しました。

（エ）増大する訪日外国人旅行者の主な観光目的である「食」と滞在中の多様な経験を組み合わせ、「食」の多様な価値を創出するとともに、帰国後もレストランや越境ECサイトでの購入等を通じて我が国の食を再体験できるような機会を提供することで、輸出拡大につなげていくため、「食かけるプロジェクト」の取組を推進しました。

（2）食品産業のグローバル展開

ア　海外展開による事業基盤の強化

（ア）我が国の食文化・食産業の海外展開を促進するため、海外展開における阻害要因の解決を図るとともに、グローバル人材の確保、我が国の規格・認証の普及・浸透に向け、食関連企業及びASEAN各国の大学と連携し、食品加工・流通、分析等に関する教育を行う取組等を推進しました。

（イ）「輸出力強化戦略」に沿った取組を円滑に進めるために、JETROにおいて、商品トレンドや消費者動向等を踏まえた現場目線の情報提供やその活用ノウハウを通じたサポートを行うとともに、輸出先国バイヤーの発掘・関心喚起等輸出環境整備に取り組みました。

イ　ビジネス投資環境の整備

「グローバル・フードバリューチェーン戦略」に基づき、二国間政策対話や経済連携等を活用し、ビジネス投資環境の整備を推進しました。

ウ　食品産業における国際標準への戦略的対応

我が国の食品産業事業者の国際的な取引における競争力を確保し、消費者に対してより安全な食品を供給するため、JFSの充実とその国際的普及に向けた取組を官民が連携して推進しました。あわせて、事業者におけるHACCP等食品安全に関する知識を有する人材の育成等を推進しました。

（3）知的財産の戦略的な創造・活用・保護

ア　品質等の特性が産地と結び付いている我が国の伝統的な農林水産物・食品を登録・保護する地理的表示（GI）保護制度の円滑な運用を図るとともに、登録申請に係る支援や制度の周知と理解の促進に取り組みました。

また、GIの活用を促すため、全国のGI産地・GI産品を流通関係者や消費者等に紹介する展示会等を開催し、制度の普及・活用を推進しました。

さらに、制度の適切な運用を図るため、

登録生産者団体等に対する定期検査を行いました。

イ 和牛の遺伝資源を保護するため、「和牛遺伝資源の流通管理に関する検討会」及び「和牛遺伝資源の知的財産的価値の保護強化に関する専門部会」を設置し、和牛遺伝資源の流通管理の徹底や知的財産としての価値の保護のあり方について検討を進めました。

また、同検討会及び専門部会の中間とりまとめを踏まえ、和牛を始めとする家畜の人工授精用精液・受精卵の適正な流通を確保するため、保存場所の規制強化等の措置を講ずる「家畜改良増殖法の一部を改正する法律案」と、家畜遺伝資源の知的財産としての価値を保護するため、不正競争に対する差止請求等の救済措置等の措置を講ずる「家畜遺伝資源に係る不正競争の防止に関する法律案」を第201回国会に提出しました。

ウ 各地域・産品の実情に応じた知的財産の保護・活用を図るため、農林水産省と特許庁が協力しながら、巡回特許庁において、出願者に有益な情報や各制度の普及・啓発を行うとともに、独立行政法人工業所有権情報・研修館が各都道府県に設置する知財総合支援窓口において、特許、商標、営業秘密のほか、地方農政局等と連携してGI及び植物品種の育成者権等の相談に対応しました。

エ 植物新品種の海外流出を防止するとともに、新品種の開発を促進するため、「優良品種の持続的な利用を可能とする植物新品種の保護に関する検討会」を開催し、知的財産としての保護のあり方について検討を進めました。

また、この取りまとめを踏まえ、「種苗法の一部を改正する法律案」を第201回国会に提出しました。

オ 我が国種苗の海外への流出・無断増殖を防止するため、海外における品種登録（育成者権取得）や侵害対策に対して支援する

とともに、品種保護に必要となる検査手法・DNA品種識別法の開発等の技術課題の解決や、東アジアにおける品種保護制度の整備を促進するための協力活動等を推進しました。

カ 我が国のGI産品等の保護のため、国際協定による諸外国とのGIの相互保護に向けた取組を進め、海外における我が国のGI等の名称の使用状況を調査し、都道府県等の関係機関と共有するとともにGIに対する侵害対策等の支援を行い、海外における知的財産侵害対策の強化を図りました。

キ 農業者が安心してデータを提供できる環境を整備し、農業分野におけるビッグデータやAIの利活用を促進するため、データ提供者（農業関係者）及び受領者（農業機械メーカー、ICTベンダ等）間の契約の考え方やひな形等を内容とする「農業分野におけるAI・データに関する契約ガイドライン」を策定しました。

5 様々なリスクに対応した総合的な食料安全保障の確立

（1）食料供給に係るリスクの定期的な分析、評価等

主要な農林水産物の供給に影響を与える可能性のあるリスクを洗い出し、そのリスクごとの影響度合い、発生頻度、対応の必要性等について分析、評価を行いました。

また、不測の事態が発生した場合に備え、「緊急事態食料安全保障指針」（平成27年10月改正）に基づく具体的な対応手順等について、関係者との共有を図りました。

（2）海外や国内におけるリスクへの対応

「緊急事態食料安全保障指針」に基づき、食料の安定供給を確保するための平時の取組を行いました。

また、食料の安定供給に関するリスクの定期的な分析・評価結果を踏まえ、平素から、食料供給への影響を軽減するための対応策を検討・実施しました。

ア　国際的な食料需給の把握、分析

省内外において収集した国際的な食料需給に係る情報を一元的に集約するとともに、我が国独自の短期的な需給変動要因の分析や、中長期及び超長期の需給見通しを策定し、これらを国民に分かりやすく発信しました。

イ　輸入穀物等の安定的な確保

（ア）輸入穀物の安定供給の確保

麦の輸入先国との緊密な情報交換等を通じ、安定的な輸入を確保しました。

輸入依存度の高い飼料穀物について、不測の事態における海外からの供給遅滞・途絶、国内の配合飼料工場の被災に伴う配合飼料の急激な逼迫等に備え、配合飼料メーカー等が事業継続計画に基づいて実施する飼料穀物の備蓄の取組に対して支援しました。

（イ）国際港湾の機能強化

a　ばら積み貨物の安定的かつ安価な輸入を実現するため、大型船に対応した港湾機能の拠点的確保や企業間連携の促進等による効率的な海上輸送網の形成に向けた取組を推進しました。

b　国際海上コンテナターミナル、国際ターミナルの整備等、国際港湾の機能強化を推進しました。

（ウ）海外農業投資の支援

我が国からの海外農業投資の促進を図るため、各国との政策対話と国内での官民協議会とを連携させて取り組みました。

（エ）肥料原料の供給安定化対策

肥料原料については、海外からの輸入への依存度を低減させるため、国内の未利用資源の活用に向けた技術開発、実証・実用化等をコストに配慮しつつ推進しました。

（オ）遺伝資源の収集・保存・提供機能の強化

食料の安定供給に資する品種の育成・改良に貢献するため、農業生物資源ジーンバンクにおいては、収集した遺伝資源を基に、幅広い遺伝変異をカバーした代表的品種群（コアコレクション）の整備を進め、植物・微生物・動物遺伝資源の更なる充実と利用者への提供を促進しました。

また、ITPGR（食料及び農業のための植物遺伝資源に関する国際条約）の枠組みを活用した他国との植物遺伝資源の相互利用や、植物遺伝資源に関するアジア諸国との二国間共同研究等を推進することによって、海外遺伝資源の導入環境を整備しました。

ウ　国際協力の新展開

（ア）世界の食料安全保障に係る国際会議への参画等

令和元（2019）年5月にG20新潟農業大臣会合を開催し、「農業・食品分野の持続可能性に向けて」のテーマの下、各国の大臣等との間で率直な意見交換を実施し、国際的な課題解決に向け、議長国として議論をリードしました。

また、G7サミット、G20サミット及びその関連会合、APEC（アジア太平洋経済協力）関連会合、ASEAN＋3（日中韓）農林大臣会合、FAO（国際連合食糧農業機関）総会、OECD（経済協力開発機構）農業委員会等の世界の食料安全保障に係る国際会議等に積極的に参画し、持続可能な農業生産の増大、生産性の向上及び多様な農業の共存に向けて国際的な議論に貢献しました。

さらに、フードバリューチェーンの構築が農産物の付加価値を高め、農家・農村の所得向上と食品ロス削減に寄与し、食料安全保障を向上させる上で重要であることを発信しました。

（イ）官民連携によるフードバリューチェーンの構築

a　フードバリューチェーンの構築に向け、官民連携による二国間政策対話や合同ミッションの派遣、生産・流通・投資環境調査等を実施し、民間投資と連携した国際協力を推進しました。

b　TICAD 7（第7回アフリカ開発会議）で発表された「横浜行動計画2019」等の着実な推進に向け、アフリカにおける農業生産及び食料安全保障の強化に資する農業専門家派遣やグローバル・フードバリューチェーン構築支援等に取り組みました。

（ウ）飢餓・貧困対策への貢献

a　開発途上国・新興国における栄養不良人口の削減に貢献するため、研究開発、栄養改善のためのセミナーの開催や情報発信等を支援しました。

b　飢餓・貧困の削減に向け、米等の生産性向上及び高付加価値化のための研究を支援しました。

（エ）気候変動や越境性動物疾病等の地球規模の課題への対策

a　パリ協定を踏まえた森林減少・劣化抑制、干ばつ等に適応した生産性向上システムや温室効果ガス（GHG）削減につながる栽培技術の開発等の気候変動対策を推進しました。

また、地球温暖化緩和策に資する研究及び越境性病害の我が国への侵入防止に資する研究並びにアジアにおける口蹄疫、高病原性鳥インフルエンザ、ASF（アフリカ豚熱）の越境性動物疾病及び薬剤耐性菌対策等を推進しました。

b　平成31（2019）年4月にG20の首席農業研究者・行政官及び国際機関が参加する、G20MACS（G20首席農業研究者会議）を開催し、越境性植物病害虫や気候変動対応技術導入に関する研究の国際連携の推進等を図るため、議長国として議論をリードしました。

また、同年11月に我が国で開催した国際ワークショップでは、気候変動対応技術・農法の導入・拡大に関して各国と国際機関の経験を共有するとともに、気候変動への適応や農業からのGHGの排出削減に向けて、他国の経験から得られる教訓について議論を行いました。

c　東アジア地域（ASEAN10か国、日本、中国及び韓国）における食料安全保障の強化と貧困の撲滅を目的とし、大規模災害等の緊急時に備えるASEAN＋3緊急米備蓄（APTERR）の取組を推進しました。

エ　動植物防疫措置の強化

（ア）家畜防疫体制の強化や植物病害虫の防除の徹底

世界各国における口蹄疫、高病原性鳥インフルエンザ、ASF等の発生状況、新たな植物病害虫の発生等を踏まえ、国内における家畜の伝染性疾病や植物の病害虫の発生予防及びまん延防止対策、発生時の危機管理体制の整備等を実施しました。

特に、CSFについては、発生予防・まん延防止のため、早期通報や野生動物の侵入防止等、飼養衛生管理基準の遵守徹底に取り組むとともに、令和元（2019）年10月から飼養豚への予防的ワクチン接種を開始しました。また、野生イノシシの対策として、同年3月から野生イノシシ向け経口ワクチンの散布を実施しました。

さらに、農場における飼養衛生管理の遵守の徹底、野生動物における悪性伝染性疾病のまん延防止措置の法への位置付け、予防的殺処分の対象疾病の拡大、畜産物の輸出入検疫に係る家畜防疫官の権限の強化等の措置を講ずる「家畜伝染病予防法の一部を改正する法律」が第201回国会で成立しました。

（イ）輸入検疫体制の強化

a　家畜防疫官・植物防疫官の適切な配置及び動植物検疫探知犬の増頭等検査体制の整備・強化により、円滑で確実な水際対策を講ずるとともに、家畜の伝染性疾病及び植物の病害虫の侵入・まん延防止のための取組を推進しました。

b　政府が輸入する米麦について残留農薬等の検査を実施しました。

（ウ）産業動物獣医師の育成・確保

　　　地域の産業動物獣医師への就業を志す獣医大学の地域枠入学者・獣医学生に対する修学資金の貸与、獣医学生を対象とした産業動物獣医師の業務について理解を深めるための臨床実習、産業動物獣医師を対象とした技術向上のための臨床研修や女性獣医師等を対象とした職場復帰・再就職に向けたスキルアップのための研修等の実施による産業動物獣医師の確保・育成への支援を実施しました。

　　　また、情報通信機器を活用した産業動物診療の効率化等の支援、産業動物獣医療の提供体制整備に取り組む地域への支援を実施しました。

オ　食品流通における不測時への備えの強化

（ア）米の備蓄運営について、米の供給が不足する事態に備え、国民への安定供給を確保するため、100万t程度（令和元年6月末時点）の備蓄保有を行いました。

（イ）輸入依存度の高い小麦について、港湾スト等により輸入が途絶した場合に備え、外国産食糧用小麦需要量の2.3か月分を備蓄し、そのうち政府が1.8か月分の保管料を助成しました。

（ウ）食品の家庭備蓄の一層の定着を図るため、ローリングストック等、平素から実践しやすくする方法をまとめた「災害時に備えた食品ストックガイド」やWebサイト「家庭備蓄ポータル」等を活用し、普及を行いました。

（エ）食品産業事業者の従業員に新型コロナウイルス感染者が発生した際の対応や事業継続を図る際の基本的なポイントをまとめたガイドラインを取りまとめ、公表しました。

（オ）新型コロナウイルス感染症の影響による学校給食休止に伴い、食品納入業者に対し、文部科学省を通じ臨時休業中の学校給食の食材費に相当する費用への支援を行うほか、学校給食で活用する予定であった野菜・果実・加工品等の未利用食

品の販売先確保に向けたマッチングやフードバンクへ寄附する際の輸配送費等の支援を行いました。

6　国際交渉への戦略的な対応

（1）日米貿易協定及びEPA（経済連携協定）/FTA（自由貿易協定）への取組等

　　「未来投資戦略2018」（平成30年6月策定）等に基づき、グローバルな経済活動のベースとなる経済連携を進めました。

　　日米貿易協定及びRCEP（東アジア地域包括的経済連携）、日中韓FTA、日トルコEPA等の経済連携において、我が国の農林水産品が慎重に扱うべき事項であることに十分配慮した上で、我が国の農林水産業が、今後とも国の基（もとい）として重要な役割を果たしていけるよう交渉を行うとともに、我が国農産品の輸出拡大につながる交渉結果の獲得を目指しました。日米貿易協定については、令和元（2019）年9月の日米首脳会談で最終合意を確認、同年10月に署名、令和2（2020）年1月1日に発効しました。

（2）WTO交渉における取組

　　「多様な農業の共存」という基本理念の下、食料輸出国と輸入国のバランスの取れた農産物貿易ルールの確立に向けて、WTO交渉の前進と、多角的貿易体制の維持・強化に積極的に貢献しました。

Ⅲ　農業の持続的な発展に関する施策

1　力強く持続可能な農業構造の実現に向けた担い手の育成・確保

（1）法人化、経営の多角化等を通じた経営発展の後押し

ア　担い手への重点的な支援の実施

（ア）認定農業者等の担い手が主体性と創意工夫を発揮して経営発展できるよう、担い手に対する農地の集積・集約化の促進や経営所得安定対策、出資や融資、税制

等、経営発展の段階や経営の態様に応じた支援を行いました。

（イ）担い手の育成・確保に向けた施策について、構造改革の進展の状況を踏まえつつ、担い手の経営発展に資するよう、分析・検証を行いました。

イ　農業経営の法人化等の加速化

（ア）経営意欲のある農業者が創意工夫を活かした農業経営を展開できるよう、都道府県段階に設置した農業経営相談所を通じた経営相談・経営診断や専門家派遣等の支援等により、農業経営の法人化を促進しました。

（イ）労働力不足の状況に対応し、農業法人において、幅広い年齢層や他産業からの人材等の活用を図るため、他産業並の就業環境の整備を推進するとともに、従業員のキャリアパスとして新たな法人を設立する取組等を促進しました。

（ウ）担い手が少ない地域においては、地域における農業経営の受皿として、集落営農の組織化を推進するとともに、これを法人化に向けての準備・調整期間と位置付け、法人化を推進しました。

ウ　経営の多角化・複合化

雇用労働力の有効活用や農業機械等の経営資源の有効利用、価格変動や自然災害による経営リスクの分散等を図るため、経営の多角化や複合化を推進しました。

また、これらの経営体の経営発展を図るため、農林水産祭等において優れた経営体の表彰を行いました。

（2）新規就農や人材の育成・確保、経営継承等

ア　青年層の新規就農

（ア）将来の我が国の農業を支える人材を確保するためには、青年新規就農者を増大させる必要があることから、次世代を担う農業者となることを志向する者に対し、
① 就農前の研修（2年以内）の後押しと就農直後（5年以内）の経営確立に資する資金の交付
② 農業法人等が実施する新規就農者に対する実践研修への支援
を行いました。

（イ）初期投資の負担を軽減するため、農業機械等の取得に対する補助や無利子資金の貸付けを行いました。

（ウ）労働環境や人材育成面等で若者を惹きつける魅力ある農業経営体の姿を「見える化」するとともに、職業としての農業への理解を促進し、若者の就農意欲を喚起する活動、就農希望者等に対する全国的な求人情報等の提供や就農相談、就農前の短期間就業体験（インターンシップ）の実施を一体的に支援しました。

（エ）地域の農業大学校、農業高校等の卒業生の就農を促進するため、関係府省や都道府県等の連携の下、先進的な農業経営の学習の充実や就農支援体制の強化等を推進しました。

（オ）次世代の農業経営者育成キャリアパスを明確化するため、農業大学校の専門職大学化を推進しました。

イ　経営感覚を持った農業者の育成・確保

（ア）今後の地域農業のリーダーとなる人材の層を厚くするため、優れた経営力、地域リーダーとしての人間力等を養成する高度な農業経営者育成教育機関が実施する研修等を支援しました。

また、優れた経営感覚を備えた農業者の育成のため、農業者が営農しながら経営ノウハウを学べる農業経営塾の創出・展開を支援しました。

（イ）専門的職業人を育成するため、先進的で卓越した取組や地域との協働を推進する学校を指定して、取組を支援しました。

ウ　次世代の担い手への円滑な経営継承

今後、担い手の優れた技術や農地等の経営資源を確実に次世代の担い手に継承していくため、農業法人や大規模な家族経営体等が経営継承に関する理解を深め、円滑な経営継承が図られるための取組を推進しました。

エ　企業の農業参入

企業の農業参入は、特に、担い手が不足している地域においては農地の受皿として期待されていることから、農地中間管理機構を中心としてリース方式による企業の参入を促進しました。

2　女性農業者が能力を最大限発揮できる環境の整備

（1）女性の活躍推進

女性農業者が、その能力を最大限に発揮し、農業経営や6次産業化を展開することができる環境を整備するため、経営体向け補助事業について女性農業者等による積極的な活用を促進するほか、地域農業における次世代のリーダーとなり得る女性農業経営者の育成及び女性が働きやすい環境整備に取り組む経営体を育成するための取組を推進しました。

また、女性農業者の知恵と民間企業の技術、ノウハウ、アイデア等を結び付け、新たな商品やサービス開発等を行う「農業女子プロジェクト」の活動を拡大しました。

（2）政策・方針決定過程への女性の参画の促進

ア　地域農業に関する方針等に女性農業者等の声を反映させるため、「人・農地プラン」を検討する場への女性農業者の参画を義務付けました。

イ　平成28（2016）年4月に改正された「農業委員会等に関する法律」（昭和26年法律第88号）及び「農業協同組合法」（昭和22年法律第132号）において、農業委員会の委員や農業協同組合の役員について、年齢及び性別に著しい偏りが生じないよう配慮しなければならない旨の規定が置かれたことを踏まえ、委員・役員の任命・選出が男女共同参画の視点から行われるよう、女性の参画拡大に向けた取組をより一層促進しました。

3　農地中間管理機構のフル稼働による担い手への農地集積・集約化と農地の確保

（1）担い手への農地集積・集約化の加速化

ア　「人・農地プラン」の活用

各地域の人と農地の問題を解決していくため、「人・農地プラン」の実質化を推進しました。その際、地域内外の幅広い関係者が参画した徹底的な話合いを進め、担い手を同プランに位置付けていくとともに、話合いにおける農地情報公開システム（全国農地ナビ）等の活用を推進しました。

また、「人・農地プラン」に即して担い手が行う経営規模の拡大等の取組を、融資等を通じて促進しました。

イ　農地中間管理機構のフル稼働

全都道府県に設立された農地中間管理機構の取組を更に加速化させ、担い手への農地の集積・集約化を進めました。

（2）荒廃農地の発生防止・解消等

農業者等が行う、荒廃農地を再生利用する取組を推進するとともに、「農地法」（昭和27年法律第229号）に基づく農業委員会による利用意向調査・農地中間管理機構との協議の勧告等の一連の手続を活用して再生利用可能な遊休農地の農地中間管理機構への利用権設定を進めることにより、荒廃農地の発生防止と解消に努めました。

（3）農地転用許可制度等の適切な運用

農地の転用規制及び農業振興地域制度の適正な運用を通じ、優良農地の確保に努めました。

4　担い手に対する経営所得安定対策の推進、収入保険等の実施

（1）担い手を対象とした経営所得安定対策の着実な推進

担い手の農業経営の安定を図り、我が国農業の更なる構造改革を進める観点から、「畑作物の直接支払交付金」（ゲタ対策）と「米・畑作物の収入減少影響緩和対策」（ナラシ対策）について、認定農業者、認定新規就農者、集落営農を対象として、規模要

件を課さずに実施しました。

　ア　畑作物の直接支払交付金

　　諸外国との生産条件の格差から生じる不利がある畑作物（麦、大豆、てんさい、でん粉原料用ばれいしょ、そば、なたね）を生産する農業者に対して、標準的な生産費と標準的な販売価格の差に相当する額を直接交付する「畑作物の直接支払交付金」を実施しました。

　イ　米・畑作物の収入減少影響緩和対策

　　国民に対する熱量の供給を図る上で特に重要なもの等で、収入の減少が農業経営に及ぼす影響を緩和する必要がある農産物（米、麦、大豆、てんさい、でん粉原料用ばれいしょ）を生産する農業者に対して、農業者拠出に基づくセーフティネットとして、「米・畑作物の収入減少影響緩和対策」を実施しました。

（2）経営の新たなセーフティネットとしての収入保険等の実施

　　「農業保険法」（昭和22年法律第185号）に基づき、農業経営全体の収入に着目した収入保険を実施するとともに、自然災害等による損失を補償する農業共済を実施しました。

5　構造改革の加速化や国土強靱化に資する農業生産基盤整備

　　農地集積の加速化、農業の高付加価値化に資する農地の大区画化、水田の汎用化・畑地化、畑地かんがい等の整備や老朽化した農業水利施設の長寿命化・耐震化等を推進しました。

　　また、生態系や景観等の農村環境の保全・形成に配慮した農業生産基盤の整備を推進しました。

（1）力強い農業を支える農業生産基盤整備

　ア　農地の大区画化、水田の汎用化・畑地化等の基盤整備を実施し、農地中間管理機構とも連携した担い手への農地の集積・集約化や農業の高付加価値化を推進しました。

　イ　農地整備状況について、地理情報システ

ムを活用した情報の可視化、共有を図りました。

　ウ　パイプライン化やICTの導入等により、水管理の省力化と担い手の多様な水利用への対応を実現する新たな農業水利システムを構築し、農地集積の加速化を推進しました。

（2）老朽化等に対応した農業水利施設の持続的な保全管理

　ア　点検、機能診断及び監視を通じた適切なリスク管理の下での計画的かつ効率的な補修、更新等により、施設の徹底した長寿命化とライフサイクルコストの低減を図りました。

　イ　地理情報システムを活用した農業水利施設に係る点検、機能診断結果等の情報の蓄積、可視化、共有化を推進しました。

（3）農村地域の強靱化に向けた防災・減災対策

　ア　基幹的な農業水利施設やため池等の耐震診断、耐震対策や豪雨対策等のソフト面とハード面を組み合わせた防災・減災対策を実施しました。特に、ため池については、新たな選定基準により再選定した防災重点ため池を中心に、防災・減災対策の一層の推進を図りました。

　イ　津波、高潮、波浪その他海水又は地盤の変動による被害等から農地等を防護するため、海岸保全施設の整備等を実施しました。

　ウ　農業用ため池の適正な管理及び保全に必要な措置を講ずる「農業用ため池の管理及び保全に関する法律」が第198回国会で成立しました。

6　需要構造等の変化に対応した生産・供給体制の改革

（1）需要に応じた米の生産・販売の推進、飼料用米等の戦略作物の生産拡大

　ア　需要に応じた米の生産・販売の推進

　（ア）需要に応じた生産・販売を推進するため、水田活用の直接支払交付金による支援、中食・外食等のニーズに応じた生産と播種前契約、複数年契約等による安定取引の一層の推進、県産別、品種別等の

きめ細かな需給・価格情報、販売進捗情報、在庫情報の提供、都道府県別、地域別の作付動向（中間的な取組状況）の公表等の環境整備を推進しました。

（イ）国が策定する需給見通し等を踏まえつつ生産者や集荷業者・団体が主体的に需要に応じた生産・販売を行うため、行政、生産者団体、現場が一体となって取り組みました。

イ　戦略作物の生産拡大

食料自給率・食料自給力の維持向上を図るため、麦、大豆、飼料用米等、戦略作物の本作化を進めるとともに、地域の特色のある魅力的な産品の産地づくりに向けた取組を支援することにより、水田のフル活用を図りました。

具体的には、地域が作成する「水田フル活用ビジョン」に基づき、地域の特色のある魅力的な産品の産地を創造するため、地域の裁量で活用可能な産地交付金により、産地づくりに向けた取組を支援しました。

（2）畜産クラスター構築等による畜産の競争力強化

ア　畜産・酪農の競争力強化

（ア）畜産農家を始めとして、地域に存在する外部支援組織（コントラクター、TMRセンター、キャトルステーション、ヘルパー等）や関連産業等の関係者（乳業、食肉センター等）が有機的に連携、結集し、地域ぐるみで収益性を向上させる畜産クラスターの取組を推進するため、新規就農者等の確保や経営資源の円滑な継承を促進するとともに、省力化機械の導入・活用、外部支援組織の活用による労働負担の軽減や経営規模拡大に資する施設の整備等を支援しました。

また、国産チーズの競争力を高めるため、原料乳の低コスト・高品質化、製造コストの低減、品質向上・ブランド化等を推進しました。

（イ）酪農経営における性判別精液を活用した優良な乳用後継雌牛の確保や和牛受精

卵を活用した和子牛生産の拡大、畜産経営における新技術を活用した繁殖性の向上・改良等による種豚の生産性の向上等を図る取組を支援しました。

（ウ）輸入飼料に過度に依存した畜産から国内の飼料生産基盤に立脚した畜産に転換するため、不安定な気象に対応する技術の普及、国産飼料の生産・利用の拡大や流通体制の強化、放牧の活用や農場残さ等の未利用資源の飼料利用等を推進しました。

（エ）チーズ、生クリーム、適度な脂肪交雑の牛肉への需要の拡大や安全・安心への関心等を踏まえ、多様な消費者ニーズに対応した生産等を推進しました。

また、酪農家による6次産業化の取組を支援するため、生乳取引の多様化を推進しました。

（オ）需給状況に応じた乳製品の安定供給の確保等を図るため、「畜産経営の安定に関する法律」（昭和36年法律第183号）に基づき、加工原料乳生産者補給金制度を適切に運用しました。

（カ）農業従事者の中でもとりわけ過酷な労働条件にある酪農家の「働き方改革」を推進するため、「農業競争力強化プログラム」（平成28年11月策定）に基づき、労働条件の改善に資する搾乳ロボットやパーラー等の機械装置の導入を短期・集中的に支援しました。

（キ）ふん尿の還元等に必要な飼料作付面積の確保を前提として酪農家が行う環境負荷軽減の取組（資源循環促進、地球温暖化防止、生物多様性保全等）を支援しました。

イ　畜産・酪農関係の経営安定対策

経営安定対策として、以下の施策等を実施し、畜産農家等の経営安定を図りました。

（ア）畜種ごとの経営安定対策

a　酪農関係では、①加工原料乳に対する加工原料乳生産者補給金及び集送乳調整金の交付、②加工原料乳の取引価格が低

落した場合の補塡金の交付等の対策

　　b　肉用牛関係では、①肉用子牛対策として、子牛価格が保証基準価格を下回った場合に補給金を交付する肉用子牛生産者補給金制度、②肉用牛肥育対策として、標準的販売価格が標準的生産費を下回った場合に交付金を交付する肉用牛肥育経営安定交付金（牛マルキン）

　　c　養豚関係では、標準的販売価格が標準的生産費を下回った場合に交付金を交付する肉豚経営安定交付金（豚マルキン）

　　d　養鶏関係では、鶏卵の取引価格が補塡基準価格を下回った場合に補塡金を交付するなどの鶏卵生産者経営安定対策事業

（イ）飼料価格高騰対策

　　配合飼料価格の大幅な変動に対応するための配合飼料価格安定制度を適切に運用するとともに、国産飼料の増産や農場残さ等の未利用資源を飼料として利用する取組等を推進しました。

（ウ）新型コロナウイルス感染症対策

　　a　酪農等の従事者に新型コロナウイルス感染者が発生した際の対応や事業継続を図る際の基本的なポイントをまとめたガイドラインを取りまとめ、公表しました。

　　b　酪農家が学校給食用のために納入を予定していた生乳をバター・脱脂粉乳等の乳製品向けに販売する場合に、既存の加工原料乳生産者補給金を活用してもなお生じる価格差及び加工施設への輸送費を支援しました。

　　また、脱脂粉乳の保管余力がないために既存在庫を飼料用に用途変更して販路を拡大する場合に要する経費や、既に生産してしまった学校給食用生乳をやむを得ず廃棄した場合の処分費用を支援しました。

（3）実需者ニーズ等に対応した園芸作物等の供給力の強化

　ア　野菜関係対策

（ア）野菜の生産・出荷の安定と消費者への安定供給を図るため、価格低落時におけ

る生産者補給交付金の交付等により、野菜価格安定対策を的確かつ円滑に実施しました。

（イ）加工・業務用野菜への転換に取り組む産地に対し、加工・業務用野菜の安定生産に必要な作柄安定技術の導入を支援するとともに、水田地帯において水稲から野菜等の園芸作物への転換を図り、実需者等の関係者と連携して取り組む新しい園芸産地の育成を推進しました。あわせて、加工・業務用需要に対応したサプライチェーンの構築に加えて、加工・業務用野菜の生産を加速化するための新技術・機械化の導入等について支援しました。

（ウ）燃油価格の高騰の影響を受けにくい経営構造への転換を進めるため、省エネルギー化等に取り組む産地に対し、燃油価格高騰時のセーフティネットの構築を支援しました。

　イ　果樹関係対策

（ア）果樹の生産・供給体制を強化するため、農地中間管理機構の活用等による担い手への園地集約・集積の推進、優良品目・品種への改植やそれに伴う未収益期間に対する支援とともに、労働生産性の向上に向けた取組等への支援を行いました。

　　また、省力樹形の導入とそれに必要となる苗木生産体制の構築のための取組を支援しました。

（イ）計画生産・出荷の推進や需給安定対策、契約取引の強化や加工原料供給の安定化を図るための加工流通対策を総合的に行いました。

　ウ　花き関係対策

　　「花きの振興に関する法律」（平成26年法律第102号）に基づき、以下の施策を実施しました。

（ア）国産花きの生産拡大等を図り、花き産業が成長産業となるよう、戦略品目を設定し、品目ごとの生産・需要状況等の特徴に応じて、花き産業関係者が一体と

なった生産から流通・消費拡大に至る一貫した取組を支援しました。

（イ）我が国が世界に誇る高品質な花きの輸出拡大を図るため、最大の輸出先である中国で開催された中国・北京国際園芸博覧会に政府出展し、国産花きの競争力強化を図りました。

（ウ）新型コロナウイルス感染症の影響で需要が減少している花きの消費拡大を図るため、家庭や職場での花飾りや花の購入を促進する「花いっぱいプロジェクト」の取組を実施しました。

エ　茶関係対策

茶の新需要開拓や高付加価値化に向け、実需者ニーズに即した新たな茶商品の生産・加工技術や機能性成分等の特色を持つ品種の導入、有機栽培への転換、てん茶栽培に適した棚施設を利用した栽培法への転換や直接被覆栽培への転換、新たな抹茶加工技術の実証、残留農薬分析等を支援しました。

オ　砂糖及びでん粉関係対策

「砂糖及びでん粉の価格調整に関する法律」（昭和40年法律第109号）に基づき、さとうきび・でん粉原料用かんしょ生産者及び国内産糖・国内産いもでん粉の製造事業者に対して、経営安定のための支援を行いました。

（4）需要拡大が見込まれる有機農産物や薬用作物の生産拡大

ア　有機農産物関係対策

有機農業の面的拡大と有機農業により生産された農産物の安定的な供給体制を構築するため、有機農業者のネットワーク構築や実需者との意見交換等のオーガニックビジネス実践拠点づくり、販売戦略の企画・提案、地方公共団体間のネットワーク構築等を支援しました。

また、有機食品の輸出を促進するため、有機JAS認証の取得を推進するとともに、諸外国との有機同等性の取得等を推進しました。

イ　薬用作物関係対策

薬用作物の産地形成を加速化させるため、地域の取組として、産地と実需者（漢方薬メーカー等）とが連携した栽培技術の確立のための実証ほの設置、省力化のための農業機械の改良及び収穫まで複数年を要する薬用作物の新植を支援しました。

また、全国的な取組として、事前相談窓口の設置や技術アドバイザーの派遣等の栽培技術の指導体制の確立に向けた取組を支援しました。

7　コスト削減や高付加価値化を実現する生産・流通現場の技術革新等

（1）戦略的な研究開発と技術移転の加速化

ア　現場のニーズを踏まえた戦略的な研究開発

様々な農政の課題に技術面で的確に対応するため、「農林水産研究基本計画」（平成27年3月策定）に基づきつつ、攻めの農林水産業の展開に向けて、以下の施策を推進しました。その際、農業現場のニーズに直結した戦略的な研究開発を推進するため、農業者や普及組織等から現場の意見を聴取するとともに、研究への参画を推進しました。

（ア）現場ニーズ対応型研究

農林漁業者、食品事業者のニーズを踏まえた明確な研究目標の下、農林漁業者、企業、大学、研究機関がチームを組んで行う、農林漁業者等への実装までを視野に入れた技術開発を推進しました。

a　農林水産分野における気候変動・環境対応プロジェクト

（a）国際共同研究を通じて、アジア地域の水田におけるGHG排出削減のための総合的栽培管理技術及び農産廃棄物を有効活用したGHG削減技術に関する影響評価手法の開発を推進しました。

（b）畜産分野からのGHG排出削減技術の開発を推進しました。

（c）農作物の花粉媒介に貢献する野生

の昆虫種の解明や生態系サービスを有効活用する基盤技術の開発を推進しました。

（d）気候変動に対応した品種・育種素材、生産安定技術及びほ場の排水・保水機能活用手法の開発を推進しました。

（e）野生鳥獣による被害拡大への対応技術や海外からの有害動植物の検出・同定技術の開発及び拡散防止・駆除技術の開発を推進しました。

b　生産現場強化プロジェクト

（a）国産飼料の安定生産と利用促進のため、栄養価が高く、輸入飼料と同等の価格の自給濃厚飼料の生産・調製・利用技術の開発を推進しました。

また、大豆等の収益力向上のため、多収阻害要因を特定して収量の高位安定化を図る技術の開発を推進しました。

さらに、生産コスト削減に向けた効率的かつ効果的な施肥技術・有機質資材の活用技術の開発を推進しました。

加えて、国産花きの国際競争力強化のため、花きの日持ち性向上技術の開発を推進しました。

（b）家畜の生涯生産性向上のため、乳用牛及び肉用牛の繁殖機能の早期回復技術の開発を推進しました。

また、生産性・繁殖性等の遺伝的能力を評価し、総合的に能力を高めるための育種手法の開発を推進しました。

（c）青果用かんしょの機械移植に適する形の整った苗の生産技術や移植精度の高い作業機の開発等により、省力安定栽培技術の開発を推進しました。

（d）茶工場の稼働時間の延長を可能とする効率的な荒茶生産体制の構築を推進しました。

（e）園芸作物等の生育情報・病害虫発生状況を把握するために収集すべき情報・仕様の解明を推進しました。

（f）ふん尿処理施設、畜舎を含む農場全体を対象とする総合的臭気対策技術の開発を推進しました。

（g）ドローン画像分析により農地・作物の状況を把握し、様々な調査業務に必要な書類の作成を支援する技術の開発を推進しました。

c　食品安全・動物衛生対応プロジェクト

（a）食品の生産段階・加工工程における有害化学物質及び有害微生物の分析技術及び低減技術の開発を推進しました。

（b）家畜の伝染病の病原体変異と、野生動物を介した伝播リスクの解明、国内未発生病原体の検査技術や国内発生時に使用する防疫資材の開発を推進しました。

（c）畜産分野における薬剤耐性の実態把握とリスクを低減させるための調査研究及び抗菌剤に頼らない常在疾病防除技術の開発を推進しました。

d　農業現場緊急課題対応プロジェクト

（a）水稲直播栽培を導入する上で問題となる雑草イネ等難防除雑草の省力的な防除技術の開発を推進しました。

（b）南西諸島の気候風土に適した高収益品目を検討し、栽培技術や防除体系の研究開発を推進しました。

（c）畑作物生産の安定・省力化に向けた湿害、雑草害対策技術の開発を推進しました。

（d）茶樹の被覆作業の適期の判定指標の解明と、簡易測定技術の開発を推進しました。また、被覆下での栽培管理技術及び被覆作業の高度化技術の開発を推進しました。

（e）繋ぎ牛舎でも利用できる高度な搾乳システムの開発を推進しました。

（イ）基礎的・先導的研究

国が中長期的な視点で取り組むイノベーションの創出に向けた技術開発を推進しました。

a　人工知能未来農業創造プロジェクト

（a）病害虫による被害を最小化するた

め、病害虫の画像や遺伝子情報等から、AIを活用した早期診断を行い、生産者への最適な防除対策情報を提供するシステムの開発を推進しました。

（b）AIを活用した栽培管理と労務管理により栽培管理に係る労働時間を削減し、経営の効率化を可能とするシステムの開発を推進しました。

（c）AI・IoT等を活用した施設野菜の出荷可能量の高精度な事前予測と、余剰生産量の事前把握に基づいた生産者と実需者間の需給マッチング支援システムを構築することにより、販路拡大を図り、生産現場における廃棄ロス削減に貢献する技術の開発を推進しました。

b　作物育種プロジェクト

（a）アジア諸国との二国間共同研究等を推進し、海外植物遺伝資源へのアクセス環境を整備するとともに、国内の公的研究機関や大学等が保有する植物遺伝資源情報のネットワークを構築しました。

（b）ゲノム情報や形質評価データ等のビッグデータの整備、ゲノム情報に基づく特性予測（ゲノミックセレクション）等新たな育種技術の開発・高度化を行いました。

また、これらを活用することにより、従来の育種では困難だった形質の改良等を短期間で実現するスマート育種システムの開発を推進しました。

c　次世代バイオ農業創造プロジェクト

（a）地域の農林水産物・食品について、機能性表示を可能とするエビデンスの取得を進めるとともに、機能性を高めるための栽培・加工技術の開発を推進しました。

（b）遺伝子組換えカイコに医薬品等の有用物質を効率的に生産させるための基盤技術や、ICTを導入した新たな養蚕システムの開発を推進しました。

（c）高品質な薬用作物を低コストで安定的に栽培するための技術を開発し、既存の経営モデルに薬用作物を導入した複合経営モデルを構築することにより、国内生産拡大に向けた技術開発を推進しました。

（d）ゲノム編集技術を用いて、加工・業務用品種、高付加価値品種や病害虫抵抗性品種等、農業の競争力強化や生産者の収益向上に資する農作物の育種素材の開発を推進しました。

イ　技術移転の加速化

（ア）「橋渡し」機能の強化

a　「知」の集積と活用の場による技術革新

（a）産学官を結び付ける研究開発プラットフォームづくりのため、産学官連携協議会において、ポスターセッション、セミナー、ワークショップ等を開催し、技術シーズ・ニーズに関する情報交換、意見交換を行いました。

（b）研究開発プラットフォームから形成された研究開発コンソーシアムで行われる研究開発を国と民間企業等が、資金を出し合うマッチングファンド方式等により重点的に支援しました。

b　異分野融合研究の強化

工学・医学等異分野の技術を農林水産分野に導入・活用するための共同研究を進めるとともに、これまでの研究成果を社会実装につなげるための講演・セミナーの開催や試作物の展示等を行う機会を設けるなど、研究開発を推進しました。

c　研究開発・普及・生産現場の連携による技術開発・普及

（a）農林水産業・食品産業等におけるイノベーションにつながる革新的な技術シーズを開発するための基礎研究及び開発された技術シーズを実用化に向けて発展させるための研究開発を推進しました。

（b）研究開発から産業化までを一貫して支援するため、大学、民間企業等の地域の関係者による技術開発から改

良、開発実証試験までの取組を切れ目なく支援しました。

(c) 全国に配置されたコーディネーターが、技術開発ニーズ等を収集するとともに、マッチング支援や商品化・事業化に向けた支援等を行い、研究の企画段階から産学が密接に連携し、早期に成果を実現できるよう支援しました。

(d) 農業技術に関する近年の研究成果のうち、生産現場への導入が期待されるものを「最新農業技術・品種」として紹介しました。

(e) 産地においては、普及指導センターと大学、企業、試験研究機関等が連携しつつ、技術指導を核に総合的な支援を展開するなど、研究成果の普及・実用化体制の強化を推進しました。

(イ) 効果的・効率的な技術・知識の普及指導

　国と都道府県が協同して、高度な技術・知識を持つ普及指導員を設置し、普及指導員が農業者に直接接して行う技術・経営指導等を推進しました。その際には、営農情報を提供する民間企業等との役割分担を図り、地域の合意形成や新規就農者の支援、地球温暖化及び災害への対応等、公的機関が担うべき分野についての取組を強化しました。

　また、農業分野の技術革新、農業者の多様なニーズ等に的確に対応するため、計画的に普及指導員の資質の向上を図る研修等を実施しました。

(ウ) 戦略的な知的財産マネジメントの推進

　「農林水産研究における知的財産に関する方針」(平成28年2月策定)を踏まえ、農林水産業・食品産業に関する研究に取り組む国立研究開発法人や都道府県の公設試験場等における知的財産マネジメントの強化を図るため、知的財産マネジメントに高度な専門的知識を有する専門家による指導・助言を行うとともに、平成30(2018)年度に作成した知的財産マネジメントに関するマニュアルの充実・普及を行いました。

(エ) レギュラトリーサイエンスの充実・強化

a 「レギュラトリーサイエンス研究推進計画」(平成27年6月策定)で明確化した取り組むべき調査研究の内容や課題について、その進捗状況の検証・見直しを行うとともに、所管法人、大学、民間企業、関係学会等への情報提供や研究機関との意見交換を行い、研究者の認識や理解の醸成とレギュラトリーサイエンスに属する研究の拡大を促進しました。

b 研究開発部局と規制担当部局とが連携して、食品中の危害要因、家畜の伝染性疾病・植物病害虫等のリスク管理に必要な調査研究を推進しました。

c レギュラトリーサイエンスに属する研究事業の成果を国民に分かりやすい形で公表しました。

　また、行政施策・措置とその検討・判断に活用された科学的根拠となる研究成果を紹介する機会を設け、レギュラトリーサイエンスへの理解の醸成を推進しました。

d 行政施策・措置の検討・判断に当たり、その科学的根拠となる優れた研究成果を挙げた研究者を表彰しました。

(オ) 国民理解の促進

　最先端技術の研究開発及び実用化に当たっては、国民への分かりやすい情報発信、意見交換を並行して行い、研究成果の実用化に向けた環境づくりを進めました。特に、ゲノム編集技術等の育種利用は、飛躍的な生産性の向上等が期待される一方、国民的理解を得ていくことが課題であることから、関係府省の連携によるサイエンスコミュニケーション等の取組を強化しました。

(2) 先端技術の活用等による生産・流通システムの革新

ア　規模拡大、省力化や低コスト化を実現するための技術導入

(ア) スマート農業の実現に向けた取組

ロボット・AI・IoTを活用して、超省力・高品質生産を目指すスマート農業を実現するため、ロボット農機や栽培環境・生育状況のセンシング等の生産現場における実証に取り組み、これまでに開発された先端技術の社会実装を推進しました。

また、明確な開発目標の下で現場での実装までを視野に入れた技術開発を進めるとともに、AI・IoT等の先端技術を活用し、収穫ロボットの高度化等による全く新しい技術体系を創造するための研究開発等を実施しました。

さらに、現場実装に際して安全上の課題解決が必要なロボット技術に関する安全性の検証やルールづくりを進めるとともに、関係府省が連携して農業におけるICTの利活用の促進に向けて農業情報の標準化に取り組みました。

加えて、関係府省協力の下、大学や民間企業等と連携して、農業データ連携基盤の機能を生産部分だけでなく、加工・流通・消費まで含めたフードチェーン全体への機能拡充に向けた研究開発に取り組みました。引き続き、スマート農業の社会実装を強力に推進するため、技術ごとのロードマップや推進方策等を盛り込んだ「農業新技術の現場実装推進プログラム」を令和元（2019）年6月に策定し、スマート農業技術の研究開発、現場実証、速やかな現場への普及までを総合的に推進しました。

（イ）次世代施設園芸の取組拡大

次世代施設園芸の取組を拡大するため、次世代施設園芸への転換に必要な技術について、習得のための実証・研修を支援するとともに、技術習得に必要な実証温室や次世代型大規模園芸施設の整備とその成果やノウハウの分析・情報発信を支援しました。

（ウ）産地の戦略的取組の推進

産地の持続的な生産力強化等に向け

て、農業者や農業法人、民間団体等が行う生産性向上や販売力強化等に向けた取組を支援するとともに、地方公共団体が主導する産地全体の発展を図る取組を総合的に支援しました。

（エ）作業を受託する組織の育成・確保

農作業の外部化により、高齢化や担い手不足が進行している生産現場の労働負担の軽減を図るとともに、畜産において、規模拡大や飼養管理への集中等を通じた経営発展を促進する観点から、地域の実情を踏まえつつ、飼料生産組織やヘルパー組織の育成・確保を推進しました。

（オ）農業労働力の確保と農業の「働き方改革」を一体的に推進する取組への支援

産地における人手不足を補うため、他産業や他地域との連携等による労働力確保の取組と労働環境整備等の農業の「働き方改革」を一体的に行う産地の取組を支援しました。

イ　需要に応じた生産や高付加価値化を進めるための技術導入

我が国の「強み」である技術力を活かした新たな品種や技術の開発・普及を進め、かつ知的財産を総合的に活用することにより、日本各地で品質やブランド力等「強み」のある農畜産物を実需者と連携して生み出すため、「新品種・新技術の開発・保護・普及の方針」（平成25年12月策定）に基づく取組等を推進しました。

（ア）実需者や産地が参画したコンソーシアムを構築し、ニーズに対応した新品種の開発等の取組を推進しました。

また、実需者等の多様なニーズに対応するため、従来の育種では困難だった収量性や品質等の形質の改良等を短期間で実現するスマート育種システムの開発を推進しました。

（イ）新品種やICT等の新技術等を活用した「強み」のある産地形成を図るため、実需者、生産者等が連携して新たな産地形成を行う取組を総合的に支援しまし

た。

　また、実需者等とも連携した新品種・新技術の確立、種苗の機動的な供給体制の整備、農業機械のリース導入、産地基幹施設整備等の取組を支援しました。

（ウ）海外遺伝資源を戦略的に確保するため、締約国として食料・農業植物遺伝資源条約の運営に必要な資金拠出を行うとともに、条約の機能を改善するための議論等に参画するほか、遺伝資源保有国における制度調査や遺伝資源の取得・利用に関する遺伝資源保有国との枠組み構築等を実施しました。

　また、二国間共同研究による海外植物遺伝資源の特性情報の解明等を推進することにより、海外植物遺伝資源へのアクセス環境を整備しました。

ウ　異常気象などのリスクを軽減する技術の確立

（ア）地球温暖化に対応する産地形成に向けた取組支援

　地球温暖化に対応する品種・技術を活用し、「強み」のある産地形成に向け、生産者・実需者等が一体となって先進的・モデル的な実証や事業者のマッチング等に取り組む産地を支援しました。

（イ）農業生産資材費の低減

　「農業競争力強化プログラム」及び「農業競争力強化支援法」に基づき、良質で低価格な資材の供給拡大に向けて以下の取組等を推進しました。

a　「農薬取締法」に基づく農薬の安全性に関する審査を充実させることにより、農薬の安全性の一層の向上を図りました。

b　肥料について、多銘柄・少量生産による製造コストの増加の一因となっている都道府県の施肥基準の見直しを推進しました。

c　生産性が低い工場の改善が課題となっている肥料や飼料製造事業者の事業再編や、寡占化している農業機械業界への事業参入の取組の促進に向け、事業者等に対して「農業競争力強化支援法」に基づく支援措置の活用を促しました。

d　農業資材比較サービス「AGMIRU（アグミル）」の現場での活用を促しました。

（3）効果的な農作業安全対策の推進

　毎年300件以上発生している農作業死亡事故を減少させるため、以下の取組を実施しました。

ア　地方公共団体はもとより、農業機械メーカー、農業機械販売店等からの事故情報の効果的、体系的な収集の実施

イ　農業機械の安全性検査や事故調査に取り組んでいる国立研究開発法人農業・食品産業技術総合研究機構農業技術革新工学研究センターにおける、労働分野や交通関係の専門家等と連携した事故分析の実施と分析結果の発信、一人一人の農業者に伝える観点による分析情報の発信と注意喚起の充実

ウ　乗用型トラクターの片ブレーキによる事故を防止する装置を搭載した機種の普及及び農業機械の安全性を向上させる研究開発や、農業機械メーカー等の企業における安全設計を一層促進する取組の推進

エ　農業者やその家族等の安全意識の向上を図るための事故事例や啓発資材等を活用した「声かけ」（注意喚起）や、農林水産省と警察庁等が連携した道路における乗用型トラクター乗車時のブレーキ連結の確認、安全キャビン・フレームの装着、シートベルトの着用、低速車マークや反射材の取付け、ヘルメット着用等についての農業者への「声かけ」や啓発活動の推進

オ　農業団体における労災保険特別加入団体の設置の促進等による労災保険特別加入制度への農業者の加入の促進

カ　民間企業、関係省庁とが連携した熱中症予防に係る取組の推進

キ　農作業と密接に関わるGAPにおける労働安全管理の取組の推進

ク　農作業死亡事故の多い高齢農業者や、労働者の安全確保義務を負う農業法人を対象にした積極的な普及・啓発活動の展開

8　気候変動への対応等の環境政策の推進

（1）気候変動に対する緩和・適応策の推進

ア　「農林水産省地球温暖化対策計画」（平成29年3月策定）に基づき、農林水産分野における地球温暖化対策技術の開発、マニュアル等を活用した省エネ型の生産管理の普及・啓発や省エネ設備の導入等による施設園芸の省エネルギー対策、施肥の適正化を推進しました。

　また、脱炭素化社会に向けた農林水産分野の取組方向を示した「脱炭素化社会に向けた農林水産分野の基本的考え方」（平成31年4月公表）を取りまとめ、その内容を「パリ協定に基づく成長戦略としての長期戦略」（令和元年6月策定）に反映しました。

　さらに、「革新的環境イノベーション戦略」（令和2年1月策定）において、農林水産業・吸収源が重点分野に位置付けられました。これに関連して、農林水産分野の革新的な温暖化対策技術や取組を紹介するフォーラムを開催しました。

イ　農地からのGHGの排出・吸収量の国連への報告に必要な農地土壌中の炭素量等のデータを収集する調査を行うとともに、地球温暖化防止等に効果の高い営農活動に対して支援しました。

ウ　GHGの更なる排出削減対策や吸収源対策の推進のため、排出削減・吸収量を認証しクレジットとして取引できるJ－クレジット制度において、農林水産分野の取組を推進しました。

エ　バイオマスの変換・利用施設等の整備等を支援し、農山漁村地域におけるバイオマス等の再生可能エネルギーの利用を推進しました。

オ　廃棄物系バイオマスの利活用については、平成30（2018）年度から5年間を計画期間とする「廃棄物処理施設整備計画」（平成30年6月策定）に基づく施設整備を推進するとともに、市町村等における生ごみのメタン化等の活用方策の導入検討を支援しました。

カ　気候変動の緩和に資するため、国際連携の下、各国の水田におけるGHG排出削減を実現する総合的栽培管理技術及び農産廃棄物を有効活用したGHG排出削減に関する影響評価手法の開発を推進しました。

キ　「気候変動適応法」（平成30年法律第50号）に定める「気候変動適応計画」（平成30年11月策定）及び「農林水産省気候変動適応計画」（平成30年11月改定）等に基づき、農林水産分野における気候変動の影響への適応に関する取組を推進するため、以下の取組を実施しました。

（ア）中長期的な視点に立った我が国の農林水産業に与える気候変動の影響評価や適応技術の開発を行うとともに、各国の研究機関等との連携により気候変動適応技術の開発を推進しました。

（イ）「強み」のある産地形成に向け、生産者・実需者等が一体となって地球温暖化に対応する品種・技術を活用する取組を支援しました。

（ウ）地方公共団体による農林水産分野の地域気候変動適応計画の策定をサポートするため、科学的知見等の情報提供、関東及び中国四国地域において、地域気候変動適応実践セミナー（果樹編）を開催しました。

ク　COP25（国連気候変動枠組条約第25回締約国会議）等の地球環境問題に係る国際会議に参画し、農林水産分野における国際的な地球環境問題に対する取組を推進しました。

ケ　令和元（2019）年5月に京都府で開催されたIPCC（気候変動に関する政府間パネル）総会に併せ、気候変動に対応する農業技術国際シンポジウムを滋賀県にて開催しました。

（2）生物多様性の保全及び利用

ア　有機農業や冬期湛水管理等、生物多様性保全等に効果の高い営農活動に対して支援しました。

イ　企業等による生物多様性保全活動への支援等について取りまとめた農林漁業者及び企業等向け手引き・パンフレット並びにUNDB-J（国連生物多様性の10年日本委員会）のMy行動宣言の更なる促進につながる農林水産関係アクション（エコツーリズム、森林ボランティア、藻場の再生等）の普及・啓発資料を活用し、農林水産分野における生物多様性保全活動を推進しました。

また、令和2（2020）年に決定予定の新たな世界目標（ポスト2020生物多様性枠組）に先立って、有識者研究会を設置して「農林水産省生物多様性戦略」（平成24年2月改定）の見直しに関する検討を進め、令和2（2020）年2月に開催した『SDGs×生物多様性シンポジウム「未来を創る食農ビジネス」』において、戦略見直しに関する研究会からの提言を発表しました。

ウ　遺伝子組換え農作物に関する取組として、「遺伝子組換え生物等の使用等の規制による生物の多様性の確保に関する法律」（平成15年法律第97号）に基づき、生物多様性に及ぼす影響についての科学的な評価、生態系への影響の監視等を継続するとともに、未承認の遺伝子組換え農作物の輸入防止を図るため、栽培用種苗を対象に、これまでの輸入時のモニタリング検査に加えて、特定の生産地及び植物種について、輸入者に対し輸入に先立つ届出や検査を義務付ける「生物検査」を実施しました。

エ　農林水産分野における遺伝資源の持続的利用を推進するため、以下の取組を実施しました。

（ア）遺伝資源の持続可能な利用等の推進を目的とする食料・農業植物遺伝資源条約の運営に必要な資金拠出を行い、条約の機能を改善するための議論等に参画しました。

（イ）国内の遺伝資源利用者が海外の遺伝資源を円滑に取得するために必要な情報収集及び提供や、遺伝資源の取得・利用に関する遺伝資源保有国との枠組み構築等を行いました。

（3）**農業の自然循環機能の維持増進とコミュニケーション**

環境保全型農業を推進するため、以下の取組を実施しました。

ア　「農業の有する多面的機能の発揮の促進に関する法律」（平成26年法律第78号）に基づき、化学肥料・化学合成農薬の使用を原則5割以上低減する取組と合わせて行う地球温暖化防止や生物多様性保全に効果の高い営農活動に対して支援を実施しました。

イ　環境保全型農業の取組の推進を図るため、農業者、消費者、流通関係者等に対し、環境保全型農業に関する情報発信を行いました。

ウ　「有機農業の推進に関する法律」（平成18年法律第112号）に基づき、有機農業により生産された農産物の安定的な供給体制を構築する取組への支援等を行い、有機農業の推進を図りました。

エ　「家畜排せつ物の管理の適正化及び利用の促進に関する法律」（平成11年法律第112号）の趣旨を踏まえ、家畜排せつ物の適正な管理に加え、その利活用を図るため、耕畜連携の強化やニーズに即した堆肥づくり、地域の実情に応じたエネルギー利用等の高度利用を推進しました。

Ⅳ　農村の振興に関する施策

1　多面的機能支払制度の着実な推進、中山間地域の農業の振興、地域コミュニティ機能の発揮等による地域資源の維持・継承等

（1）**多面的機能の発揮を促進するための取組**
ア　多面的機能支払制度

（ア）農業者等による組織が取り組む、水路の泥上げや農道の路面維持等の地域資源の基礎的保全活動、農村の構造変化に対応した体制の拡充・強化等、多面的機能を支える共同活動を支援しました。

（イ）地域住民を含む組織が取り組む、水路・農道等の軽微な補修、植栽による景観形成等の農村環境の良好な保全といった地域資源の質的向上を図る共同活動や、施設の長寿命化のための活動を支援しました。

イ　中山間地域等直接支払制度

（ア）条件不利地域において、引き続き農業生産活動の維持を通じて多面的機能を確保するため、中山間地域等直接支払制度に基づく直接支払を実施しました。

（イ）高齢化や人口減少の進行を踏まえ、女性・若者等の集落活動への参画や広域での集落協定に基づく複数集落が連携した活動体制づくり、条件が特に厳しい超急傾斜地における農業生産活動への支援等、集落の維持、強化に向けた取組を推進するなどにより、中山間地域等における自律的かつ安定的な農業生産活動を促進しました。

（2）中山間地域の農業の振興

中山間地域の特色を活かした多様な取組を後押しするため、「中山間地農業ルネッサンス事業」等により、多様で豊かな農業と美しく活力ある農山村の実現や、地域コミュニティによる農地等の地域資源の維持・継承に向けた取組を総合的に支援しました。

（3）「集約とネットワーク化」による集落機能の維持等

ア　地域のコミュニティ機能の維持

（ア）地域住民が主体となった地域の将来像の合意形成や地域全体の維持・活性化を図るための体制構築やICTを活用する定住条件の強化に向けたモデル事業の策定・試行を支援しました。

（イ）地域の実情を踏まえつつ、小学校区等複数の集落が集まる地域において、生活サービス機能等を集約・確保し、周辺集落とをネットワークで結ぶ「小さな拠点」の形成に向けた取組を推進しました。

（ウ）地域活性化や地域コミュニティ再生の取組の拡大を図るため、集落が多様な主体と連携し、農山漁村の持つ豊かな自然や「食」を福祉、教育、観光等に活用する地域活動や、農業と福祉の連携による農福連携の取組等を支援しました。

イ　生活環境の整備

（ア）農村における効率的・効果的な生活環境の整備

a　地方創生等の取組を支援する観点から、地方公共団体が策定する「地域再生計画」に基づき、関係府省が連携して道路や汚水処理施設の整備を効率的・効果的に推進しました。

b　高齢化や人口減少が進行する農村において、住みやすい生活環境を整備するため、農業・生活関連施設の再編・整備を推進しました。

c　農山漁村における定住や都市と農山漁村の二地域居住を促進する観点から、関係府省が連携しつつ、計画的な生活環境の整備を推進しました。

（イ）交通

a　交通事故の防止、交通の円滑化を確保するため、歩道の整備や交差点改良等を推進しました。

b　生活の利便性向上や地域交流に必要な道路、都市まで安全かつ快適な移動を確保するための道路の整備を推進しました。

c　多様な関係者の連携により、地方バス路線、離島航路・航空路等の生活交通の確保・維持を図るとともに、バリアフリー化や地域鉄道の安全性向上に資する設備の整備等、快適で安全な公共交通の構築に向けた取組を支援しました。

d　地域住民の日常生活に不可欠な交通サービスの維持・活性化、輸送の安定性の確保等のため、島しょ部等における港湾整備を推進しました。

（ウ）衛生

a　下水道、農業集落排水施設及び浄化槽等について、未整備地域の整備とともに、より一層の効率的な汚水処理施設整

備のために、社会情勢の変化を踏まえた都道府県構想の見直しの取組について、関係府省が密接に連携して支援しました。

b 下水道、農業集落排水施設においては、既存施設について、長寿命化や老朽化対策を適時・適切に進めるための地方公共団体による機能診断等の取組や更新整備を支援しました。

c 農村における汚水処理施設整備を効率的に推進するため、農業集落排水施設と下水道との連携等による施設の再編や、農業集落排水施設と浄化槽との一体的な整備を推進しました。

d 農村地域における適切な資源循環を確保するため、農業集落排水施設から発生する汚泥や処理水の循環利用を推進しました。

e 下水道を含む汚水処理の広域化・共同化に係る計画策定から施設整備まで総合的に支援する下水道広域化推進総合事業や従来の技術基準にとらわれず地域の実情に応じた低コスト、早期かつ機動的な整備が可能な新たな整備手法の導入を図る「下水道クイックプロジェクト」等により、効率的な汚水処理施設の整備を推進しました。

f 地方部において、より効率的な汚水処理施設である浄化槽の整備を推進しました。特に、循環型社会・低炭素社会・自然共生社会の同時実現を図るとともに、単独処理浄化槽から合併処理浄化槽への転換を促進するため、環境配慮型の浄化槽（省エネルギータイプに更なる環境性能を追加した浄化槽）整備や、公的施設に設置されている単独処理浄化槽の集中的な転換を推進しました。

（エ）情報通信

高度情報通信ネットワーク社会の実現に向けて、河川、道路、下水道において公共施設管理の高度化を図るため、光ファイバ及びその収容空間を整備するとともに、民間事業者等のネットワーク整備の更なる円滑化を図るため、施設管理に支障のない範囲で国の管理する河川・道路管理用光ファイバやその収容空間の開放を推進しました。

（オ）住宅・宅地

a 優良田園住宅による良質な住宅・宅地供給を促進し、質の高い居住環境整備を推進しました。

b 地方定住促進に資する地域優良賃貸住宅の供給を促進しました。

c 農山漁村振興交付金等により、農家住宅を含む魅力ある生活環境の整備に取り組む地域の構想づくりを支援しました。

（カ）文化

a 「文化財保護法」（昭和25年法律第214号）に基づき、農村に継承されてきた民俗文化財に関して、特に重要なものを重要有形民俗文化財や重要無形民俗文化財に指定するとともに、その修理や伝承事業等に対する補助を行いました。

b 保存及び活用が特に必要とされる有形の民俗文化財について登録有形民俗文化財に登録するとともに、保存箱等の修理・新調に対する補助を行いました。

c 棚田や里山等の文化的景観や歴史的集落等の伝統的建造物群のうち、特に重要なものをそれぞれ重要文化的景観、重要伝統的建造物群保存地区として選定し、修理・防災等の保存及び活用に対して支援しました。

（キ）公園

都市計画区域の定めのない町村において、スポーツ、文化、地域交流活動の拠点となり、生活環境の改善を図る特定地区公園の整備を推進しました。

ウ 医療・福祉等のサービスの充実

（ア）医療

「第7次医療計画」に基づき、へき地診療所等による住民への医療提供等農村を含めたへき地における医療の確保を推進しました。

（イ）福祉

介護・福祉サービスについて、地域密着型サービス拠点等の整備等を推進しました。

エ　安全な生活の確保

（ア）山腹崩壊、土石流等の山地災害を防止するための治山施設の整備や、流木被害の軽減・防止を図るための流木捕捉式治山ダムの設置、農地等を飛砂害や風害、潮害から守るなど重要な役割を果たす海岸防災林の整備等を通じて地域住民の生命・財産及び生活環境の保全を図りました。特に、「防災・減災、国土強靱化のための3か年緊急対策」（平成30年12月策定）に基づき、治山施設の設置等の対策を速やかに実施しました。

（イ）山地災害による被害を軽減するため、治山施設の設置等のハード対策と併せて、地域における避難体制の整備等の取組と連携して、山地災害危険地区を地図情報として住民に提供するなどのソフト対策を推進しました。

（ウ）高齢者や障害者等の自力避難の困難な者が入居する要配慮者利用施設に隣接する山地災害危険地区等において治山事業を計画的に実施しました。

（エ）激甚な水害の発生や床上浸水の頻発により、国民生活に大きな支障が生じた地域等において、被害の防止・軽減を目的として、治水事業を実施しました。

（オ）土砂災害の発生のおそれのある箇所において、砂防堰堤等の土砂災害防止施設の整備や警戒避難体制の充実・強化等、ハード・ソフト一体となった総合的な土砂災害対策を推進しました。

また、近年、死者を出すなど甚大な土砂災害が発生した地域の再度災害防止対策を推進しました。

（カ）南海トラフ地震や首都直下地震等による被害の発生及び拡大、経済活動への甚大な影響の発生等に備え、防災拠点、重要交通網、避難路等に影響を及ぼすほか、孤立集落発生の要因となり得る土砂災害の発生のおそれのある箇所において、土砂災害防止施設の整備を戦略的に推進しました。

（キ）社会福祉施設、医療施設等の要配慮者利用施設が存在する土砂災害の発生のおそれのある箇所において、土砂災害防止施設を重点的に整備しました。

（ク）土砂災害から人命を保護するため、「土砂災害警戒区域等における土砂災害防止対策の推進に関する法律」（平成12年法律第57号）に基づき、土砂災害警戒区域等の指定を促進し、土砂災害のおそれのある区域についての危険の周知、警戒避難体制の整備及び特定開発行為の制限を実施しました。

（ケ）農地災害等を防止するため、ハード整備に加え、防災情報を関係者が共有するシステムの整備や減災のための指針づくり等のソフト対策を推進し、地域住民の安全な生活の確保を図りました。

（コ）橋梁の耐震対策、道路斜面や盛土等の防災対策、災害のおそれのある区間を回避する道路整備を推進しました。

また、冬期の道路ネットワークを確保するため、道路の除雪、防雪、凍雪害防止を推進しました。

オ　経済の活性化を支える基盤の整備

（ア）日常生活の基盤としての市町村道から国土構造の骨格を形成する高規格幹線道路に至る道路ネットワークの強化を推進しました。

（イ）農産物の海上輸送の効率化を図るため、船舶の大型化等に対応した複合一貫輸送ターミナルの整備を推進しました。

（ウ）「道の駅」の整備により、休憩施設と地域振興施設を一体的に整備し、地域の情報発信と連携・交流の拠点形成を支援しました。

（エ）都市と農村地域を連絡するなど、地域間の交流を促進し、地域の活性化に資する道路の整備を推進しました。

（4）深刻化、広域化する鳥獣被害への対応

ア 「鳥獣による農林水産業等に係る被害の防止のための特別措置に関する法律」（平成19年法律第134号）に基づき、市町村による被害防止計画の作成及び鳥獣被害対策実施隊の設置・体制強化を推進しました。

イ 鳥獣の急速な個体数増加や分布拡大により、被害が拡大するおそれがあることから、関係省庁が連携・協力し、個体数等の削減に向けて、「抜本的な鳥獣捕獲強化対策」（平成25年12月策定）及び「ニホンザル被害対策強化の考え方」（平成26年4月策定）に基づき、捕獲等の対策を推進しました。

ウ 野生鳥獣被害の深刻化・広域化に対応するため、市町村が作成する被害防止計画に基づく、鳥獣の捕獲体制の整備、捕獲機材の導入、侵入防止柵の設置、鳥獣の捕獲・追払い、緩衝帯の整備を推進しました。

また、捕獲鳥獣を地域資源として利活用するため、処理加工施設の整備や国産ジビエ認証取得に向けた支援等モデル地区の取組の横展開、ジビエの全国的な需要拡大のためのプロモーション等の取組を推進しました。

エ 東日本大震災や東電福島第一原発事故に伴う捕獲活動の低下による鳥獣被害の拡大を抑制するための侵入防止柵の設置等を推進しました。

オ 鳥獣の生息環境にも配慮した森林の整備・保全活動等を推進しました。

カ 地域における技術指導者の育成を図るため、普及指導員、市町村職員、農林漁業団体職員等を対象とする研修を実施しました。

キ 鳥獣を誘引しない営農管理手法等、鳥獣被害を防止する技術の開発を推進しました。

ク 地域ブロック単位の連絡協議会の積極的な運営や、鳥獣被害対策のアドバイザーを登録・紹介する取組を推進しました。

2 多様な地域資源の積極的活用による雇用と所得の創出

（1）地域の農産物等を活かした新たな価値の創出

ア 農林漁業者等と食品製造・流通業者等の多様な事業者がネットワークを構築して取り組む新商品開発、農林水産物の加工・販売施設の整備等の取組及び市町村の6次産業化等に関する戦略に沿って行う地域ぐるみの6次産業化の取組を支援しました。

イ 農林水産業・農山漁村に豊富に存在する資源を活用した革新的な産業の創出に向け、農林漁業者等と異業種の事業者との連携による新技術等の研究開発成果の利用を促進するための導入実証や試作品の製造・評価等の取組を支援しました。

ウ 農林漁業者と中小企業者が有機的に連携して行う新商品・新サービスの開発や販路開拓等に係る取組を支援しました。

エ 山村の豊かな地域資源の活用を通じた地元の所得や雇用の増大に向け、農林漁業者を始めとする地域住民が協力して行う、農林水産物やその加工品等の地域資源の利用状況・活用可能量の調査、資源活用のための活動組織づくり、技術研修等の人材育成、地域産品のマーケティング調査、商品開発、商品パッケージのデザイン検討、販路開拓等の取組を支援しました。

（2）バイオマスを基軸とする新たな産業の振興

バイオマスの活用の推進に関する施策についての基本的な方針、国が達成すべき目標等を定めた「バイオマス活用推進基本計画」（平成28年9月策定）に基づき、素材、熱、電気、燃料等への変換技術を活用し、より経済的な価値の高い製品等を生み出す高度利用等の取組を推進しました。

また、関係府省の連携の下、地域のバイオマスを活用した産業化を推進し、地域循環型の再生可能エネルギーの強化と環境に優しく災害に強いまち・むらづくりを目指すバイオマス産業都市の構築に向けた取組を支援しました。

バイオマスの効率的な利用システムの構築を進めることとし、以下の取組を実施しました。

ア　農林漁業に由来するバイオマスのバイオ燃料向け利用の促進を図り、国産バイオ燃料の生産拡大に資するため、「農林漁業有機物資源のバイオ燃料の原材料としての利用の促進に関する法律」（平成20年法律第45号）に基づく事業計画の認定を行い支援しました。

イ　下水道を核とした資源・エネルギーの循環のため、バイオマスである下水汚泥等の利活用を図り、下水汚泥等のエネルギー利用、リン回収・利用等を推進しました。

（3）農村における地域が主体となった再生可能エネルギーの生産・利用

農山漁村に豊富に存在する土地、水、バイオマス等の資源を再生可能エネルギーとして活用し、農山漁村の活性化を図るため、以下の取組を実施しました。

ア　「農林漁業の健全な発展と調和のとれた再生可能エネルギー電気の発電の促進に関する法律」（平成25年法律第81号）を積極的に活用し、農林地等の利用調整を適切に行いつつ、再生可能エネルギーの導入と併せて、地域農業の健全な発展に資する取組や農山漁村における再生可能エネルギーの地産地消の取組を促進しました。

また、同法が施行後5年となることから、同法に基づき、令和元（2019）年7月に基本方針の見直しを行いました。

イ　農山漁村における再生可能エネルギーの導入等に向けた事業計画策定、営農型太陽光発電による高収益農業の実証、小水力等発電施設の整備に係る調査設計及び施設整備等の取組を支援しました。

（4）農村への農業関連産業の導入等による雇用と所得の創出

「農村地域への産業の導入の促進等に関する法律」（昭和46年法律第112号）に基づき、同法による基本計画及び実施計画の策定や税制等の支援施策の積極的な活用に

向け、各地方農政局に設置した支援施策活用窓口において、都道府県、市町村及び事業者に対する支援を行いました。

3　多様な分野との連携による都市農村交流や農村への移住・定住等

（1）観光、教育、福祉等と連携した都市農村交流

ア　農泊の推進による農山漁村の所得向上を実現するため、農泊をビジネスとして実施するための現場実施体制の構築や、地域資源を魅力ある観光コンテンツとして磨き上げる取組への支援を行うとともに、日本政府観光局（JNTO）等と連携して、農泊地域の国内外へのプロモーションを行いました。

イ　観光を通じた地域振興を図るため、地域の関係者が連携し、地域の幅広い資源を活用し地域の魅力を高めることにより、国内外の観光客が2泊3日以上の滞在交流型観光を行うことができる「観光圏」の整備を促進しました。

ウ　農山漁村が有する教育的効果に着目し、農山漁村を教育の場として活用するため、関係府省が連携し、子供の農山漁村宿泊体験等を推進するとともに、農山漁村を都市部の住民との交流の場等として活用する取組を支援しました。

エ　農福連携による障害者等の雇用・就労促進のため、農業用ハウスや加工・販売施設等の整備、障害者が農業技術を習得するための研修、障害者の農業分野での定着を支援する専門人材育成、農業・福祉関係者等を対象としたセミナーの開催等を支援しました。

また、農福連携を強力に推進するため、平成31（2019）年4月に内閣官房長官を議長とする省庁横断の農福連携等推進会議を設置し、同年6月に、今後の推進の方向性を「農福連携等推進ビジョン」として取りまとめました。

オ　地域の伝統的農林水産業の価値及び認知

度向上につながる世界農業遺産及び日本農業遺産の維持・保全及び新規認定に向けた取組を推進しました。

また、歴史的・技術的・社会的価値を有する世界かんがい施設遺産の認知度向上及び新規認定に向けた取組を推進しました。

カ 「「子どもの水辺」再発見プロジェクト」の推進、水辺整備等により、河川における交流活動の活性化を支援しました。

キ 「歴史的砂防施設の保存活用ガイドライン」（平成15年5月策定）に基づき、景観整備・散策路整備等の周辺整備等を推進しました。

また、歴史的砂防施設及びその周辺環境一帯を地域の観光資源の核に位置付けるなど、新たな交流の場の形成を推進しました。

ク 「エコツーリズム推進法」（平成19年法律第105号）に基づき、エコツーリズム推進全体構想の認定・周知、技術的助言、情報の収集、普及・啓発、広報活動等を総合的に実施しました。

ケ 自然観光資源を活用したエコツーリズムを推進するため、エコツーリズム推進全体構想の作成、魅力あるプログラムの開発、ガイド等の人材育成等、地域における活動の支援を行いました。

コ 良好な農村景観の再生・保全を図るため、コンクリート水路沿いの植栽等、土地改良施設の改修等を推進しました。

サ 棚田・疏水（そすい）等将来に残すべき農村景観・資源を保全・復元・継承するための取組を推進しました。

シ 棚田の保全と棚田地域の振興を図るため、地域の創意工夫を活かした取組の実施に向け、「棚田地域振興法」（令和元年法律第42号）に基づき、関係府省で連携して総合的に支援しました。

ス 河川においては、湿地の保全・再生や礫河（れき）原の再生等、自然再生事業を推進しました。

セ 魚類等の生息環境改善等のため、河川等に接続する水路との段差解消により水域の連続性の確保、生物の生息・生育環境を整備・改善する魚のすみやすい川づくりを推進しました。

（2）多様な人材の都市から農村への移住・定住

ア 農山漁村地域への定住及び都市・農村の交流の促進を図るため、農山漁村に定住する契機となるための取組、農山漁村の空き家・廃校等の地域資源を活用した取組や、拠点施設等の整備等を関係省庁が連携して支援しました。

イ 「地域再生法」（平成17年法律第24号）を改正し、農地付き空き家等の情報提供・取得の円滑化を図りました。

ウ 農山漁村の持つ豊かな自然や「食」を福祉、教育、観光等に活用する地域活動の推進に必要な外部専門家や都市人材を長期に受け入れ、地域活性化と暮らしの安心につなげていく取組について、総務省の「地域おこし協力隊」と一体的に運用を行いました。

エ 二地域居住等に関する国や地方公共団体の支援策や取組について情報発信を行いました。

（3）多様な役割を果たす都市農業の振興

新鮮な農産物の供給、農作業体験の場や防災空間の確保等、都市農業が有する多様な機能の発揮のため、都市住民の理解の促進を図りつつ、都市農業の振興に向けた取組を推進しました。

また、都市農地の貸借の円滑化のための制度について関係団体等と連携して周知を行い、制度の適切かつ円滑な運用に努めました。

Ⅴ 東日本大震災からの復旧・復興に関する施策

「「復興・創生期間」における東日本大震災からの復興の基本方針」（平成31年3月改定）に沿った復興に向けた支援として、「農業・農村の復興マスタープラン」（平成29年6月改定）や「避難指示解除準備区域等における

公共インフラ復旧の工程表」に沿って、農地の大区画化等の取組を推進するとともに、被害が甚大な農地や避難指示区域内の農地の復旧と早期の営農再開に向けた支援を行いました。

また、「東日本大震災復興特別区域法」（平成23年法律第122号）に沿って、関係府省が連携し、津波被災地域等の円滑かつ迅速な復興を図りました。

（1）地震・津波災害からの復旧・復興

ア　農地等の生産基盤の復旧・整備

（ア）農地・農業用施設災害復旧等

被災した農地や農業用施設等の着実な復旧を進めました。

（イ）農業水利施設等の震災対策

地震により損壊のおそれがある農業水利施設の改修・整備等を実施しました。

（ウ）災害廃棄物処理への対応

福島県（避難区域を除く）においては、個々の市町村の状況に応じて、災害廃棄物等の処理を進めることが必要であり、災害廃棄物処理代行事業により、市町への支援を継続しました。避難区域については、「対策地域内廃棄物処理計画」（平成25年12月改定）に基づき、国が災害廃棄物等の処理を着実に進めました。

イ　経営の継続・再建

（ア）農業経営の復旧・復興等のための金融支援

東日本大震災により被災した農業者等に対して、速やかな復旧・復興のために必要となる資金が円滑に融通されるよう利子助成金等を交付しました。

（イ）浸水農地における農業共済の引受け

海水が流入した浸水農地にあっても、除塩により収穫が可能と見込まれる農地については、現地調査を行い、水稲等の生育状況を踏まえて共済引受を行いました。

ウ　東日本大震災農業生産対策交付金による生産手段の回復

震災の影響により低下した被災地の生産力の回復、農畜産物の販売力の回復等に向けた取組を支援するため、都道府県向け交付金を交付しました。

エ　再生可能エネルギーの導入

被災地域に存在する再生可能エネルギーを活用し小水力等発電施設の整備に係る調査設計等の取組を支援しました。

オ　農山漁村対策

被災産地の復興・創生のため、状況変化等に起因して新たに現場が直面している課題を対象に先端技術の現地実証を行うとともに、実用化された技術体系の速やかな社会実装を促進しました。

カ　東日本大震災復興交付金

（ア）被災地域農業復興総合支援

被災市町村が農業用施設・機械を整備し、被災農業者に貸与等することにより、被災農業者の農業経営の再開を支援しました。

（イ）震災対策・戦略作物生産基盤整備

震災によって著しい被害を受けた地域において、畦畔除去等による区画拡大や暗渠排水等の農地の整備、老朽施設の更新等の農業水利施設の整備をきめ細かく支援しました。

（ウ）農林水産関係試験研究機関緊急整備

被災県の基幹産業たる農林水産業を復興するための農林水産研究施設等整備を支援しました。

（エ）農山漁村地域復興基盤総合整備

被災地域における農地・農業用施設や集落道等の整備を支援しました。

（オ）農山漁村活性化プロジェクト支援（復興対策）

被災地域の復旧・復興のため、生産施設、地域間交流拠点施設等の整備を支援しました。

（2）原子力災害からの復旧・復興

ア　食品中の放射性物質の検査体制及び食品の出荷制限

（ア）食品中の放射性物質の基準値を踏まえ、検査結果に基づき、都道府県に対して食品の出荷制限・摂取制限の設定・解

除を行いました。

（イ）都道府県等に食品中の放射性物質の検査を要請しました。

　また、都道府県の検査計画策定の支援、都道府県等からの依頼に応じた民間検査機関での検査の実施、検査機器の貸与・導入等を行いました。

　さらに、都道府県等が行った検査の結果を集約し、公表しました。

（ウ）消費者の安全・安心を一層確保するため、独立行政法人国民生活センターと共同して、希望する地方公共団体に放射性物質検査機器を貸与し、消費サイドで食品の放射性物質を検査する体制の整備を支援しました。

イ　稲の作付制限等

　令和元（2019）年産稲の作付制限区域及び農地保全・試験栽培区域における稲の試験栽培、作付再開準備区域における実証栽培等の取組に対して支援を行いました。

ウ　放射性物質の吸収抑制対策

　放射性物質の農作物への吸収抑制を目的とした資材の施用、品種・品目転換等の取組を支援しました。

エ　農業系副産物循環利用体制の再生・確立

　放射性物質の影響から、利用可能であるにもかかわらず循環利用が寸断されている農業系副産物の循環利用体制の再生・確立を支援しました。

オ　避難区域等の営農再開支援

（ア）避難区域等において、除染終了後から営農が再開されるまでの間の農地等の保全管理、鳥獣被害防止緊急対策、放れ畜対策、営農再開に向けた作付・飼養実証、避難先からすぐに帰還できない農家の農地の管理耕作、収穫後の汚染防止対策、水稲の作付再開、新たな農業への転換及び農業用機械・施設、家畜等の導入を支援しました。

（イ）福島相双復興官民合同チームの営農再開グループが、約1,500人の農業者を個別に訪問して、要望調査や支援策の説明を行いました。

カ　農産物等輸出回復

　諸外国・地域において日本産食品に対する輸入規制が行われていることから、関係省庁が協力し、各種資料・データを提供しつつ輸入規制の撤廃・緩和に向けた働き掛けを実施しました。

キ　福島県産農産物等の風評の払拭

　福島県の農業の再生に向けて、生産から流通・販売に至るまで、風評の払拭を総合的に支援しました。

ク　農産物等消費拡大推進

　被災地及び周辺地域で生産された農林水産物及びそれらを活用した食品の消費の拡大を促すため、生産者や被災地の復興を応援する取組を情報発信するとともに、被災地産食品の販売促進等、官民の連携による取組を推進しました。

ケ　農地土壌等の放射性物質の分布状況等の推移に関する調査

　今後の営農に向けた取組を進めるため、農地土壌等の放射性核種の濃度を測定し、農地土壌の放射性物質濃度の推移を把握しました。

コ　放射性物質対策技術の開発

　東電福島第一原発事故の影響を受けた被災地の復興のため、放射性セシウム吸収抑制対策としてのカリウム施肥の適正化、除染作業に伴い低下した農地の生産力の回復、農地の省力的維持管理のための技術開発等を行いました。

サ　ため池等の放射性物質のモニタリング調査、ため池等の放射性物質対策

　ため池等における水質・底質の放射性物質の経年変化等を把握するため、放射性物質のモニタリング調査等を行いました。

　また、市町村等がため池の放射性物質対策を効果的・効率的に実施できるよう技術的助言等を行いました。

シ　東電福島第一原発事故で被害を受けた農林漁業者への賠償等

　東電福島第一原発事故により農林漁業者

等が受けた被害については、東京電力ホールディングス株式会社から適切かつ速やかな賠償が行われるよう、関係省庁、東京電力ホールディングス株式会社等との連絡を密にし、必要な情報提供や働き掛けを実施しました。

ス　食品と放射能に関するリスクコミュニケーション

食品中の放射性物質に関する消費者の理解を深めるため、関係府省、各地方公共団体及び消費者団体等が連携した意見交換会等のリスクコミュニケーションの取組を促進しました。

セ　福島再生加速化交付金

（ア）農山村地域復興基盤総合整備事業

農地・農業用施設の整備や農業水利施設の保全管理、ため池の放射性物質対策等を支援しました。

（イ）農山漁村活性化プロジェクト支援（福島復興対策）事業

生産施設、地域間交流拠点施設等の整備を支援しました。

（ウ）農業基盤整備促進事業

地域の実情に応じ、農地の畦畔除去による区画拡大や暗渠排水整備等の簡易な基盤整備を支援しました。

（エ）被災地域農業復興総合支援事業

被災市町村が農業用施設・機械を整備し、被災農業者に貸与等することにより、被災農業者の農業経営の再開を支援しました。

（オ）農林水産関係試験研究機関緊急整備事業

基幹産業たる農林水産業を復興するための農林水産研究施設等整備に対する支援措置を講じました。

（カ）木質バイオマス施設等緊急整備事業

木質バイオマスや小水力等再生可能エネルギー供給施設、木造公共建築物等の整備を支援しました。

VI　団体の再編整備等に関する施策

ア　農業協同組合系統組織

平成28（2016）年4月に改正された「農業協同組合法」に基づき、農業者の所得向上に向けた自己改革を進めていくための取組を促進しました。

イ　農業委員会

平成28（2016）年4月に改正された「農業委員会等に関する法律」に基づき、地域における徹底した話合いにより農地利用の最適化（担い手への農地利用の集積・集約化、遊休農地の発生防止・解消、新規参入の促進）を推進しました。

ウ　農業共済団体

農業共済団体による、農業保険（収入保険及び農業共済）への加入促進の取組、組織の効率化及びガバナンスの強化を推進しました。

エ　土地改良区

土地改良区の組織運営基盤の強化を図るため、広域的な合併や土地改良区連合の設立に対する支援等を行いました。

また、平成31（2019）年4月に改正された「土地改良法」（昭和24年法律第195号）に基づき、土地改良区の業務運営の適正化を図る取組を推進しました。

VII　食料、農業及び農村に関する施策を総合的かつ計画的に推進するために必要な事項

1　幅広い関係者の参画と関係府省の連携による施策の推進

食料自給率の向上に向けた取組を始め、政府一体となって実効性のある施策を推進しました。

2 施策の進捗管理と評価

（1）施策の進捗管理

施策の着実な推進を図るため、その実施に当たっては、手順、時期、手法及び目的を明らかにするとともに、随時、対象者の対応状況を把握することにより、進捗管理を行いました。

（2）政策評価の適切な活用

政策評価については、「食料・農業・農村基本計画」（平成27年3月策定）等を踏まえた目標の設定を行い、設定した目標の達成度に関して実績の測定を行いました。

また、政策評価第三者委員会を公開し、議事録等を農林水産省Webサイトに掲載するなど情報の公開を進めました。

3 財政措置の効率的かつ重点的な運用

厳しい財政事情の下で予算を最大限有効に活用する観点から、既存の予算を見直した上で「農林水産業・地域の活力創造プラン」に基づき、新たな農業・農村政策を着実に実行するための予算に重点化を行い、財政措置を効率的に運用しました。

4 国民視点や地域の実態に即した施策の決定

（1）国民の声の把握

ア　透明性を高める観点から、国民のニーズに即した情報公開、農林水産省Webサイト等による情報の受発信を推進しました。

イ　幅広い国民の参画を得て施策を推進するため、国民との意見交換等を実施しました。

ウ　農林水産省本省の意図・考え方等を地方機関に的確に浸透させるとともに、地方機関が把握している現場の状況を適時に本省に吸い上げ施策立案等に反映させるため、地方農政局長等会議を開催しました。

（2）科学的・客観的な分析

ア　施策の科学的・客観的な分析

施策の立案から決定に至るまでの検討過程において、EBPM（証拠に基づく政策立案）の視点を踏まえ、できる限り客観的なデータに基づいて施策を科学的・客観的に分析し、その必要性や有効性を明らかにしました。

イ　政策展開を支える統計調査の実施と利用の推進

農政の推進に不可欠な情報インフラを整備し、的確に統計データを提供しました。

（ア）農家等の経営状況や作物の生産に関する実態を的確に把握するため、農業経営統計調査、作物統計調査等を実施しました。

（イ）統計調査の基礎となる農地の区画情報（筆ポリゴン）を活用し各種農林水産統計調査を効率的に実施するとともに、筆ポリゴンをオープンデータとして幅広く提供しました。

（ウ）6次産業化に向けた取組状況を的確に把握するため、農業経営体等を対象とした調査を実施しました。

（エ）地域施策の検討等に資するため、「市町村別農業産出額（推計）」を公表しました。

（オ）「2020年農林業センサス」を実施するとともに、必要な広報活動等を実施しました。

5 効果的かつ効率的な施策の推進体制

（1）施策の具体的内容等が生産現場等に速やかに浸透するよう、デジタル媒体等様々な広報媒体を用いて、関係者に対する周知・徹底を促進しました。

（2）専門調査員の導入による調査の外部化を推進し、質の高い信頼性のある統計データの提供体制を確保しました。

また、市場化テスト（包括的民間委託）を導入した統計調査を実施しました。

（3）農林漁業者等の利便性の向上、申請データの利活用の推進のため、「農林水産省デジタル・ガバメント中長期計画」（平成30年6月策定）に基づき、行政手続等をオンラインで申請できる農林水産省共通申請サービス（eMAFF）の構築を開始し、一部手続について実証等を実施しました。

Ⅷ　災害対策

令和元（2019）年は、山形県沖を震源とする地震、6月下旬の大雨、8月の前線に伴う大雨、令和元年房総半島台風（台風第15号）、令和元年東日本台風（台風第19号）等により、農作物、農業用ハウス、農林水産関係施設等に大きな被害が発生しました。

1　災害復旧事業の早期実施

農地・農業用施設、共同利用施設、林地荒廃、治山施設、林道施設、漁港等の被害に対して、災害復旧事業等により早期復旧を図りました。

2　激甚災害指定

被害が特に大きかった以下の災害等については、激甚災害に指定し、災害復旧事業費に対する地方公共団体等の負担の軽減を図りました。

（1）「令和元年6月6日から7月24日までの間の豪雨及び暴風雨による災害（梅雨前線豪雨等、台風第3号、台風第5号）」

（2）「令和元年8月13日から9月24日までの間の暴風雨及び豪雨災害（前線豪雨、台風第10号、第13号、第15号、第17号）」

（3）「令和元年10月11日から同月26日までの間の暴風雨及び豪雨による災害（台風第19号、台風第20号、台風第21号）」

3　被災農林漁業者等の資金需要への対応

被災農林漁業者等に対する資金の円滑な融通及び既貸付金の償還猶予等が図られるよう、関係機関に対して依頼通知を発出しました。

また、6月下旬の大雨、8月の前線に伴う大雨、令和元年房総半島台風、令和元年東日本台風等により被災した農業者等が借り入れる災害関連資金について、貸付当初5年間実質無利子化する措置等を講じました。

4　共済金の迅速かつ確実な支払

迅速かつ適切な損害評価の実施及び共済金の早期支払体制の確立等が図られるよう、農業共済団体を指導しました。

5　特別対策の実施

（1）山形県沖を震源とする地震による被災農林漁業者への支援

山形県沖を震源とする地震により、漁港施設の損壊等、山形県や新潟県の農林水産関係に多大な被害が発生したことから、農林水産省では令和元（2019）年6月19日に「緊急自然災害対策本部幹事会」を設置し、被災した農林漁業者の一日も早い経営再開に向けて必要な対策の検討を行い、同年7月9日に「山形県沖を震源とする地震による農林水産関係被害への支援対策」を決定・公表しました。

具体的には、①災害復旧事業等の促進、②漁港施設等の早期復旧等の支援等、③共済金の早期支払等、④災害関連資金の措置、⑤農地・農業用施設の早期復旧等の支援、⑥山林の早期復旧等の支援を行いました。

（2）8月の前線に伴う大雨による被災農林漁業者への支援

8月の前線に伴う大雨により、九州北部を中心に、農作物の浸水被害、油の流出被害等、農林水産関係に多大な被害が発生したことから、農林水産省では、令和元（2019）年8月30日に「緊急自然災害対策本部幹事会」を設置し、被災した農林漁業者の一日も早い経営再開に向けて必要な対策の検討を行い、同年9月10日に「令和元年8月の前線に伴う大雨による農林水産関係被害への支援対策」を決定・公表しました。

具体的には、①災害復旧事業等の促進、②油流出への対応、③共済金の早期支払等、④災害関連資金の特例措置、⑤農業用ハウス等の導入の支援、⑥営農再開に向けた支援、⑦被災農業者の就労機会の確保、被災農業法人等の雇用の維持のための支

援、⑧農地・農業用施設の早期復旧等の支援、⑨林野関係被害に対する支援、⑩水産関係被害に対する支援等を行いました。

また、補正予算において、災害復旧に必要な予算を措置しました。

（3）令和元年房総半島台風による被災農林漁業者への支援

令和元年房総半島台風により、千葉県を中心に、農業用ハウスの損壊、停電に伴う二次被害等、農林水産関係に多大な被害が発生したことから、農林水産省では、令和元（2019）年9月17日に「緊急自然災害対策本部」を設置し、被災した農林漁業者の一日も早い経営再開に向けて必要な対策の検討を行い、同年10月1日に「令和元年8月から9月の前線に伴う大雨（台風第10号、第13号及び第15号の暴風雨を含む。）、台風第17号による農林水産関係被害への支援対策」を決定・公表しました。

具体的には、①災害復旧事業等の促進、②農業用ハウス、共同利用施設等の導入の支援、③共済金の早期支払等、④災害関連資金の特例措置、⑤営農再開に向けた支援、⑥農地・農業用施設の早期復旧等の支援、⑦林野関係被害に対する支援、⑧水産関係被害に対する支援、⑨停電への対応、⑩地方財政措置による支援等を行いました。

また、予備費、補正予算において、災害復旧に必要な予算を措置しました。

（4）令和元年東日本台風等による被災農林漁業者への支援

令和元年東日本台風等により、関東、東北、北信越を中心に、果樹・米の浸水被害、農業用機械の損壊等、農林水産関係に多大な被害が発生したことから、農林水産省では、令和元（2019）年10月13日に「緊急自然災害対策本部」を設置し、被災した農林漁業者の一日も早い経営再開に向けて必要な対策の検討を行い、同年10月25日に「令和元年8月から9月の前線に伴う大雨（台風第10号、第13号、第15号及び第17号の暴風雨を含む。）、台風第

19号による農林水産関係被害への支援対策」を決定・公表しました。

同年11月7日には、「被災者の生活と生業の再建に向けた対策パッケージ」が政府の非常災害対策本部で決定されたことに伴い、支援対策を改訂し、ハード面からソフト面までのきめ細かい支援メニューを追加しました。

具体的には、①災害復旧事業等の促進、②農業用ハウス、共同利用施設等の導入の支援、③共済金の早期支払等、④災害関連資金の特例措置、⑤営農再開に向けた支援、⑥被災農業者の就労機会の確保、被災農業法人等の雇用の維持のための支援、⑦農地・農業用施設の早期復旧等の支援、⑧林野関係被害に対する支援、⑨水産関係被害に対する支援、⑩停電への対応、⑪地方財政措置による支援等を行いました。

また、予備費、補正予算において、災害復旧に必要な予算を措置しました。

6 その他の施策

（1）地方農政局等を通じ、台風等の暴風雨、高温、大雪等による農作物等の被害防止に向けた農業者等への適切な技術指導が行われるよう通知を発出しました。

（2）新型コロナウイルス感染症に対する水際対策として、チャーター便の帰国者やクルーズ船の下船者の滞在施設に職員を派遣し、食事の提供等を実施しました。

（3）農業者に新型コロナウイルス感染者が発生した際の対応や事業継続を図る際の基本的なポイントをまとめたガイドラインを取りまとめ、公表しました。

（4）新型コロナウイルス感染症の影響により、外国人技能実習生の受入れに関する影響が懸念されることから、農業関連の外国人材の受入れに関する通知を発出しました。

令和2年度
食料・農業・農村施策

第201回国会（常会）提出

目次

概説

1 施策の重点

令和2（2020）年3月に閣議決定された新たな「食料・農業・農村基本計画」を指針として、食料自給率・食料自給力の維持向上に向けた施策、食料の安定供給の確保に関する施策、農業の持続的な発展に関する施策、農村の振興に関する施策及び食料・農業・農村に横断的に関係する施策等を総合的かつ計画的に展開します。

また、令和元（2019）年12月に、これまでの農政全般にわたる改革に加えて、新たに生産基盤の強化を目的とする政策パッケージとして「農業生産基盤強化プログラム」を取りまとめ、これを「農林水産業・地域の活力創造プラン」（令和元年12月改訂）に新たに位置付けたことを踏まえ、強い農業・農村を構築し、農業者の所得向上を実現するための施策を展開します。

さらに、TPP11、日EU・EPAに続く日米貿易協定により、我が国が新たな国際環境に入ったことを踏まえ、令和元（2019）年12月に改訂された「総合的なTPP等関連政策大綱」に基づき、強い農林水産業の構築、経営安定・安定供給の備えに資する施策等を推進します。また、東日本大震災及び東京電力福島第一原子力発電所（以下「東電福島第一原発」という。）事故からの復旧・復興に関係省庁が連携しながら取り組みます。

2 財政措置

（1）令和2（2020）年度農林水産関係予算額は、2兆3,109億円（このほか、臨時・特別の措置1,008億円）を計上しています。本予算は、「農林水産業・地域の活力創造プラン」等に基づき、「強い農林水産業」と「美しく活力ある農山漁村」を実現していくための施策として措置しています。具体的には、①農林水産物・食品の政府一体となった輸出力強化と高付加価値化、②「ス

マート農業」の実現と強い農業のための基盤づくり、③担い手への農地集積・集約化等による構造改革の推進、④水田フル活用と経営所得安定対策の着実な実施、⑤食の安全・消費者の信頼確保、⑥農山漁村の活性化、⑦林業の成長産業化と「林業イノベーション」の推進、⑧水産改革の実行による適切な資源管理と水産業の成長産業化、⑨災害からの復旧・復興と防災・減災、国土強靱化に取り組みます。

（2）令和2（2020）年度の農林水産関連の財政投融資計画額は、5,268億円を計上しています。このうち主要なものは、株式会社日本政策金融公庫による借入れ5,200億円となっています。

3 立法措置

第201回国会に以下の法律案を提出したところです。

- 「家畜伝染病予防法の一部を改正する法律案」（令和元年度中に成立）
- 「家畜改良増殖法の一部を改正する法律案」
- 「家畜遺伝資源に係る不正競争の防止に関する法律案」
- 「種苗法の一部を改正する法律案」

4 税制上の措置

施策の総合的な推進を図るため、以下を始めとする税制措置を講じます。

（1）「人・農地プラン」の中心経営体として位置付けられた認定新規就農者に利用させるため、農業協同組合等が取得した一定の償却資産に係る課税標準の特例措置を創設します（固定資産税）。

（2）「農業競争力強化支援法」（平成29年法律第35号）に基づく事業再編計画の認定を受けた場合の事業再編促進機械等の割増償却等の対象業種に農業資材の卸売・小売事業を追加します（所得税・法人税、登録免許税）。

（3）農業経営基盤強化準備金制度を1年延長します（所得税・法人税）。

（4）農林漁業用Ａ重油に対する石油石炭税
（地球温暖化対策のための課税の特例による
上乗せ分を含む。）の免税・還付措置を３年
延長します（石油石炭税）。

（5）農地中間管理機構への貸付けによる農地
の利用の効率化及び高度化の促進を図るた
めの農地の保有に係る課税の軽減措置を２
年延長します（固定資産税・都市計画税）。

5　金融措置

政策と一体となった長期・低利資金等の融
通による担い手の育成・確保等の観点から、
農業経営の特性に応じた資金調達の円滑化を
図るための支援措置である農業制度金融の充
実を図ります。

（1）株式会社日本政策金融公庫の融資

ア　農業の成長産業化に向けて、民間金融機
関と連携を強化し、農業者等への円滑な資
金供給に取り組みます。

イ　農業経営基盤強化資金（スーパーＬ資金）
については、実質化された「人・農地プラ
ン」の中心経営体として位置付けられたな
どの認定農業者を対象に貸付当初５年間実
質無利子化する措置を講じます。

（2）民間金融機関の融資

ア　民間金融機関の更なる農業融資拡大に向
けて株式会社日本政策金融公庫との業務連
携・協調融資等の取組を強化します。

イ　認定農業者が借り入れる農業近代化資金
については、貸付利率をスーパーＬ資金の
水準と同一にする金利負担軽減措置を実施
します。

ウ　農業経営改善促進資金（スーパーＳ資金）
を低利で融通できるよう、都道府県農業信
用基金協会が民間金融機関に貸付原資を低
利預託するために借り入れた借入金に対し
利子補給金を交付します。

（3）農業法人への出資

意欲のある農業法人の財務基盤の強化や
経営展開を支援するため、「農業法人に対
する投資の円滑化に関する特別措置法」（平
成14年法律第52号）に基づき、農業法人

に対する投資育成事業を行う株式会社又は
投資事業有限責任組合の出資原資を株式会
社日本政策金融公庫から出資します。

（4）農業信用保証保険

農業者等の信用力を補完し、円滑な資金
供給が行われるようにするため、農業信用
保証保険制度に基づき、都道府県農業信用
基金協会による債務保証及び当該保証に対
し独立行政法人農林漁業信用基金が行う保
証保険により補完等を行います。

（5）被災農業者等支援対策

ア　甚大な自然災害により被害を受けた農業
者等が借り入れる災害関連資金について、
貸付当初５年間実質無利子化する措置を講
じます。

イ　甚大な自然災害により被害を受けた農業
者等の経営の再建に必要となる農業近代化
資金の借入れについて、都道府県農業信用
基金協会の債務保証に係る保証料を保証当
初５年間免除するために必要な補助金を交
付します。

食料自給率・食料自給力の維持向上に向けた施策

1　食料自給率・食料自給力の維持向上に向けた取組

食料自給率・食料自給力の維持向上に向け
て、以下の取組を重点的に推進します。

（1）食料消費

ア　消費者と食と農とのつながりの深化

食育や国産農産物の消費拡大、地産地
消、和食文化の保護・継承、食品ロスの削
減を始めとする環境問題への対応等の施策
を個々の国民が日常生活で取り組みやすい
よう配慮しながら推進します。また、農
泊、農業体験等の取組を通じ、国民が農
業・農村を知り、触れる機会を拡大しま
す。

イ　食品産業との連携

食をめぐる市場において食の外部化・簡

便化の進展に合わせ、中食・外食における国産農産物の需要拡大を図ります。

平成25（2013）年にユネスコ無形文化遺産に登録された和食文化については、その健康有用性も特徴の一つとされていることから、和食の健康有用性に関する科学的エビデンスの蓄積等を進めるとともに、その国内外への情報発信を強化します。

（2）農業生産

ア　国内外の需要の変化に対応した生産・供給

（ア）優良品種の開発等による高付加価値化や生産コストの削減を進めるほか、更なる輸出拡大を図るため、諸外国の規制やニーズにも対応できるグローバル産地づくりを進めます。

（イ）地域の生産者が新たなニーズを把握し、消費者が農業・農村に対する理解を深めるため、国や地方公共団体、農業団体等の後押しを通じて、生産者と消費者や事業者との交流、連携、協働等の機会を創出します。

イ　国内農業の生産基盤の強化

（ア）農業者の経営課題に対し適切にアドバイスする相談体制を整備するとともに、農業の内外からの青年層の新規就農を促進します。

（イ）優良農地を確保するとともに、農業水利施設の適切な保全管理等による農業用水の持続的な活用を推進します。

また、「農地中間管理事業の推進に関する法律等の一部を改正する法律」（令和元年法律第12号）により、地域の徹底した話合いによる「人・農地プラン」の実質化等を進め、農地中間管理機構の取組を更に加速化させます。

さらに、相続未登記農地等についても農地中間管理機構を活用して集積・集約化に向けた取組を進めます。

（ウ）生産コストの低減を図るための省力栽培技術・新品種の導入等や、データを活用した施設園芸への転換等を推進すると

ともに、食品産業事業者との連携等を通じて、需要構造等の変化に対応した生産・供給体制の構築等を推進します。

2　主要品目ごとの生産努力目標の実現に向けた施策

（1）米

ア　需要に応じた米の生産・販売の推進

（ア）需要に応じた生産・販売を推進するため、水田活用の直接支払交付金による支援、中食・外食等のニーズに応じた生産と事前契約、複数年契約等による安定取引の一層の推進、県産別、品種別等のきめ細かな需給・価格情報、販売進捗情報、在庫情報の提供、都道府県別、地域別の作付動向（中間的な取組状況）の公表等の環境整備を推進します。

（イ）国が策定する需給見通し等を踏まえつつ生産者や集荷業者・団体が主体的に需要に応じた生産・販売を行うため、行政、生産者団体、現場が一体となって取り組みます。

（ウ）米の生産については、農地の集積・集約化による分散錯圃の解消や作付の連坦化・団地化、多収品種の導入やスマート農業技術等による省力栽培技術の普及、資材費の低減等による生産コストの低減等を推進します。

イ　コメ・コメ加工品の輸出拡大

平成29（2017）年9月に立ち上げた「コメ海外市場拡大戦略プロジェクト」を通じ、戦略的輸出事業者と輸出基地（産地）のマッチングの推進、輸出を拡大する国・地域における戦略的プロモーション、輸出事業者による海外の需要開拓を支援するとともに、海外市場の求める品質や数量等に対応できる産地の育成等を推進します。

（2）麦

ア　日本麺用、パン・中華麺用等の需要に応じた麦品種の生産拡大を推進します。

イ　経営所得安定対策による支援を行うとと

もに、収量性や加工適性に優れた新品種、単収・品質向上技術等の導入の支援により、小麦、大麦、はだか麦の作付拡大を推進します。

ウ　麦の生産拡大に対応するため、乾燥調製施設等の再編整備や高性能農業機械の導入等を推進します。

（3）大豆

ア　経営所得安定対策や強い農業・担い手づくり総合支援交付金等の補助事業による支援を行うとともに、生産性向上に資する耕うん同時畝立て播種栽培等の導入や適正な輪作体系の構築等に取り組みます。

イ　実需者ニーズに対応した新品種や栽培技術の導入により、実需者の求める大豆の安定生産を支援し、国産大豆の需要拡大を推進します。

ウ　「播種前入札取引」の適切な運用等により、国産大豆の安定取引を推進します。

（4）そば

ア　需要に応じた生産拡大を図るとともに、国産そばの需要拡大に向けて、実需者への安定的な供給を図るため、排水対策等の基本技術の徹底、湿害軽減技術の普及等を推進します。

イ　高品質なそばの安定供給に向けた生産体制の強化に必要となる乾燥調製施設の整備等を支援します。

ウ　国産そばを取り扱う製粉業者と農業者の連携を推進します。

（5）かんしょ・ばれいしょ

ア　かんしょについては、生産コストの低減や品質の向上を図るため、共同利用施設の整備や省力化のための機械化一貫体系の確立等への取組を支援します。特に、でん粉原料用かんしょについては、生産性の向上を図るため、多収新品種への転換や生分解性マルチの導入等の取組を支援します。

また、「サツマイモ基腐病」については、土壌消毒、健全な苗の調達等を支援するとともに、研究事業で得られた成果を踏まえつつ、防除技術の確立に向けた取組を推進します。

さらに、キュアリング（高温多湿条件下に4日程度置くことにより、収穫時の塊茎の傷がコルク層で覆われ貯蔵性が向上する作用）施設の整備や輸出用かんしょ加工品の開発を支援することにより輸出の拡大を目指します。

イ　ばれいしょについては、生産コストの低減、品質の向上、労働力の軽減やジャガイモシストセンチュウの発生・まん延の防止を図るための共同利用施設の整備等を推進します。

また、収穫作業の省力化のためのハーベスター上の選別作業の倉庫前集中選別への移行やコントラクター等の育成による作業の外部化への取組を支援します。

さらに、ジャガイモシストセンチュウ抵抗性を有する新品種への転換を促進します。

ウ　種子用ばれいしょ生産については、罹病率の低減や小粒化への取組を支援するとともに、原原種生産・配布において、計画生産の強化や配布品種数の削減により効率的な生産を目指すとともに原原種の品質向上を図ります。

エ　国内産いもでん粉の加工食品用途等への販路拡大や収益性の向上を図るため、いもでん粉の高品質化に向けた品質管理の高度化等を支援します。

オ　糖価調整制度に基づく交付金により、国内産いもでん粉の安定供給を推進します。

（6）なたね

ア　良質ななたねの安定供給を図るため、播種前契約の実施による国産なたねを取り扱う搾油事業者と農業者の連携を推進します。

イ　なたねの生産拡大に伴い必要となる乾燥調製施設の整備等の支援を推進します。

ウ　なたねのダブルロー品種（食用に適さない脂肪酸であるエルシン酸と家畜等に甲状腺障害をもたらすグルコシノレートの含有量がともに低い品種）の普及を推進します。

（7）野菜

ア　既存ハウスのリノベーションや、環境制御・作業管理等の技術習得に必要なデータ収集・分析機器の導入等、データを活用して生産性・収益向上につなげる体制づくり等を支援するとともに、より高度な生産が可能となる低コスト耐候性ハウスや高度環境制御栽培施設等の導入を支援します。

イ　水田地帯における園芸作物の導入に向けた合意形成や試験栽培、園芸作物の本格生産に向けた機械・施設のリース導入等を支援します。

ウ　複数の産地と協業して、加工・業務用等の新市場が求めるロット・品質での供給を担う拠点事業者による貯蔵・加工等の拠点インフラの整備や生育予測等を活用した安定生産の取組等を支援します。

エ　地域農業者の減少や労働力不足等の生産構造の急速な変化に対応するため、農業者と協業しつつ、①生産安定・効率化機能、②供給調整機能、③実需者ニーズ対応機能の３つの全ての機能を具備又は強化するモデル性の高い生産事業体の育成を支援します。

（8）果樹

ア　優良品目・品種への新植・改植及びそれに伴う未収益期間における幼木の管理経費を支援します。

イ　労働生産性の向上を図るため、平坦で作業性の良い水田等への新植や省力樹形の導入に対する支援を強化するとともに、まとまった面積で省力樹形及び機械作業体系を導入し、労働生産性を抜本的に高めたモデル産地の育成を支援します。

ウ　省力樹形の導入等に必要となる優良苗木や、国産花粉の安定供給に向けて、育苗ほ場の設置や花粉樹の植栽等を支援します。

（9）甘味資源作物

ア　てんさいについては、労働力不足に対応するため、省力化や作業の共同化、労働力の外部化や直播（ちょくはん）栽培体系の確立・普及等を推進します。

イ　さとうきびについては、自然災害からの回復に向けた取組を支援するとともに、地域ごとの「さとうきび増産計画」に定めた、地力の増進や新品種の導入、機械化一貫体系の確立等特に重要な取組を推進します。

また、分みつ糖工場における「働き方改革」への対応に向けて、工場診断や人員配置の改善の検討、施設整備等労働効率を高める取組を支援します。

ウ　糖価調整制度に基づく交付金により、国内産糖の安定供給を推進します。

（10）茶

産地の生産性向上と収益力の強化を図るため、改植等による優良品種等への転換や茶園の若返り、有機栽培への転換、玉露やてん茶（抹茶の原料）栽培に適した棚施設を利用した栽培法への転換やてん茶生産のための直接被覆栽培への転換、担い手への集積等に伴う茶園整理（茶樹の抜根）、荒茶加工施設の整備を推進します。

また、海外ニーズに応じた茶の生産・加工技術や低コスト生産・加工技術の導入、新たな抹茶加工技術の実証や、緑茶生産において使用される主要な農薬について輸出相手国・地域に対し我が国と同等の基準を新たに設定申請する取組を支援します。

（11）畜産物

肉用牛については、高品質な牛肉を安定的に供給できる生産体制を構築するため、肉用繁殖雌牛の増頭、受精卵の増産・利用等を推進します。酪農については、都府県における牛舎の空きスペースも活用した地域全体での増頭・増産に加え、性判別技術の活用による乳用後継牛の確保、高品質な生乳の生産による多様な消費者ニーズに対応した牛乳乳製品の供給等を推進します。

また、労働力負担軽減・省力化に資するロボット、AI、IoT等の先端技術の普及・定着、外部支援組織等の役割分担・連携強化等を図ります。

さらに、中小・家族経営の経営資源の継

承、子牛や国産畜産物の生産・流通の円滑化に向けた家畜市場や食肉処理施設及び生乳の処理・貯蔵施設の再編等の取組を推進します。

（12）飼料作物等

輸入飼料に過度に依存した畜産から国産飼料生産基盤に立脚した畜産に転換するため、不安定な気象に対応したリスク分散の取組等による生産性の高い草地への改良、国産濃厚飼料（子実用とうもろこし等）の増産、ICT等を活用した飼料生産組織の作業の効率化、放牧を活用した肉用牛・酪農基盤強化、飼料用米等の利活用の取組等を推進します。

Ⅱ　食料の安定供給の確保に関する施策

1　新たな価値の創出による需要の開拓

（1）新たな市場創出に向けた取組

ア　地場産農林水産物等を活用した介護食品の開発を支援します。

また、パンフレットや映像等の教育ツールを用いてスマイルケア食の普及を図ります。

さらに、スマートミール（病気の予防や健康寿命を延ばすことを目的とした、栄養バランスのとれた食事）の普及等を支援します。

イ　地域の農林水産物・食品において、機能性の科学的エビデンスを得るためのヒト試験、栽培・加工技術等の研究開発を推進します。

また、腸内マイクロバイオームを始めとする健康情報や食習慣等に関するデータの集積等、健康に資する食生活のビッグデータ収集・活用のための基盤整備を推進します。

（2）需要に応じた新たなバリューチェーンの創出

都道府県及び市町村段階に、行政、農林漁業、商工、金融機関等の関係機関で構成される6次産業化・地産地消推進協議会を設置し、6次産業化等戦略を策定する取組を支援します。

また、6次産業化等に取り組む農林漁業者等に対するサポート体制を整備するとともに、業務用需要に対応したBtoB（事業者向けビジネス）の取組の推進、農泊と連携した観光消費の促進等に資する新商品開発・販路開拓の取組や加工・販売施設等の整備を支援します。

（3）食品産業の競争力の強化

ア　食品流通の合理化等

（ア）「食品等の流通の合理化及び取引の適正化に関する法律」（平成3年法律第59号）に基づき、食品等流通合理化計画の認定を行うことにより、新たな流通技術を活用してデータの共有・活用や省人化・省力化を図るなど、食品等の流通の合理化を図る取組を支援します。

特に、トラックドライバーを始めとする食品流通に係る人手不足等の問題に対応するため、「農業生産基盤強化プログラム」に基づき、サプライチェーン全体での合理化を推進します。

また、令和2（2020）年6月に改正される「卸売市場法」（昭和46年法律第35号）に基づき、中央卸売市場の認定を行うとともに、施設整備に対する助成や卸売市場に対する指導監督を行います。

さらに、食品等の取引の適正化のため、取引状況に関する調査を行い、その結果に応じて関係事業者に対する指導・助言を実施します。

（イ）商品先物市場の健全な運営を確保するため、「商品先物取引法」（昭和25年法律第239号）に基づき、商品先物市場の監視及び監督を行うとともに、顧客の保護及び取引の適正化を図るため、同法を迅速かつ適正に執行します。

イ　労働力不足への対応

食品産業における労働力不足に対応するため、ロボット・AI・IoT技術の活用実

証や、食品事業者の生産性向上に対する意識改革を目的とした研修会の開催等により、食品産業におけるイノベーションを創出し、食品製造業から中食・外食産業に至る食品産業全体の生産性向上を支援します。

また、食品製造業の就業者の安全を確保するため、労働安全に係る研修等を推進します。

さらに、食品産業の現場で特定技能制度による外国人材を円滑に受け入れるため、試験の実施や外国人が働きやすい環境の整備に取り組みます。

ウ　規格・認証の活用

産品の品質や特色、事業者の技術や取組について、説明・証明、信頼の獲得を容易にし、取引の円滑化に資するよう、訴求力の高いJASの制定・活用等を進めるとともに、JASの国内外への普及、JASと調和のとれた国際規格の制定等を推進します。

また、輸出促進に資するよう、GFSI（世界食品安全イニシアティブ）の承認を受けたJFS（日本発の食品安全管理規格）の国内外での普及を推進します。

（4）食品ロス等をはじめとする環境問題への対応

ア　食品ロスの削減

「食品循環資源の再生利用等の促進に関する法律」（平成12年法律第116号）に基づく基本方針において設定した事業系食品ロスを2000年度比で2030年度までに半減させる目標の達成に向けて、令和2（2020）年3月に閣議決定した「食品ロスの削減の推進に関する法律」（令和元年法律第19号）に基づく基本方針に則して、事業者、消費者、地方公共団体等と連携した取組を進めます。

また、個別企業等では解決が困難な商慣習の見直しに向けたフードチェーン全体の取組、新技術を活用した需要予測や未利用食品と購入希望者とのマッチングを図る「フードシェアリング」等の効果的な取組、

食品産業から発生する未利用食品をフードバンクが適切に管理・提供するためのマッチングシステムを実証・構築する取組等を推進します。

さらに、食品ロス削減月間（10月）等の機会を捉えて、食品ロス削減に取り組む食品関連事業者等の積極的な公表を行います。

加えて、食品流通の川下における食品循環資源の再生利用等を促進するため、下水汚泥との混合利用の取組を支援するとともに、メタン発酵消化液等の肥料利用に関する調査・実証等の取組を通じて、メタン発酵消化液等の地域での有効利用を行うための取組を支援します。

イ　食品産業分野におけるプラスチックごみ問題への対応

「容器包装に係る分別収集及び再商品化の促進等に関する法律」（平成7年法律第112号）に基づく、義務履行の促進、容器包装廃棄物の排出抑制のための取組として、食品関連事業者への点検指導、食品小売事業者からの定期報告の提出の促進を実施します。

また、プラスチック製買物袋の有料化義務化の円滑な導入等を進めます。

さらに、使用済みペットボトルの100%有効利用に向けた回収体制の構築を推進するなど、農林水産・食品産業で利活用されるプラスチック資源の循環を促進します。

ウ　気候変動リスクへの対応

（ア）関係省庁及び関係団体と協力し、企業がTCFD提言（気候変動の影響に関する情報開示のフレームワークを取りまとめた最終報告書）に沿った情報開示を実施することを推進します。

（イ）食品産業の持続可能な発展に寄与する地球温暖化防止・省エネルギー等の優れた取組を表彰するとともに、低炭素社会実行計画の進捗状況の点検等を実施します。

2　グローバルマーケットの戦略的な開拓
（1）農林水産物・食品の輸出促進
ア　輸出阻害要因の解消等による輸出環境の整備

（ア）農産物等輸出促進

a　「農林水産物及び食品の輸出の促進に関する法律」（令和元年法律第57号）に基づき、令和2（2020）年4月に輸出促進を担う司令塔組織として農林水産物・食品輸出本部を農林水産省に創設し、輸出促進に関する政府の新たな戦略（基本方針）を定め、実行計画（工程表）の作成・進捗管理を行うとともに、関係府省間の調整を行うことにより、政府一体となった輸出の促進を図ります。同本部の下で、輸出阻害要因に対応して輸出拡大を図る体制を強化し、放射性物質や動植物検疫に関する輸入規制の撤廃・緩和を始めとした食品安全等の規制等に対する輸出先国との協議の加速化、国際基準や輸出先国の基準の策定プロセスへの戦略的な対応、輸出向けの施設整備と施設認定の迅速化、輸出手続の迅速化、意欲ある輸出事業者の支援、輸出証明書の申請・発行の一元化、輸出相談窓口の利便性向上、輸出先国の衛生基準や残留基準への対応強化等、貿易交渉による関税撤廃・削減を速やかに輸出拡大につなげるための環境整備を進めます。

b　東電福島第一原発事故を受けて、諸外国・地域において日本産食品に対する輸入規制が行われていることから、関係省庁が協力し、各種資料・データを提供しつつ輸入規制の撤廃・緩和に向けた働き掛けを実施します。

c　日本産食品等の安全性や魅力に関する情報を諸外国・地域に発信するほか、海外におけるプロモーション活動の実施により、日本産食品等の輸出回復に取り組みます。

d　我が国の実情に沿った国際基準の速やかな策定及び策定された国際基準の輸出先国での適切な実施を促進するため、国際機関の活動支援やアジア・太平洋地域の専門家の人材育成等を行います。

e　輸出先となる事業者等から求められるHACCP（危害要因分析・重要管理点）、GAP（農業生産工程管理）等の認証取得を促進します。

また、国際的な取引にも通用する、HACCPをベースとした食品安全管理に関する規格・認証の仕組みを充実し、その国際標準化に向けた取組を支援します。

さらに、JFS及びASIAGAPの国内外への普及に向けた取組を推進します。

f　輸出先国・地域における農薬の残留基準に対応するための防除マニュアルについて、普及指導員等を通じて生産現場への普及を進めるとともに、防除マニュアル活用の優良事例を広く公表することにより、輸出に向けた取組の円滑化を図ります。

また、ニーズに応じた専門家を産地に派遣し、輸出先国・地域の残留基準や植物防疫条件を満たす栽培方法、選果等の技術的指導を行うなど、輸出に取り組もうとする産地を支援します。

g　相手国のニーズや規制等に対応したグローバル産地の形成を進めるため、輸出事業計画　（GFPグローバル産地計画）の策定、生産・加工体制の構築、事業効果の検証・改善等の取組を支援します。

h　輸出先のニーズに対応したHACCP等の基準を満たすため、食品製造事業者等の施設の改修及び新設、機器の整備に対して支援します。

i　加工食品については、食品製造業における輸出拡大に必要な施設・設備の整備、我が国の農林水産物を活用した海外のニーズに応える新商品の開発等により、輸出拡大を図ります。

（イ）輸出検疫

a　輸出植物解禁協議を迅速化するため、

園地管理等の産地が取り組みやすい検疫措置の調査・実証を進めるとともに、国際基準の策定に向けて、害虫の殺虫効果に関するデータを蓄積して検疫処理技術を確立する取組を推進します。

また、畜産物の輸出先国が求める家畜衛生上の要件に対応するため、EBL（牛白血病）等の家畜の伝染性疾病対策を支援するとともに、野生動物を対象としたCSF（豚熱）等の伝染性疾病の検査を行います。

b　輸出先国の検疫条件に則した防除体系、栽培方法、選果等の技術を確立することや訪日外国人旅行者による携帯品（お土産）の持ち帰りを普及するためのサポート体制を整備するとともに、卸売市場や集荷地等での輸出検査を行うことにより、産地等の輸出への取組を支援します。

イ　海外への商流構築、プロモーションの促進

（ア）農林水産物・食品の輸出拡大に向けて官民一体となって「農林水産業の輸出力強化戦略」（平成28年5月策定。以下「輸出力強化戦略」という。）の着実な実行のため、以下の取組を行います。

a　農林水産物・食品輸出プロジェクト（GFP）のコミュニティサイトを通じ、農林水産省が輸出の可能性を診断する輸出診断や、輸出に向けた情報の提供、登録者同士の交流イベントの開催等を行います。

また、相手国のニーズや規制等に対応したグローバル産地の形成を進めるため、輸出事業計画の策定、生産・加工体制の構築、事業効果の検証・改善等の取組を支援します。

b　水産物、米・米加工品、林産物、花き、青果物、畜産物、茶及び加工食品（菓子）の品目別輸出団体が、オールジャパンで取り組む日本産品の情報発信や販路開拓の取組を支援します。

c　日本食品海外プロモーションセンター（JFOODO）による新たな海外市場の開拓・拡大のための戦略的プロモーション等を実施します。

また、独立行政法人日本貿易振興機構（JETRO）への予算措置を通じて、輸出相談窓口のワンストップ対応、専門家による支援、セミナーの開催、国内外での商談、見本市への出展、様々な国内支援機関が参画する新輸出大国コンソーシアムによる支援等、輸出に取り組む事業者を継続的にかつ一貫して支援します。

（イ）海外の市場拡大を目指して日本食・食文化の魅力を適切かつ効果的に発信する取組を推進します。

a　日本食・食文化の海外普及を通じて、日本産農林水産物・食品の輸出拡大につなげるため、外国人料理人等に対する日本料理講習会や日本料理コンテストを開催するなど、日本食・食文化の普及活動を担う人材の育成を推進します。

また、日本食・食文化の発信拠点である日本産食材サポーター店については、日本産食材の取扱いの増加を図る取組を推進するなど、輸出拠点としての活用を強化します。

b　日本人の日本食料理人等が海外展開するために必要な研修の実施や、日本食レストランが海外進出するための取組を支援します。

c　増大する訪日外国人旅行者を国産農林水産物・食品の需要拡大や農山漁村の活性化につなげていくため、農泊と連携しながら、地域の「食」や農林水産業、景観等の観光資源を活用して訪日外国人旅行者をもてなす取組を「SAVOR JAPAN」として認定し、一体的に海外に発信します。

d　増大する訪日外国人旅行者の主な観光目的である「食」と滞在中の多様な経験を組み合わせ、「食」の多様な価値を創出するとともに、帰国後もレストランや

越境ECサイトでの購入等を通じて我が国の食を再体験できるような機会を提供することで、輸出拡大につなげていくため、「食かけるプロジェクト」の取組を推進します。

ウ　食産業の海外展開の促進

（ア）海外展開による事業基盤の強化

a　我が国の食文化・食産業の海外展開を促進するため、海外展開における阻害要因の解決を図るとともに、グローバル人材の確保、我が国の規格・認証の普及・浸透に向け、食関連企業及びASEAN各国の大学と連携し、食品加工・流通、分析等に関する教育を行う取組等を推進します。

b　輸出力強化戦略に沿った取組を円滑に進めるために、JETROにおいて、商品トレンドや消費者動向等を踏まえた現場目線の情報提供やその活用ノウハウを通じたサポートを行うとともに、輸出先国バイヤーの発掘・関心喚起等輸出環境整備に引き続き取り組みます。

（イ）生産者等の所得向上につながる海外需要の獲得

我が国の技術やノウハウを活用したグローバル・フードバリューチェーンの構築等を通じた食産業（食品産業や農業等）の海外展開等、生産者等の所得向上につながる海外需要の獲得のための取組を、食料安全保障の確立や我が国農業の持続的発展の観点から推進します。このため、令和元（2019）年12月に策定された「グローバル・フードバリューチェーン構築推進プラン」に基づき、各国・地域の発展段階と主要課題を踏まえた企業支援の取組の重点化、企業コンソーシアムづくりの支援、地方企業の進出促進、輸出と投資の一体的促進、スマート農業技術の海外展開の推進等に取り組みます。

（ウ）食品産業における国際標準への戦略的対応

我が国の食品産業事業者の国際的な取引における競争力を確保し、消費者に対してより安全な食品を供給するため、JFSの充実とその国際的普及に向けた取組を官民が連携して推進します。あわせて、事業者におけるHACCP等食品安全に関する知識を有する人材や国際的な基準の策定等の過程に参画できる人材の育成と、我が国におけるこのような取組の海外への積極的な発信等を推進します。

（2）知的財産等の保護・活用

ア　品質等の特性が産地と結び付いている我が国の伝統的な農林水産物・食品等を登録・保護する地理的表示（GI）保護制度の円滑な運用を図るとともに、登録申請に係る支援や制度の周知と理解の促進に取り組みます。

また、GIの活用を促すため、全国のGI産地・GI産品を流通関係者や消費者等に紹介する展示会等を開催し、制度の普及・活用を推進します。

さらに、制度の適切な運用を図るため、登録生産者団体等に対する定期検査を行います。

イ　各地域・産品の実情に応じた知的財産の保護・活用を図るため、農林水産省と特許庁が協力しながら、巡回特許庁において、出願者に有益な情報や各制度の普及・啓発を行うとともに、独立行政法人工業所有権情報・研修館が各都道府県に設置する知財総合支援窓口において、特許、商標、営業秘密のほか、地方農政局等と連携してGI及び植物品種の育成者権等の相談に対応します。

ウ　我が国種苗の海外への流出を防止するため、登録品種の海外への持ち出しの制限、登録品種の自家増殖を行う場合における育成者権者の許諾制の導入を内容とする「種苗法の一部を改正する法律案」を第201回国会に提出したところです。

また、海外における品種登録（育成者権

取得）や侵害対策に対して支援するととも
に、品種保護に必要となる検査手法・
DNA品種識別法の開発等の技術課題の解
決や、東アジアにおける品種保護制度の整
備を促進するための協力活動等を推進しま
す。

エ　家畜遺伝資源の適正な流通・利用を確保
し、知的財産としての価値を保護するた
め、「家畜改良増殖法の一部を改正する法
律案」及び「家畜遺伝資源に係る不正競争
の防止に関する法律案」を第201回国会
に提出したところです。

オ　我が国のGI産品の海外での保護を図る
ため、国際協定による諸外国とのGIの相
互保護を推進するとともに、相互保護を受
けた海外での執行の確保を図ります。

　また、海外における我が国のGIの使用
状況調査の実施、生産者団体によるGIに
対する侵害対策等の支援により、海外にお
ける知的財産侵害対策の強化を図ります。

カ　知的財産に関する意識を高め、施策を一
体的に推進するため、新たな農林水産省知
的財産戦略を策定します。

3　消費者と食・農とのつながりの深化

（1）食育や地産地消の推進と国産農産物の消費拡大

ア　国民運動としての食育の推進

（ア）「第3次食育推進基本計画」（平成28
年3月策定）等に基づき、関係府省庁が
連携しつつ、様々な分野において国民運
動として食育を推進します。

（イ）朝ごはんを食べること等、子供の基本
的な生活習慣を育成するための「早寝早
起き朝ごはん」国民運動を推進します。

イ　地域における食育の推進

郷土料理等地域の食文化の継承や農林漁
業体験機会の提供、和食給食の普及、共食
機会の提供、地域で食育を推進するリー
ダーの育成等、地域で取り組む食育活動を
支援します。

ウ　学校における食育の推進

家庭や地域との連携を図るとともに、学
校給食を活用しつつ、学校における食育の
推進を図ります。

エ　国産農産物の消費拡大の促進

（ア）食品関連事業者と生産者団体、国が一
体となって、食品関連事業者等における
国産農産物の利用促進の取組等を後押し
するなど、国産農産物の消費拡大に向け
た取組を実施します。

（イ）消費者と生産者の結び付きを強化し、
我が国の「食」と「農林漁業」について
のすばらしい価値を国内外にアピールす
る取組を支援します。

（ウ）地域の生産者等と協働し、日本産食材
の利用拡大や日本食文化の海外への普及
等に貢献した料理人を顕彰する制度であ
る「料理マスターズ」を実施します。

（エ）生産者と実需者のマッチング支援を通
じて、中食・外食向けの米の安定取引の
推進を図ります。

　また、米飯学校給食の推進・定着やご
はん食推進の普及・啓発に加え、米の消
費拡大に資する飲食店情報の提供や、消
費拡大に取り組む企業・団体の応援等、
業界による主体的取組を応援する運動
「やっぱりごはんでしょ！」の充実を図
り、米消費が多く見込まれる消費者層や
訪日外国人旅行者を含む新たな需要の取
り込みを進めます。

（オ）生産者等と中食・外食・加工業者等の
マッチング及び新商品開発・プロモー
ションの支援を通じて、砂糖の需要拡大
の推進を図ります。

　また、砂糖に関する正しい知識の普
及・啓発に加え、砂糖の需要拡大に資す
るスイーツ店情報の提供や、需要拡大に
取り組む企業・団体の応援等、業界によ
る主体的取組を応援する運動「ありが糖
運動」の充実を図ります。

（カ）地産地消の中核的施設である農産物直
売所の運営体制強化のための検討会の開

催及び観光需要向けの商品開発や農林水産物の加工・販売のための機械・施設等の整備を支援するとともに、学校給食等の食材として地場産農産物を安定的に生産・供給する体制の構築に向けた取組やメニュー開発等の取組を支援します。

（2）和食文化の保護・継承

和食文化を国民全体で保護・継承するため、地域固有の多様な食文化を地域で保護・継承していくための体制を各都道府県に構築し、各地域が選定した郷土料理の調査・データベース化及び普及等を行います。

また、子供及びその保護者に対して和食文化の普及活動を行う中核的な人材を育成するとともに、子供たちを対象とした和食文化普及のための取組を通じて和食文化の次世代への継承を図ります。

さらに、味覚が形成される子供のうちに身近・手軽に健康的な「和ごはん」を食べる機会を増やしてもらうため、官民協働の「Let's！和ごはんプロジェクト」の取組を推進します。

（3）消費者と生産者の関係強化

家庭での調理機会の減少等、食と農の距離が拡大する一方で、消費者が農業者と直接結び付き農産物取引の事前契約を行う地域支援型農業（CSA）も行われていることから、ECサイトやSNSの活用等により、産地と消費者とが結び付く取組を推進します。

4　国際的な動向等に対応した食品の安全確保と消費者の信頼の確保

（1）科学の進展等を踏まえた食品の安全確保の取組の強化

食品の安全を確保するため、科学的知見に基づき、国際的な枠組みによるリスク評価、リスク管理及びリスクコミュニケーションを実施します。

ア　食品安全に関するリスク管理を一貫した考え方で行うための標準手順書に基づき、農畜水産物や加工食品、飼料中の有害化学物質・有害微生物の調査や安全性向上対策の策定に向けた試験研究を実施します。

イ　試験研究や調査結果の科学的解析に基づき、施策・措置に関する企画や立案を行い、生産者・食品事業者に普及するとともに、その効果を検証し、必要に応じて見直します。

ウ　情報の受け手を意識して、食品安全に関する施策の情報を発信します。

エ　食品中に残留する農薬等に関するポジティブリスト制度導入時に残留基準を設定した農薬等や新たに登録等の申請があった農薬等について、食品健康影響評価結果を踏まえた残留基準の設定、見直しを推進します。

オ　食品の安全性等に関する国際基準の策定作業への積極的な参画や、国内における情報提供や意見交換を実施します。

カ　食品関係事業者の自主的な企業行動規範等の策定を促すなど食品関係事業者のコンプライアンス（法令の遵守及び倫理の保持等）確立のための各種取組を促進します。

キ　食品の摂取による人の健康への重大な被害が拡大することを防止するため、関係府省庁の消費者安全情報総括官等による情報の集約及び共有を図るとともに、食品安全に関する緊急事態等における対応体制を点検・強化します。

ク　2020年東京オリンピック競技大会・東京パラリンピック競技大会（以下「東京2020大会」という。）における食品への意図的な毒物等の混入を防止するため、東京2020大会において飲食提供を行う事業者に対して、食品防御対策について助言を行います。

ア　生産段階における取組

生産資材（肥料、飼料・飼料添加物、農薬、動物用医薬品）の適正使用を推進するとともに、科学的データに基づく生産資材の使用基準、有害物質等の基準値の設定・見直し、薬剤耐性菌のモニタリングに基づ

くリスク低減措置等を行い、安全な農畜水産物の安定供給を確保します。

（ア）肥料については、「肥料取締法の一部を改正する法律」（令和元年法律第62号）の施行に向けて、堆肥と化学肥料の配合を可能とする配合規制の見直し等の新たな制度の周知と具体的な運用ルールの確定を進めます。

（イ）農薬については、平成30（2018）年に改正された「農薬取締法」（昭和23年法律第82号）に基づき、農薬の使用者や蜜蜂への影響について新たな評価を導入するなど、農薬の安全性に関する審査の充実を図ります。

　また、蜜蜂の被害件数及び都道府県による被害軽減対策等を把握するとともに、国内外の知見を収集し、これらに基づき必要な措置を検討します。

（ウ）飼料・飼料添加物については、輸入飼料の調達先の多様化への対応として、家畜の健康影響や畜産物を摂取した人の健康影響のリスクが高い有害化学物質等の汚染実態データ等を優先的に収集し、有害化学物質等の基準値の設定・見直し等を行い、飼料の安全を確保します。

（エ）動物用医薬品については、動物用抗菌剤の農場単位での使用実態を把握できる仕組みの開発を検討するとともに、動物用抗菌剤の予防的な投与を限定的にするよう、獣医師に指導を行います。

　また、薬剤耐性菌の全ゲノム解析結果を活用し、伝播経路の解明に取り組みます。

イ　製造段階における取組

（ア）HACCPに沿った衛生管理が制度化されることを踏まえ、中小規模の食品等事業者が円滑に対応できるよう、HACCPの知識を普及する研修、手引書を用いた取組のモデル的な実証、施設整備に対して「食品の製造過程の管理の高度化に関する臨時措置法」（平成10年法律第59号）による金融措置等の支援を実施します。

（イ）食品等事業者に対する監視指導や事業者による自主的な衛生管理を推進します。

（ウ）食品衛生監視員の資質向上や検査施設の充実等を推進します。

（エ）長い食経験を考慮し使用が認められている既存添加物については、毒性試験等を実施し、安全性の検討を推進します。

（オ）国際的に安全性が確認され、かつ、汎用されている食品添加物については、国が主体的に指定に向けて検討します。

（カ）保健機能食品（特定保健用食品、栄養機能食品及び機能性表示食品）を始めとした健康食品について、事業者の安全性の確保の取組を推進するとともに、保健機能食品制度の普及・啓発に取り組みます。

（キ）SRM（特定危険部位）の除去・焼却、BSE（牛海綿状脳症）検査の実施等により、食肉の安全を確保します。

ウ　輸入に関する取組

　輸出国政府との二国間協議や在外公館を通じた現地調査等の実施、情報等を入手するための関係府省の連携の推進、監視体制の強化等により、輸入食品の安全性の確保を図ります。

（2）食品表示情報の充実や適切な表示等を通じた食品に対する消費者の信頼の確保

ア　食品表示の適正化等

（ア）食品表示に関する規定を一元化した「食品表示法」（平成25年法律第70号）の下、関係府省の連携を強化して立入検査等の監視業務を実施するとともに、科学的な分析手法の活用等により、効果的・効率的な監視を実施します。

　また、「不当景品類及び不当表示防止法」（昭和37年法律第134号）に基づき、関係府省が連携した監視体制の下、適切な表示を推進します。

　さらに、外食・中食における原料原産地表示については、「外食・中食におけ

る原料原産地情報提供ガイドライン」（平成31年3月策定）に基づく表示の普及を図ります。

（イ）輸入品以外の全ての加工食品に対して、原料原産地表示を行うことが義務付けられた新たな原料原産地表示制度については、消費者、事業者等への普及・啓発を行い、理解促進を図ります。

（ウ）米穀等については、「米穀等の取引等に係る情報の記録及び産地情報の伝達に関する法律」（平成21年法律第26号。以下「米トレーサビリティ法」という。）により産地情報伝達の徹底を図ります。

イ　食品トレーサビリティの普及啓発

（ア）食品事故等発生時の原因究明や商品回収等の円滑化に資するため、食品のトレーサビリティに関し、「実践的なマニュアル」の活用及びフードチェーンを通じた具体的な取組モデルの提供等新たな推進方策の策定等により、その普及・啓発に取り組みます。

（イ）米穀等については、米トレーサビリティ法に基づき、制度の適正な運用に努めます。

（ウ）国産牛肉については、「牛の個体識別のための情報の管理及び伝達に関する特別措置法」（平成15年法律第72号）による制度の適正な実施が確保されるようDNA分析技術を活用した監視等を実施します。

ウ　消費者への情報提供等

（ア）消費者の「食」に対する信頼向上に向けた食品関係事業者の主体的な活動を促すため、フードチェーンの各段階で事業者間のコミュニケーションを円滑に行い、食品関係事業者の取組を消費者まで伝えていくためのツールの普及等を進めます。

（イ）「消費者の部屋」等において、消費者からの相談を受け付けるとともに、特別展示等を開催し、農林水産行政や食生活に関する情報を幅広く提供します。

5　食料供給のリスクを見据えた総合的な食料安全保障の確立

（1）不測時に備えた平素からの取組

主要な農林水産物の供給に影響を与える可能性のあるリスクについて、その影響度合い等を平時から分析し、影響を軽減するための対応策を検討、実施します。

また、実際に不測の事態が生じた場合に食料供給の確保が迅速に図られるよう、平時から、「緊急事態食料安全保障指針」（平成27年10月策定）に即して、主食である米及び小麦の適正な備蓄水準の確保と円滑な活用等の具体的な方策について、事態ごとのシナリオによるシミュレーションを実施し、対応手順の実効性の検証、必要に応じた見直しや更なる充実を行います。

さらに、大規模災害に備えた家庭備蓄の重要性の普及啓発を通じて、食料安全保障に関する理解の醸成を図ります。

（2）国際的な食料需給の把握、分析

省内外において収集した国際的な食料需給に係る情報を一元的に集約するとともに、我が国独自の短期的な需給変動要因の分析や、中長期の需給見通しを策定し、これらを国民に分かりやすく発信します。

また、衛星データを活用し、食料輸出国や発展途上国等における気象や主要農作物の作柄の把握・モニタリングに向けた研究を行います。

（3）輸入穀物等の安定的な確保

ア　輸入穀物の安定供給の確保

（ア）麦の輸入先国との緊密な情報交換等を通じ、安定的な輸入を確保します。

（イ）政府が輸入する米麦について、残留農薬等の検査を実施します。

（ウ）輸入依存度の高い小麦について、港湾スト等により輸入が途絶した場合に備え、外国産食糧用小麦需要量の2.3か月分を備蓄し、そのうち政府が1.8か月分の保管料を助成します。

（エ）輸入依存度の高い飼料穀物について、不測の事態における海外からの供給遅

滞・途絶、国内の配合飼料工場の被災に伴う配合飼料の急激な逼迫等に備え、配合飼料メーカー等が事業継続計画（BCP）に基づいて実施する飼料穀物の備蓄、災害に強い配合飼料輸送等の検討の取組に対して支援します。

イ　国際港湾の機能強化

（ア）ばら積み貨物の安定的かつ安価な輸入を実現するため、大型船に対応した港湾機能の拠点的確保や企業間連携の促進等による効率的な海上輸送網の形成に向けた取組を推進します。

（イ）国際海上コンテナターミナル、国際ターミナルの整備等、国際港湾の機能強化を推進します。

ウ　遺伝資源の収集・保存・提供機能の強化

食料の安定供給に資する品種の育成・改良に貢献するため、農業生物資源ジーンバンクにおいては、収集した遺伝資源を基に、幅広い遺伝変異をカバーした代表的品種群（コアコレクション）の整備を進め、植物・微生物・動物遺伝資源の更なる充実と利用者への提供を促進します。

また、ITPGR（食料及び農業のための植物遺伝資源に関する国際条約）の枠組みを活用した他国との植物遺伝資源の相互利用や、植物遺伝資源に関するアジア諸国との二国間共同研究等を推進することによって、海外遺伝資源の導入環境を整備します。

（4）国際協力の推進

ア　世界の食料安全保障に係る国際会議への参画等

G7サミット、G20サミット及びその関連会合、APEC（アジア太平洋経済協力）関連会合、ASEAN＋3（日中韓）農林大臣会合、FAO（国際連合食糧農業機関）アジア・太平洋地域総会、OECD（経済協力開発機構）農業委員会等の世界の食料安全保障に係る国際会議に積極的に参画し、持続可能な農業生産の増大、生産性の向上及び多様な農業の共存に向けて国際的な議論に貢献します。

また、フードバリューチェーンの構築が農産物の付加価値を高め、農家・農村の所得向上と食品ロス削減に寄与し、食料安全保障を向上させる上で重要であることを発信します。

イ　飢餓、貧困、栄養不良への対策

（ア）開発途上国・新興国における栄養不良人口の削減に貢献するため、研究開発、栄養改善のためのセミナーの開催や情報発信等を支援します。

（イ）飢餓・貧困の削減に向け、米等の生産性向上及び高付加価値化のための研究を支援します。

ウ　アフリカへの農業協力

TICAD7（第7回アフリカ開発会議）で発表された「横浜行動計画2019」等の着実な推進に向け、アフリカからの農業協力要請に対応した専門家派遣を強化するほか、ICT技術を活用した農業者の組織化及び共同購入・共同販売等のための農業デジタル化基盤の構築等、対象国のニーズに対応した企業の海外展開を推進します。

エ　気候変動や越境性動物疾病等の地球規模の課題への対策

（ア）パリ協定を踏まえた森林減少・劣化抑制、農地土壌における炭素貯留等に関する途上国の能力向上、干ばつ等に適応した生産性向上システムやGHG（温室効果ガス）削減につながる栽培技術の開発等の気候変動対策を推進します。

また、地球温暖化緩和策に資する研究及び越境性病害の我が国への侵入防止に資する研究並びにアジアにおける口蹄疫、高病原性鳥インフルエンザ、ASF（アフリカ豚熱）等の越境性動物疾病及び薬剤耐性対策等を推進します。

（イ）東アジア地域（ASEAN10か国、日本、中国及び韓国）における食料安全保障の強化と貧困の撲滅を目的とし、近年の気候変動により、頻繁に発生している強大な台風や洪水等、大規模災害等の緊

急時に備えるため、ASEAN＋3緊急米備蓄（APTERR）の取組を推進します。

（5）動植物防疫措置の強化

ア　世界各国における口蹄疫、高病原性鳥インフルエンザ、ASF等の発生状況、新たな植物病害虫の発生等を踏まえ、国内における家畜の伝染性疾病や植物の病害虫の発生予防及びまん延防止対策、発生時の危機管理体制の整備等を実施します。

また、国際的な連携を強化し、アジア地域における防除能力の向上を支援します。

特に、CSFについては、発生予防・まん延防止のため、早期通報や野生動物の侵入防止等、飼養衛生管理基準の遵守徹底に取り組むとともに、円滑なワクチン接種を進めます。また、野生イノシシの対策として、野生イノシシ向け経口ワクチンの散布を実施します。

イ　家畜防疫官・植物防疫官の適切な配置及び動植物検疫探知犬の増頭等検査体制の整備・強化により、円滑で確実な水際対策を講ずるとともに、家畜の伝染性疾病及び植物の病害虫の侵入・まん延防止のための取組を推進します。

ウ　地域の産業動物獣医師への就業を志す獣医大学の地域枠入学者・獣医学生に対する修学資金の貸与、獣医学生を対象とした産業動物獣医師の業務について理解を深めるための臨床実習、産業動物獣医師を対象とした技術向上のための臨床研修を支援します。

また、産業動物分野における獣医師の中途採用者を確保するための就業支援や女性獣医師等を対象とした職場復帰・再就職に向けたスキルアップのための研修等の実施による産業動物獣医師の育成、情報通信機器を活用した産業動物診療の効率化等を支援します。

6　TPP等新たな国際環境への対応、今後の国際交渉への戦略的な対応

「成長戦略フォローアップ」（令和元年6月策定）等に基づき、グローバルな経済活動のベースとなる経済連携を進めます。

また、RCEP（東アジア地域包括的経済連携）、日中韓FTA、日トルコEPA等の経済連携交渉やWTO農業交渉等の農産物貿易交渉において、我が国の農林水産品が慎重に扱うべき事項であることに十分配慮した上で、我が国の農林水産業が、今後とも国の基として重要な役割を果たしていけるよう、交渉を行うとともに、我が国農産品の輸出拡大につながる交渉結果の獲得を目指します。

さらに、TPP11、日EU・EPA及び日米貿易協定の効果を最大限に活かすために改訂された「総合的なTPP等関連政策大綱」に基づき、体質強化対策や経営安定対策を着実に実施します。

III　農業の持続的な発展に関する施策

1　力強く持続可能な農業構造の実現に向けた担い手の育成・確保

（1）認定農業者制度や法人化等を通じた経営発展の後押し

ア　担い手への重点的な支援の実施

（ア）認定農業者等の担い手が主体性と創意工夫を発揮して経営発展できるよう、担い手に対する農地の集積・集約化の促進や経営所得安定対策、出資や融資、税制等、経営発展の段階や経営の態様に応じた支援を行います。

（イ）その際、既存経営基盤では現状の農地引受けが困難な担い手も現れていることから、地域の農業生産の維持への貢献という観点から、こうした担い手への支援の在り方について検討します。

イ　農業経営の法人化の加速と経営基盤の強化

（ア）経営意欲のある農業者が創意工夫を活かした農業経営を展開できるよう、都道府県段階に設置した農業経営相談所を通じた経営相談・経営診断や専門家派遣等

の支援等により、農業経営の法人化を促進します。

（イ）担い手が少ない地域においては、地域における農業経営の受皿として、集落営農の組織化を推進するとともに、これを法人化に向けての準備・調整期間と位置付け、法人化を推進します。

　また、地域外の経営体や販売面での異業種との連携等を促進します。

　さらに、農業法人等が法人幹部や経営者となる人材を育成するための実践研修への支援等を推進します。

（ウ）集落営農について、「人・農地プラン」の実質化を通じ、実態を把握した上で、法人化に向けた取組の加速化や地域外からの人材確保、販売面での異業種との連携等に向けた方策について「地域営農支援プロジェクト」を設置し、総合的な議論を開始します。

ウ　青色申告の推進

農業経営の着実な発展を図るためには、自らの経営を客観的に把握し経営管理を行うことが重要であることから、農業者年金の政策支援、農業経営基盤強化準備金制度、収入保険への加入推進等を通じ、農業者による青色申告を推進します。

（2）経営継承や新規就農、人材の育成・確保等

ア　次世代の担い手への円滑な経営継承

（ア）次世代の担い手への円滑な経営継承を進めるため、農業経営相談所の専門家による相談対応、継承計画の策定支援等を推進します。

（イ）園芸施設・畜産関連施設、樹園地等の経営資源について、第三者機関・組織も活用しつつ、再整備・改修等のための支援により、円滑な継承を促進します。

イ　農業を支える人材の育成のための農業教育の充実

（ア）将来的に農業を職業として選択する人材を育成するため、農業高校や農業大学校等の農業教育機関において、先進的な

農業経営者等による出前授業や現場研修、実践的なGAP教育を推進します。

　また、民間企業や研究機関等と連携し、スマート農業に関する教育内容の充実を図るとともに、これらに必要な施設・設備の整備を推進します。

（イ）地域農業のリーダーとして活躍する経営感覚に優れた農業経営者の育成に向けて、農業大学校の専門職大学化等による農業教育機関の高度化を推進します。

（ウ）国際感覚を持つ農業人材の育成に向けて、国内の農業高校と海外の農業高校の農業分野の交流プログラムを推進するとともに、①将来の営農ビジョンとの関連性が認められる海外研修、②農業法人等の職員を次世代経営者として育成するための海外派遣研修の実施を支援します。

（エ）就職氷河期世代を始めとした幅広い世代の新規就農希望者に対する農業教育機関での実践的なリカレント教育の実施を支援します。

ウ　青年層の新規就農と定着促進

（ア）青年層の農業内外からの新規就農と定着促進のため、次世代を担う農業者となることを志向する者に対し、就農前の研修（2年以内）の後押しと就農直後（5年以内）の経営確立に資する資金の交付を行います。

（イ）初期投資の負担を軽減するため、農業機械等の取得に対する補助や無利子資金の貸付けを行います。

（ウ）就農準備段階から経営開始後まで、地方公共団体や農業協同組合、農業者、農地中間管理機構、民間企業等の関係機関が連携し一貫して支援する地域の就農受入体制を充実します。

（エ）労働時間の管理、休日・休憩の確保、男女別トイレの整備、キャリアパスの提示やコミュニケーションの充実等、誰もがやりがいを持って働きやすい職場環境整備を実施する者を支援することで、農業の「働き方改革」を推進します。

（オ）ライフスタイルも含めた様々な魅力的な農業の姿や就農に関する情報について、民間企業等とも連携して、WebサイトやSNS、就農イベント等を通じた情報発信を強化します。

（カ）自営や法人就農、短期雇用等様々な就農相談等にワンストップで対応できるよう新規就農相談センターの相談員の研修を行い、相談体制を強化します。

（キ）農業者の生涯所得の充実の観点から、農業者年金への加入を推進します。

エ 女性が能力を発揮できる環境整備

（ア）女性農業者が、その能力を最大限に発揮し、農業経営や6次産業化を展開することができる環境を整備するため、経営体向け補助事業について女性農業者等による積極的な活用を促進します。

　また、地域農業における次世代のリーダーとなり得る女性農業経営者を育成するため、経営力向上や地域農業の発展のための問題意識を持った女性農業者を対象とした研修等を実施します。

　さらに、農業界で女性が能力を発揮し活躍できる環境整備を促進するため、女性農業者の託児や農作業代替を地域で一体的にサポートするネットワークの構築を支援します。

　加えて、女性農業者の知恵と民間企業の技術、ノウハウ、アイデア等を結び付け、新たな商品やサービス開発等を行う「農業女子プロジェクト」における企業や教育機関との連携強化、地域活動の推進により女性農業者が活動しやすい環境を作るとともに、これらの活動を発信し、若い女性新規就農者の増加につなげます。

（イ）平成28（2016）年4月に改正された「農業委員会等に関する法律」（昭和26年法律第88号）及び「農業協同組合法」（昭和22年法律第132号）において、農業委員会の委員や農業協同組合の役員について、年齢及び性別に著しい偏りが生じないように配慮しなければならない旨の規定が置かれたことを踏まえ、委員・役員の任命・選出に当たっては、男女共同参画の視点に配慮が行われるよう、女性の参画拡大に向けた取組を促進します。

オ 企業の農業参入

　企業の農業参入は、特に、担い手が不足している地域においては農地の受皿として期待されていることから、農地中間管理機構を中心としてリース方式による企業の参入を促進します。

2 農業現場を支える多様な人材や主体の活躍

（1）中小・家族経営など多様な経営体による地域の下支え

　農業現場においては、中小・家族経営等多様な経営体が農業生産を支えている現状と、地域において重要な役割を果たしていることに鑑み、現状の規模にかかわらず、生産基盤の強化に取り組むとともに、品目別対策や多面的機能支払制度、中山間地域等直接支払制度等と併せて、産業政策と地域政策の両面から支援します。

（2）次世代型の農業支援サービスの定着

　生産現場における人手不足や生産性向上等の課題に対応し、農業者が営農活動の外部委託等様々な農業支援サービスを活用することで経営の継続や効率化を図ることができるよう、ドローンや自動走行農機等の先端技術を活用した作業代行やシェアリング・リース、食品事業者と連携した収穫作業の代行等の次世代型の農業支援サービスの創出を推進します。

（3）多様な人材が活躍できる農業の「働き方改革」の推進

ア 農業経営者が、労働時間の管理、休日・休憩の確保、男女別トイレの整備、キャリアパスの提示やコミュニケーションの充実等、誰もがやりがいがあり、働きやすい環境づくりに向けて計画を作成し、従業員と

共有することを推進します。
イ　農繁期等における産地の短期労働力を確
保するため、他産業、大学、他地域との連
携等による多様な人材とのマッチングと、
労働環境整備等の農業の「働き方改革」を
一体的に行う産地の取組を支援し、先進的
な取組事例の発信・普及を図ります。
ウ　こうした取組を進めてもなお不足する人
材を確保するため、特定技能制度による農
業現場での外国人材の円滑な受入れに向け
て、技能試験を実施するとともに、就労す
る外国人材が働きやすい環境の整備等を支
援します。
エ　地域人口の急減に直面している地域にお
いて、「地域人口の急減に対処するための
特定地域づくり事業の推進に関する法律」
（令和元年法律第64号）の仕組みを活用
し、地域内の様々な事業者を多業（一つの
仕事のみに従事するのではなく、複数の仕
事に携わる働き方）により支える人材の確
保及びその活躍を推進することにより、地
域社会の維持及び地域経済の活性化を図る
ために、モデルを示しつつ、本制度の周知
を図ります。

3　担い手等への農地集積・集約化と農地
の確保
（1）担い手への農地集積・集約化の加速化
ア　「人・農地プラン」の実質化の推進
各地域の人と農地の問題を解決していく
ため、地域の農業者と、地方公共団体、農
業委員会、農業協同組合、土地改良区と
いったコーディネーター役を担う組織や農
地中間管理機構が一体となって「人・農地
プラン」の実質化を推進します。特に、中
山間地域等においては中山間地域等直接支
払制度で作成する集落協定・集落戦略、果
樹産地においては果樹産地構造改革計画等
地域農業に関する計画との連携を進めま
す。
また、地域における話合いへの女性農業
者の参画を促進します。

イ　農地中間管理機構のフル稼働
全都道府県に設立された農地中間管理機
構の取組を更に加速化させ、担い手への農
地の集積・集約化を進めます。
ウ　所有者不明農地への対応の強化
所有者不明農地への対応について、「農
業経営基盤強化促進法等の一部を改正する
法律」（平成30年法律第23号）に基づき
創設した制度の利用を促すほか、民事基本
法制の見直しを踏まえて検討を行います。
（2）荒廃農地の発生防止・解消、農地転用許
可制度等の適切な運用
ア　多面的機能支払制度及び中山間地域等直
接支払制度による地域・集落の共同活動
や、農地中間管理事業による集積・集約化
の促進、基盤整備の活用等による荒廃農地
の発生防止、解消に努めます。
また、有機農業や放牧・飼料生産等多様
な農地利用方策とそれを実施する仕組みに
ついて、「農村政策・土地利用の在り方プ
ロジェクト」を設置して総合的に検討しま
す。
イ　農地の転用規制及び農業振興地域制度の
適正な運用を通じ、優良農地の確保に努め
ます。

4　農業経営の安定化に向けた取組の推進
（1）収入保険制度や経営所得安定対策等の着
実な推進
ア　収入保険の普及促進・利用拡大
自然災害や価格下落等の様々なリスクに
対応し、農業経営の安定化を図るため、収
入保険の普及促進・利用拡大を図ります。
このため、現場ニーズ等を踏まえた改善等
を行うとともに、地域において、農業共済
組合や農業協同組合等の関係団体等が連携
して推進体制を構築し、加入促進の取組を
進めます。
イ　経営所得安定対策等の着実な実施
「農業の担い手に対する経営安定のため
の交付金の交付に関する法律」（平成18年
法律第88号）に基づく畑作物の直接支払

交付金及び米・畑作物の収入減少影響緩和交付金、「畜産経営の安定に関する法律」（昭和36年法律第183号）に基づく肉用牛肥育・肉豚経営安定交付金（牛・豚マルキン）及び加工原料乳生産者補給金、「肉用子牛生産安定等特別措置法」（昭和63年法律第98号）に基づく肉用子牛生産者補給金、「野菜生産出荷安定法」（昭和41年法律第103号）に基づく野菜価格安定対策等の措置を安定的に実施します。

（2）総合的かつ効果的なセーフティネット対策の在り方の検討等

ア　総合的かつ効果的なセーフティネット対策の在り方の検討

収入保険については、「災害等のリスクに強い農業プロジェクト」を設置し、農業保険以外の制度も含め、収入減少を補塡する関連施策全体の検証を行い、農業者のニーズ等を踏まえ、総合的かつ効果的なセーフティネット対策の在り方について検討します。

イ　手続の電子化、申請データの簡素化等の推進

農業保険や経営所得安定対策等の類似制度について、申請内容やフローの見直し等の業務改革を実施しつつ、手続の電子化の推進、申請データの簡素化等を進めるとともに、利便性向上・事務負担軽減を図るため、総合的なセーフティネットの窓口体制の改善・集約化を検討します。

5　農業の成長産業化や国土強靱化に資する農業生産基盤整備

（1）農業の成長産業化に向けた農業生産基盤整備

ア　担い手への農地の集積・集約化や生産コストの削減を進め、農業の競争力を強化するため、農地中間管理機構等との連携を図りつつ、農地の大区画化等を推進します。

イ　高収益作物の導入、さらに、新たな産地形成を促進し、産地収益力を向上させるために、関係部局と連携しつつ、高収益作物

に転換するための水田の汎用化や畑地化、畑地や樹園地の高機能化を推進します。

ウ　農業構造や営農形態の変化に対応するため、ICT水管理等の営農の省力化等に資する技術の活用を可能にする農業生産基盤の整備の展開を図るとともに、関係府省と連携し、農業・農村におけるICT利活用に必要な情報通信環境の整備を検討します。

（2）農業水利施設の戦略的な保全管理

ア　点検、機能診断及び監視を通じた適切なリスク管理の下での計画的かつ効率的な補修、更新等により、施設の徹底した長寿命化とライフサイクルコストの低減を図ります。

イ　農業者の減少や高齢化が進む中でも、農業水利施設の機能が安定的に発揮されるよう、農業水利施設を更新する際、施設の集約や再編、統廃合等によるストックの適正化を推進します。

ウ　施設の点検や機能診断等を省力化・高度化するため、ロボットやAI等の利用に関する研究開発や実証調査を推進します。

（3）農業・農村の強靱化に向けた防災・減災対策

ア　基幹的な農業水利施設やため池等の耐震診断、耐震対策や豪雨対策等のソフト面とハード面を組み合わせた防災・減災対策を実施します。特に、ため池については、防災重点ため池を中心に、防災・減災対策の一層の推進を図ります。

イ　津波、高潮、波浪その他海水又は地盤の変動による被害等から農地等を防護するため、海岸保全施設の整備等を実施します。

ウ　「農業用ため池の管理及び保全に関する法律」（平成31年法律第17号）に基づき、ため池の決壊による周辺地域への被害の防止に必要な措置を進めます。

エ　新たに改定した排水の計画基準に基づき、農業水利施設等の排水対策を推進します。

（4）農業・農村の構造の変化等を踏まえた土地改良区の体制強化

　　土地改良区の組合員の減少、ICT水管理等の新技術、管理する土地改良施設の老朽化に対応するため、准組合員制度の導入、土地改良区連合の設立、貸借対照表を活用した施設更新に必要な資金の計画的な積立の促進等、「土地改良法の一部を改正する法律」（平成30年法律第43号）の改正事項の定着を図り、土地改良区の運営基盤の強化を推進します。

6　需要構造等の変化に対応した生産基盤の強化と流通・加工構造の合理化

（1）肉用牛・酪農の生産拡大など畜産の競争力強化

ア　生産基盤の強化

（ア）牛肉・牛乳乳製品等畜産物の国内需要の増加への対応と輸出拡大に向けて、肉用牛については、高品質な牛肉を安定的に供給できる生産体制を構築するため、肉用繁殖雌牛の増頭、受精卵の増産・利用等を推進します。酪農については、都府県酪農の生産基盤の維持・回復と北海道酪農の持続的成長を目指し、酪農経営の持続的展開を図るため、都府県における牛舎の空きスペースも活用した地域全体での増頭・増産に加え、性判別技術の活用による乳用後継牛の確保、高品質な生乳の生産による多様な消費者ニーズに対応した牛乳乳製品の供給を推進します。

（イ）労働力負担軽減・省力化に資するロボット・AI・IoT等の先端技術の普及・定着、生産関連情報等のデータに基づく家畜改良や飼養管理技術の高度化、農業者と外部支援組織等の役割分担・連携の強化、GAP、アニマルウェルフェアの普及・定着を図ります。

（ウ）中小・家族経営の経営資源の継承、子牛や国産畜産物の生産・流通の円滑化に向けた家畜市場や食肉処理施設及び生乳の処理・貯蔵施設の再編等の取組を推進

し、肉用牛・酪農等畜産の生産基盤を強化します。あわせて、米国・EU並みの衛生水準を満たす輸出認定施設の増加を推進します。

（エ）畜産農家等の経営安定を図るため、以下の施策等を実施します。

a　畜種ごとの経営安定対策

　（a）酪農関係では、①加工原料乳に対する加工原料乳生産者補給金及び集送乳調整金の交付、②加工原料乳の取引価格が低落した場合の補塡金の交付等の対策

　（b）肉用牛関係では、①肉用子牛対策として、子牛価格が保証基準価格を下回った場合に補給金を交付する肉用子牛生産者補給金制度、②肉用牛肥育対策として、標準的販売価格が標準的生産費を下回った場合に交付金を交付する肉用牛肥育経営安定交付金（牛マルキン）

　（c）養豚関係では、標準的販売価格が標準的生産費を下回った場合に交付金を交付する肉豚経営安定交付金（豚マルキン）

　（d）養鶏関係では、鶏卵の取引価格が補塡基準価格を下回った場合に補塡金を交付するなどの鶏卵生産者経営安定対策事業

b　飼料価格安定対策

　　配合飼料価格の大幅な変動に対応するための配合飼料価格安定制度を適切に運用するとともに、国産濃厚飼料の増産や農場残さ等の未利用資源を飼料として利用する取組等を推進します。

イ　生産基盤強化を支える環境整備

（ア）増頭に伴う家畜排せつ物の土づくりへの活用を促進するため、家畜排せつ物処理施設の機能強化・堆肥のペレット化等を推進します。飼料生産については、草地整備・草地改良、放牧、公共牧場の利用、水田を活用した飼料生産、子実用とうもろこし、エコフィード等の生産・利

用の拡大等、国産飼料の生産・利用を推進します。

（イ）和牛は、我が国固有の財産であり、家畜遺伝資源の不適正な流通は、我が国の畜産振興に重大な影響を及ぼすおそれがあることから、家畜遺伝資源の流通管理の徹底、知的財産としての価値の保護強化に取り組みます。

（ウ）畜舎等の利用実態を踏まえた安全基準やその執行体制等を検討し、生産コストの低減に資するよう「建築基準法」（昭和25年法律第201号）の適用の対象から除外する特別法案を整備します。

（2）新たな需要に応える園芸作物等の生産体制の強化

ア　野菜

（ア）既存ハウスのリノベーションや、環境制御・作業管理等の技術習得に必要なデータ収集・分析機器の導入等、データを活用して生産性・収益向上につなげる体制づくり等を支援するとともに、より高度な生産が可能となる低コスト耐候性ハウスや高度環境制御栽培施設等の導入を支援します。

（イ）水田地帯における園芸作物の導入に向けた合意形成や試験栽培、園芸作物の本格生産に向けた機械・施設のリース導入等を支援します。

（ウ）複数の産地と協業して、加工・業務用等の新市場が求めるロット・品質での供給を担う拠点事業者による貯蔵・加工等の拠点インフラの整備や生育予測等を活用した安定生産の取組等を支援します。

（エ）地域農業者の減少や労働力不足等の生産構造の急速な変化に対応するため、農業者と協業しつつ、①生産安定・効率化機能、②供給調整機能、③実需者ニーズ対応機能の3つの全ての機能を具備又は強化するモデル性の高い生産事業体の育成を支援します。

イ　果樹

（ア）優良品目・品種への新植・改植及びそ

れに伴う未収益期間における幼木の管理経費を支援します。

（イ）労働生産性の向上を図るため、平坦で作業性の良い水田等への新植や省力樹形の導入に対する支援を強化するとともに、まとまった面積で省力樹形及び機械作業体系を導入し、労働生産性を抜本的に高めたモデル産地の育成を支援します。

（ウ）省力樹形の導入等に必要となる優良苗木や、国産花粉の安定供給に向けて、育苗ほ場の設置や花粉樹の植栽等を支援します。

ウ　花き

（ア）地域毎に設定した戦略品目について、ニーズの高い品種への転換や省力生産の実証、新たな需要の創出・拡大に向けたプロモーション活動等を支援するとともに、生産性の飛躍的向上が期待される新技術の実証を支援します。

（イ）輸出等の新市場の獲得に向けた切り花の暑熱対策技術の実証やコールドチェーンの整備、輸出向けの生産拡大に必要な技術導入等を支援します。

エ　茶、甘味資源作物等の地域特産物

（ア）茶

茶の新需要開拓や高付加価値化に向け、実需者ニーズに即した新たな茶商品の生産・加工技術や機能性成分等の特色を持つ品種の導入、有機栽培への転換、てん茶栽培に適した棚施設を利用した栽培法への転換や直接被覆栽培への転換、新たな抹茶加工技術の実証、残留農薬分析等を支援します。

（イ）砂糖及びでん粉

「砂糖及びでん粉の価格調整に関する法律」（昭和40年法律第109号）に基づき、さとうきび・でん粉原料用かんしょ生産者及び国内産糖・国内産いもでん粉の製造事業者に対して、経営安定のための支援を行います。

（ウ）薬用作物

薬用作物の産地形成を加速化させるため、地域の取組として、産地と実需者（漢方薬メーカー等）とが連携した栽培技術の確立のための実証ほの設置、省力化のための農業機械の改良及び収穫まで複数年を要する薬用作物の新植を支援します。

また、全国的な取組として、事前相談窓口の設置や技術アドバイザーの派遣等の栽培技術の指導体制の確立に向けた取組を支援します。

（エ）こんにゃくいも等

こんにゃくいも等の特産農産物については、付加価値の創出、新規用途開拓、機械化・省力作業体系の導入等を推進するとともに、新たな需要の創出・拡大を図るため、生産者、実需者等が一体となって取り組む、安定的な生産に向けた体制の整備等を支援します。

（オ）繭・生糸

蚕糸業の再生と持続的発展を図るため、養蚕・製糸業と絹織物業者等が提携して取り組む、輸入品と差別化された高品質な純国産絹製品づくり・ブランド化を推進するとともに、新たな需要の創出・拡大を図るため、生産者、実需者等が一体となって取り組む、安定的な生産に向けた体制の整備等を支援します。

（カ）葉たばこ

葉たばこ審議会の意見を尊重した種類別・品種別価格により、日本たばこ産業株式会社（JT）が買い入れます。

（キ）いぐさ

輸入品との差別化・ブランド化に取り組むいぐさ生産者の経営安定を図るため、国産畳表の価格下落影響緩和対策の実施、実需者や消費者のニーズを踏まえた、産地の課題を解決するための技術実証等の取組を支援します。

（3）米政策改革の着実な推進と水田における高収益作物等への転換

ア　消費者・実需者の需要に応じた多様な米の安定供給

（ア）需要に応じた米の生産・販売の推進

a　需要に応じた生産・販売を推進するため、水田活用の直接支払交付金による支援、中食・外食等のニーズに応じた生産と事前契約、複数年契約等による安定取引の一層の推進、県産別、品種別等のきめ細かな需給・価格情報、販売進捗情報、在庫情報の提供、都道府県別、地域別の作付動向（中間的な取組状況）の公表等の環境整備を推進します。

b　国が策定する需給見通し等を踏まえつつ生産者や集荷業者・団体が主体的に需要に応じた生産・販売を行うため、行政、生産者団体、現場が一体となって取り組みます。

c　米の生産については、農地の集積・集約化による分散錯圃(ほ)の解消や作付の連坦(たん)化・団地化、多収品種の導入やスマート農業技術等による省力栽培技術の普及、資材費の低減等による生産コストの低減等を推進します。

（イ）戦略作物の生産拡大

食料自給率・食料自給力の維持向上を図るため、麦、大豆、飼料用米等、戦略作物の本作化を進めるとともに、地域の特色のある魅力的な産品の産地づくりに向けた取組を支援することにより、水田のフル活用を図ります。

具体的には、地域が作成する「水田フル活用ビジョン」に基づき、地域の特色のある魅力的な産品の産地を創造するため、地域の裁量で活用可能な産地交付金により、産地づくりに向けた取組を支援します。

（ウ）コメ・コメ加工品の輸出拡大

「コメ海外市場拡大戦略プロジェクト」を通じ、戦略的輸出事業者と輸出基地（産地）のマッチングの推進、輸出を拡

大する国・地域における戦略的プロモーション、輸出事業者による海外の需要開拓を支援するとともに、海外市場の求める品質や数量等に対応できる産地の育成等を推進します。

イ　麦・大豆

需要が堅調に推移している国産麦・大豆については、「麦・大豆増産プロジェクト」を設置し、湿害、連作障害、規模拡大による労働負担の増加、気象条件の変化等の低単収要因を克服し、実需の求める量・品質・価格の安定を図ります。

（ア）麦

a　日本麺用、パン・中華麺用等の需要に応じた麦品種の生産拡大を推進します。

b　経営所得安定対策による支援を行うとともに、収量性や加工適性に優れた新品種、単収・品質向上技術等の導入の支援により、小麦、大麦、はだか麦の作付拡大を推進します。

c　麦の生産拡大に対応するため、乾燥調製施設等の再編整備や高性能農業機械の導入等を推進します。

（イ）大豆

a　経営所得安定対策や強い農業・担い手づくり総合支援交付金等の補助事業による支援を行うとともに、生産性向上に資する耕うん同時畝立て播種栽培等の導入や適正な輪作体系の構築等に取り組みます。

b　実需者ニーズに対応した新品種や栽培技術の導入により、実需者の求める大豆の安定生産を支援し、国産大豆の需要拡大を推進します。

c　「播種前入札取引」の適切な運用等により、国産大豆の安定取引を推進します。

ウ　高収益作物への転換

野菜や果樹等の高収益作物の導入・定着を図るため、「水田農業高収益化推進計画」に基づき、国のみならず地方公共団体等の関係部局が連携し、水田における高収益作

物への転換、水田の畑地化・汎用化のための基盤整備、栽培技術や機械・施設の導入、販路確保等の取組を計画的かつ一体的に推進します。

エ　米粉用米・飼料用米

実需者の求める安定的な供給に応えるため、生産と実需の複数年契約による長期安定的な取引の拡大を推進するとともに、「米穀の新用途への利用の促進に関する法律」（平成21年法律第25号）に基づき、米粉用米、飼料用米の利用促進を図るため、米粉用米、飼料用米の生産・利用拡大や必要な機械・施設の整備等を総合的に支援します。

（ア）米粉用米

近年の訪日外国人旅行者の急増等により、グルテンを含まない特性を持つ米粉に注目が集まる状況が見込まれることから、国産米粉の優位性の情報発信等、需要拡大に向けた取組を推進するとともに、輸出の拡大を図るため、ノングルテン米粉のJASの制定を検討します。

（イ）飼料用米

地域に応じた省力・多収栽培技術の確立・普及を通じた生産コストの低減やバラ出荷による流通コストの低減に向けた取組を支援します。

また、飼料用米を活用した豚肉、鶏卵等のブランド化を推進するための付加価値向上等に向けた新たな取組を支援します。

オ　米・麦・大豆等の流通

「農業競争力強化支援法」等に基づき、農産物流通・加工の合理化を図るため、流通・加工業界の再編に係る取組の支援等を実施します。

また、米・麦・大豆等の物流合理化を進めるため、生産者や関係事業者等と協議を行い、課題を特定し、それらの課題解決に取り組みます。

特に米については、玄米輸送のフレコン利用の推進、精米輸送の商慣行の見直し等

によるホワイト物流運動の推進に取り組みます。

（4）農業生産工程管理の推進と効果的な農作業安全対策の展開

ア　農業生産工程管理の推進

農産物においては、2030年までにほぼ全ての国内の産地における国際水準のGAPの実施を目指し、令和2（2020）年度中に「GAP共通基盤ガイドライン」（平成22年4月策定）を国際水準に改訂するとともに、改訂した国際水準GAP共通基盤ガイドラインの普及に向けた必要な取組を実施します。

畜産物においては、JGAP家畜・畜産物やGLOBALG.A.P.の認証取得、GAPの認証取得に向けたステップアップを目指す「GAP取得チャレンジシステム」の取組拡大を図ります。

イ　農作業等安全対策の展開

（ア）都道府県段階、市町村段階の関係機関が参画した推進体制を整備するとともに、農業機械作業に係る死亡事故が全体の6割を占めていることを踏まえ、以下の取組を強化します。

a　乗用型トラクターについて、安全フレームやシートベルトの装備や作業機を付けた状態での公道走行に必要な灯火器等の装備の促進

b　乗用型トラクター乗車時におけるシートベルト・ヘルメットの着用の促進

c　農業機械の定期的な点検・整備の励行

（イ）都道府県、農機メーカーや農機販売店等を通じた事故情報の収集を強化するとともに、その分析を通じた農業機械の安全設計の促進等を図ります。

（ウ）GAPの団体認証取得による農作業事故等産地リスクの低減効果の実証を行うとともに、暑熱対策の実践を通じた熱中症対策の推進、労災保険特別加入団体の設置と農業者の加入促進を図ります。

（エ）農林水産業・食品産業を横断して、効果的な作業安全対策の検討や普及、関係

者の意識啓発のための取組を実施します。

（5）良質かつ低廉な農業資材の供給や農産物の生産・流通・加工の合理化

ア　「農業競争力強化プログラム」（平成28年11月策定）及び「農業競争力強化支援法」に基づき、良質で低価格な資材の供給拡大や農産物流通等の合理化に向けて以下の取組等を推進します。

（ア）肥料のパレット流通体制の構築に向け、パレットの規格や合理的な管理体制の検討を進めます。

（イ）「農業競争力強化支援法」に基づく支援措置の活用等を通じ、生産性が低い肥料等の製造事業者や小規模で後継者不足が顕在化している卸売・小売事業者、農産物流通等の合理化の実現に資する流通等事業者の再編、寡占化している農業機械製造事業者やスマート農業技術の活用に資する農業機械の利用促進に関する事業者等の参入を促進します。

（ウ）農業者の資材調達方法の点検等を促すため、資材販売店等における主な銘柄の販売価格の調査結果を公表するとともに、農業資材比較サービス「AGMIRU（アグミル）」の現場での活用を促します。

イ　農産物規格・検査の見直しを検討するため、平成31（2019）年1月より開催している「農産物規格・検査に関する懇談会」において取りまとめた中間論点整理に基づき、告示改正等を進めるとともに、以下の取組等を推進します。

（ア）農産物検査を効果的に行うため、穀粒判別器を活用した鑑定を推進します。

（イ）玄米物流の合理化につながる推奨フレコンの設定を行い、その活用を推進します。

（ウ）着色粒等の規格に関する検討を進めるため、生産・流通・消費の現状に関する調査を行います。

7　情報通信技術等の活用による農業生産・流通現場のイノベーションの促進

（1）スマート農業の加速化など農業現場でのデジタル技術の利活用の推進

ア　スマート農業を実現するため、ロボット・AI・IoT等の先端技術を活用したスマート農業の生産現場における実証に取り組み、これまでに開発された先端技術の社会実装を推進します。

イ　生産現場と産学官がスマート農業についての情報交流を行うプラットフォームを創設し、スマート農業技術の実証・導入・普及を推進するとともに、スマート農業技術の導入コスト削減のため、シェアリングやリースによる新たなサービスの創出が進むよう、必要な施策を検討・実施します。

ウ　明確な開発目標の下で現場での実装までを視野に入れた技術開発を進めるとともに、先端技術を活用した高度なロボット農機等による新しい技術体系を創造するための研究開発等を実施します。

　　また、現場実装に際して安全上の課題解決が必要なロボット技術の安全性の検証やルールづくりに取り組みます。

エ　関係府省協力の下、大学や民間企業等と連携して、農業データ連携基盤の機能を生産部分だけでなく、加工・流通・消費まで含めたフードチェーン全体に機能拡充するための研究開発に取り組むとともに、農林水産省が保有・収集するデータの実装を進めます。

オ　「スマート農業プロジェクト」を立ち上げ、生産性や収益性の観点からも現場実装が進むよう、必要な施策を検討・実施します。

カ　農業者と連携しデジタル技術の開発・普及に取り組む企業が活躍できる環境整備や、農産物の生産・流通・消費に至る様々なデータの連携による生産技術の改善、農村地域の多様なビジネス創出等を推進します。

（2）農業施策の展開におけるデジタル化の推進

ア　農業現場と農林水産省が切れ目なくつながり、行政手続にかかる農業者等の負担を大幅に軽減し、経営に集中できるよう、法令や補助金等の手続をオンラインでできる農林水産省共通申請サービス（eMAFF）の構築や、これと併せて徹底した行政手続の簡素化の促進を行います。

イ　農業者向けスマートフォンアプリ（MAFFアプリ）を開発し、eMAFFと連動しつつ、個々の農業者の属性・関心に応じた営農・政策情報を提供します。

ウ　農業委員会、地域農業再生協議会、農業共済組合が保有する農地情報について、eMAFF、筆ポリゴン（農地区画情報）等による「デジタル地図」を用いた一元的管理やその効果的な活用方法を検討し、結論が得られたものから実行します。

エ　農業現場における取組を含め、デジタル技術を活用した様々なプロジェクトを取りまとめ、デジタル技術の進展に合わせて随時プロジェクトを追加・修整しながら機動的に実行し、デジタル技術を活用し、自らの能力を存分に発揮して経営展開できる農業者が大宗を担う農業構造への転換を目指します。

（3）イノベーション創出・技術開発の推進

　　先端技術のみならず、現場のニーズに即した様々な課題に対応した研究開発を推進していくため、国主導で実施すべき重要な研究分野について、戦略的な研究開発を推進するとともに、異分野のアイデア・技術等を農林水産分野に導入し、革新的な技術・商品サービスを生み出す研究を支援します。

ア　研究開発の推進

　　研究開発を推進するため、重点事項や目標を定める「農林水産研究イノベーション戦略」を策定するとともに、内閣府の「戦略的イノベーション創造プログラム（SIP）」や「官民研究開発投資拡大プログラム

（PRISM）」等を活用して研究開発を推進します。

また、Society5.0の実現に向け、産学官と農業の生産現場が一体となって、オープンイノベーションを促進するとともに、人材・知・資金が循環するよう農林水産業分野での更なるイノベーション創出を計画的・戦略的に推進します。

さらに、スマート農業等における研究開発の国際競争力の強化につながるよう、海外における我が国の位置付けを把握しながら、研究成果の海外展開を目指し技術シーズと海外におけるニーズとのマッチングや現地政府機関と連携した取組を推進します。その際、民間企業等の研究成果を確実に利益につなげていくため、知的財産の公開、秘匿、権利化を使い分け、戦略的に海外市場を獲得します。

イ　国際農林水産業研究の推進

国立研究開発法人農業・食品産業技術総合研究機構及び国立研究開発法人国際農林水産業研究センターにおいて、気候変動に伴う食料・水資源問題、越境性家畜伝染病の防疫等地球規模の課題に対応するため、海外研究機関等との積極的なMOU（研究協定覚書）の締結や拠点整備を推進します。

また、海外の農業研究機関や国際農業研究機関の優れた知見や技術を活用し、戦略的に国際共同研究を実施します。

ウ　科学に基づく食品安全、動物衛生、植物防疫等の施策に必要な研究の更なる推進

（ア）「レギュラトリーサイエンス研究推進計画」（平成27年6月策定）で明確化した取り組むべき調査研究の内容や課題について、その進捗状況の検証・見直しを行うとともに、所管法人、大学、民間企業、関係学会等への情報提供や研究機関との意見交換を行い、研究者の認識や理解の醸成とレギュラトリーサイエンスに属する研究の拡大を促進します。

（イ）研究開発部局と規制担当部局とが連携

して食品中の危害要因の分析及び低減技術の開発、家畜の伝染性疾病を防除・低減する技術や資材の開発、植物病害虫等侵入及びまん延防止のための検査技術の開発や防除体系の確立等、リスク管理に必要な調査研究を推進します。

（ウ）レギュラトリーサイエンスに属する研究事業の成果を国民に分かりやすい形で公表します。

また、行政施策・措置とその検討・判断に活用された科学的根拠となる研究成果を紹介する機会を設け、レギュラトリーサイエンスへの理解の醸成を推進します。

（エ）行政施策・措置の検討・判断に当たり、その科学的根拠となる優れた研究成果を挙げた研究者を表彰します。

エ　戦略的な研究開発を推進するための環境整備

（ア）「農林水産研究における知的財産に関する方針」（平成28年2月策定）を踏まえ、農林水産業・食品産業に関する研究に取り組む国立研究開発法人や都道府県の公設試験場等における知的財産マネジメントの強化を図るため、知的財産マネジメントに高度な専門的知識を有する専門家による指導・助言を行うとともに、平成30（2018）年度に作成した知的財産マネジメントに関するマニュアルの充実・普及を行います。

（イ）最先端技術の研究開発及び実用化に向けて、国民への分かりやすい情報発信、意見交換を行い、国民に受け入れられる環境づくりを進めます。特に、ゲノム編集技術等の育種利用は、飛躍的な生産性の向上等が期待される一方、国民的理解を得ていくことが重要であることから、より理解が深まるような方策を取り入れながらサイエンスコミュニケーション等の取組を強化します。

（ウ）我が国の「強み」である技術力を活かした新たな品種や技術の開発・普及を進

め、かつ知的財産を総合的に活用することにより、日本各地で品質やブランド力等「強み」のある農畜産物を実需者と連携して生み出すため、「新品種・新技術の開発・保護・普及の方針」(平成25年12月策定)に基づく取組等を推進します。

a 実需者や産地が参画したコンソーシアムを構築し、ニーズに対応した新品種の開発等の取組を推進します。

また、実需者等の多様なニーズに対応するため、従来の育種では困難だった収量性や品質等の形質の改良等を短期間で実現するスマート育種システムの開発を推進します。

b 新品種やICT等の新技術等を活用した「強み」のある産地形成を図るため、実需者、生産者等が連携して新たな産地形成を行う取組を総合的に支援します。

また、実需者等とも連携した新品種・新技術の確立、種苗の機動的な供給体制の整備、農業機械のリース導入、産地基幹施設整備等の取組を支援します。

c 海外遺伝資源を戦略的に確保するため、締約国として食料・農業植物遺伝資源条約の運営に必要な資金拠出を行うとともに、条約の機能を改善するための議論等に参画するほか、遺伝資源保有国における制度等の調査、遺伝資源の保全の促進、遺伝資源の取得・利用に関する手続・実績の確立とその活用に向けた周知活動等を実施します。

また、二国間共同研究による海外植物遺伝資源の特性情報の解明等を推進することにより、海外植物遺伝資源へのアクセス環境を整備します。

オ 開発技術の迅速な普及・定着

(ア)「橋渡し」機能の強化

a 「知」の集積と活用の場による技術革新

(a) 産学官を結び付ける研究開発プラットフォームづくりのため、産学官連携

協議会において、ポスターセッション、セミナー、ワークショップ等を開催し、技術シーズ・ニーズに関する情報交換、意見交換を行います。

(b) 研究開発プラットフォームから形成された研究開発コンソーシアムで行われる研究開発を国と民間企業等が、資金を出し合うマッチングファンド方式等により重点的に支援します。

b 異分野融合研究の強化

工学・医学等異分野の技術を農林水産分野に導入・活用するための共同研究を進めるとともに、これまでの研究成果を社会実装につなげるための講演・セミナーの開催や試作物の展示等を行う機会を設けるなど、研究開発を推進します。

c 研究開発・普及・生産現場の連携による技術開発・普及

(a) 農林水産業・食品産業等におけるイノベーションにつながる革新的な技術の実用化に向けて、基礎から実用化段階までの研究開発を切れ目なく推進します。

(b) 研究開発から産業化までを一貫して支援するため、大学、民間企業等の地域の関係者による技術開発から改良、開発実証試験までの取組を切れ目なく支援します。

(c) 全国に配置されたコーディネーターが、技術開発ニーズ等を収集するとともに、マッチング支援や商品化・事業化に向けた支援等を行い、研究の企画段階から産学が密接に連携し、早期に成果を実現できるよう支援します。

(d) 農業技術に関する近年の研究成果のうち、生産現場への導入が期待されるものを「最新農業技術・品種」として紹介します。

(イ)効果的・効率的な技術・知識の普及指導

国と都道府県が協同して、高度な技術・知識を持つ普及指導員を設置し、普

及指導員が試験研究機関や民間企業等と連携して農業者に直接接して行う技術・経営指導等を推進します。これに当たって、普及指導員による新技術や新品種の導入等に係る地域の合意形成、新規就農者の支援、地球温暖化及び自然災害への対応等、公的機関が担うべき分野についての取組を強化します。

また、普及指導員に求められる役割を発揮し、農業・農村の課題に的確に対応するため、計画的に研修等を実施し、普及指導員の資質向上を推進します。

8 気候変動への対応等環境政策の推進

（1）気候変動に対する緩和・適応策の推進

ア 「農林水産省地球温暖化対策計画」（平成29年3月策定）に基づき、農林水産分野における地球温暖化対策技術の開発、マニュアル等を活用した省エネ型の生産管理の普及・啓発や省エネ設備の導入等による施設園芸の省エネルギー対策、施肥の適正化を推進します。

イ 農地からのGHGの排出・吸収量の国連への報告に必要な農地土壌中の炭素量等のデータを収集する調査を行います。

ウ 環境保全型農業直接支払制度により、堆肥の施用やカバークロップ等、地球温暖化防止等に効果の高い営農活動に対して支援します。

エ バイオマスの変換・利用施設等の整備等を支援し、農山漁村地域におけるバイオマス等の再生可能エネルギーの利用を推進します。

オ 廃棄物系バイオマスの利活用については、平成30（2018）年度から5年間を計画期間とする「廃棄物処理施設整備計画」（平成30年6月策定）に基づく施設整備を推進するとともに、市町村等における生ごみのメタン化等の活用方策の導入検討を支援します。

カ 気候変動の緩和に資するため、国際連携の下、各国の水田におけるGHG排出削減

を実現する総合的栽培管理技術及び農産廃棄物を有効活用したGHG排出削減に関する影響評価手法の開発を推進します。

キ 「気候変動適応法」（平成30年法律第50号）に定める「気候変動適応計画」（平成30年11月策定）及び「農林水産省気候変動適応計画」（平成30年11月改定）等に基づき、農林水産分野における気候変動の影響への適応に関する取組を推進するため、以下の取組を実施します。

（ア）中長期的な視点に立った我が国の農林水産業に与える気候変動の影響評価や適応技術の開発を行うとともに、各国の研究機関等との連携により気候変動適応技術の開発を推進します。

（イ）「強み」のある産地形成に向け、生産者・実需者等が一体となって地球温暖化に対応する品種・技術を活用する取組を支援します。

（ウ）農業者等自らが気候変動に対するリスクマネジメントを行う際の参考となる手引きを作成します。

（エ）地方公共団体による農林水産分野の地域気候変動適応計画の策定をサポートするため、科学的知見等の情報提供、農林漁業関係者とのコミュニケーション等を支援します。

ク 国連気候変動枠組条約等の地球環境問題に係る国際会議に参画し、農林水産分野における国際的な地球環境問題に対する取組を推進します。

（2）生物多様性の保全及び利用

ア 「農林水産省生物多様性戦略」（平成24年2月改定）に基づき、田園地域や里地・里山の保全・管理を推進します。

イ 食料生産が生物多様性に及ぼす影響に鑑み、原材料や資材調達を含めた持続可能な生産・消費の達成に向け「農林水産省生物多様性戦略」を改定し、グローバルなフードサプライチェーン全体における生物多様性保全の視点を取り込みます。

ウ 企業等による生物多様性保全活動への支

援等について取りまとめた農林漁業者及び企業等向け手引き・パンフレット並びにUNDB-J（国連生物多様性の10年日本委員会）のMy行動宣言の更なる促進につながる農林水産関係アクション（エコツーリズム、森林ボランティア、藻場の再生等）の普及・啓発資料を活用し、農林水産分野における生物多様性保全活動を推進します。

エ　環境保全型農業直接支払制度により、有機農業や冬期湛水（たんすい）管理等、生物多様性保全等に効果の高い営農活動に対して支援します。

オ　遺伝子組換え農作物に関する取組として、「遺伝子組換え生物等の使用等の規制による生物の多様性の確保に関する法律」（平成15年法律第97号）に基づき、生物多様性に及ぼす影響についての科学的な評価、生態系への影響の監視等を継続するとともに、未承認の遺伝子組換え農作物の輸入防止を図るため、栽培用種苗を対象に、これまでの輸入時のモニタリング検査に加えて、特定の生産地及び植物種について、輸入者に対し輸入に先立つ届出や検査を義務付ける「生物検査」を実施します。

カ　海外遺伝資源を戦略的に確保するため、締結国として食料・農業植物遺伝資源条約の運営に必要な資金拠出を行うとともに、条約の機能を改善するための議論等に参画するほか、遺伝資源保有国における制度等の調査、遺伝資源の保全の促進、遺伝資源の取得・利用に関する手続き・実績の確立とその活用に向けた周知活動等を実施します。

（3）有機農業の更なる推進

国際水準の有機農業の取組を推進するため、以下の取組を実施します。

ア　有機農業指導員の育成や新たに有機農業に取り組む農業者の技術習得等による人材育成やオーガニックビジネス実践拠点づくり等による産地づくりを推進します。

イ　流通・加工・小売事業者等と連携した需要喚起の取組を支援し、バリューチェーンの構築を進めます。

ウ　耕作放棄地等を活用した農地の確保とともに、有機農業を活かして地域振興につなげている市町村等のネットワークづくりを進めます。

エ　有機食品の輸出を促進するため、有機JAS認証の取得を支援するとともに、諸外国との有機同等性の取得等を推進します。

また、有機JASについて、消費者がより合理的な選択ができるよう必要な見直しを行います。

（4）土づくりの推進

ア　全国的な土づくりを推進するため、都道府県の土壌調査結果の共有を進めるとともに、堆肥等の活用を促進します。

また、収量向上効果を含めた土壌診断データベースの構築に向けて、都道府県とともに、土壌専門家を活用しつつ、農業生産現場における土壌診断の取組と診断結果のデータベース化の取組を推進するとともに、ドローン等を用いた簡便かつ広域的な診断手法や土壌診断の新たな評価軸としての生物性評価手法の検証・評価を推進します。

イ　「家畜排せつ物の管理の適正化及び利用の促進に関する法律」（平成11年法律第112号）の趣旨を踏まえ、家畜排せつ物の適正な管理に加え、その利活用を図るため、ペレット化や化学肥料との配合等による堆肥の高品質化等を推進します。

（5）農業分野におけるプラスチックごみ問題への対応

農業分野のプラスチックごみ問題に対応するため、施設園芸及び畜産における廃プラスチック対策の推進、生分解性マルチ導入の推進、プラスチックを使用した被覆肥料の実態調査を行います。

（6）農業の自然循環機能の維持増進とコミュニケーション

ア　有機農業を消費者に分かりやすく伝える者を増やす取組を推進します。

イ 気候変動や生物多様性等環境に配慮した生産を後押しするため、購買行動によりこれらの取組を支える持続可能な消費を促進します。

Ⅳ 農村の振興に関する施策

1 地域資源を活用した所得と雇用機会の確保

（1）中山間地域等の特性を活かした複合経営等の多様な農業経営の推進

ア 中山間地域等直接支払制度により生産条件を補正しつつ、「中山間地農業ルネッサンス事業」等により、多様で豊かな農業と美しく活力ある農山村の実現や、地域コミュニティによる農地等の地域資源の維持・継承に向けた取組を総合的に支援します。

イ 米、野菜及び果樹等の作物の栽培や畜産、林業も含めた多様な経営の組合せにより所得を確保する複合経営を推進するため、経営モデルの検討等を行います。

ウ 中山間地域等の特色を活かした営農と所得の確保に向けて、必要な地域に対して農業生産を支える水路、ほ場等の総合的な基盤整備と、生産・販売施設等との一体的な整備を推進します。

（2）地域資源の発掘・磨き上げと他分野との組合せ等を通じた所得と雇用機会の確保

ア 農村発イノベーションをはじめとした地域資源の高付加価値化の推進

（ア）業務用需要に対応したBtoBの取組の推進、農泊と連携した観光消費の促進等に資する新商品開発、農林水産物の加工・販売施設の整備等の取組を支援します。

（イ）農林水産業・農山漁村に豊富に存在する資源を活用した革新的な産業の創出に向け、農林漁業者等と異業種の事業者との連携による新技術等の研究開発成果の利用を促進するための導入実証や試作品

の製造・評価等の取組を支援します。

（ウ）農林漁業者と中小企業者が有機的に連携して行う新商品・新サービスの開発や販路開拓等に係る取組を支援します。

（エ）農村を舞台として新たな価値を創出し、所得と雇用機会の増大を図るため、「農村発イノベーション」（活用可能な農村の地域資源を発掘し、磨き上げた上で、これまでにない他分野と組み合わせる取組）が進むよう、農村で活動する起業者等が情報交換を通じてビジネスプランの磨き上げが行えるプラットフォームの運営等、多様な人材が農村の地域資源を活用して新たな事業に取り組みやすい環境を整備し、現場の創意工夫を促します。

また、現場発の新たな取組を抽出し、全国で応用できるよう積極的に情報提供します。

（オ）地域の伝統的農林水産業の価値及び認知度向上につながる世界農業遺産及び日本農業遺産の維持・保全及び新規認定に向けた取組を推進します。

また、歴史的・技術的・社会的価値を有する世界かんがい施設遺産の認知度向上及び新規認定に向けた取組を推進します。

イ 農泊の推進

（ア）農泊の推進による農山漁村の所得向上を実現するため、農泊をビジネスとして実施するための体制整備や、地域資源を魅力ある観光コンテンツとして磨き上げるための専門家派遣等の取組、農家民宿や古民家等を活用した滞在施設等の整備の一体的な支援を行うとともに、日本政府観光局（JNTO）等と連携して国内外へのプロモーションを行います。

（イ）観光を通じた地域振興を図るため、地域の関係者が連携し、地域の幅広い資源を活用し地域の魅力を高めることにより、国内外の観光客が2泊3日以上の滞在交流型観光を行うことができる「観光

圏」の整備を促進します。

（ウ）農山漁村が有する教育的効果に着目し、農山漁村を教育の場として活用するため、関係府省が連携し、子供の農山漁村宿泊体験等を推進するとともに、農山漁村を都市部の住民との交流の場等として活用する取組を支援します。

ウ ジビエ利活用の拡大

（ア）鳥獣被害防止にも資する、捕獲鳥獣を地域資源として利活用する取組を拡大するため、処理加工施設や移動式解体処理車等の整備、ジビエ利用に適した捕獲・搬入技術を習得した捕獲者及び処理加工現場における人材の育成、ペットフード等の多様な用途での利用、ジビエの全国的な需要拡大のためのプロモーション等の取組を推進します。

（イ）安全・安心なジビエの供給体制を整備するため、「野生鳥獣肉の衛生管理に関する指針（ガイドライン）」（平成26年11月策定）の遵守による野生鳥獣肉の安全性確保、国産ジビエ認証制度等の普及を推進するとともに、捕獲から処理加工段階までの情報を関係者が共有できるネットワークの構築に向けた実証を実施します。

エ 農福連携の推進

「農福連携等推進ビジョン」（令和元年6月策定）に基づき、障害者雇用等を通じ農業経営を改善・発展しようとする際に必要となる農業生産施設等の整備、農業経営体と障害者就労施設のニーズをマッチングする仕組みや、農業経営体が障害者就労施設に農作業委託等を短期間行う「お試しノウフク」の仕組みの構築、ワンストップ相談窓口の設置、戦略的プロモーション等を推進します。

また、障害者の農業分野での定着を支援する専門人材である「農福連携技術支援者」の育成のための研修を、農林水産研修所等において実施します。

オ 農村への農業関連産業の導入等

（ア）「農村地域への産業の導入の促進等に関する法律」（昭和46年法律第112号）、「地域経済牽引事業の促進による地域の成長発展の基盤強化に関する法律」（平成19年法律第40号）を活用した農村への産業の立地・導入を促進するため、これらの法律による基本計画等の策定や税制等の支援施策の積極的な活用を推進します。

（イ）農村で活動する起業者等が情報交換を通じてビジネスプランを磨き上げることができるプラットフォームの運営等、多様な人材が農村の地域資源を活用して新たな事業に取り組みやすい環境の整備等により、現場の創意工夫を促進します。

（ウ）農村の多くは地域資源として豊かな森林を有していることから、健康、観光等の多様な分野で森林空間を活用して、新たな雇用と収入機会を確保する「森林サービス産業」を創出・推進します。

（3）地域経済循環の拡大

ア バイオマス・再生可能エネルギーの導入、地域内活用

（ア）バイオマスを基軸とする新たな産業の振興

a バイオマスの活用の推進に関する施策についての基本的な方針、国が達成すべき目標等を定めた「バイオマス活用推進基本計画」（平成28年9月策定）に基づき、素材、熱、電気、燃料等への変換技術を活用し、より経済的な価値の高い製品等を生み出す高度利用等の取組を推進します。

また、関係府省の連携の下、地域のバイオマスを活用した産業化を推進し、地域循環型の再生可能エネルギーの強化と環境に優しく災害に強いまち・むらづくりを目指すバイオマス産業都市の構築に向けた取組を支援します。

b バイオマスの効率的な利用システムの構築を進めることとし、以下の取組を実

施します。

(a) 農林漁業に由来するバイオマスの
バイオ燃料向け利用の促進を図り、国
産バイオ燃料の生産拡大に資するた
め、「農林漁業有機物資源のバイオ燃
料の原材料としての利用の促進に関す
る法律」（平成20年法律第45号）に
基づく事業計画の認定を行い支援しま
す。

(b) 家畜排せつ物等の畜産バイオマス
を活用し、エネルギーの地産地消を推
進するため、バイオガスプラントの導
入を支援します。

(c) 下水道を核とした資源・エネルギー
の循環のため、バイオマスである下水
汚泥等の利活用を図り、下水汚泥等の
エネルギー利用、リン回収・利用等を
推進します。

(イ) 農村における地域が主体となった再生
可能エネルギーの生産・利用

a 「農林漁業の健全な発展と調和のとれ
た再生可能エネルギー電気の発電の促進
に関する法律」（平成25年法律第81号）
を積極的に活用し、農林地等の利用調整
を適切に行いつつ、再生可能エネルギー
の導入と併せて、地域農業の健全な発展
に資する取組や農山漁村における再生可
能エネルギーの地産地消の取組を促進し
ます。

b 農山漁村における再生可能エネルギー
の導入等に向けた事業計画策定、営農型
太陽光発電の電気を農業に活用する取
組、小水力等発電施設の整備に係る調査
設計及び施設整備等の取組を支援しま
す。

イ 農畜産物や加工品の地域内消費

農村に安定的な所得や雇用機会を確保す
るため、学校給食等の食材として地場産農
産物を安定的に生産・供給する体制の構築
やメニュー開発等の取組を支援するととも
に、農産物直売所の運営体制強化のための
検討会の開催及び観光需要向けの商品開発

や農林水産物の加工・販売のための機械・
施設等の整備を支援します。

ウ 農村におけるSDGsの達成に向けた取組
の推進

(ア) 農山漁村の豊富な資源をバイオマス発
電や小水力発電等の再生可能エネルギー
として活用し、農林漁業経営の改善や地
域への利益還元を進め、農山漁村の活性
化に資する取組を推進します。

(イ) 森林資源をマテリアルやエネルギーと
して地域内で持続的に活用するため、行
政（市町村）が中心となって、地域産
業、地域住民が参画し、担い手確保から
発電・熱利用に至るまで、低コスト化や
森林関係者への利益還元を図る「地域内
エコシステム」の構築に向け、技術者の
現地派遣や相談対応等の技術的サポート
を行う体制の確立、関係者による協議会
の運営、小規模な技術開発等に対する支
援を行います。

(ウ) 農村におけるSDGsの達成に向けた取
組事例を普及することにより、環境と調
和した活動に取り組む地方公共団体や企
業等の連携を強化します。

(4) 多様な機能を有する都市農業の推進

新鮮な農産物の供給、農作業体験の場や
防災空間の確保等、都市農業が有する多様
な機能を発揮するため、都市住民の理解の
促進を図りつつ、都市農業の振興に向けた
取組を推進します。

また、都市農地の貸借の円滑化に関する
制度が現場で円滑かつ適切に活用されるよ
う、農地所有者と都市農業者、新規就農者
等の多様な主体とのマッチング体制の構築
を促進します。

さらに、都市農業の安定的な継続や多様
な機能の発揮のため、計画的な都市農地の
保全を図る生産緑地、田園住居地域等の積
極的な活用を促進します。

2　中山間地域等をはじめとする農村に人が住み続けるための条件整備

（1）地域コミュニティ機能の維持や強化

ア　世代を超えた人々による地域のビジョンづくり

中山間地域等直接支払制度の活用により農用地や集落の将来像の明確化を支援するほか、農村が持つ豊かな自然や食を活用した地域の活動計画づくり等を支援します。その際、計画の策定等に係る地域の事務負担の軽減を進めます。

また、地域で共同した耕作・維持活動に加え、放牧や飼料生産等、少子高齢化・人口減少にも対応した多様な農地利用方策とそれを実施する仕組みについて、「農村政策・土地利用の在り方プロジェクト」を設置して総合的に検討します。

イ　「小さな拠点」の形成の推進

（ア）生活サービス機能等を基幹集落へ集約した「小さな拠点」の形成に資する地域の活動計画づくりや実証活動を支援します。

また、「小さな拠点」の更なる形成拡大と質的向上を図るため、農産物販売施設、廃校施設等、特定の機能を果たすために設置された施設を多機能化（地域づくり、農業振興、観光、文化、福祉、防犯等）し、地域活性化の拠点等として活用していくための支援の在り方を検討します。

（イ）地域の実情を踏まえつつ、小学校区等複数の集落が集まる地域において、生活サービス機能等を集約・確保し、周辺集落とをネットワークで結ぶ「小さな拠点」の形成に向けた取組を推進します。

ウ　地域コミュニティ機能の形成のための場づくり

地域コミュニティの形成や交流のための場づくりを推進するため、公民館がNPO法人や企業、農業協同組合等多様な主体と連携して地域の人材の育成・活用や地域活性化を図るための取組を支援します。

（2）多面的機能の発揮の促進

農業の有する多面的機能の発揮を促進するため、日本型直接支払制度（多面的機能支払制度、中山間地域等直接支払制度、環境保全型農業直接支払制度）、森林・山村多面的機能発揮対策を推進します。

ア　多面的機能支払制度

（ア）地域共同で行う、農業・農村の有する多面的機能を支える活動や、地域資源（農地、水路、農道等）の質的向上を図る活動を支援します。

（イ）農村地域の高齢化等に伴い集落機能が一層低下する中、広域化や土地改良区との連携による活動組織の体制強化や事務の簡素化・効率化を進めます。

イ　中山間地域等直接支払制度

（ア）条件不利地域において、引き続き農業生産活動の維持を通じて多面的機能を確保するため、中山間地域等直接支払制度に基づく直接支払を実施します。

（イ）中山間地域等における高齢化や人材不足の深刻化等の課題を踏まえ、今後も安心して営農に取り組めるよう交付金返還措置の見直しとともに、棚田地域における振興活動や集落の地域運営機能の強化等、将来を見据えた活動を支援します。

ウ　環境保全型農業直接支払制度

（ア）化学肥料・化学合成農薬の使用を原則5割以上低減する取組と合わせて行う地球温暖化防止や生物多様性保全等に効果の高い営農活動に対して支援します。

（イ）多くの農業者が交付金の取組を実施できるよう、リビングマルチ等の取組を全国共通取組に追加するとともに、地域特認取組の運用を見直し、都道府県の裁量を拡大するなどの見直しを実施します。

エ　森林・山村多面的機能発揮対策

地域住民等が集落周辺の里山林において行う、中山間地域における農地等の維持保全にも資する森林の保全管理活動等を推進します。

（3）生活インフラ等の確保

ア　住居、情報基盤、交通等の生活インフラ
　等の確保

（ア）住居等の生活環境の整備

　a　住居・宅地等の整備

　（a）高齢化や人口減少が進行する農村
　　において、住みやすい生活環境を整備
　　するため、農業・生活関連施設の再
　　編・整備を推進します。

　（b）農山漁村における定住や都市と農
　　山漁村の二地域居住を促進する観点か
　　ら、関係府省が連携しつつ、計画的な
　　生活環境の整備を推進します。

　（c）優良田園住宅による良質な住宅・
　　宅地供給を促進し、質の高い居住環境
　　整備を推進します。

　（d）地方定住促進に資する地域優良賃
　　貸住宅の供給を促進します。

　（e）令和2（2020）年1月に改正され
　　た「地域再生法」（平成17年法律第
　　24号）に基づき、「農地付き空き家」
　　に関する情報提供や取得の円滑化を推
　　進します。

　（f）都市計画区域の定めのない町村にお
　　いて、スポーツ、文化、地域交流活動
　　の拠点となり、生活環境の改善を図る
　　特定地区公園の整備を推進します。

　b　汚水処理施設の整備

　（a）地方創生等の取組を支援する観点
　　から、地方公共団体が策定する「地域
　　再生計画」に基づき、関係府省が連携
　　して道路や汚水処理施設の整備を効率
　　的・効果的に推進します。

　（b）下水道、農業集落排水施設及び浄
　　化槽等について、未整備地域の整備と
　　ともに、より一層の効率的な汚水処理
　　施設整備のために、社会情勢の変化を
　　踏まえた都道府県構想の見直しの取組
　　について、関係府省が密接に連携して
　　支援します。

　（c）下水道、農業集落排水施設におい
　　ては、既存施設について、長寿命化や

老朽化対策を適時・適切に進めるため
の地方公共団体による機能診断等の取
組や更新整備を支援します。

　（d）農村における汚水処理施設整備を
　　効率的に推進するため、農業集落排水
　　施設と下水道との連携等による施設の
　　再編や、農業集落排水施設と浄化槽と
　　の一体的な整備を推進します。

　（e）農村地域における適切な資源循環
　　を確保するため、農業集落排水施設か
　　ら発生する汚泥や処理水の循環利用を
　　推進します。

　（f）下水道を含む汚水処理の広域化・共
　　同化に係る計画策定から施設整備まで
　　総合的に支援する下水道広域化推進総
　　合事業や従来の技術基準にとらわれず
　　地域の実情に応じた低コスト、早期か
　　つ機動的な整備が可能な新たな整備手
　　法の導入を図る「下水道クイックプロ
　　ジェクト」等により、効率的な汚水処
　　理施設の整備を推進します。

　（g）地方部において、より効率的な汚
　　水処理施設である浄化槽の整備を推進
　　します。特に、循環型社会・低炭素社
　　会・自然共生社会の同時実現を図ると
　　ともに、単独処理浄化槽から合併処理
　　浄化槽への転換を促進するため、環境
　　配慮型の浄化槽（省エネルギータイプ
　　に更なる環境性能を追加した浄化槽）
　　整備や、公的施設に設置されている単
　　独処理浄化槽の集中的な転換を推進し
　　ます。

（イ）情報通信環境の整備

　　高度情報通信ネットワーク社会の実現
　に向けて、河川、道路、下水道において
　公共施設管理の高度化を図るため、光
　ファイバ及びその収容空間を整備すると
　ともに、民間事業者等のネットワーク整
　備の更なる円滑化を図るため、施設管理
　に支障のない範囲で国の管理する河川・
　道路管理用光ファイバやその収容空間の
　開放を推進します。

（ウ）交通の整備

a　交通事故の防止、交通の円滑化を確保するため、歩道の整備や交差点改良等を推進します。

b　生活の利便性向上や地域交流に必要な道路、都市まで安全かつ快適な移動を確保するための道路の整備を推進します。

c　日常生活の基盤としての市町村道から国土構造の骨格を形成する高規格幹線道路に至る道路ネットワークの強化を推進します。

d　多様な関係者の連携により、地方バス路線、離島航路・航空路等の生活交通の確保・維持を図るとともに、バリアフリー化や地域鉄道の安全性向上に資する設備の整備等、快適で安全な公共交通の構築に向けた取組を支援します。

e　地域住民の日常生活に不可欠な交通サービスの維持・活性化、輸送の安定性の確保等のため、島しょ部等における港湾整備を推進します。

f　農産物の海上輸送の効率化を図るため、船舶の大型化等に対応した複合一貫輸送ターミナルの整備を推進します。

g　「道の駅」の整備により、休憩施設と地域振興施設を一体的に整備し、地域の情報発信と連携・交流の拠点形成を支援します。

h　食料品の購入や飲食に不便や苦労を感じる「食料品アクセス問題」に対する市町村独自の取組や民間事業者と連携した取組を推進します。

（エ）教育活動の充実

地域コミュニティの核としての学校の役割を重視しつつ、地方公共団体における学校規模の適正化や小規模校の活性化等に関する更なる検討を促すとともに、各市町村における検討に資する「公立小学校・中学校の適正規模・適正配置等に関する手引」の更なる周知、優れた先行事例の普及等による取組モデルの横展開等、活力ある学校づくりに向けたきめ細

やかな取組を推進します。

（オ）医療・福祉等のサービスの充実

a　「第7次医療計画」に基づき、へき地診療所等による住民への医療提供等農村を含めたへき地における医療の確保を推進します。

b　介護・福祉サービスについて、地域密着型サービス拠点等の整備等を推進します。

（カ）安全な生活の確保

a　山腹崩壊、土石流等の山地災害を防止するための治山施設の整備や、流木被害の軽減・防止を図るための流木捕捉式治山ダムの設置、農地等を飛砂害や風害、潮害から守るなど重要な役割を果たす海岸防災林の整備等を通じて地域住民の生命・財産及び生活環境の保全を図ります。特に、「防災・減災、国土強靱化のための3か年緊急対策」（平成30年12月策定）に基づき、治山施設の設置等の対策を速やかに実施します。

b　山地災害による被害を軽減するため、治山施設の設置等のハード対策と併せて、地域における避難体制の整備等の取組と連携して、山地災害危険地区を地図情報として住民に提供するなどのソフト対策を推進します。

c　高齢者や障害者等の自力避難の困難な者が入居する要配慮者利用施設に隣接する山地災害危険地区等において治山事業を計画的に実施します。

d　激甚な水害の発生や床上浸水の頻発により、国民生活に大きな支障が生じた地域等において、被害の防止・軽減を目的として、治水事業を実施します。

e　土砂災害の発生のおそれのある箇所において、砂防堰堤等の土砂災害防止施設の整備や警戒避難体制の充実・強化等、ハード・ソフト一体となった総合的な土砂災害対策を推進します。

また、近年、死者を出すなど甚大な土砂災害が発生した地域の再度災害防止対

策を推進します。

f 南海トラフ地震や首都直下地震等による被害の発生及び拡大、経済活動への甚大な影響の発生等に備え、防災拠点、重要交通網、避難路等に影響を及ぼすほか、孤立集落発生の要因となり得る土砂災害の発生のおそれのある箇所において、土砂災害防止施設の整備を戦略的に推進します。

g 社会福祉施設、医療施設等の要配慮者利用施設が存在する土砂災害の発生のおそれのある箇所において、土砂災害防止施設を重点的に整備します。

h 土砂災害から人命を保護するため、「土砂災害警戒区域等における土砂災害防止対策の推進に関する法律」（平成12年法律第57号）に基づき、土砂災害警戒区域等の指定を促進し、土砂災害のおそれのある区域についての危険の周知、警戒避難体制の整備及び特定開発行為の制限を実施します。

i 農地災害等を防止するため、ハード整備に加え、防災情報を関係者が共有するシステムの整備や減災のための指針づくり等のソフト対策を推進し、地域住民の安全な生活の確保を図ります。

j 橋梁の耐震対策、道路斜面や盛土等の防災対策、災害のおそれのある区間を回避する道路整備を推進します。

また、冬期の道路ネットワークを確保するため、道路の除雪、防雪、凍雪害防止を推進します。

イ 定住条件整備のための総合的な支援

（ア）定住条件が不十分な地域（中山間・離島等）においては、生活面の対応を強化しなければ若い農業者が住み続けられず、こうした地域の主産業である農業を継続できなくなるおそれがあることから、農村地域の医療、交通、買い物等の生活サービスを強化するため、ICTを活用した定住条件の整備のための取組を支援します。

（イ）中山間地域等において、必要な地域に対して、農業生産基盤の総合的な整備と農村振興に資する施設の整備を一体的に推進し、定住条件を整備します。

（ウ）水路等への転落防止用の安全施設の整備等の農業水利施設の安全対策を推進します。

（4）鳥獣被害対策等の推進

ア 「鳥獣による農林水産業等に係る被害の防止のための特別措置に関する法律」（平成19年法律第134号）に基づき、市町村による被害防止計画の作成及び鳥獣被害対策実施隊の設置・体制強化を推進します。

イ 鳥獣の急速な個体数増加や分布拡大により、被害が拡大するおそれがあることから、関係省庁が連携・協力し、個体数等の削減に向けて、「抜本的な鳥獣捕獲強化対策」（平成25年12月策定）及び「ニホンザル被害対策強化の考え方」（平成26年4月策定）に基づき、捕獲等の対策を推進します。

ウ 野生鳥獣被害の深刻化・広域化に対応するため、市町村が作成する被害防止計画に基づく、鳥獣の捕獲体制の整備、捕獲機材の導入、侵入防止柵の設置、鳥獣の捕獲・追払い、緩衝帯の整備を推進します。

エ 東日本大震災や東電福島第一原発事故に伴う捕獲活動の低下による鳥獣被害の拡大を抑制するための侵入防止柵の設置等を推進します。

オ 鳥獣の生息環境にも配慮した森林の整備・保全活動等を推進します。

カ 鳥獣被害対策のアドバイザーを登録・紹介する取組を推進するとともに、地域における技術指導者の育成を図るため、普及指導員、市町村職員、農林漁業団体職員等を対象とする研修を実施します。

キ ICT等を活用した効率的なスマート捕獲の技術の開発・普及を推進します。

3　農村を支える新たな動きや活力の創出
（1）地域を支える体制及び人材づくり
ア　地域運営組織の形成等を通じた地域を持続的に支える体制づくり
（ア）地域運営組織の形成等を通じた地域を持続的に支える体制づくりについて検討します。
（イ）中山間地域等直接支払制度の集落機能強化加算、集落協定広域化加算により、地域づくり団体の設立や集落協定の広域化等を支援します。
イ　地域内の人材の育成及び確保
地域人口の急減に直面している地域において、「地域人口の急減に対処するための特定地域づくり事業の推進に関する法律」の仕組みを活用し、地域内の様々な事業者を多業により支える地域づくり人材の確保及びその活躍を推進することにより、地域社会の維持及び地域経済の活性化を図るために、モデルを示しつつ、本制度の周知を図ります。
ウ　関係人口の創出・拡大や関係の深化を通じた地域の支えとなる人材の裾野の拡大
（ア）農山漁村において、就職氷河期世代を含む潜在的就農希望者を対象に農林水産業の体験研修を行うとともに、地域における様々な社会活動にも参加し、農山漁村への理解を深めてもらうことにより、農山漁村に関心を持つ人材を発掘する取組を支援します。
（イ）関係人口の拡大や関係の深化を通じた地域の支えとなる人材の裾野の拡大を図るための仕組みについて検討を行います。
（ウ）子供の農山漁村での宿泊による農林漁業体験等を行うための受入環境の整備を行います。
（エ）居住・就農を含む就労・生活支援等の総合的な情報をワンストップで提供する相談窓口の整備を推進します。
エ　多様な人材の活躍による地域課題の解決
「農泊」をビジネスとして実施する体制を整備するため、地域外の人材の活用に対して支援します。
また、民間事業者と連携し、技術を有する企業や志ある若者等の斬新な発想を採り入れた取組や、特色ある農業者や地域課題の把握、対策の検討等を支援する取組等を推進します。
（2）農村の魅力の発信
ア　副業・兼業などの多様なライフスタイルの提示
農村で副業・兼業等の多様なライフスタイルを実現するための支援のあり方について検討します。
イ　棚田地域の振興と魅力の発信
棚田の保全と棚田地域の振興を図るため、地域の創意工夫を活かした取組を、「棚田地域振興法」（令和元年法律第42号）に基づき、関係府省で連携して総合的に支援します。
ウ　様々な特色ある地域の魅力の発信
（ア）「「子どもの水辺」再発見プロジェクト」の推進、水辺整備等により、河川における交流活動の活性化を支援します。
（イ）「歴史的砂防施設の保存活用ガイドライン」（平成15年5月策定）に基づき、景観整備・散策路整備等の周辺整備等を推進します。
また、歴史的砂防施設及びその周辺環境一帯を地域の観光資源の核に位置付けるなど、新たな交流の場の形成を推進します。
（ウ）「エコツーリズム推進法」（平成19年法律第105号）に基づき、エコツーリズム推進全体構想の認定・周知、技術的助言、情報の収集、普及・啓発、広報活動等を総合的に実施します。
（エ）自然観光資源を活用したエコツーリズムを推進するため、エコツーリズム推進全体構想の作成、魅力あるプログラムの開発、ガイド等の人材育成等、地域における活動の支援を行います。
（オ）良好な農村景観の再生・保全を図るた

め、コンクリート水路沿いの植栽等、土地改良施設の改修等を推進します。

（カ）河川においては、湿地の保全・再生や礫河原の再生等、自然再生事業を推進します。

（キ）魚類等の生息環境改善等のため、河川等に接続する水路との段差解消により水域の連続性の確保、生物の生息・生育環境を整備・改善する魚のすみやすい川づくりを推進します。

（ク）「景観法」（平成16年法律第110号）に基づく景観農業振興地域整備計画、「地域における歴史的風致の維持及び向上に関する法律」（平成20年法律第40号）に基づく歴史的風致維持向上計画の制度の活用を通じ、特色ある地域の魅力の発信を推進します。

（ケ）「文化財保護法」（昭和25年法律第214号）に基づき、農村に継承されてきた民俗文化財に関して、特に重要なものを重要有形民俗文化財や重要無形民俗文化財に指定するとともに、その修理や伝承事業等に対する補助を行います。

（コ）保存及び活用が特に必要とされる有形の民俗文化財について登録有形民俗文化財に登録するとともに、保存箱等の修理・新調に対する補助を行います。

（サ）棚田や里山等の文化的景観や歴史的集落等の伝統的建造物群のうち、特に重要なものをそれぞれ重要文化的景観、重要伝統的建造物群保存地区として選定し、修理・防災等の保存及び活用に対して支援します。

（シ）地域の歴史的魅力や特色を通じて我が国の文化・伝統を語るストーリーを「日本遺産」として認定し、コンテンツ制作やガイド育成等に対して必要な支援を行います。

（3）**多面的機能に関する国民の理解の促進等**

地域の伝統的農林水産業の継承や地域経済の活性化等につながる世界農業遺産及び日本農業遺産の維持・保全及び新規認定に向けた取組を推進します。

また、歴史的・技術的・社会的価値を有する世界かんがい施設遺産の認知度向上及び新規認定に向けた取組を推進するほか、国民の認知度向上に向けた取組を実施します。

さらに、農村のポテンシャルを引き出して地域の活性化や所得向上に取り組む優良事例を選定し、全国へ発信することを通じて、国民への理解の促進・普及等を図るとともに、農業の多面的機能の評価に関する調査、研究等を進めます。

4　Ⅳ1〜3に沿った施策を継続的に進めるための関係府省で連携した仕組みづくり

農村の実態や要望について、農林水産省が中心となって、都道府県や市町村、関係府省や民間とともに、現場に出向いて直接把握し、把握した内容を調査・分析した上で、課題の解決を図る取組を継続的に実施するための仕組みについて、地域振興施策を担う都道府県や市町村等の人材育成等の点も含めて検討を行います。

Ⅴ　東日本大震災からの復旧・復興と大規模自然災害への対応に関する施策

1　東日本大震災からの復旧・復興

「「復興・創生期間」における東日本大震災からの復興の基本方針」（平成31年3月改定）に沿った復興に向けた支援として、「農業・農村の復興マスタープラン」（平成29年6月改定）や「避難指示解除準備区域等における公共インフラ復旧の工程表」に沿って、農地の大区画化等の取組を推進するとともに、被害が甚大な農地や避難指示区域内の農地の復旧と早期の営農再開に向けた支援を行います。

また、「東日本大震災復興特別区域法」（平成23年法律第122号）に沿って、関係府省が連携し、津波被災地域等の円滑かつ迅速な復興を図ります。

（1）地震・津波災害からの復旧・復興

ア　農地等の生産基盤の復旧・整備

（ア）被災した農地や農業用施設等の着実な復旧を進めます。

（イ）地震により損壊のおそれがある農業水利施設の改修・整備等を実施します。

（ウ）福島県（避難区域を除く）においては、個々の市町村の状況に応じて、災害廃棄物等の処理を進めることが必要であり、災害廃棄物処理代行事業により、市町への支援を継続します。避難区域については、「対策地域内廃棄物処理計画」（平成25年12月改定）に基づき、国が災害廃棄物等の処理を着実に進めていきます。

イ　経営の継続・再建

（ア）東日本大震災により被災した農業者等に対して、速やかな復旧・復興のために必要となる資金が円滑に融通されるよう利子助成金等を交付します。

（イ）海水が流入した浸水農地にあっても、除塩により収穫が可能と見込まれる農地については、現地調査を行い、水稲等の生育状況を踏まえて共済引受を行います。

ウ　東日本大震災農業生産対策交付金による生産手段の回復

震災の影響により低下した被災地の生産力の回復、農畜産物の販売力の回復等に向けた取組を支援するため、都道府県向け交付金を交付します。

エ　再生可能エネルギーの導入

被災地域に存在する再生可能エネルギーを活用し小水力等発電施設の整備に係る調査設計等の取組を支援します。

オ　農山漁村対策

被災産地の復興・創生のため、状況変化等に起因して新たに現場が直面している課題を対象に先端技術の現地実証を行うとともに、実用化された技術体系の速やかな社会実装を促進します。

カ　東日本大震災復興交付金

（ア）被災市町村が農業用施設・機械を整備し、被災農業者に貸与等することにより、被災農業者の農業経営の再開を支援します。

（イ）震災によって著しい被害を受けた地域において、畦畔除去等による区画拡大や暗渠排水等の農地の整備、老朽施設の更新等の農業水利施設の整備をきめ細かく支援します。

（ウ）被災地域における農地・農業用施設や集落道等の整備を推進します。

（エ）被災地域の復旧・復興のため、生産施設、地域間交流拠点施設等の整備を支援します。

（2）原子力災害からの復旧・復興

ア　食品中の放射性物質の検査体制及び食品の出荷制限

（ア）食品中の放射性物質の基準値を踏まえ、検査結果に基づき、都道府県に対して食品の出荷制限・摂取制限の設定・解除を行います。

（イ）都道府県等に食品中の放射性物質の検査を要請します。

また、都道府県の検査計画策定の支援、都道府県等からの依頼に応じた民間検査機関での検査の実施、検査機器の貸与・導入等を行います。

さらに、都道府県等が行った検査の結果を集約し、公表します。

（ウ）消費者の安全・安心を一層確保するため、独立行政法人国民生活センターと共同して、希望する地方公共団体に放射性物質検査機器を貸与し、消費サイドで食品の放射性物質を検査する体制の整備を支援します。

イ　稲の作付再開に向けた支援

令和2（2020）年産稲の作付制限区域及び農地保全・試験栽培区域における稲の試験栽培、作付再開準備区域における実証栽培等の取組を支援します。

ウ　放射性物質の吸収抑制対策

放射性物質の農作物への吸収抑制を目的とした資材の施用、品種・品目転換等の取組を支援します。

エ　農業系副産物循環利用体制の再生・確立

放射性物質の影響から、利用可能であるにもかかわらず循環利用が寸断されている農業系副産物の循環利用体制の再生・確立を支援します。

オ　避難区域等の営農再開支援

（ア）避難区域等において、除染終了後から営農が再開されるまでの間の農地等の保全管理、鳥獣被害防止緊急対策、放れ畜対策、営農再開に向けた作付・飼養実証、避難先からすぐに帰還できない農家の農地の管理耕作、収穫後の汚染防止対策、水稲の作付再開、新たな農業への転換及び農業用機械・施設、家畜等の導入を支援します。

（イ）福島相双復興官民合同チームの営農再開グループが、農業者を個別に訪問して、要望調査や支援策の説明を行います。

（ウ）原子力被災12市町村に対し、福島県や農業協同組合と連携して人的支援を行い、営農再開を加速化します。

カ　農産物等輸出回復

諸外国・地域において日本産食品に対する輸入規制が行われていることから、関係省庁が協力し、各種資料・データを提供しつつ輸入規制の撤廃・緩和に向けた働き掛けを実施します。

キ　福島県産農産物等の風評の払拭

福島県の農業の再生に向けて、生産から流通・販売に至るまで、風評の払拭を総合的に支援します。

ク　農産物等消費拡大推進

被災地及び周辺地域で生産された農林水産物及びそれらを活用した食品の消費の拡大を促すため、生産者や被災地の復興を応援する取組を情報発信するとともに、被災地産食品の販売促進等、官民の連携による取組を推進します。

ケ　農地土壌等の放射性物質の分布状況等の推移に関する調査

今後の営農に向けた取組を進めるため、農地土壌等の放射性核種の濃度を測定し、農地土壌の放射性物質濃度の推移を把握します。

コ　放射性物質対策技術の開発

東電福島第一原発事故の影響を受けた被災地の復興のため、放射性セシウム吸収抑制対策としてのカリウム施肥の適正化、除染作業に伴い低下した農地の生産力の回復、農地の省力的維持管理のための技術開発等を行います。

サ　ため池等の放射性物質のモニタリング調査、ため池等の放射性物質対策

ため池等における水質・底質の放射性物質の経年変化等を把握するため、放射性物質のモニタリング調査等を行います。

また、市町村等がため池の放射性物質対策を効果的・効率的に実施できるよう技術的助言等を行います。

シ　東電福島第一原発事故で被害を受けた農林漁業者への賠償等

東電福島第一原発事故により農林漁業者等が受けた被害については、東京電力ホールディングス株式会社から適切かつ速やかな賠償が行われるよう、関係省庁、東京電力ホールディングス株式会社等との連絡を密にし、必要な情報提供や働き掛けを実施します。

ス　食品と放射能に関するリスクコミュニケーション

食品中の放射性物質に関する消費者の理解を深めるため、関係府省、各地方公共団体及び消費者団体等が連携した意見交換会等のリスクコミュニケーションの取組を促進します。

セ　福島再生加速化交付金

（ア）農地・農業用施設の整備や農業水利施設の保全管理、ため池の放射性物質対策等を支援します。

（イ）生産施設、地域間交流拠点施設等の整

備を支援します。

（ウ）地域の実情に応じ、農地の畦畔除去による区画拡大や暗渠排水整備等の簡易な基盤整備を支援します。

（エ）被災市町村が農業用施設・機械を整備し、被災農業者に貸与等することにより、被災農業者の農業経営の再開を支援します。

（オ）木質バイオマスや小水力等再生可能エネルギー供給施設、木造公共建築物等の整備を支援します。

2　大規模自然災害への備え

（1）災害に備える農業経営の取組の全国展開等

ア　自然災害等の農業経営へのリスクに備えるため、農業用ハウスの保守管理の徹底や補強、低コスト耐候性ハウスの導入、農業保険等の普及促進・利用拡大、BCPの普及等、災害に備える農業経営に向けた取組を全国展開します。

イ　地域において、農業共済組合や農業協同組合等の関係団体等による推進体制を構築し、作物ごとの災害対策に係る農業者向けの研修やリスクマネジメントの取組事例の普及、農業高校、農業大学校等における就農前の啓発の取組等を推進します。

ウ　卸売市場における電源確保対策や業務継続のための施設整備等を推進します。

エ　基幹的な畜産関係施設等における電源確保対策を推進します。

（2）異常気象などのリスクを軽減する技術の確立・普及

地球温暖化に対応する品種・技術を活用し、「強み」のある産地形成に向け、生産者・実需者等が一体となって先進的・モデル的な実証や事業者のマッチング等に取り組む産地を支援します。

（3）農業・農村の強靱化に向けた防災・減災対策

ア　基幹的な農業水利施設やため池等の耐震診断、耐震対策や豪雨対策等のソフト面とハード面を組み合わせた防災・減災対策を実施します。特に、ため池については、防災重点ため池を中心に、防災・減災対策の一層の推進を図ります。

イ　津波、高潮、波浪その他海水又は地盤の変動による被害等から農地等を防護するため、海岸保全施設の整備等を実施します。

ウ　「農業用ため池の管理及び保全に関する法律」に基づき、ため池の決壊による周辺地域への被害の防止に必要な措置を進めます。

エ　新たに改定した排水の計画基準に基づき、農業水利施設等の排水対策を推進します。

（4）初動対応をはじめとした災害対応体制の強化

ア　災害対応体制の強化のため、地方農政局等と農林水産本省との連携体制の構築を促進するとともに、地方農政局等の体制を強化します。

イ　地方公共団体における災害対応職員の不足に対応するため、国からの派遣人員（MAFF-SAT）の充実等、国の応援体制の充実を図ります。

ウ　被災地のニーズの変化を的確に捉え、被災者に寄り添った丁寧な対応を行うため、被災者支援のフォローアップ体制の充実を図ります。

（5）不測時における食料安定供給のための備えの強化

ア　食料のサプライチェーンの機能を維持するため、食品産業事業者によるBCPの策定や事業者、地方公共団体等の連携・協力体制を構築します。

また、卸売市場における電源確保対策や業務継続のための施設整備等を促進します。

イ　米の備蓄運営について、米の供給が不足する事態に備え、国民への安定供給を確保するため、100万t程度（令和2年6月末時点）の備蓄保有を行います。

ウ　輸入依存度の高い小麦について、大規模自然災害の発生時にも安定供給を確保する

ため、外国産食糧用小麦需要量の2.3か月分を備蓄し、そのうち政府が1.8か月分の保管料を助成します。

エ　輸入依存度の高い飼料穀物について、不測の事態における海外からの供給遅滞・途絶、国内の配合飼料工場の被災に伴う配合飼料の急激な逼迫（ひっぱく）等に備え、配合飼料メーカー等がBCPに基づいて実施する飼料穀物の備蓄、災害に強い配合飼料輸送等の検討の取組に対して支援します。

オ　食品の家庭備蓄の定着に向けて、企業、地方公共団体や教育機関と連携しつつ、ローリングストック等による日頃からの家庭備蓄の重要性や、乳幼児、高齢者、食物アレルギー等への配慮の必要性に関する普及啓発を行います。

3　大規模自然災害からの復旧

（1）被災した地方公共団体等へMAFF-SATを派遣し、迅速な被害の把握や被災地の早期復旧を支援します。

（2）地震や豪雨等の自然災害により被災した農業者の早期の営農再開を図るため、図面の簡素化等、災害査定の効率化を進めるとともに、査定前着工制度の活用を促進し、被災した農地、農業用施設等の早期復旧を支援します。

VI　団体に関する施策

ア　農業協同組合系統組織

平成28（2016）年4月に改正された「農業協同組合法」に基づき、農業者の所得向上に向けた自己改革を進めていくための取組を促進します。

イ　農業委員会系統組織

平成28（2016）年4月に改正された「農業委員会等に関する法律」に基づく取組状況を定期的に点検し、制度を円滑に実施します。「人・農地プラン」の実質化に向けた積極的な取組を推進し、農地利用最

適化推進委員による現場活動等を通じて、担い手への農地集積等農地利用の最適化を一層促進します。

ウ　農業共済団体

農業協同組合等の関係団体等と連携した推進体制を構築し、農業保険を推進します。

また、農業保険を普及する職員の能力強化、全国における1県1組合化の実現、農業被害の防止に係る情報・サービスの農業者への提供及び広域被害等の発生時における円滑な保険事務等の実施体制の構築を推進します。

エ　土地改良区

土地改良区の組織運営基盤の強化を図るため、広域的な合併や土地改良区連合の設立に対する支援等を行います。

また、「土地改良法の一部を改正する法律」（平成30年法律第43号）に基づき、土地改良区の業務運営の適正化を図る取組を推進します。

VII　食と農に関する国民運動の展開等を通じた国民的合意の形成に関する施策

我が国の食と環境を支える農業・農村への国民理解の醸成に向けて、「SDGs・食料消費プロジェクト」において、継続的かつ効果的な取組を推進するとともに、品目ごとの消費拡大に向けた取組状況を検証するなど、必要な措置を講じます。

VIII　新型コロナウイルス感染症をはじめとする新たな感染症への対応

令和2（2020）年4月に閣議決定された「新型コロナウイルス感染症緊急経済対策」に基づき、農林漁業者、外食事業者、食品流通事業者の事業継続のための資金繰り支援に加え、労働力確保のための支援や農林水産業の経営不安に対処する支援、生産・供給体制

を維持するための販売促進等の取組の支援、飲食業を対象とする官民一体型の需要喚起キャンペーン、輸出力の維持・強化に向けたプロモーション、施設整備等への支援等の施策を実施するとともに、各地域での状況の推移を見つつ、機動的に対応します。

IX　食料、農業及び農村に関する施策を総合的かつ計画的に推進するために必要な事項

1　国民視点や地域の実態に即した施策の展開

（1）幅広い国民の参画を得て施策を推進するため、国民との意見交換等を実施します。

（2）農林水産省Webサイト等の媒体による意見募集を実施します。

（3）農林水産省本省の意図・考え方等を地方機関に浸透させるとともに、地方機関が把握している現場の状況を適時に本省に吸い上げ施策立案等に反映させるため、必要に応じて地方農政局長等会議を開催します。

2　EBPMと施策の進捗管理及び評価の推進

（1）施策の企画・立案に当たっては、達成すべき政策目的を明らかにした上で、合理的根拠に基づく施策の立案（EBPM）を推進します。

（2）「行政機関が行う政策の評価に関する法律」（平成13年法律第86号）に基づき、主要な施策について達成すべき目標を設定し、定期的に実績を測定すること等により評価を行い、結果を施策の改善等に反映します。行政事業レビューの取組により、事業等について実態把握及び点検を実施し、結果を予算要求等に反映します。

また、政策評価書やレビューシート等については、農林水産省Webサイトで公表します。

（3）施策の企画・立案段階から決定に至るまでの検討過程において、施策を科学的・客観的に分析し、その必要性や有効性を明らかにします。

（4）農政の推進に不可欠な情報インフラを整備し、的確に統計データを提供します。

ア　農家等の経営状況や作物の生産に関する実態を的確に把握するため、農業経営統計調査、作物統計調査等を実施します。

イ　統計調査の基礎となる筆ポリゴンを活用し各種農林水産統計調査を効率的に実施するとともに、オープンデータとして提供している筆ポリゴンについて、利用者の利便性向上に向けた取組を実施します。

ウ　6次産業化に向けた取組状況を的確に把握するため、農業経営体等を対象とした調査を実施します。

エ　「2020年農林業センサス」において農林業経営体調査の取りまとめ及び農山村地域調査の実査・取りまとめを行い、その概要について公表します。

オ　専門調査員の導入による調査の外部化を推進し、質の高い信頼性のある統計データの提供体制を確保します。

また、市場化テスト（包括的民間委託）を導入した統計調査を実施します。

3　効果的かつ効率的な施策の推進体制

（1）地方農政局等の各都道府県拠点を通じて、地方公共団体や関係団体等と連携強化を図り、各地域の課題やニーズを捉えた的確な農林水産施策の推進を実施します。

（2）SNS等のデジタル媒体を始めとする複数の広報媒体を効果的に組み合わせた広報活動を推進します。

4　行政のデジタルトランスフォーメーションの推進

農業のデジタルトランスフォーメーション（農業DX）を実現するため、以下の取組を通じて、農業政策や行政手続等の事務についてもデジタルトランスフォーメーションを推進します。

（1）eMAFFの構築と併せた法令に基づく手

続や補助金・交付金の手続における添付書類や申請パターン等の抜本見直し、デジタル技術の積極活用による業務の抜本見直し、行政関係データの連携等を促進します。

（２）データサイエンスを推進する職員の養成・確保等職員の能力向上を図るとともに、得られたデータを活用したEBPMや政策評価を積極的に実施します。

5　幅広い関係者の参画と関係府省の連携による施策の推進

食料自給率の向上に向けた取組を始め、政府一体となって実効性のある施策を推進します。

6　SDGsに貢献する環境に配慮した施策の展開

「農林水産省環境政策の基本方針」（令和２年３月策定）を踏まえ、①環境負荷低減への取組と、環境も経済も向上させる環境創造型産業への進化、②生産から廃棄までのサプライチェーンを通じた取組と、これを支える政策のグリーン化及び研究開発の推進、③事業体としての農林水産省の環境負荷低減の取組と自己改革に配慮しつつ施策を実施します。

7　財政措置の効率的かつ重点的な運用

厳しい財政事情の下で予算を最大限有効に活用する観点から、既存の予算を見直した上で「農林水産業・地域の活力創造プラン」に基づき、新たな農業・農村政策を着実に実行するための予算に重点化を行い、財政措置を効率的に運用します。

「食料・農業・農村白書」についてのご質問等は、下記までお願いします。

農林水産省大臣官房広報評価課情報分析室
　　電話：03-3501-3883
　　FAX：03-6744-1526
　　Ｈ　Ｐ：https://www.maff.go.jp/j/wpaper/w_maff/r1/index.html

令和2年版 食料・農業・農村白書

令和 2 年 7 月22日　印刷

令和 2 年 7 月31日　発行　　　　　　　　定価は表紙に表示してあります。

編集　農林水産省

〒100-8950　東京都千代田区霞が関1-2-1
　　　　　　　　　　　https://www.maff.go.jp/

発行　一般財団法人　農林統計協会

〒153-0064　東京都目黒区下目黒3-9-13 目黒・炭やビル

http://www.aafs.or.jp/

電話　03-3492-2987（出版事業推進部）
　　　03-3492-2950（編　集　部）

振替　00190-5-70255

※落丁・乱丁の場合はお取り替えします。

ISBN978-4-541-04312-2　C0061